El

camino

real

Aztec dancer, Mexico

El camino real

BOOK TWO

EDITH MOORE JARRETT

Houghton Mifflin Company

THIRD EDITION

THE AUTHOR

EDITH MOORE JARRETT, in addition to teaching Spanish for twenty years at Fillmore High School, Fillmore, California, has visited almost every Spanish-speaking country in her search for fresh classroom materials. Conductor of tours to Latin America, lecturer, and writer of travel articles, Mrs. Jarrett is also the author of *Sal y sabor de México* and co-author of *El camino real*, Book One.

Editorial Adviser

Marjorie C. Johnston, of the U.S. Office of Education, has served as editorial adviser to the publishers in the preparation of this edition. Dr. Johnston has had wide experience in the teaching of Spanish and the preparation of teachers at the high-school level.

Pictures

Cover: Gauchos of Uruguay
Title page: Mt. Illimani, Bolivia
At left: Church, Trinidad, Cuba

HOUGHTON MIFFLIN COMPANY
Boston · The Riverside Press Cambridge
PRINTED IN THE U.S.A.

Fiesta dance, Panama

Contents

v

One-man band, Bolivia

Picador in bull ring

Spanish gentleman

ix

Vendor at train

Si quiere usted leer más . . .

A ESCOGER

Coffee picker

¡Feliz viaje!

So you're about to begin another journey along *El camino real!*
A second-year Spanish course, you will find, brings you much besides
verbs, vocabulary, and grammar—the tools you need for speaking a new
language. It's equally important, as you master the mechanical processes
of talking to your "good neighbors," to acquire at the same time a greater
understanding and appreciation of the Spanish temperament and point
of view. Without these, there can be no real meeting of minds in either
language.

In this book, then, you will learn more about how Spanish-speaking
people feel and act, and to your surprise, you will eventually realize that
many of their long-established "patterns of behavior" are almost as
unlike ours as ours may be from the "Martians'."

Nothing we can do will change our neighbors' ideas, any more than
they can change ours, so why should either of us try? (It's a thought we

Previous page: Regimental guard in historic uniform worn to honor Uruguayan hero Artigas.

2

Carnival queen and her attendants, entangled in confetti thrown by the crowd, ride in the *carnaval* parade, Mazatlán, Mexico.

Flower vendors have a favorite chapel among the three hundred sixty-five churches of the Valley of Puebla, Mexico.

helpful *norteamericanos* need to remember, or so they tell us in Spanish America!)

Inter-American friendship, you see, is all a matter of understanding, and the more you know about the personal and national behavior of those who speak Spanish, the more *simpático* you will be in your dealings with them. And when they call you *simpático*, you really rate!

Now one year of Spanish in high school is barely an appetizer, while two years can give you a foundation which will make it safe for you to be stranded in a town where no one speaks English. But even at best, two years' study of any language in school alone cannot make you speak it like a native. If you think of your Spanish only during class time, it will never be really yours, so make it a point to take it home with you each day. Try it on the family, practice it on the neighbors, and look for it in your reading. And every time you meet a Spanish-speaking person, be

3

Argentine custom of drinking *mate* from gourd with silver
sipper is popular with rich and poor, indoors or out.

bold and refuse to speak anything but his language, which will delight
him and give you valuable experience.

In your second year of study, after reading some true-to-life magazine
and newspaper articles by and about Spanish Americans, you will become
acquainted with some of their favorite fiction writers. In entertaining
stories they give you word pictures of life in their countries in tales of
treasure, romance, and adventure, as well as cherished legends and
fascinating historical incidents.

In all this reading it's a practical list of new words you'll learn—words
you'll need every day in real life situations when you visit Spanish America.
The vocabulary ranges from standard basic words to expressions dealing
with such specific topics as traffic signs, sports, and beauty secrets. For
illustrations you'll find not only photographs but many examples of familiar
things, like genuine advertisements for fountain pens, automobile ac-
cessories, and radio programs, all of which show you how much the
Americas have in common.

If you wish to take the optional conversation material in the *A escoger*
sections at the back of the book, you may learn such things as how to use
the telephone, discuss the servicing of your car, get along in hotels and

restaurants, and even handle a laundry list in Spanish. You can have fun with the *Pancho y sus cuates* series of amusing little plays, which are easy to read or to stage for class or club, and you'll find lots of suggestions to help you practice expressing yourself in useful Spanish.

Long before you finish all these things, you will realize that your early ideas of Spanish America have broadened considerably, for you discover that the culture of these countries—in spite of jungle Indians here and there—is in some respects more advanced than ours, because the sensitive and unhurried Latins of the educated classes have more of an appreciation of the fine arts than many of us practical and busy *norteamericanos*. In literature, for instance, they know Spain's masterpieces, which we don't; they enjoy our literary heritage from Europe, and then in addition they read our current best-sellers—often in the original English. Not that they don't have a vast literary production of their own, for they certainly do! Such things, however, are not left entirely to the professional writers and artists, for any day any business man may casually take time out to write a poem, paint a picture, or compose a piece of music.

So as you take your second journey along the old *caminos reales* that Spain built in Central and South America as well as in Mexico and our own country, you may expect to discover a great deal to enjoy and appreciate. May you find satisfaction as well as profit in learning the language of the good neighbors who live by the side of the road.

¡Feliz viaje! Pleasant journey!

Earl Leaf

Lacquered trays and boxes made by Tarascan Indians of Uruapan are famous throughout Mexico for their gay colors and fine craftsmanship.

5

Comic books, featuring Dick Tracy, Tarzan, and equally popular Mexican favorites, attract the attention of small boys in
levis as well as one dressed in the famous *charro* costume.

Capítulo 1

Así somos todos

Sometimes, after studying a foreign language in textbooks for a while, we become so wrapped up in verbs and vocabularies that we forget there really are people like us using that language in their everyday lives just as casually as we use English. All over the Spanish-speaking world — and somewhere the sun is always shining on it — people are solving their personal problems day by day entirely in Spanish: calling the cat, playing games, buying their clothes, having parties, earning a living, going to movies, laughing over comic strips, reading the daily papers and advertising in them for just the same sort of things that we do.

To show you how much alike people are, whether they speak Spanish or English, here is some information about magazines and newspapers printed in Spanish. There are many words in this story that you may never have seen before and that may not be in the vocabulary, so remember to guess, GUESS, GUESS!

¡Revistas para papá, revistas para mamá, revistas para los jóvenes, y revistas para los niñitos! Además, periódicos diarios y dominicales, con *Noticias del día, Sección social*, y *Suplemento dominical* — ¡con ocho páginas de historietas cómicas en colores!

No cabe duda de que los hispanoamericanos saben lo que pasa 5 en el mundo entero. Claro que cada capital tiene sus propios periódicos, como EL TIEMPO de Bogotá, Colombia, y EL DIARIO DE COSTA RICA. Pero la mayor parte de las revistas son de México,

Cuba, la Argentina, y Chile, y se venden en todos los países de habla
10 española. Hay revistas de deportes, de modas, de sucesos del día;
de cuentos de amor, cuentos de aventuras, y cuentos de niños. Hay
revistas del cine, del hogar, de labores (*needlework*), y de las artes
mecánicas. Otras son para la familia entera, con un poco de todo.

Cuando leemos las publicaciones de la América del Sur, nos
15 sorprende ver en las ediciones de enero y febrero, por ejemplo,
anuncios de trajes de baño, de loción bronceadora (*sun-tanning*),
y de «soleros (*sun-back dresses*)» para las chicas. También nos sorprende leer en un periódico con fecha del cuatro de julio el anuncio
de una «Gran liquidación (*sale*) de invierno». Olvidamos que allí,
20 al otro lado del ecuador (*equator*), el calor del verano no viene en
los meses de junio, julio, y agosto.

La mayor parte de las revistas publicadas en Cuba son para las
mujeres. Entre ellas están LA MUJER Y LA MODA, ELLAS, ROMANCES,
VANIDADES, y AMOR CINEDIAL (del cine). En México se publican
25 PAQUITA (*Frannie*) y LA FAMILIA para las señoras. SUCESOS PARA
TODOS, TIEMPO, HOY, y TODO llevan artículos para toda la familia,
con comentarios sobre los sucesos del día, con notas de sociedad,
y con noticias de las corridas de toros (*bullfights*). Además hay
FIGURAS (*Funny-faces*), revista de historietas cómicas, para los
30 niños, — ¡si papá no la coge (*get*) primero!

En la Argentina se publican MUNDO RADIAL para los aficionados
a la radio, y EL GRÁFICO (*Graphic*) y LA CANCHA (*The Playing Field*)
para los aficionados a los deportes. PARA TI — «Todo lo que interesa
a la mujer» — y CUÉNTAME (*Tell Me a Story*) son colecciones de
35 cuentos para las damas; MUNDO INFANTIL y BÍLLIKEN son para los
niñitos; CHICAS es para las chicas, naturalmente, e INTERVALO (*In-
terval*) es un librito de historietas cómicas. (Como aquí, aquellas
historietas muchas veces no tienen nada de cómico.)

Chile publica MARGARITA para las damas, LEA para el hogar, PARA
40 TODOS para los señores — jóvenes o mayores, ECRÁN (*Screen*) para
los aficionados al cine, JUEVES DE EXCELSIOR con comentarios sobre
los sucesos del día, y EL PENECA (*The Youngster*), revista infantil.

A ver si usted puede leer de prisa algunos titulares (*headlines*) de
un periódico moderno:

45   SIGUE SUBIENDO EL PRECIO DEL AZÚCAR; TRÁGICO CHOQUE DE AUTOMÓVILES;
       LLEGA A NUEVA YORK EL PRESIDENTE DE FRANCIA; EL GOBIERNO CONTROLA
       LA GASOLINA DE AVIACIÓN; PROGRAMA PARA CONTROLAR LOS PRECIOS; LAS
       NACIONES UNIDAS PUEDEN VENCER (*conquer*) TODOS LOS PELIGROS.

"Great Winter Sale" is advertised on billboard attached to trash can of Mendoza, Argentina, where "winter" is the coldest on the fourth of July.

En la edición dominical se encuentran (*are found*) artículos como éstos: 50

UN HÉROE DE LA INDEPENDENCIA COLOMBIANA; LOS ESPAÑOLES TRAJERON LA ÓPERA A NUEVA YORK; LOS POETAS DE LOS ESTADOS UNIDOS; y WALT DISNEY, AMIGO DE LOS ANIMALES.

El joven puede encontrar en su revista favorita artículos como éstos: 55

CÓMO MANEJAR BIEN SU CUCARACHA; UN TÚNEL SUPERSÓNICO; APRENDA A CONOCER SU RECEPTOR DE RADIO; LUBRICANDO EL MOTOR DE SU AUTOMÓVIL; y LA MEJOR FORMA (*manner*) DE CUIDAR A SU PERRO.

Y una chica puede leer artículos de esta clase:

CÓMO LAVAR LAS BLUSAS DE RAYÓN; USTED PUEDE HACERSE UN VESTIDO; MO– 60 DAS PARA DÍAS FRESCOS Y DÍAS DE SOL; y ¿SABE USTED ATRAER (*attract*) A LOS HOMBRES?

¿Qué tal le gustan estos artículos?

¡No cabe duda de que a los hispanoamericanos les interesan las mismas cosas que a nosotros (*as to us*)! 65

9

PREGUNTAS [1]

I. **¿Entendió usted el cuento?**

1. ¿Qué clase de periódicos hay en la América del Sur?
2. ¿Qué clase de revistas hay?
3. ¿Quiénes leen las historietas cómicas del suplemento dominical?
4. ¿Cómo saben los hispanoamericanos lo que pasa en el mundo entero?
5. ¿Dónde se publican la mayor parte de las revistas?
6. ¿Dónde se venden éstas?
7. ¿Qué revista tiene un poco de todo para el hogar?
8. ¿Qué clase de anuncios hay en las ediciones de enero?
9. ¿Por qué nos sorprende leer estos anuncios?
10. ¿Qué revista interesa a todas las personas del hogar?
11. ¿Hay artículos sobre choques en los diarios o en las revistas?
12. ¿Para quiénes son la mayor parte de las revistas de Cuba?
13. ¿Qué revistas tienen artículos con comentarios sobre los sucesos del día?
14. ¿Cómo se llama una revista para los aficionados al cine?
15. ¿Por qué les interesa a los muchachos la rev sta llamada EL GRÁFICO?

[1] NOTE TO THE TEACHER: The PREGUNTAS of each chapter are divided into two sections. The questions in the first group *¿Entendió usted el cuento?* are based on the story; those in the second group *¿Qué dice usted?* use the vocabulary of the lesson but do not require a knowledge of the story. You may use either section or both, as you prefer.

Spanish-speaking centers dot the map of the world, for in her Golden Age, Spain's explorers and colonizers reached the farthest corners and left the Spanish language there.

EL MUNDO ESPAÑOL

DONDE SE HABLA ESPAÑOL

II. ¿Qué dice usted?

1. ¿Qué periódico lee usted con edición diaria y dominical?
2. ¿Le gustan a usted las historietas cómicas en colores? [1]
3. ¿Qué le gusta leer más en una revista?
4. ¿Lee usted cuentos de amor, del cine, de aventuras, o de niños?
5. ¿Qué revista le gusta más a la mayor parte de su familia?
6. ¿Es usted «chica» o muchacho?
7. ¿Tiene usted que leer los sucesos del día para su clase de historia?
8. ¿Sabe usted la mejor forma (*manner*) de cuidar a un perro?
9. ¿Sabe usted lavar una blusa de rayón?
10. ¿Compra usted más o menos azúcar cuando sube el precio?
11. ¿Dónde ha visto usted los animales de Walt Disney?
12. ¿Dónde hay choques de automóviles?
13. ¿Quiénes son aficionados a las historietas cómicas, los padres o los niños?
14. ¿Quiénes saben manejar mejor, las «chicas» o los «jóvenes»?

ESTUDIO DE PALABRAS

EJERCICIO 1. Spanish words which look like their English equivalents are called cognates. The Spanish endings *–dad* and *–tad* often correspond to the English *–ty. What do these cognates mean?*

1. atrocidad	5. adversidad	9. prosperidad	13. habilidad
2. puntualidad	6. majestad	10. curiosidad	14. ciudad
3. libertad	7. crueldad	11. sociedad	15. formalidad
4. nacionalidad	8. unidad	12. oportunidad	16. cordialidad

EJERCICIO 2. These important words from the story are some you had in Book I, but which you may need to review. *Give the Spanish for them, using* **el** *or* **la** *with each noun.* (Verbs are given in the infinitive, which always begins with "to.") *If you miss any, write each one in a phrase to help you remember it.*

1. besides	8. and (*before i*	13. summer	20. to happen
2. love	*or* **hi**)	14. winter	21. danger
3. sugar	9. to meet, find	15. to arrive	22. little
4. each	10. to under-	16. older	(*amount*)
5. to see	stand	17. best	23. to be able
6. like	11. that which	18. same	24. own
7. how?	12. among	19. newspaper	25. to continue

(*Continued on page 12*)

---

[1] If you always give a complete sentence in answer to a yes-or-no question, you will "learn by doing."

26. to know (*a person*)	31. easy	37. nothing	43. sun
27. to know (*something*)	32. February	38. of course	44. to rise
28. to get	33. date	39. new	45. also
29. to tell (*a story*)	34. cool	40. to forget	46. as . . . as
30. side	35. to be pleasing	41. another	47. to bring
	36. there is, there are	42. country (*nation*)	48. woman

EJERCICIO 3. The opposites of these words are found in the story. *What are they?*

1. dominical	7. mucho	13. algo	19. difícil
2. norteamericano	8. escribir	14. un joven	20. hermano
3. menor	9. hombre	15. menos	21. noche
4. comprar	10. señor	16. viejo	22. malo
5. invierno	11. último	17. bajar	23. parte de
6. ésos	12. aquí	18. peor	24. frío

EJERCICIO 4. *Learn the present tense of* **enviar,** *which differs from some other –iar verbs (* **estudiar, cambiar,** *etc.) by requiring an extra accent on the* **i** *throughout the singular and in the third person plural.* Other tenses of **enviar** are regular unless based upon this one.

---

enviar: envío, envías, envía; enviamos, enviáis, envían

What will the formal commands be?

EJERCICIO 5. *Count in Spanish from 1 to 20; by tens, from 10 to 100; by hundreds to 1000 (page 518, § 91).*[1]

EJERCICIO 6. *Say these numbers in Spanish (page 518, § 91).*

(1) 26	(5) 1427	(9) 2765	(13) 5555
(2) 38	(6) 19	(10) 15	(14) 708
(3) 184	(7) 43	(11) 55	(15) 909
(4) 236	(8) 162	(12) 555	(16) 1008

EJERCICIO 7. *Give these expressions of time in Spanish (page 523, § 108).*

1. It is one o'clock.	5. at 6:50	8. It is 3:10 P.M.
2. at one o'clock	6. at 12:40	9. at 8:30 A.M.
3. It is 3:30.	7. It is 10:35 P.M.	10. What time is it?
4. It is 4:45.		

[1] Sections with numbers above 49 are in the Appendix. You should not need to look up many of the references, but be sure to do so if you find your Spanish rusty!

REPASO DE VERBOS

EJERCICIO 8. If you have forgotten the present tense endings for the three conjugations, you will find familiar models in section 50, page 506, of the Appendix. *Conjugate these verbs in the present tense with subject pronouns (page 519, § 93).* EXAMPLE: *yo canto, tú cantas, etc.*

   1. comprar   2. vender   3. escribir   4. lavar   5. comer

EJERCICIO 9. *Give the verb form suitable for each subject pronoun.* (The verbs you will need to use are *creer, deber, buscar, hallar, abrir,* and *pagar.*)

1. yo *believe*	6. usted *believe*	11. ustedes *look for*
2. ellas *ought*	7. nosotros *pay*	12. nosotros *open*
3. tú *look for*	8. ellos *look for*	13. él *believes*
4. ella *finds*	9. yo *ought*	14. yo *find*
5. vosotros *open*	10. usted *pay*	15. ella *ought*

EJERCICIO 10. *Review the formula for making formal commands in section 119, page 527, and give the first person singular present tense and the singular formal command of each of these verbs.* EXAMPLE: *tomar: tomo, tome usted.*

1. olvidar	4. lavar	7. interesar	10. pagar (page 515, § 81)
2. vender	5. subir	8. llamar	11. llevar
3. leer	6. pasar	9. abrir	12. publicar (page 515, § 82)

HOW TO READ SPANISH

Who wants to spend an hour or more on any lesson, when he could prepare it as well or better in half an hour or less? There is a definite way to cut down your study time if you will adopt it. Now is the time to learn a new method or at least to improve on your former way of studying, because from now on, instead of finding intentionally simplified sentences as in Book I, you will be gradually learning to read the kind of Spanish that Spanish-speaking people enjoy. If you try to read this typical Spanish word for word, as you could the easy stories in Book I, you will waste time and possibly become discouraged, thinking you don't know anything when you really do.

So, whether you see the reason for them or not, try these helpful hints:

1. *Read the whole sentence.* If it is all clear to you, go on. If it isn't, read it again, and even three times; often before the third read-

ing the meaning will suddenly become clear without your looking up a word. If it doesn't, there is probably some certain key word holding you up. Find it, look up its meaning, being sure the meaning you select fits the sentence, and there you are! Other words which were vague will jump into place, and the sentence is conquered.

Incidentally, after you have looked up a word, *never* write it in your book. This is partly for the sake of the book, but mainly because when you read the story thereafter, your eye will jump the Spanish word completely, seeing only the English you have written in. This means that the Spanish word never has a chance to reach your brain and become a part of your vocabulary.

2. *Look for idioms.* Reading a whole sentence at a time, you will notice groups of words that must not be translated separately; if you read word by word, you stumble over these idioms and lose the thread of the story. Familiar words often change their meaning a great deal when in a combination; for example, **dar las doce** does not mean *to give the twelve*, which doesn't make sense, but *to strike twelve*, which does.

3. *Learn how to dodge the dictionary.* Never, never go blindly through a story looking up every unfamiliar word and writing it down before you begin to read. If you look up words only when all else fails, you can easily tell whether **manzana,** in a particular sentence, means *apple* or *city block*, for it may mean either.

   a. *Look for cognates* (words resembling English). By this time you know that many Spanish words are so much like English that you can guess them. In this book you will make a definite study of different types of cognates; after this study is completed, you should never try to find familiar-looking words in the dictionary. To keep you from absent-mindedly turning to the back of the book, many guessable words have been intentionally omitted. If you waste time looking for one of this kind and it isn't there, scold yourself for not guessing in the first place!

   b. *Take long words apart.* Long, unfamiliar words often tell you their meaning if you look at them closely and take them apart. It is easy to guess that **un cubrecama** means *a bedspread* (Chile), and **un tocadiscos** (**tocar,** *to play;* **discos,** *records*) simply has to mean *record player.* Remember that the longer a word, the easier it usually is to guess its meaning.

   c. *Look up familiar words when they don't make sense.* When you find an old, familiar word that just doesn't fit, look it up!

Public library of small town in Peru provides more magazines and pamphlets than costly books, which are usually paper bound and privately printed.

It probably has a new meaning in this particular story. For example, *peso, dollar,* also means *weight;* **blanco,** *white,* also means *target.* You never can tell what a familiar word may turn out to mean!

4. *Rearrange word order.* Never hesitate to change the Spanish word order when you are struggling with a complicated sentence. When you know all the words and they still don't make sense, change them around until they do. No two languages use identical word order.

5. *GUESS!* When you travel in foreign countries where you do not know the language, in self-defense you soon become an expert guesser. Do the same thing in reading Spanish stories, and your teacher will never hold it against you if you make an intelligent guess that happens to be wrong.

¡Buena suerte!

PALABRAS PARA APRENDER

The starred words and expressions should be learned well, for you will meet them over and over again. PALABRAS PARA REPASAR contains words and expressions that were used in Book I but were not necessarily mastered, and are listed again to help you remember them.[1]

* el (la) aficio- nado (–a)	"fan"		* el gobierno	government
* aficionado, –a (a)	fond (of)		* el hogar	home
* el anuncio	advertisement		* interesar	to interest
el artículo	article		* lavar	to wash
* la aventura	adventure		* manejar	to drive
* el calor	heat (*new meaning*)		* el mundo	world
* el cine	movie(s)		* la noticia	news (*often in plural*)
* la cucaracha	"jalopy," old car, jeep (*Mex.*)		la parte	part
* el choque	collision		* publicar	to publish
* la dama	lady		se publica(n)	is (are) published
* el diario	daily paper		* la revista	magazine
* diario, –a	daily		* sorprender(se)	to surprise, to be sur- prised (*often used like* **gustar**)
dominical	Sunday (*adj.*)		* el suceso	event
* entero, –a	whole		* unido, –a	united

EXPRESIONES

* **la América del Sur,** South America [2]
* **las historietas cómicas,** "comics," "funnies"; comic books
* **la mayor parte de,** most of (the greater part of)

* **no cabe duda de que,** there is no doubt that
* **¿qué tal le gusta(n) ...?** how do you like ...?
* **los sucesos del día,** current events
* **el traje de baño,** bathing suit

PALABRAS PARA REPASAR

* a ver	let's see		* el peligro	danger
* claro (que no)	of course (not)		* se vende(n)	is (are) sold
* de prisa	fast, quickly			

[1] NOTE TO THE TEACHER: The words and expressions starred in chapter lists make up the basic minimum vocabulary of the *El camino real* series and should be mastered. These have been selected either from the high-frequency words of Keniston's *A Standard List of Spanish Words and Idioms* or for their usefulness in practical situations. Pupils covering only the basic part of each chapter will be required to use or recognize each starred word a minimum of ten times (five times if a cognate).

Words and expressions introduced in the optional (last two) chapters of Book I are reintroduced under PALABRAS PARA REPASAR when they appear in Book II. Likewise those words and expressions which were taught in Book I but were not basic are reviewed under PALABRAS PARA REPASAR when first used. All such words are considered basic and starred if they are used a total of at least ten times in Books I and II.

[2] Both *Sud América* and *la América del Sur* are used.

FOR ADDITIONAL, OPTIONAL MATERIALS TURN TO A ESCOGER, PAGE 426.

Capítulo 2

Poco a poco

It's usually a little painful to "see ourselves as others see us," but perhaps it can teach us how to avoid making a poor impression when we travel. How should we North Americans conduct ourselves when in Spanish American countries? These helpful hints are guaranteed to make us more *simpáticos* to our hosts south of the border.

Parts of the article were taken from one published in a Mexican magazine, so you see our neighbors notice what we do!

— ¡Ay! — se queja el turista norteamericano en un restaurante al sur de la frontera, — ¿Qué tienen esos meseros perezosos? ¡Es imposible conseguir una comida en menos de (*than*) media hora!

«Poco a poco» debe ser el lema (*motto*) del viajero, porque sólo así puede «bailar al son que se toca».[1] El pobre yanqui no sabe que los 5 hispanoamericanos tienen la costumbre de pasar algunas veces dos horas en la comida, platicando con la familia o con sus amigos. Los meseros los sirven despacio porque para ellos, una comida es una verdadera ceremonia. Les sorprende mucho saber que los turistas quieren comer en media hora. No cabe duda de que el dueño de 10 cierto restaurante popular de México entiende bien a los yanquis, porque sus menús dicen, «Este restaurante es para los (*those*) que desean comer bien, aunque tengan (*they may have*) que esperar.»

Además les sorprende a los hispanoamericanos formales ver que muchos viajeros yanquis no llevan saco en un buen restaurante. A 15

---

[1] The proverb, **Hay que bailar al son que se toca,** *One must dance to the tune that is played,* corresponds to our *"When in Rome do as the Romans do."*

17

causa de esto, se ve en la famosa Casa de los Azulejos [1] en México
un letrero (*sign*) sólo en inglés (porque los mexicanos no lo necesitan)
que dice, «GENTLEMEN WILL PLEASE WEAR COATS IN THE DINING
ROOM». Todavía no hay uno que diga (*says*) «LADIES WILL PLEASE
20 WEAR DRESSES IN THE DINING ROOM», aunque los mexicanos que
comen allí miran muy sorprendidos a las señoritas yanquis cuando
entran en ese elegante restaurante vestidas de pantalones de deporte
con suéter.[2]

Los turistas que no saben la lengua española muchas veces hablan
25 en voz demasiado alta, tratando de hacerse entender (*understood*).
Cuando hablan así, con la boca llena de chicle,[3] ¡no deben quejarse
cuando los hispanoamericanos dicen que esos yanquis gritones
(*yelling*) hablan «inglés con chicle»!

Es lástima, porque lo que piensan los hispanoamericanos de esto
30 se ve en su manera de hablar de los turistas. Por ejemplo, cuando
un niño de escuela no se porta bien, haciendo mucho ruido en la
clase, ¡los otros niños le llaman «turista»!

Los mexicanos también se quejan de que a los yanquis no les
interesan las bellezas (*beauties*) del país. — Cuando los llevamos a
35 ver nuestras pirámides colosales o nuestros monumentos coloniales,
— se quejan los mexicanos, — esos yanquis dicen, «*Okay, okay!
¿Se venden sarapes aquí?*»

Claro que no nos gusta saber que algunas veces no somos muy
populares entre nuestros vecinos a causa de nuestra manera informal
40 de portarnos. Para hacernos viajeros más simpáticos, debemos
tratar de portarnos como los habitantes cuando viajamos al sur de
la frontera. Y cuando nuestros vecinos nos visitan, deben portarse
como es costumbre aquí. «Hay que bailar al son que se toca»,
¿verdad?

45 Otro consejo para los aficionados a la cámara cándida es que
deben pedir permiso (*ask permission*) antes de retratar a la gente
que ven en las calles. Muchas veces les molesta a los habitantes
verse (*to find themselves*) retratados por unos extranjeros. ¿Qué tal le
gustaría a usted encontrar en una calle de su pueblo, por ejemplo,

---

[1] *La Casa de los Azulejos, The House of Tiles*, or Sanborn's.

[2] The few Spanish American women who use slacks or shorts wear them only at resorts or at the beach. Spain is so particular about proper dress that in Madrid, where
the climate is "*seis meses de invierno y seis meses de infierno* (*inferno*)," a gentleman
may be fined on a hot summer day for not wearing coat and tie on the street!

Hollywood should brief its glamorous movie stars not to arrive in Spanish America
wearing slacks and letting their hair hang loose, as if they had just gone out to walk the
dog!

[3] The word *chicle* originally referred to the sap of the *chico zapote* tree, used for making
chewing gum. Now *chicle* means *chewing gum* in most countries.

Earl Leaf

Sanborn's "House of Tiles," once a colonial mansion, is now a busy restaurant popular with local aristocrats around tea time, and full of hungry tourists at any hour.

50 a un turista japonés con cámara, tratando de retratarle a usted porque creía que era usted muy curioso?

Y el último consejo para los futuros turistas es éste: Pórtense bien, sean corteses, hablen español lo mejor que puedan (*the best you can*), lleven el traje apropiado (*appropriate*), y — no tengan prisa. El 55 lema (*motto*) del viajero al sur de la frontera, recuerden, debe ser «¡poco a poco!»

PREGUNTAS

I. ¿Entendió usted el cuento?

1. ¿Por qué se quejan algunos viajeros al sur de la frontera?
2. ¿Qué debe ser el lema (*motto*) de estos viajeros?
3. ¿Por qué no tienen prisa los meseros al sur de la frontera?
4. ¿Qué les sorprende a los hispanoamericanos formales?
5. ¿Qué llevan muchas veces las señoritas yanquis en un buen restaurante?
6. ¿Cuándo hablan en voz demasiado alta los turistas?
7. ¿Cómo podemos hacernos más populares entre nuestros vecinos?
8. ¿Qué quieren comprar siempre los extranjeros en México?
9. ¿Qué es un buen consejo para el dueño de cámara?
10. ¿Tiene prisa un viajero que dice «poco a poco»?
11. ¿Quiénes necesitan un buen consejo?
12. ¿Siempre se portan bien en otros países los aficionados a la cámara?

II. ¿Qué dice usted?

1. ¿Qué hace un mesero en un restaurante?
2. ¿Les gusta el chicle a las damas?
3. ¿Dice su padre «poco a poco» si usted no se porta bien?
4. ¿Qué le sorprende a usted en este capítulo?
5. ¿Lleva usted saco cuando va al cine?
6. ¿Llevan las chicas pantalones de deporte en esta clase?
7. ¿Por qué no le gusta a su profesor cuando usted habla «español con chicle»?
8. ¿Habla usted en voz demasiado alta en esta clase?
9. ¿Siempre se portan bien los muchachos de esta escuela?
10. ¿Quién le da a usted buenos consejos?
11. ¿Es usted aficionado (–a) a la «cámara cándida»?
12. ¿Cuándo dice usted «Allá voy»?
13. Si el dueño de cierto restaurante no quiere comer allí, ¿qué clase de restaurante es?
14. ¿Molesta usted a sus amigos con una cámara cándida?
15. ¿Qué lleva usted cuando va al cine, un suéter o un saco?

Rapho-Guillumette

Roof garden of the Victoria Hotel in Montevideo provides a picturesque setting for gracious living and dining nearly all the year round, thanks to the usual good weather.

REPASO DE VERBOS

EJERCICIO 1. Stem-changing model verbs are conjugated in sections 76 and 77, page 514. (To help you remember them, be sure to notice why we sometimes call stem-changing verbs "shoe verbs.") *Conjugate the following verbs in the present tense without subject pronouns.*

1. entender (ie)   2. querer (ie)   3. recordar (ue)   4. encontrar (ue)

EJERCICIO 2. Irregular verbs are listed alphabetically beginning with section 51, page 509. *Review quickly — once-over lightly (**doy, das, da; damos, dais, dan**) — the present tense and formal commands of* (a) **dar,** (b) **ir,** (c) **poner,** (d) **salir,** (e) **ser,** *and* (f) **tener.** *Then see if you can give this list of verb forms correctly.*

1. I give	4. I leave	7. put!	10. I go
2. we go	5. am I?	8. we give	11. he puts
3. you put (*sing.*)	6. he has	9. be!	12. they have

EJERCICIO 3. *Give the first person singular present tense and the formal commands, singular and plural, of the following verbs.* The ones starred do not follow the usual rule, and you may have to look them up in the Verb Appendix (beginning on page 506).

1. poner	5. ver	9. buscar*	13. entender
2. tener	6. lavar	10. ir*	14. recordar
3. mirar	7. salir	11. ser*	15. pensar
4. comer	8. pagar*	12. dar*	16. portarse

EJERCICIO 4. Here are some bits of more or less serious advice. *Change each infinitive to a singular formal command, and then give the advice to someone in the class, adding his name in Spanish if you know it.*

CONSEJOS PARA JÓVENES

1. No *tener* demasiada prisa, (Elena). 2. *Ser* cortés con los extranjeros. 3. *Tratar* de no molestar a sus amigos. 4. Nunca *hablar* con la boca llena. 5. *Llevar* saco en un restaurante elegante. 6. Siempre *lavarse* las manos antes de comer. 7. No *meter* demasiado chicle en la boca. 8. No *sorprender* a sus amigos con su cámara cándida. 9. *Pagar* ese choque de cucarachas. 10. No *buscar* tantas aventuras. 11. *Ir* al cine conmigo. 12. *Manejar* su cucaracha con cuidado. 13. No *salir* por las ventanas. 14. No *mirar* tantas historietas cómicas en la clase. 15. No *quejarse*¹ en la clase en voz alta. 16. *Leer* algunos anuncios. 17. *Pensar* antes de hablar. 18. *Retratar* a (María) con su cámara. 19. ¡No *dar* tantos consejos a sus amigos!

ALGO VIEJO Y ALGO NUEVO

EJERCICIO 5. *To check on your mastery of ordinary adjectives, see if you can complete these sentences correctly.* The rules are in sections 106 and 109 on page 523, if you need to review them.

1. *No* viajero debe tener mucha prisa. 2. Todos los extranjeros quieren ser *courteous.* 3. *All* las cámaras sirven para retratar a la gente. 4. No es fácil manejar *the old ones* (cucarachas). 5. Un *great* hombre siempre da *the same* consejos. 6. Podemos comer *any* plato en *half an hour.* 7. Los meseros hispanoamericanos no son *lazy.* 8. *The real ones* (viajeros) se portan con dignidad. 9. Claro que quiero aprender pronto a ser un *good* viajero. 10. No tengo la boca *full* de chicle. 11. *A certain* extranjero necesita aprender a portarse bien.

---

¹ Put *se* before the verb because pronouns precede a negative command.

1. More About Adjectives

El sombrero y el saco son nuevos.
The hat and coat are new.

Perdió la cámara y la película nuevas.
He lost the new camera and film.

Los monumentos y las iglesias son magníficos.
The monuments and churches are magnificent.

El hombre bueno y rico compró un hermoso caballo negro.
The good rich man bought a beautiful black horse.

If you will notice the adjectives in these sentences, you will find that an adjective which describes two masculine nouns (singular or plural) must be masculine plural. To describe two feminine nouns, the adjective is feminine plural, and with any combination of masculine and feminine nouns, the adjective is masculine plural.

Furthermore, when two adjectives describe the same noun, they usually follow it and are connected with *y,* although it is also possible to place one adjective before and one after the noun.

Remember	o + o = os
	a + a = as
	o + as + o, etc. = os

EJERCICIO 6. *Complete these sentences with the proper adjective forms.* Remember the position of the adjective may change in Spanish.

1. El saco, el traje de baño, y el suéter son *yellow.* 2. La dama y la señorita son *pretty.* 3. Hay *many* periódicos y revistas, pero *no daily* revistas. 4. Hallamos *good* restaurantes, hoteles, y casas. 5. El *fat, lazy* mesero sirve una buena comida. 6. El *big, courteous* extranjero lleva saco y sombrero. 7. Hay una *interesting new* película (*film*) en el cine del centro.

EJERCICIO 7. Do you remember the rule for the formation of adverbs in Spanish? *If not, read section 113, page 525, and then change these adjectives into adverbs.*

1. curioso	3. triste	5. contento
2. posible	4. perezoso	6. fácil

EJERCICIO 8. *If you know how to be polite in Spanish, you will be able to give all these expressions of courtesy and the reply to each one.* Remember that the Spanish is not always a word-for-word translation. (If you can't remember them all, look on page 543.)

1. Good morning. How are you? 2. Thank you very much. 3. What is your name?[1] 4. This is a friend of mine. 5. Pardon me (*when passing in front of someone*). 6. Excuse me (*when leaving*). 7. Pardon me (*for an error*). 8. I'm very sorry. (*Reply:* Don't worry.) 9. What can I do for you? 10. Come in. Make yourself at home. 11. Please give me that book. (*Reply:* Here it is.) 12. Will you (do you want to) help me? (*Reply:* With much pleasure.) 13. May I go with you, please? 14. Good-by. (*Reply:* See you later.)

EJERCICIO 9. *What do you say at times like these?* (See page 543.)

1. When someone sneezes. 2. When you leave the table before the rest. 3. When you start to eat candy in public. 4. When someone compliments you. 5. When someone asks if he can help you. 6. When (if you're a girl in a Spanish-speaking country) you overhear a young man say something nice about you. 7. When someone has hurt himself. 8. When someone does something foolish. 9. When someone enters your house for the first time. 10. When someone is in danger. 11. When someone tells you something unbelievable. 12. When someone calls you. 13. When you exclaim in distress or dismay. 14. When you want to ask what's the matter with someone. 15. When you answer yes to a lady's question. 16. When you apologize for something you have done.

[1] Remember that in polite Spanish you usually add after your name "at your service" (*a sus órdenes* or *para servir a usted*).

"Fuente de Sodas" of the famous Sanborn's Restaurant in Mexico City introduces an efficient Yankee idea to mañana-land.

ESTUDIO DE PALABRAS

EJERCICIO 10. These are important words and expressions from Book I which you should know by now. *Check yourself by giving the Spanish for each one, using* **el** *or* **la** *with each noun.* *Make a list of all you miss to help you remember them.*

1. language	11. full	20. to try to	29. when
2. mouth	12. some	21. to remember	30. how much?
3. people	13. to serve	22. to ask (for)	31. always
4. street	14. to look at	23. quickly	32. before
5. town	15. to think	24. only	33. well
6. real	16. to give	25. slowly	34. high
7. half	17. to enjoy oneself	26. never	35. aloud
8. few	18. to travel	27. still, yet	36. after all
9. nice	19. to ask (a	28. although	
10. too (*much*)	question)		

EJERCICIO 11. You have probably noticed that the Spanish word endings *–ía* or *–ia* (*io*) often correspond to the English ending *–y*, and *–cia* or *–cio* to *–ce*. The Spanish *–ción* means *–tion* in English. *What do the following cognates mean?*

1. providencia	7. colonial	13. economía	19. información
2. astrología	8. ordinario	14. acción	20. condición
3. historia	9. misterio	15. exploración	21. aviación
4. importancia	10. ración	16. civilización	22. comunicación
5. diccionario	11. corrupción	17. animación	23. comercio
6. estenografía	12. cultivación	18. puntuación	24. sección

PARA PRONUNCIAR

Linking

When we speak or read Spanish, we must remember not to say, *la-persona-que-escribe-o-que-habla,* but *lapersona quescribe oque habla.* When one word ends with a vowel and the next begins with a vowel, we must be especially careful to "link" them (even "overlap" them when they are the same) so that our Spanish pronunciation will be natural. Our division of Spanish words into syllables as we pronounce them also depends upon this linking or overlapping, for we really say *u-na-ni-mal* for **un animal**. The proper division into syllables will be automatic if we speak smoothly. The thing to keep especially in mind at first is to link the vowels — never to stop between them.

EJERCICIO 12.   These sentences will help you practice smooth speech.
Read each one aloud several times, flowing all the words together, espe-
cially the ones that are joined, and overlapping the vowels that are
crossed out.[1]

1. Ana ve a una amiga.   2. Beba aquella agua.   3. Y ya iba a alejarse.
4. Buscaba algo que no estaba allí.   5. María encuentra una aventura.
6. Cada uno ha aprendido a hacer algo.   7. ¿Qué va a hacer esa alumna?
8. Ya no hay indios.   9. ¿Y a dónde he de ir?   10. ¡A ver si va a haber
silencio en la clase![2]

PALABRAS PARA APRENDER

* la cámara	camera	* necesitar	to need
* cierto, –a	(a) certain	* portarse	to behave oneself
* el (los) con-	advice (*often used in*	* quejarse	to complain
sejo(s)	*plural*)	* retratar	to photograph (a
* el chicle	chewing gum		person)
* el dueño	owner	* el saco	(suit) coat
* el extranjero	foreigner	* el suéter	sweater
* la frontera	border	* el sur	south
* el habitante	inhabitant	* el viajero	traveler
* molestar	to annoy, bother		

EXPRESIONES

* a causa de, because of
 al sur de la frontera, south of the
  border

* poco a poco, take it easy (*slang*),
  (little by little)
* tener la costumbre de, to be used to
  (accustomed to)

PALABRAS PARA REPASAR

* allá voy	I'm coming	* lleno, –a	full
* aquí (lo) tiene	here (it) is	* ¿me per-	may I . . . ?
usted		mite . . . ?	
* ¡ay!	oh dear! oh my!	* ¡no me diga!	you don't say!
buen provecho	may it be good for	los pantalones	slacks
	you	de deporte	
* ¿en qué puedo	what can I do for	* la salud	health
servirle?	you?	* ¡salud!	your health!
* es lástima	it's too bad	* se ve	is seen, "one" sees
* ¡qué lástima!	what a pity! too	* tener prisa	to be in a hurry
	bad!	* yanqui	"Yankee" (*any*
¿gusta?	would you like some?		*North American*)

[1] NOTE TO THE TEACHER: PARA PRONUNCIAR items are translated in the manual.
[2] This is what teachers in Spanish-speaking schools sometimes say to a class!

FOR ADDITIONAL, OPTIONAL MATERIALS TURN TO A ESCOGER, PAGE 430.

Capítulo 3

Cómo nos ven en México

Spanish-speaking young p̶̶̶̶̶̶̶̶ ̶̶̶̶̶us about our lives just as we are about theirs, and this ̶̶̶̶̶̶̶̶ ̶̶a newspaper often read in Mexico, tells them something abo̶̶̶̶̶ ̶chools. You will note that the writer is friendly but not entirely accurate, which should make you realize that all you read about other countries isn't necessarily correct, either.

Estamos en Chicago. Bob, rubio, con los ojos azules, ha venido corriendo por la calle y ha encontrado a su amiga, Hazel. Muchachos y muchachas juntos asisten a las mismas escuelas en todos los grados, y son buenos amigos.

Bob y Hazel, al verse, gritan de (*with*) alegría. No se han visto 5 desde el viernes, y entre los alegres jóvenes norteamericanos se ve a cada instante la felicidad (*joy*) de vivir.[1]

— ¡Qué tal, Bob! — dice Hazel, dándole la mano.[2] — Hemos llegado muy temprano. Todavía no ha sonado la primera campanilla.

— ¡Tanto mejor! No tenemos prisa. ¿Sabes? ¡Tengo un *job!* 10 ¡Setenta y cinco centavos por hora!

Job es el nombre que se da en los Estados Unidos a todo pequeño trabajo remunerado (*paid*).[3]

---

[1] The writer is trying to explain politely to his young readers why our boys and girls are noisier than they are.

[2] Would you be so formal? They really are!

[3] Having a part-time job after school is certainly not a Spanish custom! If you haven't plenty of money, you're very likely to be working full time instead of going to school at all.

Student assembly in a Chilean high school listens to a motion from the floor. The map of the United States on the wall indicates that our country is being studied.

— ¿Sí? ¿Qué es?

15 — Tengo que entregar periódicos en mi bicicleta por la mañana.

— ¡Huy! ¡Qué buena suerte! Mi hermano Jimmy también tiene un *job* para mañana. Si nieva esta tarde, mañana va a limpiar banquetas (*sidewalks*) entre las ocho y las nueve. ¡Setenta y cinco centavos por hora! ¿Qué van a hacer ustedes [1] con tanto dinero?

20 — Vamos al cine el sábado. ¿Quieres acompañarnos? Hay una buena película *gangster*.

— Ya lo creo, Bob. Con mucho gusto, — dice Hazel alegremente.

— *Okay*.[2] Voy por ustedes en mi cucaracha a las tres de la tarde, ¿eh? [3]

---

[1] Notice that **ustedes** instead of **vosotros** is used in the plural, even when speaking familiarly. This is the custom in Spanish American countries.

[2] *Okay* is used just like a Spanish word in Mexico and Central America.

[3] The writer proves that he knows about our "dating" custom, one which his Spanish-speaking readers will consider very strange.

De todas partes llegan los jóvenes a la escuela pública, la escuela 25
gratuita (*free*), donde el gobierno de los Estados Unidos educa (*edu-cates*) a todos los niños, ricos o pobres, hasta los catorce años.[1]

Todos los jóvenes se conocen desde el primer año de escuela, y los
cuates, al encontrarse juntos, gritan de alegría y tiran al aire alegremente sus carteras.[2] Son las nueve menos cinco. Suena la cam- 30
panilla. ¡Están listos![3] Dan las nueve. Las puertas de la escuela

---

[1] Fourteen is the age limit for compulsory education in their schools, not ours, for ours extends to eighteen in some states. What other mistake does the writer make? Does the federal government support U.S. schools?

[2] Since Spanish American pupils buy their own books and have no lockers or desk space for storing them, everything must be carried home in briefcases or small satchels. The writer imagines that American pupils carry briefcases, too!

[3] *¡Preparados! ¡Listos! ¡Ya!* is the way to say "*Ready! Set! Go!*"

"Superflash," sponsored by the "Lily Bakery" which produces "super bread," enters the soapbox derby in Cuernavaca,
Mexico. Each driver has a starter who helps him get going.

Black Star

están abiertas.   Los jóvenes alegres entran en fila (*line*),[1] y cada uno va con su clase.

La escuela es blanca, con ventanas grandes.   Está rodeada (*sur-*
35 *rounded*) de magníficos jardines y praderas (*lawns*) verdes.   Parece un hospital.

Por la mañana las clases comienzan con lecciones de literatura inglesa, composición, y gramática.   Cada alumno habla cinco mi- nutos.   Pasan cincuenta minutos, y otra vez la campanilla.   Ahora
40 comienza la lección de trabajo manual.   En los Estados Unidos se cree (*it is believed*) que el trabajo manual es una necesidad para la persona educada.[2]   Chicos y chicas saben usar el martillo (*hammer*) y la sierra (*saw*) del carpintero.   Sus manos no son suaves y delicadas como las (*those*) de nuestros niños, sino ásperas (*rough*), fuertes, y
45 morenas.

Después del trabajo manual hay otra hora de clase, y a las doce menos diez salen de la escuela cientos de alumnos que corren a sus casas a tomar el *lunch*.   A las dos comienzan otra vez las clases.[3] Se dan clases de geografía, historia, y matemáticas, y más tarde, la
50 mecanografía (*typing*) y estenografía (*shorthand*).

Cuando dan las cuatro, las clases terminan.   Si quieren, los alumnos pueden jugar alegremente una hora o más al tenis o al fútbol.[4]

A las seis [5] se despiden los cuates hasta el día siguiente, que es
55 martes.   Todos vuelven a casa, porque no hay alumnos internos (*boarding*) en las escuelas de los Estados Unidos.   Los padres y los hermanos mayores han vuelto a casa y los esperan para comer, porque los norteamericanos comen muy temprano.   Todos están contentos de encontrarse juntos después del trabajo del día.

ADAPTED FROM *La Opinión* (LOS ANGELES)

[1] Lining up to enter the building is a Spanish custom we rarely find in our high schools nowadays.

[2] The writer is exaggerating and doesn't know it.   You have no idea of how this shocks the well-to-do Spanish Americans!   Since even their middle-class people have servants (instead of a car), any physical work is considered degrading.   What does the writer think about the effect of such work on one's hands?

[3] Two hours for lunch!   *¡Ojalá!*   (*If we only could!*)   The writer doesn't know about our thirty-minute lunch periods and cold sandwiches.   In Spanish America the whole family goes home for lunch (really a dinner), for they never think of going to a restau- rant, and drugstores sell only drugs.

[4] Sports only after school?   The writer isn't used to our gym periods, and has forgotten to put one in.

[5] Getting home from school at six o'clock (or seven) is more Spanish than American. In many Spanish-speaking countries the favorite dinner hour is any time from eight till ten.

COSAS DE NIÑOS

— ¿Qué estás haciendo, Manuel?
— Escribiendo una carta a Pepe.
— ¡Pero tú no sabes escribir!
— No importa.   Pepe no sabe leer.

PREGUNTAS

I. ¿Entendió usted el cuento?

1. ¿Quiénes son rubios con los ojos azules?
2. ¿Quién tiene la costumbre de gritar de alegría y hacer mucho ruido?
3. ¿Suena la campanilla cuando comienza o cuando termina la clase?
4. ¿Quiénes entregan periódicos en su bicicleta por la mañana?
5. ¿Quiénes llevan a las chicas al cine para ver las películas *gangster?*
6. ¿Para quiénes tiene nuestro gobierno escuelas públicas?
7. ¿Quiénes tienen que llevar todos sus libros en una cartera?
8. ¿Qué (creen los mexicanos) es una necesidad para la persona educada de los Estados Unidos?
9. ¿Quiénes vuelven a casa para tomar el *lunch?*
10. ¿Quiénes tiran la cartera al aire y gritan al encontrarse?
11. Cuando dan las doce, ¿comienza la siguiente clase?

II. ¿Qué dice usted?

1. ¿Quiénes gritan de alegría cuando suena la campanilla?
2. ¿Cuándo asiste usted a la clase de matemáticas?
3. Cuando nieva en el invierno, ¿qué tenemos que hacer con las calles?

4. ¿Ha limpiado usted las banquetas (*sidewalks*) cuando ha nevado mucho?
5. ¿Qué lleva un señor en una cartera?
6. Generalmente, ¿está usted listo para comer cuando dan las seis?
7. ¿Asiste usted a una escuela para muchachos, para chicas, o para muchachos y chicas juntos?
8. ¿Ha entregado usted periódicos por la mañana?
9. Cuando trabajamos en el jardín, ¿tenemos las manos más o menos suaves y delicadas?
10. ¿Cuándo comienzan a ponerse fuertes y morenas las manos?
11. En esta clase, ¿quién es rubio con los ojos azules y alegres?
12. ¿Cuándo están abiertas las ventanas de la escuela?
13. Cuando termina su última clase, ¿qué comienza usted a hacer?
14. ¿Cuánto dinero gana usted por hora si trabaja los sábados?
15. ¿Cuándo dice usted «¿Qué tal?»

PARA COMPLETAR

Choose the proper words to complete these sentences intelligently.

1. Los alegres jóvenes gritan de (necesidad, alegría, choque) en el cine.
2. Algunos alumnos mexicanos no (molestan, asisten, vuelven) a casa todos los días porque (publican, retratan, viven) en la escuela.   3. Al salir de la escuela, los alumnos (se despiden, se escriben, se retratan) hasta el día siguiente.   4. No tenemos cartera porque no llevamos a casa todos nuestros (libros, sacos, suéteres).   5. Los españoles creen que (las películas, las manos, las cámaras) no deben ser fuertes y morenas.   6. Muchos muchachos de nuestro país venden (chicle, periódicos, choques) por la mañana antes de ir a la escuela.   7. Pocos alumnos mexicanos son (fuertes, morenos, rubios) con los ojos azules.   8. Los jóvenes que trabajan antes de ir a la escuela (limpian, entregan, ganan) setenta y cinco centavos por hora.   9. Con tanto dinero, pueden ir al (hogar, gobierno, cine) el sábado.

REPASO DE VERBOS

EJERCICIO 1. *Review the verbs which change the stem vowel* **e** *to* **ie** *or* **i** *in the present tense (pages 514–515).* To what conjugation do they all belong?   (For convenience, we often call these "III SC" verbs.) *Tell what each of the following infinitives means and then conjugate the verb aloud so your ear will help you remember the changes.*

    1. pedir   2. servir   3. vestir   4. seguir   5. sentir

EJERCICIO 2. *Review the reflexive pronouns in section 94, page 519. Then conjugate these verbs in the present tense.*

    1. levantarse   2. encontrarse   3. despedirse

EJERCICIO 3. *Among the irregular verbs listed alphabetically beginning with section 51, page 509, find and review the present tense of:*

1. estar   2. decir   3. venir   4. hacer   5. saber   6. poder

EJERCICIO 4. *Tell the meaning of these forms of the verbs you have reviewed. Then make the first six Spanish forms plural.*

1. viste	5. estoy	9. vengan ustedes
2. usted sirve	6. hago	10. ¿dicen ustedes?
3. ¡levántese usted!	7. pueden	11. nos levantamos
4. se encuentra	8. vienes	12. se despiden

EJERCICIO 5. *Review the present perfect tense in section 50, page 507. Then complete these verb forms and tell what they mean.* The irregular past participles are in section 89, page 517.

1. *we have* leído	6. han *returned*	11. ellas *have believed*
2. *they have* puesto	7. yo he *opened*	12. él *has done*
3. *I have* dicho	8. hemos *seen*	13. todos *have written*
4. *he has* hecho	9. han *read*	14. yo *have spoken*
5. *you have* escrito	10. ¿ha *made* usted?	15. usted *have worked*

Dancing class in a modern "experimental high school" of Chile teaches ballet, in which the story is acted in pantomime to music.

ALGO QUE REPASAR

EJERCICIO 6. *Give each of these commands to a classmate, who must do what you say. (Look up the references only if you have forgotten.)*

1. Díganos usted la fecha de hoy. (page 519, § 92) 2. Diga usted los nombres de los días de la semana. (page 519, § 92) 3. Díganos usted los meses del año. (page 519, § 92) 4. Cuente usted de diez en diez (*by tens*) hasta ciento. (page 518, § 91) 5. Cuente usted de ciento en ciento (*by hundreds*) hasta mil. (page 518, § 91) 6. Mire usted el reloj y díganos la hora. (page 523, § 108) 7. Dénos usted la fecha de su cumpleaños. 8. Dénos usted el número de su casa, de su teléfono, o de sus zapatos. (***Número*** means *size* as well as *number!*) 9. Díganos usted cuántos años tiene. 10. Díganos usted a qué hora se levanta por la mañana. (page 523, § 108) 11. Díganos dónde conoció usted a su cuate.

EJERCICIO 7. Do you remember how to say "each other"? (page 519, § 94) *If you do, you can write these sentences correctly in Spanish.*

1. We see each other.
2. You (*pl.*) know each other.
3. They meet each other.
4. We write to each other.
5. They speak to each other.
6. You (*pl.*) write to each other.

ALGO VIEJO Y ALGO NUEVO

2. Ser versus Estar

1. *Review*

You have been taught that *estar* has three principal uses:

1. to show location: *¿Dónde está usted?*
2. with an adjective to show a temporary condition or a change from the usual: *El agua está caliente.*
3. to talk about health: *¿Cómo está usted?*

For all the other uses of the verb *to be* you have been told to use *ser.* This simple rule has been all you have needed until now, but there's more to the story.

In reviewing the uses of these two verbs, note that when *ser* is used with an adjective, it means exactly the opposite of *estar.* Whereas *estar* expresses a temporary condition, *ser* shows a "permanent" condition or characteristic of a person or thing, as in "Acrobats are strong," or "Ice is cold." The thing that may confuse you about *ser* is that these characteristics need not be "permanent" forever. That is, you say *Juan es rico, María es joven, y yo soy gordo,* but John may lose all his money, Mary will grow old, and I may go on a diet! But since, *as of now*, these are characteristics of these people, *ser* is correct.

34

EJERCICIO 8. *Read this conversation aloud with a classmate, choosing between ser and estar for each English verb.* (Two of them use neither one. What's the catch?) Can you think fast enough to read without hesitating?

Su cuate nuevo

ELLA — ¿Qué tal, Roberto? ¿Quién (1) *is* aquel muchacho que le acompaña a usted algunas veces?

ÉL — (2) *He is* mi cuate Alberto.

ELLA — ¿Dónde (3) *is* su cuate ahora?

ÉL — (4) *He is* en el centro, donde vende carros usados por la mañana.

ELLA — ¿Qué hora (5) *is it* cuando vuelve?

ÉL — (6) *It is* las doce cuando vuelve.

ELLA — (7) ¿*Is he* alumno de esta escuela?

ÉL — No; (8) *he is* mayor que los alumnos.

ELLA — ¿Cuántos años [*old*] (9) *is he?* (¡*Cuidado!*)

ÉL — (10) *He is* diez y nueve años [*old*].

ELLA — (11) ¿*Is he* rubio?

ÉL — No, (12) *he is* alto, moreno, y guapo (*handsome*).

ELLA — (13) ¿*Is he* cansado después de su trabajo?

ÉL — No, porque (14) *he is* muy fuerte.

ELLA — (15) ¿*Is he* contento con ese trabajo?

ÉL — Sí, (16) *he is* contento cuando vende muchos carros.

ELLA — Entonces (17) *he isn't* pobre, ¿eh?

ÉL — No, (18) *he is* rico, y (19) *he is* dueño de un nuevo convertible con radio y todo.

ELLA — ¡Huy, qué cuate tan bueno (20) *he is!* ¡Tanto mejor! Me gustaría mucho conocerle si es dueño de un convertible con radio y todo. Usted le invita a acompañarle a mi casa algún día, ¿eh?

ÉL — Ya lo creo. Vamos juntos.

2. *Some New Uses of Ser*

Es de Chile. *He is from Chile.* (Origin)

Es de Juan. *It is John's* (*belongs to John*). (Ownership)

Es de papel. *It is of paper.* (Material)

Even though you already know that you can use **ser** wherever **estar** is not required, it is helpful to realize that **ser** is always used to express origin, ownership, or material. In other words, before **de,** use **ser.**[1]

Ser de, then, often means *to belong to.*

[1] This is true except in the case of a very few idioms, of which the only two in this book are **estar de acuerdo,** *to agree with,* and **estar de rodillas,** *to be on one's knees.*

Arbor Day ceremony in a Mexican high school for girls includes the usual tree planting. Each school has its own uniform, usually a combination of blue or black with white.

EJERCICIO 9. *Read these sentences in Spanish and explain why you chose* ser *or* estar *for each.* (Where is the word *it?*)

1. El reloj *is* en la mesa.   2. *It's* de oro.   3. *It's* muy pequeño.   4. *It's* nuevo y bonito.   5. *It is* de Suiza (*Switzerland*), donde se venden muchos. 6. *It's* un verdadero reloj suizo.   7. Tanto mejor.   *It isn't* un juguete (*toy*).   8. ¡No me diga!   ¿*Is it* de usted?   9. No, lo siento, pero *it is* de ese alumno nuevo.   10. ¿*Is he* contento porque *he is* el dueño de ese reloj? 11. ¡Claro que *he isn't* triste!   12. ¿Qué hora *is it* en su reloj?   13. *It is* las nueve de la mañana en el mío, pero creo que *it isn't* la hora exacta. 14. A ver.   ¿Dónde *is* el suyo?   15. Aquí *is* el mío.   *It is* roto.   16. ¡Ay! ¡*It's* lástima!   Lo siento mucho.

3. *A New Use of* **Estar**

La escuela está rodeada de jardines.
The school <u>is surrounded</u> by gardens.

La puerta está cerrada.
The door <u>is closed.</u>

Estar is often used with a past participle which merely describes something. Then this past participle becomes an adjective and must agree with the noun it describes.

EJERCICIO 10. *Complete these sentences in Spanish.* Which four of them do not need *estar?*

1. La película *is spoken* en inglés. 2. Los sacos *are made* de lana (*wool*). 3. La puerta *is open* los sábados. 4. ¿*Is served* la comida? — ¡Ya lo creo! 5. Sí, los habitantes *are educated* (*educar*) y se dan la mano. 6. Las ventanas *are closed* por la mañana. 7. Si la boca *is closed,* no entran moscas (*flies*). 8. Esos libros ya *are sold.* ¡Tanto mejor! 9. La carta *is written* en papel azul. 10. ¡Huy! Aquellos zapatos *are used.* 11. La bicicleta *is the owner's* (*of the owner*). 12. El gobierno *is* muy rico. 13. Claro que nuestros vecinos *are nice.* 14. Un choque de automóviles no *is* cómico.

ESTUDIO DE PALABRAS

EJERCICIO 11. The Spanish ending *–oso* often means *–ous* in English. *What do these cognates mean?*

1. famoso	5. maravilloso	9. monstruoso	13. generoso
2. ansioso	6. misterioso	10. delicioso	14. deseoso (*from*
3. furioso	7. precioso	11. supersticioso	*desear*)
4. vicioso	8. numeroso	12. industrioso	15. valeroso

PARA PRONUNCIAR

EJERCICIO 12. *Review the sounds of* **c, z, g, j,** *and* **h** *in section 137, page 538. Then complete these sentences.*

1. The sound of **c** before **e** and **i** is _____. 2. The sound of **c** elsewhere is _____. 3. The sound of **z** is always _____. 4. The sound of **g** before **e** and **i** is _____. 5. The sound of **g** elsewhere is _____. 6. The sound of **j** is always _____. 7. The sound of **h** is always _____.

EJERCICIO 13. *Practice these words until you can pronounce them without hesitation.*

1. general	8. gelatina	15. ángel	22. hojalata
2. alhaja	9. zanja	16. goma	23. genial
3. halaga	10. canalizo	17. gimnasio	24. zapatazo
4. generoso	11. gentil	18. honorable	25. ciudad
5. cancela	12. cincel	19. giro	26. cuidado
6. gatazo	13. almohada	20. hocicada	27. ahijado
7. zozobra	14. gitano	21. cenizas	28. tahalí

PALABRAS PARA APRENDER

* alegre	merry	* juntos, –as	together
* alegremente	merrily	* limpiar	to clean
* la alegría	joy	* listo, –a	ready
* asistir (a)	to attend	* moreno, –a	brown
* la bicicleta	bicycle	* la necesidad	necessity
* la campanilla	little bell; school bell	* nevar (ie)	to snow
la cartera	briefcase	* la película	film; movie
* comenzar (ie) (a)	to commence	* rubio, –a	blond; light
¿eh?	shall I?, isn't that so?, won't you?, aren't you?, etc.	* siguiente	following
		* suave	soft
		* terminar	to finish
* entregar	to deliver (*new meaning*)	* tirar	to throw
		* el trabajo	job, work
* fuerte	strong		

EXPRESIONES

* dar la mano, to shake hands
* dar (las cuatro), to strike (four)
  de todas partes, from everywhere
* por hora, an hour
* por la mañana, in the morning (*when exact time is not given*)

¿qué tal? (*informal greeting*), how's everything?
* se da(n), is (are) given
  tirar al aire, to throw into the air
  trabajo manual, manual training, woodshop

PALABRAS PARA REPASAR

* ¿cuántos años tiene (usted)? — how old is he (are you)?
* desde — since
* ¡huy! — oh, oh!; oh boy!

* se — each other
* sonar (ue) — to sound, ring (jingle)
* tanto mejor — so much the better
* ya lo creo — I should say so

FOR ADDITIONAL, OPTIONAL MATERIALS TURN TO A ESCOGER, PAGE 432.

Capítulo 4

El misterio
del norte

Suppose we turn back now to the days of the *conquistadores* who brought the Spanish language to the New World. The conquerors of Mexico and Peru had sent so much gold back to Spain that everyone was anxious to look for more bonanzas farther to the north. Narváez, for one, headed an expedition to Florida and then tried to lead his men west along the gulf coast to Mexico, which they mistakenly supposed to be near by. Only four, including Cabeza de Vaca and the Moor Estebanico, survived the trip

These four had heard among the Indians some talk of gold to the north, and when Cabeza de Vaca reported this in Mexico City, Coronado was promptly appointed to head an expedition to the unknown territory.

Estebanico and Fray Marcos de Niza, who had been with Pizarro in Peru, were to be the guides, but Estebanico made a bad mistake when he tried to show off among the Indians. Then honest Fray Marcos was sure he saw seven glittering cities in the distance, but what Coronado found when he got there was — well, read this true story about the "mystery of the north"!

— ¡Siete ciudades hay, y todas de oro!
— ¡Siete ciudades hay, cada una tan grande como Sevilla!
— ¡Tienen edificios de cinco pisos, con paredes de plata! [1]
— ¡Las calles son de oro, y todas las puertas son azules porque están cubiertas de turquesas!

5

[1] One of Cortez' soldiers, during the conquest of Mexico years before, had been made fun of by the rest when he excitedly reported that the Aztec houses were of silver, when what he actually saw was the sun shining on whitewashed adobe walls.

— ¡Los indios andan por las calles vestidos de oro y con la cabeza cubierta de adornos (*ornaments*) de oro!

— ¡Hasta los juguetes (*toys*) de los niños son de oro!

Todos los habitantes de la Nueva España [1] hablaban del misterio
10 del norte.

Tales rumores habían empezado con Cabeza de Vaca, después de su famoso viaje de la Florida a México. Pero él nunca había visto las siete ciudades fantásticas, y nadie sabía si de veras había tales ciudades.

15 Entonces Francisco Vásquez de Coronado salió de México como capitán de una expedición. Llevaba consigo trescientos soldados, jóvenes valientes de todas partes, listos para hacerse conquistadores. Los acompañaban Estebanico, el moro grande que había acompañado a Cabeza de Vaca en su viaje de ocho años, y Fray Marcos de Niza.

20 Al llegar a un lugar en el norte de México, Coronado y sus soldados decidieron esperar allí, mandando adelante a Fray Marcos y a Este-

---

[1] New Spain was all of Mexico and all the territory north of it and west of the Mississippi, plus Florida, the island colonies of the Caribbean, and Central America.

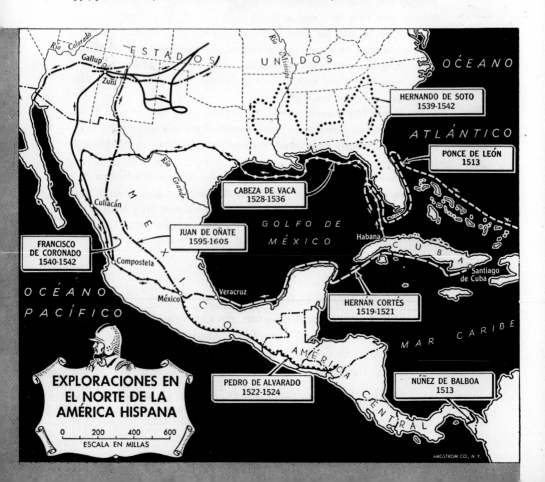

EXPLORACIONES EN EL NORTE DE LA AMÉRICA HISPANA

banico.   Éstos iban a buscar noticias acerca de la tierra de riquezas
que esperaban encontrar.   Más tarde, Fray Marcos mandó más
adelante a Estebanico hacia el norte.   Al saber [1] algo acerca de las
riquezas, este Estebanico debía mandar a Fray Marcos una cruz que 25
llevaba consigo.   Una cruz grande querría decir [2] que había oro de
mucho valor; una cruz pequeña, que había poco oro.

Este moro Estebanico había recibido tantas atenciones en México
que ahora de veras se creía muy importante.   Vestido de una túnica
(*robe*) roja con plumas de colores y campanillas de oro en los brazos 30
y las piernas, andaba fingiendo ser rey de los indios.   Caminaba a
caballo, con música que sus indios tocaban todo el día para divertirle.
Para él, la vida era un chiste.   Llevaba consigo una maraca (*gourd
rattle*) cubierta de campanillas y plumas blancas y rojas.   Usaba esta
maraca como emblema de su autoridad (*authority*) al llegar a cada 35
pueblo indio.   Y en cada pueblo hacía el amor a las indias jóvenes y
bonitas, e iba haciendo una colección de turquesas, conchas (*sea
shells*), y pieles ricas.

Un día los españoles recibieron de un indio mandado por Estebanico una cruz tan grande como un hombre.   Esto quería decir que 40
el moro había hallado riquezas de tal valor que Coronado debía
seguirle inmediatamente.   A causa de esto, salieron los soldados,
pero en pocos días, antes de poder alcanzar (*overtake*) al moro, otro
indio entregó a Coronado la noticia de que los habitantes de las siete
ciudades habían muerto [3] a Estebanico.   45

Pero el valiente Fray Marcos siguió adelante hasta llegar a un lugar
desde donde podía ver a lo lejos las siete ciudades.   Entonces volvió
a donde Coronado le esperaba, y le dijo que el misterio se había
resuelto.

Pero, ¿era verdad?   Coronado y sus soldados le siguieron a caballo 50
por el desierto hasta llegar a las ciudades.   ¡Cuál fué su desilusión
(*disappointment*) al darse cuenta de que había sólo siete pueblos
indios, en vez de siete ciudades de oro! [4]   Las paredes de los edificios
no eran de plata, sino de adobe,[5] y no había nada de valor allí, sino
el maíz que tenían los indios.   Este maíz, para los soldados que se lo 55
comieron, valía casi tanto como el oro que buscaban.

Fray Marcos regresó tristemente a México.   Lo había imaginado
todo.

---

[1] *Saber* sometimes means *to find out*.   [2] *querría decir, would mean.*
[3] *habían muerto, had killed.*   Some say that his gourd rattle may have meant bad luck
to those superstitious Indians, but it certainly was unlucky for Estebanico.
[4] The "seven cities" were the Zuñi villages of New Mexico, which are still there, not
far from Gallup.   They are still often called "The Seven Cities of Cíbola."
[5] An adobe is a mud brick used for building material in places where wood is scarce.

Adelante, siempre adelante, hacia el norte seguían caminando el
60 valiente capitán Coronado y sus soldados, sin quejarse, esperando
encontrar pronto las riquezas. Pero al fin se dieron cuenta de que
los rumores acerca del oro en la tierra del norte eran falsos, y todos
regresaron a México, tristes y deshonrados (*dishonored*).

El misterio del norte de veras se había resuelto esta vez. No había
65 nada de valor.[1]

PREGUNTAS

I. ¿Entendió usted el cuento?

1. ¿Quiénes creían que las siete ciudades tenían edificios de cinco pisos?
2. ¿De qué estaban cubiertas las puertas?
3. ¿Cómo salió el capitán Coronado a su expedición?
4. ¿A quién mandó adelante Fray Marcos?
5. ¿Qué querría decir una cruz grande?
6. ¿Qué iba fingiendo ser Estebanico?
7. ¿Qué le daban a Estebanico los habitantes de las ciudades?
8. Antes de resolver el misterio del norte, ¿quién murió?
9. ¿Qué podía ver a lo lejos el valiente Fray Marcos?
10. ¿Qué había de valor en los pueblos?
11. ¿Por qué seguía caminando adelante el valiente capitán Coronado?
12. ¿Al fin, de qué se dieron cuenta los conquistadores?

II. ¿Qué dice usted?

1. ¿Qué lleva usted consigo a la escuela?
2. ¿Cuándo finge usted estar cansado?
3. ¿Es de veras fácil resolver sus problemas de álgebra?
4. ¿Tiene una buena turquesa mucho o poco valor?
5. ¿Va usted a caballo o a pie?
6. ¿A quiénes les gusta llevar un abrigo de pieles ricas?
7. ¿Cuándo se da usted cuenta de que no ha estudiado bastante?
8. ¿Qué quiere decir «Adelante, siempre adelante»?
9. ¿Son aficionadas las chicas a los sombreros con plumas?
10. ¿Son altas las paredes de este edificio?
11. ¿Para qué sirve el maíz?
12. ¿Le interesó a usted el cuento de la cruz de Estebanico?
13. ¿Cuántos pisos tiene el edificio en donde vive usted?
14. ¿Cuándo le manda su madre al centro?

[1] Broken-hearted and dishonored, Coronado never knew how famous his name would become because of his having explored and mapped the then unknown territory as far north as what is now Kansas.

America's first apartment houses, built nearly a thousand years ago, are still occupied by the Taos Indians of New Mexico, with only the addition of window glass and screen doors.

PARA COMPLETAR

1. Estebanico llevaba consigo (una cruz, un chiste, el maíz, plumas verdes) que mandaría a Fray Marcos para decirle el valor del oro. 2. Cuando no queremos resolver nuestros problemas, podemos fingir estar (a lo lejos, cansados, a caballo). 3. La mayor parte de las señoras ricas esperan llevar un abrigo de (paredes, chicle, pieles) suaves. 4. Para llegar a otra tierra, tenemos que andar (rápidamente, con cortesía, mucha distancia). 5. Nos damos cuenta de que no hemos estudiado bastante cuando no sabemos las lecciones (diarias, fuertes, rubias). 6. Muchos edificios de veras tienen cinco (valores, paredes, pisos). 7. Mi madre está lista para (mandarme, tirarme, divertirme) al centro cuando necesita algo. 8. Si sigue usted (por avión, adelante, a la una) llegará al edificio donde puede retratar al extranjero con su cámara. 9. Esperamos asistir al cine porque nos divierten (los consejos, tales extranjeros, las películas). 10. Un buen consejo para el turista es (no molestar a los habitantes, dar la mano, llevar traje de baño en un restaurante). 11. A la mayor parte de las rubias les gusta(n) (los abrigos de pieles, entregar periódicos diarios, dar las cuatro).

REPASO DE VERBOS

EJERCICIO 1. *Review the regular verb endings for the imperfect tense in section 50, page 506, and also the imperfect tense of the only three verbs that are irregular in the imperfect:* **ser** *(page 513),* **ir** *(page 511), and* **ver** *(page 514). Then conjugate these verbs orally in the imperfect tense.*

1. estar	3. irse	5. comerse	7. ver
2. seguir	4. ser	6. haber	8. mandar

EJERCICIO 2. *Review the past perfect (pluperfect) tense of the model verbs in section 50, page 507.* In what tense is the helping verb? What does **había** always mean in the past perfect? *Now conjugate these verbs in the past perfect tense (page 517, § 89).*

1. decir	3. volver	5. poner	7. hacer
2. cubrir	4. ver	6. morir	8. andar

EJERCICIO 3. *Answer these questions.*

1. What do you call the verb forms **caminando, haciendo, creyendo?**
2. What is the sign of the present participle in English?
3. How do you form the present participle in Spanish (page 506, § 50)?
4. Why is **creyendo** spelled with a **y** instead of an **i** (page 516, § 85)?

EJERCICIO 4. *Give the present participle, and its meaning, of each of these verbs.*

1. ver	3. buscar	5. abrir	7. oír
2. leer	4. caer	6. ir	8. dar

EJERCICIO 5. *Review the long and short forms of the possessive adjectives and pronouns in sections 101–102, pages 521–522. Then if you can complete these sentences correctly, you know how to use them.*

1. *My son* está listo. 2. *My son*, vamos a olvidar este error. 3. Estas pieles suaves son *mine*. 4. No he recibido *mine* [*furs*]. 5. Entregaré *yours* [*furs*] mañana. 6. Esta bicicleta *of mine* es muy fuerte. 7. ¿Es *yours?* 8. No, he mandado *mine* a casa. 9. La dama sabe manejar *her* automóvil. 10. No es *hers*, sino *his* [*automobile*]. 11. *Their* manos son fuertes y morenas. 12. Nos lavamos *our faces*. 13. Nos ponemos *our shoes*. 14. Las damas llevan plumas en *their hats*. 15. *Their* maíz era de mucho valor.

EJERCICIO 6. *Review in section 106, page 523, the list of nine adjectives which may be shortened. Then complete these sentences in Spanish and tell why you used the full or shortened form each time.*

1. Coronado vió las siete ciudades por [*the*] *first time* a lo lejos. **2.** El *great* capitán de la expedición esperaba encontrar algo de valor para hacerse rico. 3. Estebanico era un *bad* rey de los indios, porque la vida le era un chiste. 4. Aunque no encontraron *any* riquezas, los conquistadores resolvieron el misterio de las tierras del norte. 5. El *good* maíz tenía más valor que las *good* turquesas. 6. *One* soldado compró *some* plumas y pieles a (*from*) los indios. 7. No cabe duda de que un *good* saco es mejor que un *bad* suéter. 8. He leído la mayor parte del *third* periódico publicado aquí. 9. — ¿De veras le molesta el chicle? — No me molesta *any* chicle. 10. *Some* extranjeros necesitan consejos para saber portarse bien. 11. Esas *one hundred* pieles suaves valen más de (*than*) *one hundred ninety* dólares.

ALGO VIEJO Y ALGO NUEVO

3. More About Progressive Tenses

1. You have often found **estar** used with the present participle to form progressive tenses: **estamos estudiando, estaban hablando.** The usual rule for their use is to follow the English: *I study = es-tudio; I am studying = **estoy estudiando.***

2. The verbs **ir, andar,** and **seguir** are also often used with the present participle for an even stronger progressive meaning. These forms give the idea of *keeping on, continuing,* or *progressing.*

Estebanico iba haciendo una colección.
Estebanico <u>kept making</u> a collection.

Coronado seguía caminando.   **Andaba fingiendo ser rey.**
Coronado <u>continued traveling</u>.   *He <u>went on pretending</u> to be a king.*

3. Note that *ir* and **venir** (verbs of motion) are never used in the progressive form: *I am going* = **voy;** *he is coming* = **viene.**

EJERCICIO 7. *Translate these expressions, showing as strongly as you can the idea of progression.*

1. vamos aprendiendo
2. andan buscando
3. vienen
4. sigue hablando
5. iban molestando
6. estaban leyendo
7. seguían comiéndose
8. vamos
9. siguen esperando

EJERCICIO 8. *Translate these assorted verb forms carefully.*

1. lavábamos
2. necesitaban
3. haciéndose
4. yo terminaba
5. eran
6. se habían comido
7. nos escribíamos
8. valían
9. estaban limpiando
10. tenga usted
11. terminaba
12. íbamos
13. había resuelto
14. ha cubierto
15. seguíamos molestando
16. mandan
17. había
18. hemos puesto
19. divierten
20. habíamos fingido
21. veíamos

Black Star

Ancient Indian dances of tribes near Santa Fe, New Mexico, still take place whenever the tribal assembly decides in a ritual meeting that one is due.

ESTUDIO DE PALABRAS

Notice how these familiar verbs change their meanings when they are used reflexively.

ORIGINAL MEANING		REFLEXIVE MEANING	
ir	*to go*	irse	*to go away*
llevar	*to carry*	llevarse	*to carry away (off)*
levantar	*to raise*	levantarse	*to get up*
dormir	*to sleep*	dormirse	*to go to sleep*
comer	*to eat*	comerse	*to eat "up"*
poner	*to put*	ponerse	*to put on*
hacer	*to make*	hacerse	*to become, "get"*
llamar	*to call*	llamarse	*to be named*
divertir	*to amuse*	divertirse	*to enjoy oneself*

EJERCICIO 9. *Translate these sentences, showing how the reflexive pronoun changes the meaning of the verbs.*

1. El indio dormía en el pueblo; el indio se dormía porque estaba cansado.
2. La expedición fué hacia el norte; la expedición se fué inmediatamente.
3. Pablo come temprano; Pablo se come el maíz. 4. El moro puso las plumas en la mesa; el moro se puso las pieles. 5. Los españoles esperaban hacerse ricos; para hacer esto, buscaban riquezas. 6. Coronado se llevó el maíz de los indios; el capitán lo llevó consigo. 7. Antonio se levantó para resolver el problema; Antonio levantó la mano. 8. El moro se llamaba Estebanico; el capitán llamaba a Estebanico. 9. Me siento y lo siento, si no hay silla allí.

PARA PRONUNCIAR

I. Remember that the letters **t, d, l,** and **n** are formed in Spanish by placing the tongue farther forward in the mouth than when speaking English. Put your tongue so low against your upper front teeth that you could bite it, then smile, and you will get the Spanish sound. Keeping your face in that position, say these silly sentences with your best accent:

1. Tomás también tiene tinta para ti.
2. Anita no nombra a nadie en enero.
3. Lola nota lentamente el litro de lodo.
4. Don David da dulces a dos damas.
5. Nada te pide tanta atención.
6. Tu tinta te tiñe de negro.
7. El nido del loro no era de lodo.
8. Dame linolué de Olinalá.

47

II. Roll heavily **rr** or initial **r** as you pronounce carefully:

> Erre con erre en barril,
> erre con erre en cigarros.
> Allá en el ferrocarril
> rápidos corren los carros.

III. Final **r** is a soft sound breathed and flipped off the end of the tongue with just a trifle of the roll of any other single **r**. Widen your mouth as if to smile and leave it open as you finish the sound. Read these sentences aloud with your best **r**.

1. ¿Por qué tratar de resolver el rumor?
2. No hay nada que mandar.
3. No podemos hacer el amor.
4. Vamos a sorprenderle.
5. Quiere venir a retratarme.
6. Va a salir del hogar sin querer.
7. Favor de no fingir ser rey.
8. No necesito publicar un diario.
9. Vamos a leer sin estudiar.

PALABRAS PARA APRENDER

* adelante	onward, ahead	* el maíz	corn
* andar	to go; (with pres. part.) to keep on	* mandar	to send
		el moro	Moor
* el capitán	captain	* el norte	north
* el conquistador	conqueror	* la pared	wall
* consigo	with him (her, you)	* la piel	fur
* la cruz	cross	* la pluma	feather (new meaning)
* el chiste	joke, funny story		
* divertir (ie, i) (a)	to amuse (new meaning)	* regresar	to return
		* resolver (ue)	to solve
* el edificio	building	* resuelto	past part. of resolver
* esperar	to hope (new meaning)	* las riquezas	wealth, riches
		* seguir (i, i) (sigo)	to follow (new meaning)
* fingir (finjo)	to pretend		
* hacerse	to become	* tal	such (a)
* hacia	toward	la turquesa	turquoise
		* el valor	value

EXPRESIONES

* a lo lejos, in the distance
* darse cuenta de, to realize
* de veras, really

hacer el amor a, to make love to
mandar adelante, to send on ahead

PALABRAS PARA REPASAR

* comerse	to eat up	* valiente	brave
* dormirse	to go to sleep		

FOR ADDITIONAL, OPTIONAL MATERIALS TURN TO **A ESCOGER**, PAGE 433.

This is Spain

Basque farmer

Romantic figures move through the pageant of Spain's past. Crusader and conqueror, Moor and monk, handsome knight and lovely lady, proud king and gracious queen have come and gone. Centuries have passed since they played their role, but this land where they lived still bears the imprint of their deeds. Castles still stand firm on the hilltops, weathered stones of mosque and cathedral glow softly in the sunlight, and customs and character and language reflect a heritage of men of many nations who met and mingled here.

The peninsula which Spain shares with Portugal joins the continent of Europe along a three-hundred-mile mountainous frontier on the north, and

Previous page:
El Alcázar, Segovia

50

Vivacious dancer of Sevilla swirls her yards of ruffled skirt to Moorish guitar rhythms, and accents the beat with her clicking heels.

Ancient Málaga, on her busy bay, finds time to enjoy tree-shaded drives and exciting bullfights.

on the south the narrow Strait of Gibraltar separates it from Africa. Spain is Europe's fourth largest country, and within its borders are striking variations in climate and crops and language. Rugged mountain ranges have isolated its people in separate communities, each with its own customs and language and distinct way of life. Today the visitor to this land finds a country of contrasts and contradictions where the past is never far from the present.

In northern Spain there is little to remind one of the languid scenes of travel posters that picture a place where life is easy and work can wait until tomorrow. This is a land of vigorous, hardworking people. In the picturesque fishing villages along the steep, rocky coast, life is geared to the sea. Inland, small farms cover the countryside and large herds of cattle graze on lush, green pastures, for here in the north, rainfall is plentiful. In field and village and

51   *Jai alai players*

España

along the wharves there is music, for these are people with a gift for song, a poetic language, and a ready laugh.

Where the Pyrenees Mountains slope down to the blue waters of the Bay of Biscay is the region known as Provincias Vascongadas—the Basque country. The Basques are a proud, independent people who live within Spain's borders but elect their own president and make their own laws. They speak a language all their own, the origin of which is unknown and as baffling as its pronunciation. An energetic, practical people, they cultivate their tiny farms on terraced hillsides, and higher up on the mountaintops patient shepherds watch their flocks. Basque fishermen battle the waves with the same daring as that shown by their forefathers, who were the first Europeans to arrive at the Newfoundland fishing waters. The Basques are as energetic at play as at work, for *jai alai*, their beloved game of handball, requires skill and speed and unusual strength. So do their amazing dances.

The people of Cataluña, in the northeast corner of the country, guard their independence as jealously as the Basques and just as stubbornly resist Madrid's attempts to govern their local affairs. The Catalans have their own language, which they remind you is *not* a dialect of Castilian. Call them Spaniards and they correct you by saying proudly, "*Soy Catalán.*" Throughout Spain these people are known for their keen business minds and their ability to drive a good bargain.

Basques of northern Spain wear special costumes for their energetic native dances. Here the standard bearer of a dance is dressed in a white-braided black suit.

53

Lace maker of Granada works on a delicate design outside her shop on Alhambra hill, while boy sprinkles dusty cobblestones with water from the typical two-spout jug.

And there is ample opportunity to use this talent, for Barcelona, the capital of Cataluña, is Spain's biggest and busiest seaport. Ships flying the flags of many nations lie at anchor there to load olives, olive oil, hides, leather goods, and cork. Not far from the docks a monument to Columbus faces the sea. It was to Barcelona that the great navigator came to tell King Ferdinand and Queen Isabella of the new lands he had discovered and claimed for the Spanish Crown. With him that day were the Indians he had brought back to present to their majesties. How the King and Queen must have stared at their first glimpse of Americans! Barcelona resembles many other large, modern cities, but two of its avenues, La Rambla de las Flores with its colorful flower market, and La Rambla de los Estudios and its bird market, give Barcelona a special place in the visitor's memory.

Southward from Barcelona along Spain's east coast, the landscape and climate are less harsh, and the language, a dialect of Catalan with overtones of Arabic, has a softer sound. Over this fertile land stretch great orange groves, the Valencia oranges of our own markets. There too are fig and almond and lemon trees, and the air is fragrant with the scent of many flowers. The canals bringing water to fields and groves look like long silver ribbons bordered with green. And as beautiful as the fruit trees and flowers are the delicate green rice paddies that cover many miles of land. From them comes rice for *paella,* the dish for which Valencia is famous.

The people of Valencia are proud of their city, one of Spain's oldest. They will show you their cathedral and fine museums, and they would not have you miss their great central market, one of Europe's biggest and most beautiful. Valencia, like Barcelona, is an industrial city and a busy seaport. Freighters sail from its docks with cargoes of exquisite silks and other textiles, glass and pottery, and thousands of *azulejos,* the tiles of unusual color and design so much used by builders in Spain.

Along the southern coast lies Andalucía, the sunny Spain of color and beauty and song, where life is easy and people are gay. Nowhere but in Andalucía, they will tell you, is the sky so blue. This is the part of Spain we know best, and so we imagine that all the rest of the country is like it. Here the Moors built their loveliest buildings. In the broad valleys are orchards and vineyards and thousands of trim, gray-green olive trees growing in rows so straight that they might have been drawn with a ruler. Here too are the wide-spreading cork trees. Their trunks, newly stripped of bark, are the rich, reddish-brown color of devil's food cake.

Here in southern Spain are cities whose names have a familiar ring — Granada, Cádiz, Córdoba, Málaga, and Sevilla. The Andalusian will tell you that in all Spain there is no lovelier place than Sevilla in springtime. The Spaniards who first saw the Indies in October, 1492, said that the climate was like April in Sevilla.

The city stands on the banks of the famous Guadalquivir River. Here people used to watch the Spanish galleons sail slowly to port bringing chests filled with gold from America. Close by is the Torre del Oro, where the gold was stored. And in the Archivos de las Indias, from reports now yellow with age, you may follow the day-by-day happenings of that fabulous period of our hemisphere's history.

The landmark for all of Sevilla is the tall Giralda Tower, fashioned of tiles of rich, glowing colors. Nearby is the Alcázar, a Moorish palace of elaborate design set in charming gardens. And here too is Sevilla's tremendous Gothic cathedral, largest and one of the most impressive in all of Spain. This city, on which the Moors left such a deep imprint, has picturesque streets and attractive homes. Iron balconies overflow with plants, and flowers fill the patios, which seem to have a special charm in Sevilla.

Cádiz, Spain's oldest city, is built on a long, narrow peninsula of the Atlantic Coast. By day it is a city of white stone, dazzling in the sunlight, and at night it becomes a long, brilliant line stretching into the sea. Once it was a trading town of fabulous wealth, famed for its beauty, the grace of its dancing girls, and the daring of its sailors. More than a century before Christ, the Phoenicians occupied the city and introduced many of their industries. Salt mining, which they started, still flourishes today beyond the city.

Málaga's winter climate and beautiful countryside lure people from the harsh northern lands. Many *malagueños* still live leisurely lives, and enjoy driving in stately victorias drawn by fine horses, content to let others rush through life in automobiles. Málaga is a city of magnificent trees and boasts of having more different varieties than any other place in Spain. From the vast vineyards around the city come the grapes for fine wines and raisins.

Twelve centuries ago the Moors built their famous mosque in Córdoba, and today it is still an architectural wonder. A thousand pillars support arches whose alternating blocks of red and white give an unusual effect. Later, other Moors and Spaniards added to the mosque, and now it is a mixture of many plans and periods.

Granada, a city so often remembered in song, stands in a fertile green valley with the snow-covered Sierra Nevada Mountains as a dramatic backdrop. It is a modern city, but has many reminders of the past. On a hill at the edge of Granada the Moors built the exquisite Alhambra and surrounded it with charming gardens of flowers and shrubs and walks bordered by tall, slender cypress trees. A deep ravine lies between the Alhambra and the hill in whose sides the gypsies have their homes. There on the hillside in the moonlight they used to sit and sing, saluting with music the beauty of the Alhambra. Today they still sing and dance—for tourists who pay their price.

Northward from Andalucía, on Spain's high central plateau, lies Castilla, a region where life and landscape contrast sharply with southern Spain. The rugged Guadarrama Mountains divide the region into Castilla la Nueva and Castilla la Vieja. Both are dry, almost barren lands, scorched by the summer sun and swept by the cold winds of winter. The harsh climate has bred a people as stern as the land itself, men of strength and independence.

On the plateau, as far as one can see, there are no groves or orchards, and only a few struggling flowers. Grim castle fortresses crown the hill-

Ancient Ávila, whose thirty-foot-thick walls were built when Spaniards battled Moors for possession of the city, is one of Europe's four remaining walled cities.

tops, their brown stones merging with the color of the soil. Windmills, with great sails slowly moving, stand silhouetted against the sky. Here, as elsewhere in Spain, farmers drive their families in two-wheeled carts drawn by donkeys, and lumbering oxen move slowly through the fields. Each animal wears a headdress of ropes, the ends of which fall over its face to keep away flies. Though there is none of the color and beauty of southern Spain, Castilla is a land with a peculiar charm of its own. No visitor will ever forget its clear bright skies, the changing lights and shadows on the fields, and the rich, warm glow of its sunsets.

Castilla has cities with well-known names, too, each containing famous cathedrals, museums filled with art treasures, and monuments commemorating events and people of Spain's long history.

Madrid, the nation's capital, stands nine miles from the Hill of the Angels, which marks the exact center of the country. Like modern cities everywhere, it has smart shops, rushing traffic, fashionable clubs, and comfortable hotels. But the people take time to be leisurely, to sit long over a cup of coffee at a sidewalk café, to wander along the shady walks in lovely parks, or to spend hours in the famous El Prado museum. Here in this modern city, just before midnight on New Year's Eve, people

Windmills, made famous by Don Quijote, still pump water from the flat plains of La Mancha in hot, dry, central Spain.

Modern Madrid has impressive office buildings overshadowing a new park with statue of Don Quijote, the best-known character in Spanish literature.

crowd into the Puerta del Sol, a plaza in the heart of Madrid. Each one carries a bag holding exactly one dozen white grapes, and as the clock begins to strike midnight, each begins to eat his grapes and to concentrate on the wish he wants most to come true in the new year. If he finishes the grapes by the time the clock stops striking the hour, it is supposed to be a sign that he will get his wish.

At the edge of Madrid are the modern buildings of the new University City. Beyond the well-kept grounds in which they stand is an experimental farm, where Spanish youth are learning the science of tilling the soil. This university with buildings as modern as tomorrow contrasts sharply with Spain's oldest university, which is located at Salamanca. Wandering through its halls today, one pictures them as they once were, crowded with students from all of Europe, for this was a famous seat of learning. One imagines a group stopping to read the announcement that Cristóbal Colón will give a series of lectures on the new lands he has discovered. Students from other countries still come to the University of Salamanca, but today Spain has many other universities.

The region of Castilla has other famous cities. Burgos is the birthplace of Spain's national hero, El Cid, and here, too, he begged to be buried. Valladolid is remembered as the place where one May morning in 1506, the poor, tired, broken-hearted man who discovered America died. Across the brown, dusty plains from Madrid, Toledo stands like a great fortress at the top of a high hill, almost surrounded by the Tagus River. For centuries fighting men have gone into battle carrying the fine-tempered swords made in Toledo's arms factories. But it is for its priceless art treasures that Toledo is best known.

These are only a few of the cities that are important both for their interesting histories and for their place in modern Spain. This is only a glimpse of the sunny land from which men of iron once set out to conquer and colonize a new world, leaving there a lasting imprint of the customs, language, and charm of their homeland.

DELIA GOETZ

MORE ABOUT SPAIN

Day, Dee: *Getting to Know Spain.* Coward-McCann.
A tour through the fifteen regions of today's Spain with stop-offs in cities like old Granada, high-fortressed Toledo, and bustling modern Madrid.

Helm, MacKinley: *Spring in Spain.* Harcourt.
Entertaining, readable account of the author's travels through parts of Spain and a visit to the Island of Mallorca, with particular emphasis on Spain's art.

Holiday magazine.
The May 1954 issue has a well-illustrated article on Spain today.

Hurlimann, Martin. *Spain.* Crowell.
An exciting album of photographs (some 250, in both color and black and white) arranged to illustrate a tour through most of the important regions of Spain. An introductory essay outlines the journey and gives background.

Ogrizek, Doré (ed.): *Spain and Portugal.* McGraw-Hill.
An introduction to the people of Spain and Portugal, their culture, customs, and historical background. Illustrations in rich, deep colors that give the real atmosphere of the countries.

The National Geographic Magazine.
The issue for April 1950 has an interesting article on Spain in general and some of its regional characteristics. The issue for February 1954 has an article on the Basque country and its people, and in the March, 1956 issue is an article on the Pyrenees. All are beautifully illustrated.

Capítulo 5

El fantasma de
Punta Guijarros

The romantic days of the Dons in early California were an example of Spanish colonial living at its best. Priest and soldier had tamed a wilderness, and all along *El camino real,* with its hospitable missions stationed a day's horseback ride apart, lived the Spanish aristocrats on their great *ranchos.* For the Dons and their families it was a leisurely, pleasant life. There was dancing every Sunday after church, gay *caballeros* serenaded *señoritas* at their balconies, and everyone went on horseback to *fiestas* and *fandangos* (parties) at the various *ranchos.*

In those days there were many legends and superstitions of both Indian and Spanish origin. "The Ghost of Cobblestone Point" (now called Point Loma, near San Diego) tells what one superstition is actually supposed to have done for the daughter of a Don in the one-time village of Southern California.

— ¿Viste [1] a don Ramón en el pueblo? — preguntó doña Carmen a su criada vieja, María, al encontrarla en el patio.

— Sí, señorita, hace media hora, — contestó María, mirando la cara bonita de doña Carmen.

— ¡Ah! ¿Y qué dijo mi novio? Pero, ¡cuidado! Ese Pablo va a oírte. Ven (*come*) a mi cuarto y podemos hablar allí.

— Ese Pablo debe cuidar sus flores en vez de mirar siempre a la

---

[1] Notice the use of the familiar second person in this story.

gente decente,[1] — se quejó María, mirando con indignación al jardinero malhumorado (*ill-humored*) que estaba trabajando en el
10 patio. — ¡Debe saber que un jardinero no se atreve a hacerle el amor a usted!

— ¡Chis (*sh*)! — dijo doña Carmen, cerrando la puerta de su cuarto. — ¿Qué dice don Ramón?

—Pues, señorita, — contestó María, — dice que tiene que verla
15 a usted esta misma noche, y que es una cosa de mucha importancia. Dice que la esperará a las once en la Punta Guijarros.[2]

— ¡Ay, válgame Dios! — exclamó doña Carmen. — ¿Cómo puedo ir yo a la Punta? Bien sabe Ramón que nunca puedo salir de casa de noche.

20 — Pues, señorita, — explicó la criada, — dice don Ramón que yo debo acompañarla, y así estará bien.

— Espero que sí. ¿Pero, ese Pablo? Si él nos sigue, ¡ay! Le tengo miedo.

— Ese jardinero no va a saber nada de esto. El que me asusta
25 a mí es aquel fantasma de la Punta.

— ¡Fantasma! ¡Supersticiosa tú! — rió Carmen. — No hay peligro. Y si hay fantasma, la leyenda dice que existe sólo para proteger a las damas inocentes.

[1] *Gente decente, "nice people."* Of course the gardener was being very bold even to think that Carmen might notice him.
[2] A young lady's maid, by carrying messages for her, often plays Cupid in Latin American countries even in these days, especially if the family disapproves of her friend.

LAS MISIONES DE CALIFORNIA Y EL CAMINO REAL

Ed Sievers

San Diego's Point Loma, once Punta Guijarros, where the legendary ghost reigned, now boasts a national monument honoring Cabrillo, Portuguese navigator who landed there in 1542.

— Pues, espero que sí. Entonces digo a don Ramón que le en- 30
contramos a las once, ¿eh?

— Sí, María. Y no digas [1] nada de esto a nadie, ¿sabes?

— No tenga cuidado, señorita. Con permiso. — Y María salió
del cuarto.

Pero no se dió cuenta de que Pablo, trabajando en el patio, se
había acercado a la puerta. . . . 35

Eran las once de la noche. Bajo la luz de la luna llena, la Punta
Guijarros se veía blanca sobre el mar (*sea*). Al pie del risco, las altas
olas con su trueno (*thunder*) eterno (*eternal*) seguían rompiéndose
contra las rocas. Una forma obscura apareció en la senda, y luego
se escondió entre los arbustos. La luna miraba, y esperaba. . . . Y 40
las olas seguían rompiéndose contra las rocas. . . .

Dos mujeres aparecieron en la senda. — ¡Ay, tengo miedo! —
murmuró María. — Se dice que aquel fantasma siempre aparece en
noches de luna llena.

[1] *No digas, don't say,* a negative familiar command you have not had yet.

63

45   — Pero, ¿dónde está Ramón? — preguntó ansiosamente (*anx-iously*) Carmen, sin contestarle a María. — Dijo que estaría (*would be*) esperándome.

— Pronto vendrá, — dijo María, y en seguida volvió la cabeza y dió un grito de alarma. Un hombre había salido de los arbustos.

50   — Buenas noches, Carmencita, — dijo la voz desagradable de Pablo. — ¿Cómo estás?

— ¡Tú por aquí (*You here*)! [1] — exclamó Carmen, asustada. — ¿Cómo te atreves tú a seguirme?

— Porque te quiero, — dijo Pablo con osadía (*boldly*), — y vengo 55 a decirte que tienes que casarte conmigo y no con ese Ramón. Nos vamos esta misma noche.

— ¡Casarse doña Carmen con un jardinero! — exclamó María. — ¡Nunca! ¿No sabes que ella es hija de don Guadalupe Reyes?

— Cállate, vieja, — dijo Pablo a la criada. Y a Carmen, — Pero 60 sí vas a casarte conmigo, Carmencita mía. Esta misma noche te vas conmigo, o mueres, ¿entiendes? Mira, preciosa, el risco es muy alto, ¿no? Es muy fácil caer de la Punta, y las olas no publican secretos.

— ¡Don Ramón vendrá! ¡Él me protegerá!

65   — Tu Ramón no salvará a nadie. Ya le he muerto (*killed*), y tú . . . tú vas conmigo. — Y se acercó a la dama asustada.

— ¡Ay! ¡Ramón! — gritó Carmen desesperada (*despairingly*).

— Cállate, preciosa, — dijo Pablo riéndose y cogiéndole el brazo. — No sirve gritar. Tu padre no puede oírte, ni tu Ramón tampoco.

70   En este momento apareció en la senda detrás de Pablo una forma obscura, alta, y envuelta (*wrapped*) en una capa (*cape*) larga. Iba acercándose cuando María, volviendo la cabeza, la vió.

— ¡Ay, válgame Dios! — gritó la criada. — ¡Es el fantasma de la Punta!

75   Pablo volvió la cabeza. — ¡El fantasma! ¡Ay! — exclamó asustado. Bien sabía la leyenda.

— ¡Sí, y ahora eres tú el que no puede salvarse! — gritó la supersticiosa María.

Pablo no podía escaparse por la senda, porque allí estaba la forma 80 misteriosa. Empezó a correr asustado por el borde (*edge*) del risco. De pronto resbaló (*he slipped*) en la roca y comenzó a rodar (*roll*) hacia el risco. Las mujeres le miraban, paralizadas, mientras el jardinero llegó al borde (*edge*) y desapareció sin poder salvarse. A lo

---

[1] Carmen uses *tú* in speaking to Pablo because he is a servant, while he boldly uses it to her because he is really being "familiar," which to her is shocking.

San Diego Mission, the first of California's twenty-one, was built in 1796. It was the scene of many a struggle with the Indians, who often revolted against Spanish rule because of epidemics of measles.

65

lejos podían oír grito tras (*after*) grito, hasta que las altas olas se los
85 tragaron (*swallowed*).

El fantasma había salvado a la dama inocente. Pero, ¿estaba
hablando? Sí, el fantasma hablaba.

— No tengas miedo, Carmencita mía. Soy Ramón. Pablo creía
que me había muerto (*killed*), pero sólo me hirió (*wounded*), y al fin
90 pude (*succeeded in*) seguirle. ¿Estás bien, preciosa?

— ¡Ay, Ramón! ¡Ahora sí! — murmuró Carmen. — Y ¡cuánto
debo (*owe*) a este «fantasma»!

PREGUNTAS

I. ¿Entendió usted el cuento?

1. ¿Dónde vió María a don Ramón?
2. ¿Cuándo le vió?
3. ¿Cómo oyó Pablo la conversación entre las dos?
4. ¿A quién quería Pablo hacer el amor?
5. ¿Dónde quería don Ramón encontrar a doña Carmen de noche?
6. ¿A quién tenía miedo María?
7. ¿A quién tenía miedo doña Carmen?
8. ¿Quién estaba esperando a doña Carmen cuando llegó a la punta?
9. ¿Dónde se escondió el jardinero cuando fué a la punta?
10. ¿Por qué había seguido el desagradable Pablo a doña Carmen?
11. ¿Quién desapareció aquella misma noche bajo las altas olas?
12. ¿Qué había protegido y salvado a la dama inocente?

II. ¿Qué dice usted?

1. Algunas veces, ¿vuelve usted la cabeza para hablar en esta clase?
2. ¿Dice usted «Buenas noches» a sus amigos antes de volver a casa de
   noche?
3. Cuando pasa usted delante de alguien, ¿dice «Con su permiso»?
4. ¿Dice usted «Espero que sí» o «¡Válgame Dios!» al oír la noticia que
   un amigo viene a visitarle?
5. ¿Tiene usted miedo al oír un grito a lo lejos de noche?
6. ¿Da usted un grito de alegría al recibir buenas noticias?
7. ¿Es usted bastante fuerte para romper una roca con las manos?
8. ¿Qué hizo usted hace media hora?
9. ¿Quiénes publican más secretos, los muchachos o las chicas?
10. ¿Se atreve usted a acercarse a un risco alto de noche?
11. ¿Qué le gusta a usted más, una noche obscura o una noche de luna
    llena?

ESTUDIO DE VERBOS

EJERCICIO 1. *If you need to review the preterite tense, look at the regular verb models in section 50, page 506. Then, if you can give these preterite forms of* **mandar, resolver,** *and* **fingir** *correctly, you know the regular forms for all three conjugations.*

1. he sent
2. they solved
3. she pretended
4. we sent
5. you solved
6. they pretended
7. you sent
8. he solved
9. we pretended
10. I sent
11. I solved
12. I pretended

EJERCICIO 2. The irregular preterites are the most troublesome verbs in the Spanish language, simply because they have been used so much that they are actually worn crooked! These are some of the most common ones, which are listed alphabetically beginning with section 51, page 509, if you need to review them.

Write the first person preterite of each of these verbs, and say the complete conjugation aloud to help your ear review it, too.

1. dar
2. decir
3. hacer
4. ir
5. poner
6. ser
7. traer
8. venir

EJERCICIO 3. *Review these irregular preterites, or learn them if you did not have them in your first year course.*

Some preterites have changed meanings: **pude,** *I succeeded in;* **supe,** *I found out;* **quise,** *I tried;* **no quise,** *I refused* (to).

andar:	**anduve, anduviste, anduvo; anduvimos, anduvisteis, anduvieron**
estar:	**estuve, estuviste, estuvo; estuvimos, estuvisteis, estuvieron**
poder:	**pude, pudiste, pudo; pudimos, pudisteis, pudieron**
querer:	**quise, quisiste, quiso; quisimos, quisisteis, quisieron**
saber:	**supe, supiste, supo; supimos, supisteis, supieron**
tener:	**tuve, tuviste, tuvo; tuvimos, tuvisteis, tuvieron**

EJERCICIO 4. *Give these preterite forms of the verbs from the preceding conjugations.*

1. (*I*) poder
2. (*you*) estar
3. (*we*) saber
4. (*they*) querer
5. (*he*) andar
6. (*she*) tener
7. (*you*) (*pl.*) saber
8. (*I*) estar
9. (*you*) tener
10. (*we*) poder
11. (*they*) andar
12. (*you*) saber

EJERCICIO 5. The third-conjugation stem-changing (III SC) verbs have a present participle which "matches" the third persons of the

67

preterite (*dormir: **durmieron, durmiendo;** pedir: **pidieron, pi-** diendo*).[1]

Write the third person plural preterite and present participle of the following verbs. Notice how they "match."

1. pedir	3. morir	5. servir
2. dormir	4. vestir	6. seguir

EJERCICIO 6. *Review the preterites and formal commands of verbs ending in –car, –gar, and –zar (pages 515-516). Then translate these verb forms.*

1. I took out   3. they played (*a game*)   5. I paid   7. Take out!
2. he commenced   4. Play! (*an instrument*)   6. we paid   8. I began

EJERCICIO 7. You remember that an unaccented *i* between two vowels must change to *y* in Spanish. This happens in the third persons of the preterite tense of four common verbs: ***caer, creer, leer*** and ***oír***.[2]

In the same verbs the complete preterite has five written accents instead of the usual two, since the weak vowel *i* must be stressed. The past participle is accented for the same reason.

*Learn the preterite of **caer**.*

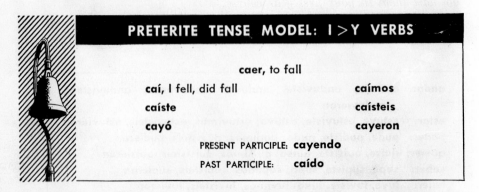

PRETERITE TENSE MODEL: I > Y VERBS

caer, to fall

caí, I fell, did fall	**caímos**
caíste	**caísteis**
cayó	**cayeron**

PRESENT PARTICIPLE: **cayendo**

PAST PARTICIPLE: **caído**

EJERCICIO 8. *Give the third person plural preterite tense, present participle, and past participle of these verbs.*

1. caer   2. oír   3. leer   4. creer   5. traer (*¡Cuidado!*)[2]

EJERCICIO 9. *Give these forms in Spanish.*

1. he read	3. they fell	5. you (*pl.*) fell
2. falling	4. believing	6. we read

[1] Other present participles to notice are *decir, diciendo; ir, yendo;* and *poder, pudiendo.*

[2] *Traer* also has *y* in the present participle (*trayendo*), but an irregular preterite. Remember *traje, trajiste*, etc.?

7. they heard	9. we have read	11. you believed
8. I brought	10. I have heard	12. hearing

EJERCICIO 10. *Learn the preterite and present participle of* **reír** (III SC).

PRETERITE TENSE: REÍR

reí, I laughed, etc.	**reímos**
reíste	**reísteis**
rió	**rieron**

PRESENT PARTICIPLE: **riendo**, laughing

PAST PARTICIPLE: **reído**, laughed

What has happened to the first *i* in the endings *–ió, –ieron, –iendo?* Why are the accents needed on **reímos, reísteis, reído?**

EJERCICIO 11. Since you will not find regular stem-changing verb forms in dictionaries, in order to find their meanings, you must be able to figure out the infinitives. *When* **e** > **ie** *or* **i,** *and* **o** > **ue** *or* **u,**[1] *from what infinitives do these verbs come?*

1. empiezan	7. vuelven	13. sirvieron	19. nieva
2. cierras	8. diciendo	14. vino	20. pida usted
3. rieron	9. siguieron	15. murió	21. divierte
4. muere	10. riendo	16. suena	22. pudiendo
5. comienza	11. durmiendo	17. sirviendo	23. siente
6. se despide	12. vistió	18. cuente usted	24. se sienta

ALGO VIEJO Y ALGO NUEVO[2]

4. The Imperfect versus the Preterite Tense

1. *Review*

Learning when to use the imperfect or the preterite tense is one of the hardest things about Spanish for us. It's a good idea, then, to review what we already know before going on.

---

[1] > = "becomes" or "changes to."

[2] This section may be "something old and something new" to classes which did not study the optional (last two) chapters of *El camino real*, Book I.

EJERCICIO 12.   *Review the uses of the imperfect and preterite tenses which are not starred in section 124, page 529.   Then change each of the infinitives in these sentences to the proper form, explaining your choice of tense.*

1. Alfredo *traer* un caballo al jardinero esa misma noche.   2. La leyenda *salvar* a la dama inocente.   3. Las olas *seguir* rompiéndose contra el risco.   4. Las rocas no *ser* muy altas, ni las olas tampoco.   5. Don Ramón *volver* la cabeza de pronto.   6. — Buenas noches, — *decir* una voz desagradable.   7. *Ser* las once de la noche cuando el jardinero de pronto *caer* del risco.   8. Carmen *callarse* cuando *ver* a Pablo.   9. La criada *dar* un grito cuando *ver* al fantasma a lo lejos.   10. El que *morir* era el jardinero.   11. — Espero que sí, — *contestar* el capitán.   12. Bob *entregar* periódicos todos los días.   13. No cabe duda de que *desaparecer* la vaca.

San Gabriel Mission is today the scene of annual fiestas commemorating colorful old Spanish days in California, when the church was the center of social as well as religious life.

Sawders-Cushing

2. *New Uses of the Preterite*

Estuvimos *allí cuatro meses.* We were there four months.
Dormimos *ocho horas.* We slept for eight hours.
Nunca le vió. He never saw him.

(a) A past occurrence, if accompanied by an expression of time, must take the preterite tense even though it may have lasted quite a long while. We may call this the "preterite of definite duration."

(b) **Nunca** usually takes the preterite tense rather than the imperfect.

EJERCICIO 13. *Translate these sentences and explain why the verbs are preterite or imperfect.*

1. Nevó todo el día. 2. Nevaba cuando le mandé a casa. 3. El jardinero siempre miraba a doña Carmen. 4. La miró hace media hora. 5. Ella nunca le miró. 6. Siempre nos dábamos la mano al encontrarnos en la calle. 7. Ayer nos dimos la mano. 8. Sabíamos bien las lecciones. 9. Pablo supo que Carmen iba a la Punta. 10. Se dió cuenta de eso en seguida. 11. El jardinero esperó media hora detrás de los arbustos. 12. En ese momento volvió la cabeza y vió al fantasma, que se acercaba por la senda. 13. Fingió estar enfermo por ocho días.[1] 14. La niña preciosa nunca se calló.

3. *A New Use of the Imperfect*

Creía *que no* podía *escaparse.* He thought he could not escape.

Verbs implying mental action, like *believing* (**creer**), *knowing* (**saber**), *thinking* (**pensar**), *wishing* (**querer, desear**), and *being able* (**poder**) are frequently used in the imperfect tense because they express a state or condition rather than an action.

EJERCICIO 14. *Translate, explaining the tense of each verb.*

1. El hombre sabía que estaba enfermo, y deseaba salir, pero no podía. 2. Creía que los habitantes querían salvarle. 3. Tenía miedo pero no podía correr. 4. Conoció [2] al dueño de la vaca. 5. Conocía al dueño de la vaca. 6. Ramón supo que Pablo había ido a la Punta, pero pudo salvar a su amiga. 7. Ramón sabía que Pablo había ido a la Punta, pero podía salvar a su amiga. 8. Pablo quería llevar las películas consigo. 9. Los conquistadores creían que había mucho oro en la tierra del norte. 10. Pudieron resolver el misterio haciendo un viaje por las tierras indias.

[1] *Ocho días* is the common way to say *a week.* *Quince días* is *two weeks.*
[2] Remember that **conocer, saber, querer,** and **poder** change their meanings in the preterite.

ALGO QUE REPASAR

EJERCICIO 15. *Review this list of negative words and expressions and then complete the sentences in Spanish.* Remember that when a negative word follows a verb, **no** must go before it.

nada	*nothing, any-thing*	yo no	*not I*
		ni yo tampoco	*nor I either*
nadie	*no one, anyone*	sin nada	*without anything*
ninguno	*no, none, any*	más (——) que nadie $\begin{cases} more\ (——)\ than\ anyone \\ (——)er\ than\ anyone \end{cases}$	
nunca	*never, ever*		
ni . . . ni	*neither . . . nor*	más que nunca	*more than ever*
ni siquiera	*not even*		

1. No llego *never* tarde al cine. 2. Los soldados no tenían *neither* maíz *nor* pieles. 3. — ¿Quiere usted irse en vez de comer? — *Not I.* — *Neither do I (nor I either)!* 4. No podemos andar *without anything.* 5. *No one* desapareció. 6. Ese hombre es más desagradable que *anyone.* 7. No he leído *any* leyendas. 8. No diga usted *anything* de esto a *anyone.* 9. No vieron *anyone* en la senda.[1] 10. Ella *never* dice *anything* cuando no tiene *anything* que decir. 11. No pudo salvar *anyone* de noche. 12. — ¿Quiere usted el saco? — No necesito *not even* el suéter.

ESTUDIO DE PALABRAS

EJERCICIO 16. From this point on, you will find many cognates omitted from the general vocabulary. You will be expected to guess them because they look like English. *Turn to the first page of the Spanish-English dictionary at the back of the book, and note in the list given there the types of words you should be able to recognize.*

EJERCICIO 17. *Keeping in mind the differences between English and Spanish, tell what the following words mean without looking them up.* (If you cover an initial *e* before *s,* it is easier to see what the related English word looks like.)

1. telefonear	9. completar	17. escaldar	24. escarlata
2. curar	10. imaginar	18. comparar	25. autor
3. admirar	11. catedral	19. escándalo	26. conservar
4. estenógrafo	12. método	20. tipo	27. causar
5. establo	13. sistema	21. observar	28. espléndido
6. fotografía	14. esfera	22. determinar	29. estación
7. típico	15. estudioso	23. espacio	30. estilo
8. competir	16. micrófono		

[1] Remember that **nadie** takes the personal *a* when it is an object.

PARA PRONUNCIAR

EJERCICIO 18. *Review the pronunciation of* **b**, **v**, **n**, **d**, *and* **s** *on pages 538–540. Then pronounce these silly sentences carefully, paying special attention to the underlined letters.*

1. Dame un momento en Madrid.
2. Dividid el durazno duro.
3. Cada dama bebe un vaso de vino.
4. Desde el balcón se veía al mismo barbero.
5. Inmediatamente vamos a ver un milagro.
6. Usted es inmortal, ¿no es verdad?
7. Rosita tiene una vaca barata en mi establo.
8. «Sobre las olas» es una canción de la misma clase.
9. Se convirtió en buen mozo.

PALABRAS PARA APRENDER

el arbusto	bush	* hasta que	until (*conj.*)
* callarse	to be quiet, "hush"	* la leyenda	legend
* coger (cojo)	to take hold of (*things*)	* mismo, –a	very (*new meaning*)
		* la ola	wave
* desagradable	disagreeable	* precioso, –a	"darling"; precious
* desaparecer (desaparezco)	to disappear	la punta	point (*of land*)
		* el risco	cliff
* el (la) que	he (she) who, the one who, whoever	la roca	rock
		* salvar	to save
* el grito	cry, shout, scream	* la senda	path

EXPRESIONES

* buenas noches, good evening
* de noche, at (by) night
* espero que sí, I hope so
* no sirve, it's no use (no good)

publicar secretos, to tell tales
Punta Guijarros, Cobblestone Point
¡válgame Dios! Heaven help me!
* volver la cabeza, to turn one's head

PALABRAS PARA REPASAR

* aparecer (aparezco)	to appear	* ni (yo) tampoco	nor (I) either
* asustar	to frighten	* proteger (protejo)	to protect
* atreverse (a)	to dare (to)		
* contra	against	* romper	to break
* el fantasma	ghost	* se dice	"they" say
* el jardinero	gardener	* tener miedo (a)	to be afraid (of) (*a thing or person*)
* la luna	moon		

FOR ADDITIONAL, OPTIONAL MATERIALS TURN TO **A ESCOGER**, PAGE 436.

Feliz viaje

Modern Mexico is sometimes called "a foreign land but a step away," and when you go there you'll find it just that. As soon as you cross the border, even if you are familiar with Spanish culture, you sense a new atmosphere in the courteous speech of a charming people. You get the *siesta* habit and don't mind supper at nine o'clock — after you learn to take afternoon tea. And soon you adopt the leisurely Spanish living that makes Mexico a different world to the hurried *norteamericano*.

After Jimmie had heard his Spanish teacher talk about Mexico nearly every day for two years, it's not strange that he finally persuaded his family to drive to Mexico City during summer vacation. "Mom" didn't know any Spanish and was afraid of bandits, "Dad" knew just enough words to get into difficulties, and "Sis" wanted to eat everything she saw. Jimmie practically had to conduct the tour, and as he went he wrote up their adventures in Spanish as a souvenir of his trip. And all the things he tells about really did happen!

Sábado, veinte y cuatro de junio
Nuevo Laredo, Tamaulipas,[1] México

«¡Bienvenidos a México!» dice la señal que vimos al pasar la frontera en nuestro coche, camino de la capital. Primero
5 firmamos nuestras tarjetas de turista. Después cambiamos unos cheques de viajero por pesos mexicanos.[2]

— ¿Cuál es el tipo de cambio (*rate of exchange*)?[3] — pregunté al empleado. — Mi padre quiere cambiar dolores por pesos.

— Pues, ¿dolores, dice usted, joven? — contestó, tratando de no

---

[1] *Tamaulipas* is a state bordering on Texas.

[2] Crossing the border isn't quite as simple as this sounds. You must put up bond for your car, go through immigration and luggage inspection, and take out car insurance.

[3] The exchange varies from time to time, but when Jimmie visited Mexico he received 8.65 Mexican pesos (written $8.65) for each American dollar.

reír. — No cambiamos dolores.   Pero los dólares valen ocho pesos 10
sesenta y cinco centavos.

— ¡Ah, dólares, digo (*I mean*)! — exclamé, muy desconcertado.

Dad nos entendió, y comenzó a reírse de mí. — Muchacho hablar
«*high-school* español»,[1] — dijo.

— No tenga cuidado, joven.   Aquí en México usted aprenderá 15
mucho, — me dijo el empleado, entregándole a *Dad* una plumafuente
con que firmar los cheques.

Dad los firmó, diciendo, — Muy buena plumafuente.

— Es de usted, señor, — contestó el empleado con cortesía.

Dad no conocía la costumbre mexicana,[2] y creyendo que el em- 20
pleado de veras le había regalado la pluma, dijo, — Muchas gracias,
— y la metió en el bolsillo.   Yo tuve que pedírsela (*to ask him for
it*) y devolvérsela al atónito (*astonished*) empleado.   ¡Esta vez fué
Dad el que estaba desconcertado!

Me parece que el empleado ha aprendido tanto como yo.   ¡Apuesto 25
a que (*I'll bet that*) nunca dice eso a otro extranjero!

El pobre estaba desconcertado, pero cuando salimos, nos deseó
«Feliz viaje».

¡Espero que sí!

[1] What kind of Spanish does Dad speak?

[2] The Spanish custom is to present an article to a person who has admired it, saying,
"It is yours." The "gift" is to be graciously refused with the answer, "It couldn't have
a better owner," but Dad didn't know that!

Jimmie's Mexico trip
started at Laredo on the
Texas border, but he could
have entered at El Paso,
or Nogales, Arizona.

EL VIAJE
DE JIMMIE

Crossing the international bridge over the Rio Grande at
El Paso, Texas, is a simple matter for the pedestrian — unless
Uncle Sam suspects that his papers are not in order.

Martes, veinte y siete de junio 30
Monterrey, Nuevo León

Seguimos la carretera «Camino Nacional Número 1» hasta
Monterrey. Por todas partes hay estaciones de servicio [1] con cuartos
de aseo. Compramos cuarenta litros [2] de su mejor gasolina, que se
llama Super-Mexolina.   35

Camino de Monterrey,[3] *Dad* y yo íbamos leyendo las señales de
camino, cuando vimos una que decía «Velocidad máxima 70 kiló-
metros [2] por hora». *Dad* creía que quería decir «millas», y estaba
manejando muy de prisa ... hasta que *Mom* miró el velocímetro
(*speedometer*) y le cogió el brazo.   40

Monterrey tiene edificios modernos, así como casas antiguas con
balcones, rejas (*barred windows*), y patios. La mayor parte de las
calles son estrechas (*narrow*) y en éstas, hay tránsito de una sola vía
(*one-way*).

Hemos pasado (*spent*) dos días aquí en un campo para turistas, 45
muy moderno y cómodo.

Anoche *Mom* y *Sis* fueron al centro a pie y serían las diez cuando
regresaron.

— ¡Ay, válgame Dios! — exclamó *Mom* al llegar (pero en inglés,
claro). — Nos perdimos, pero recordé que el campo para turistas 50
estaba en la esquina de la Avenida Juárez con la Calle Mejoral Contra
Dolores. Así iba preguntando por esa calle. Pero no sé qué tenía
todo el mundo, porque todos reían sin entender lo que quería decir,
y al fin tuvimos que tomar un taxi para el campo para turistas.

Yo comencé a reír también. — Ese «Mejoral Contra Dolores» no 55
es el nombre de ninguna calle, — expliqué. — El «Mejoral» es una
medicina contra dolores de cabeza,[4] y se ve un anuncio chico en casi
todas las esquinas.

— ¿Quién será esa Dolores? — preguntó *Dad*. — Me parece que
la pobre chica estará muy enferma si toda esa medicina es «contra 60
Dolores».

¡Esta familia con sus «dolores»!

[1] Sometimes you hear **estación de gasolina** or **gasolinera** for *service station.*
[2] Units of measurement used in Spanish-speaking countries are liters (about a quart),
kilometers, abbr. Km., (⅝ of a mile), and kilograms, called «kilos», (2⅕ pounds).
[3] Monterrey is a wonderful example of contrast between quaint old-style houses with
especially nice wrought-iron balconies and startling modern architecture in homes and
business buildings. Progressive and ambitious, Monterrey is the busiest and most
Americanized city of all.
[4] **Mejoral** is something like our aspirin. Its many small red advertisements are about
the size of street signs and are usually seen on the corners of buildings.

Viernes, treinta de junio
México, D.F.[1]

65   Estamos en un hotel moderno que tiene garage, cuartos con baño
de agua caliente día y noche, teléfono, muebles bonitos, y camas
cómodas.   Pagamos muy poco por todo esto, que no sería barato
en nuestro país.

La capital tiene tres millones de habitantes.   Hay rascacielos
70 (*skyscrapers*) elegantes, así como edificios muy antiguos.   Hoy día
se prohiben bueyes (*oxen*) y burros en las calles principales porque
hay tantos coches.   Hasta hay estacionamientímetros [2] (¡huy, qué
palabra!) en el centro.   Estacionamos el coche cerca de uno demasiado tiempo, y cuando regresamos, *Mom* dió un grito y exclamó, —
75 ¡Miren ustedes! ¡Un hombre acaba de quitar una placa a nuestro
coche! ¡Será un bandido (*bandit*)!

[1] *D. F., Distrito Federal,* like our D.C. (District of Columbia), is the area immediately surrounding the capital. When south of the border, say *México* for the city, and call
the country *la República.*   Mexicans almost never say *la Ciudad de México.*
[2] *estacionamientímetros, parking meters,* nicknamed *chicharras, locusts.*

Modern highways leading to modern Mexican cities still
carry the old-style burro traffic of colonial Spanish days.

Pix

Popular orange drink advertisement painted on the end of a building shares its space with the usual tiny "Mejoral" ad that looks like a street name to unsuspecting visitors.

William Preston

Dad corrió a coger la placa para quitársela al «bandido». ¡Entonces vió que éste era un policía! *Mom* estaba muy desconcertada mientras el policía explicó que *Dad* tendría que pagar una multa (*fine*) para conseguir la placa. Yo expliqué que éramos turistas, y 80 el policía, después de mirar la licencia de manejar de *Dad*, nos devolvió la placa. Entonces nos deseó «Feliz viaje». Son muy corteses con los extranjeros.

En todas las señales de tránsito de la capital se ven las letras «D.D.T.» Al fin dijo *Mom*, — Me parece que hay más anuncios 85 de D.D.T. aquí que de ese Mejoral. Tanto mejor. No me gustan los mosquitos.

— Con esas letras no se puede matar insectos, — le dije. — ¡Aquí en México «D.D.T.» quiere decir «Departamento de Tránsito»!

Entonces todos nos reímos de *Mom*. 90

Domingo, dos de julio
México, D.F.

Ayer fué el cumpleaños de *Sis*, y anoche fuimos todos al Restaurante Prendes para hacer una fiesta. *Sis* tiene once años. Yo le regalé unos dulces porque siempre le gusta algo que comer. *Mom* había 95 pedido de antemano (*beforehand*) un pastel de cumpleaños, y había

79

comprado una vela grande porque no sabía en dónde hallar las
chicas. *Dad* compró una docena (*dozen*) de gardenias por un peso
para adornar (*decorate*) la mesa. Aquí son muy baratas las gardenias.

100   Cuando estábamos sentados, el mesero puso el pastel en el centro
de la mesa, y salió para traer la sopa. *Mom* puso la vela encima del
pastel, y luego arregló (*arranged*) las gardenias alrededor de él. De
pronto nos dimos cuenta de que todo el mundo volvía la cabeza para
mirarnos. En ese momento regresó el mesero con la sopa.

105   — ¡Válgame Dios! — exclamó, muy asustado, casi dejando caer la
sopa. — ¿Quién ha muerto?

Así nos dimos cuenta de que en México las velas grandes se usan
para el luto (*mourning*), ¡y que no se usan las gardenias sino en los
entierros (*funerals*)!

110   ¡*Sis* nunca olvidará este cumpleaños!

PREGUNTAS

I. ¿Entendió usted el cuento?

1. ¿Qué hay que firmar para poder pasar la frontera?
2. ¿Dónde metió *Dad* la pluma que el empleado acababa de «regalarle»?
3. ¿Quién estaba desconcertado entonces?
4. ¿Quiénes desearon «Feliz viaje» a la familia?
5. ¿Cuál fué la velocidad máxima en la carretera?
6. ¿Por qué regresaron *Mom* y *Sis* muy tarde al campo para turistas?
7. ¿Qué hizo todo el mundo cuando *Mom* preguntó dónde estaba la calle
   Mejoral Contra Dolores?
8. ¿Qué tenía el hotel moderno de México?
9. ¿Qué pasa en México cuando un turista estaciona su coche cerca de
   un estacionamientímetro (*parking meter*) demasiado tiempo?
10. ¿Qué tarjeta miró el policía antes de desearles «Feliz viaje»?
11. ¿Qué letras se ven en las señales de tránsito?
12. ¿A dónde fué la familia de Jimmie anoche para hacer una fiesta?
13. ¿Qué había pedido *Mom* para sorprender a *Sis?*
14. ¿Por qué casi dejó caer la sopa el mesero al ver el pastel con la vela?

II. ¿Qué dice usted?

1. ¿Espera usted salir con buenas o malas notas (*grades*) en su tarjeta al
   fin del año?
2. ¿Qué le gustaría a usted comer, una docena de dulces o un pastel?
3. ¿Cuándo decimos «Bienvenido» a un amigo?
4. ¿Cuándo decimos «Feliz viaje» a un amigo?
5. ¿Qué compra todo el mundo en una estación de servicio?

Paseo de la Reforma, wide avenue cut diagonally through Mexico City for Empress Carlotta, is now lined with smart modernistic skyscrapers, among them the American Embassy.

6. ¿Cuál es la velocidad máxima en este estado (*state*)?
7. ¿Qué pasa en este país cuando estacionamos el coche demasiado tiempo?
8. ¿Cuándo hacemos una fiesta para nuestros cuates?
9. ¿Se puede manejar un coche sin comprar placas y sin conseguir una licencia de manejar?
10. ¿Dónde se prohibe estacionarse de noche?
11. ¿Qué hizo usted anoche después de regresar a casa?
12. ¿Escribe su plumafuente bajo agua?

ALGO VIEJO Y ALGO NUEVO

EJERCICIO 1. *Review the present tense of the irregular verbs* **caer, escoger, conocer, oír, reír, traducir, traer,** *and* **ver,** *beginning with section 51, page 509.* (They are alphabetically listed.) *Write the first person singular and the formal command of each one.*

You have now reviewed all the common verbs which are irregular in the present tense.

AL SUR DE LA FRONTERA

— ¿Cuánto al Hotel Internacional?
— Cinco pesos.
— ¿Y el equipaje (*luggage*)?
— Gratis.
— Bueno, pues lléveme el equipaje, y yo iré a pie.

EJERCICIO 2. *Review the formation of the future tense of regular verbs (page 507, § 50) and then give the first person singular and the meaning of each of these.*

1. coger
2. manejar
3. necesitar
4. asistir
5. romper
6. divertir

EJERCICIO 3. *Now review the future tense of the following irregular verbs (beginning with section 51, page 509) and give the first person singular of each and its meaning.*

1. decir
2. haber
3. hacer
4. poder
5. poner
6. querer
7. saber
8. salir
9. tener
10. venir

EJERCICIO 4. *Using the verbs of Ejercicio 3, give the following forms.*

1. we shall say
2. they will come
3. he will know
4. she will leave
5. I shall have (*possess*)
6. they will make
7. you will put
8. he will want
9. we shall be able
10. you will say
11. I shall leave
12. she will put

5. The Conditional Tense

Dijo que iría.   He said that he <u>would go</u>.

Me gustaría ir.   I <u>should like</u> to go.

The conditional tense is used to express the idea of "would" or sometimes "should." [1] In Spanish this meaning is included in the verb, and no extra word is needed as in English.

The conditional tense of all regular verbs is formed by adding *-er* and *-ir* imperfect endings (*-ía, -ías, -ía,* etc.) to the whole infinitive. Here is the conditional tense model.

CONDITIONAL TENSE MODEL: REGULAR VERBS

comprar, to buy

I would (should) buy, etc.

comprar ía	comprar íamos
comprar ías	comprar íais
comprar ía	comprar ían

---

[1] But not when the "should" means "ought to." In Spanish *deber* expresses "ought": *Debo estudiar más. I should (ought to) study more.*

The ten irregular future verbs that you reviewed in Ejercicio 3, page 83, use the same irregular stem for the conditional as for the future tense.

pondría	*dirían*	*habría*
he would put	*they would say*	*I would have*

Remember	Future tense Conditional tense } use the same stem.

EJERCICIO 5. *Give the first person singular conditional tense of each of the verbs in Ejercicio 3, page 83, and its meaning.*

EJERCICIO 6. *Using the same verbs, give the following forms.*

1. you would make
2. she would put
3. we would know
4. I would want
5. he would come
6. you would know
7. we would have (*possess*)
8. they would tell (*say*)
9. they would be able

EJERCICIO 7. *Complete these sentences in Spanish.*

1. ¿*Would you be* cortés? 2. Pensaba que lo *he would see.* 3. ¿Dijo Pablo que *he would help?* 4. Luego, ¿*would you go?* 5. ¿Lo *would he pay?* 6. *They would choose* lo mismo. 7. Explicó que Carlos lo *would bring* más tarde. 8. Pensábamos que *we would live* aquí.

6. The Conditional Perfect Tense

Habríamos ido.   *We would have gone.*

The conditional perfect tense is formed by using the conditional of **haber** (**habría,** etc.) with the past participle.

EJERCICIO 8. *Using the verbs of Ejercicio 3, page 83, give the first person conditional perfect and its meaning for each one except the second.*

7. How to Say "Probably"

1. *Future of Probability*

¿Quién será esa Dolores?
Who can that Dolores be? [1]

— *¿Qué hora será?* — *Serán las doce.*
What time can it be (is it probably)? It is probably twelve.

[1] Or "*Who do you suppose that Dolores is?*"

The future tense, instead of meaning *will* or *shall*, often replaces the present tense in order to express the idea of probability — that is, what is probably true now, in the present. The word "probably," then, is in the verb.[1]

EJERCICIO 9. *Complete these sentences in Spanish.*

1. *They are probably* en la avenida.
2. El agua *is probably* caliente ahora.
3. Esa estación de servicio en la carretera *is probably* abierta.
4. La velocidad máxima *is probably* sesenta millas por hora.
5. *It is probably snowing* (*prog.*) por todas partes.
6. ¿Dónde está Dolores? No sé. *She is probably* manejando el coche en la avenida.
7. ¿Cuántos años tendrá Susita? *She is probably* quince años.
8. Esa plumafuente *probably belongs to* (**ser de**) el policía.

2. *Conditional of Probability*

Serían las diez cuando regresaron.   *It was probably* ten o'clock when they returned.

¿Quién sería esa Dolores?   *Who could that Dolores be?*

The conditional tense, in the same way, often replaces a past tense in order to say "probably" — that is, what was probably true in the past.

Remember	How do you say "probably" in Spanish? It's in the verb (future or conditional).

EJERCICIO 10. *Change the future verbs you used in Ejercicio 9 to the conditional tense and translate the sentences.*

ALGO QUE REPASAR

EJERCICIO 11. *Review the list of direct object pronouns in section 95, page 519, and then give these words in Spanish as the object of the verb* **ve**. EXAMPLE: *me;* **me ve.**

1. her	4. him	7. thee	10. them (*f.*)
2. it (*m.*)	5. you (*m. sing. formal*)	8. me	11. them (*m.*)
3. it (*f.*)	6. you (*f. sing. formal*)	9. us	12. you (*pl.*)

[1] If you want to express probability in the future (he will probably go), you must use *probablemente* and the future tense: *probablemente irá.*

EJERCICIO 12. *Review the rule for the position of object pronouns in section 97, page 520; then complete these sentences in Spanish, explaining the position of each object pronoun in relation to the verb.* (Watch out for accents!)

1. Dad tuvo que firmar *them* (los cheques de viajero) anoche con su plumafuente. 2. El policía quitó *it* (la placa). 3. Sis siempre anda llevando *them* (los dulces) en los bolsillos. 4. Esperamos estacionar *it* (el coche) cerca de la estación de servicio si no se prohibe. 5. No costó mucho regalar *them* (las gardenias) a Sis. 6. Poniendo *it* (la sopa) encima de la mesa, el mesero se fué y no regresó. 7. Todo el mundo estaba comprando *them* (los muebles) por la mañana. 8. No traiga *me* usted esa bicicleta.[1] 9. Regale *him* usted las tarjetas. 10. Regresamos después de leer *them* (las señales). 11. ¡Válgame Dios! *You don't say!* 12. ¡*Tell me* las letras! 13. No quiero coger *it* (la vela).

EJERCICIO 13. *Complete these sentences in Spanish and tell what they mean.* Remember that in Spanish you use the infinitive form of a verb after a preposition.

1. *Upon parking* anoche en la carretera cerca de la señal, vimos a un policía. 2. *Without signing* los cheques, no servirían. 3. Ella no estaría contenta *without pretending* perderse. 4. Se prohibe conseguir una licencia de manejar *without learning* las señales de tránsito. 5. Los turistas no

[1] Remember that object pronouns precede the verb in a negative command.

Rapho-Guillumette

Hand-made guitars of Paracho have a wonderful soft tone and are easy to play. Often the face is inlaid with bits of tortoise shell or mother-of-pearl in delicate designs.

MEXICAN ROAD SIGNS

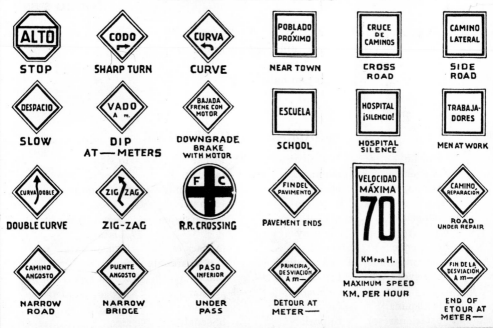

deben ir a México *before realizing* que hay que portarse bien. 6. *After getting* los, el capitán será bienvenido. 7. *On returning* a la estación de servicio, me lavé las manos en el cuarto de aseo.

EJERCICIO 14. *If you need to, review in section 111, page 524, the comparison of adjectives. Then complete these sentences in Spanish.*

1. Esta plumafuente que me regaló es *cheaper than* la de usted. 2. Usted será *as welcome as* las flores de la primavera. 3. Esos muebles serían *the most comfortable in* el cuarto. 4. Anoche *my best friends* se perdieron en la carretera antes de regresar al campo para turistas. 5. *His oldest* hermano es *the happiest* (*feliz*). 6. *The oldest inhabitant* firmó la tarjeta en su hogar. 7. Yo estaría *as embarrassed as* el mesero cuando dejó caer el pastel. 8. Mis brazos son *longer than* los de ustedes, pero los pies de ustedes son *the biggest*.

PARA PRONUNCIAR

Review the rules for accentuation in section 139, page 542. Then, following them closely, read these odd-looking sentences aloud, slowly at first, then faster, to see if you can guess what they mean.

— ¿Juay aryuso leit?
— ¿Juay duyu huantunó?

87

— ¿Javiu sin Tami tudey?
— No, aim sari. ¿Juat huil jisey juenji sismi?
— ¡Jucantel! Jil huántugo tu.
— Oque. Ay jáftugo jom nau.
— Gudbay nau.[1]

PALABRAS PARA APRENDER

* anoche	last night	* firmar	to sign
* la avenida	avenue	* la milla	mile
* barato, –a	cheap	* un millón (de —)	a million (—)
* bienvenido, –a	welcome	* el pastel	cake
* el bolsillo	pocket	* perderse (ie)	to get lost (new meaning)
* la carretera	highway		
* el cheque	check	la placa	license plate
* desconcertado, –a	embarrassed	* la plumafuente	fountain pen
* devolver (ue)	to return (something)	* quitar (a)	to take away (from)
		* regalar	to present, give (as a gift)
* la esquina	(street) corner		
* estacionar(se)	to park	la señal	sign
* feliz	happy (used with ser)	el tránsito	traffic
		* la vela	candle

EXPRESIONES

* acabar de, to have just[2]
* así como, as well as
* camino de, on the way to
  el campo para turistas, tourist camp, motel
  el cuarto de aseo (cleanliness), rest room
* dejar caer, to drop
* demasiado tiempo, too long

la estación de servicio, service station
* feliz viaje, pleasant (happy) journey
* hacer una fiesta, to have a party
  la licencia de manejar, driver's license
* se prohibe, it is forbidden
* se usan, are used
  la velocidad máxima, speed limit

PALABRAS PARA REPASAR

* la cama	bed	* la tarjeta	card
* cómodo, –a	comfortable	* (no) se puede	"you" can('t), it can('t) be done
* los dulces	candy		
* el policía	policeman		

[1] They do look odd, don't they? But it's only English written in Spanish spelling, and means:

"Why are you so late?" "Why do you want to know?" "Have you seen Tommy today?" "No, I'm sorry. What will he say when he sees me?" "Who can tell! He'll want to go too." "Okay." I have to go home now." "Good-by now."

[2] Acabar de is used only in the present and imperfect tenses with this meaning. Acabar alone, meaning to finish, can be used in any tense.

FOR ADDITIONAL, OPTIONAL MATERIALS TURN TO A ESCOGER, PAGE 438.

Capítulo 7

¿Cuánto sabe usted?

It's a good idea to look back now and then to see how far we've come and to check our achievement. This is a review chapter, with no new grammar, and the few new words that you can't guess are listed at the bottom of each page of reading material. After some practical sight-reading, you will review the new words you have had, as well as your verbs and grammar rules. How do you suppose you will rate?

Vamos a adivinar

Suppose you suddenly found yourself in a country where every neon sign, every billboard, every poster, every newspaper advertisement was in Spanish. There would be plenty of words you had never seen before, and how curious you'd be to find out what everything meant! What would you do? Why, you'd guess! You'd seize upon the familiar words, and eye the strange ones carefully to see if they gave you any clues, and finally you'd realize what the new ones had to mean to make sense.

Now put that common-sense system to work here, and see what you can do at sight with some real advertisements taken from magazines and newspapers published in Panama, Mexico, Argentina, and Guatemala. Turn to the next page and read every word of each one carefully, several times if you need to. Then, if you can answer the questions below it, you will know that you can make practical use of your Spanish.

¡Vamos a adivinar! Let's guess!

HOY

COMIENZA LA GRAN SERIE DE
EMOCIONANTES AVENTURAS
DE

TARZÁN

◆ EL HOMBRE MONO ◆

presentada por

CORN FLAKES DE KELLOG

ÓIGALA HOY
Y TODOS LOS LUNES, MIÉRCOLES, Y VIERNES

A LAS 7:00 P. M.

por los 610 kilociclos de

RADIO PROGRAMAS CONTINENTAL

PANAMÁ

¿Entendió usted el anuncio?

1. En este anuncio de Panamá, ¿qué palabra quiere decir *thrilling?* ¿Qué palabra quiere decir *ape?* 2. ¿Cuándo y dónde puede usted oír este programa? 3. ¿Habrá sólo un programa con «Tarzán»? 4. ¿Por qué, piensa usted, tiene sólo una *g* el nombre del *sponsor?* 5. ¿Se puede encontrar alimentos (*foods*) norteamericanos en los países de habla española?

Campaña de subscripciones de

HOY DÍA

La mejor revista de México

▼

OBSEQUIANDO BONITOS

REGALOS

Subscríbase usted y reciba su regalo

Por 6 meses . . . $11.00   *Por un año . . . $20.00*

A los subscriptores de los Estados Unidos,
les rogamos mandar sus cheques
a la Av. Paraguay, Núm. 9, o al
Apartado Postal Núm. 1572, de México, D.F.

RECIBIRÁN A VUELTA DE CORREO SU HERMOSO REGALO

PALABRAS NUEVAS: campaña, campaign; **obsequiando** = **regalando; rogamos**
= **pedimos; Av.** = **Avenida;** apartado, post office box; **Núm.** = **Número; a vuelta
de correo: vuelta** is from **volver.**

¿Entendió usted el anuncio?

1. ¿Por qué debe usted subscribirse durante la campaña? 2. ¿Por qué
es mejor subscribirse por un año en vez de seis meses? 3. ¿Cómo puede
un norteamericano conseguir esta revista mexicana? 4. ¿Cuándo recibirá
usted su regalo de la compañía si se subscribe ahora?

PALABRAS NUEVAS: idioma = lengua; edad, age; Departamento = Estado.

¿Entendió usted el anuncio?

1. ¿Por qué deben los argentinos aprender el inglés? 2. ¿Cuál es el sistema más práctico? 3. ¿Cómo se puede aprender más acerca de este método? 4. ¿Cuánto cuesta el libro sobre inglés?

Los estudiantes más listos usan

PLUMASFUENTE
ESTERBROOK

En todas partes del mundo, los estudiantes como usted prefieren las plumasfuente Esterbrook, porque Esterbrook ofrece una variedad de puntos. Usted puede escoger el punto exacto para su estilo de letra.

Desde el extra fino hasta el extra grueso . . . desde el flexible hasta el rígido . . . usted encontrará el punto que se ajusta exactamente a su manera de escribir.

Escoja usted la plumafuente Esterbrook para sus necesidades.

33 Estilos de puntos diferentes, intercambiables y numerados

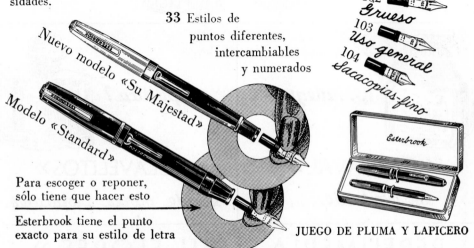

100 **Modelo intermedio**

101 *Taquigrafía*

102 *Grueso*

103 *Uso general*

104 *Sacacopias-fino*

Nuevo modelo «Su Majestad»

Modelo «Standard»

Para escoger o reponer, sólo tiene que hacer esto

Esterbrook tiene el punto exacto para su estilo de letra

JUEGO DE PLUMA Y LAPICERO

E S T E R B R O O K

PALABRAS NUEVAS: estilo, style; juego, set; listo = inteligente; intercambiable < intercambiar < cambiar; reponer < poner.

¿Entendió usted el anuncio?

1 ¿Por qué es muy práctica esta pluma? 2. ¿Se puede conseguir un lápiz mecánico con la pluma? 3. ¿Cómo se dice *pen and pencil set?* 4. ¿Cuántos estilos de puntos hay? 5. ¿Qué modelo es más nuevo, el «Modelo Standard» o el «Modelo Su Majestad»? 6. ¿Qué es lo contrario de *fino?* 7. ¿Se puede cambiar el punto de esta plumafuente?

¿Cuál es su personalidad?

¿Es usted moderna?

« CONQUISTADORA »

es aventurado...

...lánguida?

« SUAVE »

es misterioso...

...alegre?

« CARNAVAL »

es excitante...

...poética?

« CLAVELITOS »

es de olores tropicales

PERFUMERÍA « MIL FLORES »

La casa que tiene los mejores perfumes y productos de belleza

TACUBA 310   Tel. M-1546

PALABRAS NUEVAS: belleza = hermosura (bello = hermoso); clavelitos, carnations; olor, fragrance.

¿Entendió usted el anuncio?

1. ¿Cuál de estos perfumes le gustará más a la chica lánguida? 2. ¿Cuál preferiría la chica romántica? 3. ¿Cuál le gustaría a la chica atlética? 4. ¿Cuál usaría la chica contenta? 5. ¿Qué es una perfumería?

CUBREASIENTOS AMERICANOS

Los mejores del mundo

¡OJO!
AUTOMOVILISTAS

VISERAS

FAROS

ENCENDEDORES

BOCINAS

JUEGO COMPLETO
INSTALADO EN 30 MINUTOS

ECONOMICE Y COMPRE USTED EN ESTA CASA SUS

ACCESORIOS DE LUJO

Para el confort y elegancia de su coche

CASA JUMBO

Avenida Insurgentes 411
esquina con la Calle Aguascalientes

¡LE ESPERAMOS!

PALABRAS NUEVAS: cubreasientos = cubre + asientos; asiento < sentarse; juego, set; de lujo: Remember that Spanish j is often English x.

¿Entendió usted el anuncio?

1. En un anuncio, ¿qué quiere decir «¡OJO!»? 2. ¿Es posible instalar estos cubreasientos dentro de dos horas? 3. «Faro» quiere decir *lighthouse*. ¿Por qué es una palabra que también se usa hablando de automóviles? 4. ¿Dónde se fabrican (*are manufactured*) estos accesorios? 5. ¿Dónde está la Casa Jumbo? 6. ¿Es económico comprar aquí?

REPASO DE VERBOS

EJERCICIO 1. Here is an outline model using all the verb forms you have had this semester, with their meanings.

VERB OUTLINE MODEL	
INFINITIVE	*cantar, to sing*
PRESENT PARTICIPLE	*cantando, singing*
PAST PARTICIPLE	*cantado, sung*
PRESENT	*canto, I sing, am singing,* **do sing**
FORMAL COMMAND	*cante usted, sing*
IMPERFECT	*yo cantaba, I used to sing, was singing,* **sang**
PRETERITE	*canté, I sang, did sing*
FUTURE	*cantaré, I shall (will) sing*
CONDITIONAL	*yo cantaría, I would (should) sing*
PRESENT PROGRESSIVE	*estoy cantando, I am singing*
PAST PROGRESSIVE	*yo estaba cantando, I was singing*
PRESENT PERFECT	*he cantado, I have sung*
PAST PERFECT	*yo había cantado, I had sung*

Copy the outline and complete it with the proper forms of the three regular verbs **tirar, comerse,** *and* **asistir.**

EJERCICIO 2. *Now complete the conjugation of each tense orally to be sure that you know all the endings.* If you do, you know how to use thousands of Spanish verbs!

EJERCICIO 3. Most of the following verbs are irregular, and will be found alphabetically listed beginning with section 51, page 509, of the Appendix. *Give them in the tenses and persons indicated.*

PRESENT (*First person singular*): 1. ser 2. estar 3. irse 4. venir 5. oír
IMPERFECT (*Third person singular*): 6. ser 7. ir 8. ver 9. dar
PRETERITE (*Third person plural*): 10. oír 11. dormirse 12. servir 13. dar
   14. ir 15. tener 16. decir
FUTURE (*First person plural*): 17. poner 18. decir
CONDITIONAL (*First person singular*): 19. poder 20. venir
PRESENT PROGRESSIVE (*First person singular*): 21. traer
PAST PROGRESSIVE (*Third person singular*): 22. decir
PRESENT PERFECT (*Third person plural*): 23. decir 24. volver 25. entrar
PAST PERFECT (*First person plural*): 26. hacer 27. poner 28. terminar

EJERCICIO 4. *Give the singular formal command of each of these verbs.*
EXAMPLE: *aprender, aprenda usted.*

1. decir	4. oír	7. venir	10. ser
2. salir	5. hacer	8. comprar	11. contar
3. tener	6. poner	9. ir	12. dar

EJERCICIO 5. *Give the present participle and past participle of each of these verbs.* *(See the Verb Appendix, pages 506–517.)*

1. cubrir	4. poder	7. pedir	10. servir
2. reír	5. escribir	8. oír	11. cantar
3. morir	6. decir	9. leer	12. traer

EJERCICIO 6. *If you can give instantly the meanings of these forms of verbs you reviewed in the preceding exercises, you are well prepared.* Be careful! Just suppose you should say, "I *am* a baby" instead of "I *was* a baby"!

1. se comió	11. estaba durmiendo	21. habías puesto
2. asisten	12. he dicho	22. habría comido
3. he tirado	13. ella había hecho	23. me voy
4. soy	14. habrían visto	24. veías
5. éramos	15. estamos limpiando	25. sirvieron
6. oyen	16. íbamos	26. he entrado
7. oyeron	17. se durmió	27. fueron
8. pondrán	18. dirán	28. habrían caído
9. ustedes podrán	19. vendríamos	29. dábamos
10. están trayendo	20. han devuelto	30. dieron

EJERCICIO 7. Being able to give verb forms correctly and rapidly in Spanish is difficult but very important. *See how quickly you can figure out all these.*

1. we ate up	11. you heard	21. we shall put
2. we are (**ser**)	12. I should have seen	22. they have entered
3. they used to be (**ser**)	13. you had eaten	23. she had made
4. she attends	14. he heard	24. he is (**estar**)
5. they have thrown	15. we are going away	25. he complained
6. he is bringing	16. you will be able	26. we used to go
7. she would come	17. I would have fallen	27. you went
8. I was sleeping	18. they have said	28. I went to sleep
9. he had put	19. we were giving	29. we gave
10. you used to see	20. he has returned	30. he will tell

REPASO DE PALABRAS

EJERCICIO 8. In the RODEO DE PALABRAS on pages 99 and 100 you will find listed the most important new words and expressions you have had so far. The Spanish words are numbered to correspond with the English. *Check yourself by giving each item in the opposite language, using* **el** *or* **la** *with each Spanish noun. Make a list of all those you miss and practice them, for as long as you study or speak Spanish, you will need these basic words.*

EJERCICIO 9. *Find in List B a word which is the opposite of or may be contrasted with each word in List A.*[1]

A			B		
1. algo	13. agua	25. pobre	alguno	irse	pie
2. dar	14. día	26. después de	allí	llevarse	pierna
3. mujer	15. mejor	27. levantarse	antes de	mal	porque
4. desde	16. salir de	28. este	aquel	mañana	recibir
5. hoy	17. mano	29. grande	bajo	menos	rico
6. joven	18. más	30. hermano	difícil	mucho	sentarse
7. poco	19. mío	31. ¿por qué?	entonces	nada	sin
8. aquí	20. fácil	32. alegre	entrar en	nadie	suyo
9. bien	21. morir	33. siempre	hallar	noche	tierra
10. brazo	22. alguien	34. sobre	hasta	nunca	triste
11. con	23. ninguno	35. traer	hermana	peor	viejo
12. ahora	24. perder	36. volver	hombre	pequeño	vivir

EJERCICIO 10. *Complete each of the sentences with one or more of the following expressions.* (Be sure to use the correct verb forms.)

a causa de	de noche	feliz viaje	¡Por Dios!
a lo lejos	de veras	hacer una fiesta	se prohibe
así como	dejar caer	no cabe duda de	se venden
buenas noches	¿en qué puedo	que	todo el día
camino de	servirle?	no se puede	traje de baño
dar la mano a	espero que sí	poco a poco	volver la cabeza
darse cuenta de			

1. — ¿Va usted a *shake hands with* los hispanoamericanos? — *I hope so.*
2. *On the way to* la mesa, *don't drop* la sopa. 3. Cómpreme usted un pastel, porque quiero *have a party.* 4. — ¡Acabo de hallar *a bathing suit* en la esquina! 5. — ¿*Really?* Tendrá que devolverlo al dueño. 6. ¿*What can I do for you?* — preguntó el que era rubio. 7. Cierta chica *turns her head all day* para platicar con sus amigas. 8. ¡*There is no doubt* que *you can't* llevarlo consigo! 9. ¡*Pleasant journey!* — decimos a los viajeros, pero

(Continued on page 101)

---

[1] NOTE TO THE TEACHER: Nearly all of the words in Exercises 9, 11, and 12 are in the first 500 in Keniston's *A Standard List of Spanish Words and Idioms.*

Nouns

1. el aficionado
2. la alegría
3. el anuncio
4. la avenida
5. la aventura
6. la bicicleta
7. el bolsillo
8. el calor
9. la cama[+]
10. la cámara
11. la campanilla
12. el capitán
13. la carretera
14. el cine
15. el conquistador
16. el consejo
17. la cruz
18. la cucaracha
19. el cheque
20. el chicle
21. el chiste
22. el choque
23. la dama
24. el diario
25. el dueño
26. los dulces[+]
27. el edificio
28. la esquina
29. el extranjero
30. el fantasma[+]
31. la frontera
32. el gobierno
33. el grito
34. el habitante
35. el hogar
36. el jardinero[+]
37. la leyenda
38. la luna[+]
39. el maíz
40. la milla
41. un millón
42. el mundo
43. la necesidad
44. el norte
45. la noticia
46. la ola
47. la pared
48. el pastel
49. la película
50. el peligro
51. la piel
52. la pluma[*]
53. la plumafuente
54. el policía[+]
55. la revista
56. las riquezas
57. el risco
58. el saco
59. la salud[+]
60. la senda
61. el suceso
62. el suéter
63. el sur
64. la tarjeta
65. el trabajo
66. el valor
67. la vela
68. el viajero

Adjectives

1. aficionado
2. alegre
3. barato
4. bienvenido
5. cierto
6. cómodo[+]
7. desagradable
8. desconcertado
9. diario
10. entero
11. feliz
12. fuerte
13. juntos
14. listo
15. lleno[+]
16. mismo[*]
17. moreno
18. precioso
19. rubio
20. siguiente
21. suave
22. tal
23. unido
24. valiente[+]
25. yanqui[+]

Pronouns

1. consigo
2. el (la) que
3. se[+]

Prepositions

1. contra[+]
2. desde[+]
3. hacia

Adverbs

1. adelante
2. alegremente
3. anoche

Conjunctions

1. hasta que

Verbs

1. acabar de
2. andar
3. aparecer[+]
4. asistir a
5. asustar[+]
6. atreverse a[+]
7. callarse
8. coger
9. comenzar a
10. comerse[+]
11. desaparecer
12. devolver
13. divertir[*]
14. dormirse[+]
15. entregar[*]
16. esperar[*]
17. estacionar
18. fingir
19. firmar
20. hacerse
21. interesar
22. lavar
23. limpiar
24. mandar
25. manejar
26. molestar
27. necesitar
28. nevar
29. perderse
30. portarse
31. proteger[+]
32. publicar
33. quejarse
34. quitar a
35. regalar
36. regresar
37. resolver
38. retratar
39. romper[+]
40. salvar
41. seguir[*]
42. sonar[+]
43. sorprender(se)
44. terminar
45. tirar

Expressions

1. a causa de
2. a lo lejos
3. allá voy[+]
4. la América del Sur
5. aquí (lo) tiene usted[+]
6. así como
7. a ver[+]
8. ¡ay![+]
9. buenas noches
10. camino de
11. claro (que no)[+]
12. ¿cuántos años tiene...?
13. dar la mano
14. dar (las cuatro)
15. darse cuenta de
16. dejar caer
17. demasiado tiempo
18. de noche
19. de prisa[+]
20. de veras
21. ¿en qué puedo servirle?[+]
22. es (qué) lástima[+]
23. espero que sí
24. feliz viaje
25. hacer una fiesta
26. ¡huy![+]
27. la mayor parte de
28. ¿me permite...?[+]
29. ni (yo) tampoco[+]
30. no cabe duda de que
31. ¡no me diga![+]
32. no sirve
33. poco a poco
34. por hora
35. por la mañana
36. se prohibe
37. los sucesos del día
38. tanto mejor[+]
39. tener la costumbre de
40. tener miedo[+]
41. tener prisa[+]
42. el traje de baño
43. volver la cabeza
44. ¡ya lo creo![+]

[*] New meaning.   [+] Introduced but not basic in Book I.

Nouns

1. "fan"	15. conqueror	29. foreigner	43. necessity	57. cliff
2. joy	16. advice	30. ghost	44. north	58. coat
3. advertisement	17. cross	31. border	45. news	59. health
4. avenue	18. "jalopy"	32. government	46. wave	60. path
5. adventure	19. check	33. cry	47. wall	61. event
6. bicycle	20. chewing gum	34. inhabitant	48. cake	62. sweater
7. pocket	21. joke	35. home	49. film	63. south
8. heat	22. collision	36. gardener	50. danger	64. card
9. bed	23. lady	37. legend	51. fur	65. job
10. camera	24. daily paper	38. moon	52. feather	66. value
11. little bell	25. owner	39. corn	53. fountain pen	67. candle
12. captain	26. candy	40. mile	54. policeman	68. traveler
13. highway	27. building	41. million	55. magazine	
14. movie	28. corner	42. world	56. riches	

Adjectives

1. fond of	6. comfortable	11. happy	16. very	21. soft
2. merry	7. disagreeable	12. strong	17. brown	22. such a
3. cheap	8. embarrassed	13. together	18. "darling"	23. united
4. welcome	9. daily	14. ready	19. blond	24. brave
5. certain	10. whole	15. full	20. following	25. "Yankee"

Pronouns

1. with him   2. the one who   3. each other

Prepositions

1. against   2. since   3. toward

Adverbs

1. onward   2. merrily   3. last night

Conjunctions

1. until

Verbs

1. to have just	10. to eat up	19. to sign	28. to snow	37. to solve
2. to go	11. to disappear	20. to become	29. to get lost	38. to photograph
3. to appear	12. to return (things)	21. to interest	30. to behave	39. to break
4. to attend	13. to amuse	22. to wash	31. to protect	40. to save
5. to frighten	14. to go to sleep	23. to clean	32. to publish	41. to follow
6. to dare to	15. to deliver	24. to send	33. to complain	42. to sound
7. to be quiet	16. to hope	25. to drive	34. to take away	43. to surprise
8. to take hold of	17. to park	26. to bother	35. to give	44. to finish
9. to commence	18. to pretend	27. to need	36. to return	45. to throw

Expressions

1. because of	16. to drop	31. you don't say!
2. in the distance	17. too long	32. it's no use
3. I'm coming	18. at night	33. take it easy
4. South America	19. fast	34. an hour
5. here (it) is	20. really	35. in the morning
6. as well as	21. what can I do for you?	36. it is forbidden
7. let's see	22. it's (what) a shame	37. current events
8. oh, dear!	23. I hope so	38. so much the better
9. good evening	24. pleasant journey	39. to be used to
10. on the way to	25. to have a party	40. to be afraid of
11. of course (not)	26. oh!	41. to be in a hurry
12. how old is he?	27. most of	42. bathing suit
13. to shake hands	28. may I...?	43. to turn (his) head
14. to strike (four)	29. nor (I) either	44. I should say so!
15. to realize	30. there is no doubt that	

100

debemos decir, *¡Take it easy!* 10. *At night* decimos, — *Good evening.*
11. *It is forbidden* tirar papeles en las calles. 12. No nos quejamos *because of* esto, porque *we realize* que es importante. 13. *¡Heavens!* ¡Oímos los gritos *in the distance* hasta que el hombre desapareció! 14. *"They" sell* pasteles, *as well as* dulces, en la tienda de la esquina.

EJERCICIO 11. *Find in List B a synonym for or a word that is translated the same as each word in List A.*

	A		B		
1. dejar	5. sobre	9. hermoso	bonito	encontrar	permitir
2. entonces	6. hallar	10. feliz	contento	ir	pero
3. enviar	7. andar	11. sino	chica	luego	suyo
4. muchacha	8. devolver	12. su	encima de	mandar	volver

EJERCICIO 12. *Find in List B a word which is the opposite of or may be contrasted with each word in List A.*

	A		B		
1. abrir	7. sol	13. feliz	bien	luna	silencio
2. bajar de	8. tarde	14. ganar	cerrar	nuevo	subir a
3. buscar	9. enfermo	15. leer	dejar caer	perder	temprano
4. coger	10. derecho	16. ruido	escribir	poner	terminar
5. comenzar	11. comprar	17. quitar	hallar	preguntar	triste
6. contestar	12. enviar	18. viejo	izquierdo	recibir	vender

REPASO DE GRAMÁTICA

If you can complete these catchy sentences correctly in Spanish, you have proved that you know the rules. If you can't, you will need to look up the section references, study the rules again, and complete the statements to help you remember. ¡Cuidado! You may have to change word order in some of the Spanish sentences.

1. El hombre y la mujer son *blond.*
   *An adjective which modifies a masculine and a feminine noun must be
   ____ _____. (page 23, § 1)*
2. Elena y María *write to each other,* pero Elena y yo *see each other* todos los días.
   *The plural ____ pronouns often mean "each other" or "one another."
   (page 519, § 94)*
3. *Go* a la tienda, *buy* dulces y chicle, y *bring them* a casa.
   *To make a formal command, take the ____ person singular of the ____ tense, if it ends in ____; remove the ____, add the ____ vowel and _____.
   (page 527, § 119)*

4. Pablo *is* bueno, pero *he is* enfermo. *He is* en casa por la mañana.
   Estar shows ____, is used with an adjective to show a ____ condition,
   and to talk about ____. In all other cases, use ____. *(page 34,*
   § 2)

5. El libro *is* de papel blanco; *it is* de Chile; *it is* cerca del suéter; *it is* de
      Roberto, y *we are studying it.*
   Ser is used to express ____, ____, *and* ____ *(page 528, § 123);* **estar** *is*
   used with the ____ ____ *to form* ____ *tenses. (page 528, § 122)*

6. Algunas veces las paredes *are made* de papel en el Japón *(Japan).*
   ____ *is used with a past participle to describe something. (page 528, § 122)*

7. *My* entera lección no está lista. Es un amigo *of mine.* Es *mine.*
   The ____ *forms of the possessive adjective precede the noun; the* ____
   forms follow it or the verb ____. *(page 521, § 101 and page 522, § 102)*

8. *My* bicicleta está en la carretera, y Roberto tiene *his.* ¿Dónde está
      yours?
   The definite article is always used with **mío,** *etc., except when it follows*
   its ____ *or the verb* ____. *(page 522, § 103)*

9. *Bring me* la plumafuente y devolveré *it.* No puedo *bring it.* Pablo
      está limpiando *it.*
   Object pronouns ____ *the verb unless it is an* ____, ____ ____, *or* ____
   ____. *Then they* ____ *it and are* ____ *to it. (page 520, § 97)*

10. Nadie *ever* dice *anything* cuando no tiene *anything to say.*
    If a negative word stands before the verb, it is not necessary to use ____.
    ____ *negatives are good Spanish, but not good English. (page 523,*
    § 107)

11. ¿Qué está haciendo Alfredo? *He is probably signing* cheques.
    The ____ *tense often expresses present probability. (page 84, § 7)*

12. Después de *delivering* los periódicos, pediremos otro trabajo.
    An ____ *is the only verb form commonly used after a preposition. (page*
    86, Ejercicio 13)

13. Ella *studied* [*for*] una hora.
    A past occurrence limited by an expression of time takes the ____ *tense.*
    (page 71, § 4)

14. *We were afraid* y *we wanted to* correr, pero *we couldn't.*
    Verbs which express a state or condition rather than an action are fre-
    quently used in the ____ *tense. (page 71, § 4)*

15. Juan nunca *dropped* las tarjetas.
    The past tense used after **nunca** *is usually the* ____ *tense. (page 71, § 4)*

16. Las manos de ella son *softer* que las mías.
    To say "softer" and "softest" you must add ____ *and* ____ ____ *to the*
    adjective **suave.** *(page 524, § 111)*

FOR ADDITIONAL, OPTIONAL MATERIALS TURN TO **A ESCOGER,** PAGE 440.

Capítulo 8

¡Vamos aprendiendo!

Jimmie and his family, whom you met in Chapter 6, could not be in Mexico long without discovering its Aztec heritage. All around them were Aztec names: Chapultepec (*Grasshopper Hill*), Xochimilco (*Flower Garden*), Teotihuacán (*Place of the Gods*). Looking down upon them from a distance were Popocatépetl (*Smoking Mountain*) and Ixtaccíhuatl (*Sleeping Woman*), the two famous volcanoes with their romantic legend. The Americans learned that many Mexican foods — chocolate, chile, *tortillas*, tomatoes, avocados — had been introduced to the European world by the Spaniards, who obtained them from the Indians. They explored Aztec-style open-air markets full of simple but beautiful things; they heard the clucking Náhuatl language of the Indians who still live in Xochimilco. And they finally realized that one reason Mexico is so different from the United States is that most of the people are at least partly of Indian blood; for instead of segregating or killing off the Indians, as our ancestors did, many of the Spaniards intermarried with them and formed the Mexican people.

México, D. F.
Miércoles, cinco de julio

Anteayer fuimos a ver dos lugares famosos de México. Camino de las pirámides, visitamos la famosa iglesia con la pintura (*painting*) de la Virgen de Guadalupe, santa patrona de las Américas.[1] 5

Las pirámides son muy antiguas. La Pirámide del Sol es tan alta como un edificio de veinte pisos y cubre trece acres de tierra. Está

---

[1] The Virgin of Guadalupe appeared miraculously painted upon an Aztec Indian's cloak on December 12, 1531, and has been the patron saint of Mexico ever since. Recently she was adopted as the patron saint of all Spanish America.

Rapho-Guillumette

Snow-capped peaks of "Popo" and "Ixtla" now look down upon modern buses carrying Indians who used to walk the weary miles.

construida de ladrillos [1] de adobe y está cubierta de piedras (*rocks*). Los aztecas tenían un templo encima de ella, pero hoy día sólo se ven 10 (*one sees*) turistas allí.

Subimos la escalera, seguidos de (*by*) muchachos que trataban de vendernos unos «ídolos (*idols*) aztecas», más o menos nuevos. Al llegar a la cima (*top*) de la pirámide, le conté a la familia algo de su historia. Pensando en lo que había pasado allí, todos nosotros, hasta 15 *Sis*, nos callamos un rato.

— Aquí mismo, de veras, — estábamos pensando, — bajo nuestros mismos pies, está la pirámide enorme de origen perdido en el misterio de miles de años . . .

— Aquí, en este mismo lugar, sacrificaban los aztecas a sus víc-20 timas . . .

— Aquí mismo, ponían sobre sus altares, en sus ceremonias antiguas, las «rojas frutas de las águilas» . . .[2]

[1] *ladrillos de adobe*, sun-d ied *clay bricks*.
[2] The *"red fruits of the eagles"* was the poetic name given by the Aztecs to the hearts torn from their living victims for their gods.

Y en ese momento llegó una pequeña orquesta de guitarras, violines, y un saxófono. Los músicos, vestidos de overoles (*overalls*), se sentaron encima de aquella pirámide antigua, ¡y comenzaron 25 a tocar una pieza de *swing* norteamericano!

Domingo, nueve de julio.

Esta mañana nos paseamos un rato en nuestro coche por el Bosque de Chapultepec,[1] como toda la gente decente (*"nice" people*), — para ver y ser vistos. Nadie tenía prisa, y todos los automóviles, 30 lavados y limpios, llenos de automovilistas vestidos de domingo, hacían una gran procesión por el Paseo de la Reforma.[1] También vimos a muchos señores guapos, socios de la Asociación de Charros, todos vestidos de charro,[2] paseándose a caballo. *Mom* quería retratarlos a todos. 35

Por la tarde fuimos al Lago de Xochimilco a pasar (*spend*) un rato entre los «jardines flotantes (*floating*)» que ya no flotan.[3] Allí — a diez pesos por hora — tomamos una canoa grande adornada (*decorated*) de flores, con una mesa y cuatro sillas. Nos comimos un

[1] Chapultepec Forest is a natural group of moss-bearded old cypress trees surrounding Chapultepec Castle on its two-hundred-foot hill. The *Paseo de la Reforma* (*Reform Drive*) was once called the *Paseo de Carlota,* for the Empress who ordered the wide avenue slashed through the heart of the city to the Castle, three miles away.

[2] The *charros, horsemen,* formed the Charro Association years ago and pledged themselves not to let the picturesque colonial costume die out.

[3] Xochimilco, about twelve miles from Mexico City, is the place to go for a leisurely boat ride through the miles of canals that divide ancient Aztec vegetable and flower gardens. It's a "must" for tourists of every nationality, and even the Mexicans like it, so it's no wonder the place has become very tourist-wise in recent years.

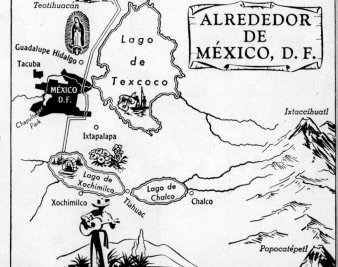

Near Mexico City are the pyramids, the Shrine of Guadalupe, and Xochimilco, all with "Popo" and "Ixtla" as a backdrop.

40 buen *lunch* mientras flotábamos por los canales con nuestro canoero (*boatman*). Éste hablaba la lengua azteca con los otros indios, pero conmigo habló español. Me contó la leyenda de la bandera mexicana, y yo se la conté a mi familia en inglés.[1]

Cada una de las canoas, llenas de gente alegre, tenía su nombre 45 poético. Por ejemplo, una se llamaba «Mi corazón te adora, ángel mío», otra, «Piensa en mí, preciosa», y otra, «Soy feliz sobre las olas del lago». Escogimos una llamada «Me gusta estar en las olas del mar», ¡aunque el mar está a una distancia de casi trescientas millas! *Dad* dice que no cabe duda de que los indios de Xochimilco tienen 50 un sentido (*sense*) de humor.

En los restaurantes por las orillas (*banks*) del canal principal había «tragadieces», tocando discos populares mientras la gente bailaba. Entre los canales también había música. Una orquesta pequeña en

---

[1] The legend says that the Aztecs wandered south from Alaska looking for an eagle perched on a cactus to indicate where they should found their city. The valley of Mexico was practically a marsh then, and the eagle was seen eating a rattlesnake on the high rock where Chapultepec Castle now stands. Today the eagle with the serpent is pictured on the Mexican flag.

Sunday morning in Chapultepec Park brings music of many kinds among the ancient trees at the foot of the Castle, and attracts visitors from far and near.

Pix

Xochimilco, the "Venice of Mexico," is the place to float along shadowed canals in your flower-arched barge and buy arm-loads of cheap blossoms from busy Aztec Indians.

Earl Leaf—Kellick

Zoo in Chapultepec Park is another source of amusement for Sunday visitors. Aztec Emperor Moctezuma had the first zoo here, containing human freaks as well as animals.

una canoa andaba siguiendo a los turistas por todas partes, pidiendo
55 permiso para tocarles unas piezas... por un peso la pieza.

En la tierra entre los canales estaban trabajando muchos indios en sus jardines. Allí crecían juntos maíz con claveles, frijoles con pensamientos (*pansies*), y calabazas con margaritas. Las indias, en sus canoas chicas, seguían a los turistas por todas partes para
60 venderles flores y refrescos. Una de aquéllas cogió nuestra canoa con la mano para flotar a nuestro lado. Miramos sus flores, y *Sis* exclamó, — ¡Regáleme[1] unas violetas, *Dad*, y un ramito de claveles!

Entonces *Mom* vió los ramilletes de orquídeas, y dió un grito de
65 alegría. — ¡Cómprame a mí unas orquídeas, *Dad!* — exclamó.

---

[1] Jimmie uses the polite form in putting Sis' command to Dad into Spanish, since children of most better families use **usted** rather than **tú** when addressing their parents.

108

— ¡Y mira! ¡La vendedora ha puesto cada ramillete sobre una hoja de col (*cabbage*) roja!

— Te compro [1] un ramillete de orquídeas para llevar, *Mom*, — dijo *Dad*, riendo, — ¡si llevas también la hoja de col (*cabbage*) roja!

Entonces *Sis* vió unos ramitos de flores grandes y amarillas, que 70 nunca habíamos visto antes. — Cómpreme ésas, *Dad*, — dijo. — Me gustan más que las violetas o los claveles.

Así es que *Dad* se las compró, no pudiendo evitarlo. Cuando *Mom* se prendió (*pinned on*) su ramillete de orquídeas — sin la hoja de col (*cabbage*) roja — *Sis* hizo lo mismo con un ramito de sus 75 flores amarillas.

Entonces me dí cuenta de que la india estaba mirando a *Sis* y sonriendo un poco. — ¿Qué flores son ésas? — le pregunté.

— Son flores de calabaza, joven, — contestó.

— ¡Válgame Dios! — exclamé. — ¡Cuánto les gustan a los mexi- 80 canos las flores, cuando hacen ramitos de ésas!

La india sonrió. — Estas flores de calabaza no sirven para

---

[1] *Te compro un ramillete, I'll buy you a corsage.* The present tense is often used instead of the future when "I will" means merely "I am willing to."

Mexican baby-sitters bring their well-to-do young charges to Chapultepec Park on Sundays to ride the popular goat carts or ponies for a thrill.

Earl Leaf — Kellick

ramitos, joven, — me dijo. — Las comemos, envueltas (*wrapped*)
en una tortilla [1] y cocidas, con salsa de jitomate.

85   *Sis* estaba desconcertada cuando yo se lo traduje, y se las quitó
(*took them off*).   Yo ofrecí comprarle salsa de jitomate para su
«ramillete», pero *Dad* me hizo callarme y le compró un refresco.

¡Pues, vamos aprendiendo!

PREGUNTAS

I. ¿Entendió usted el cuento?

1. Describa usted la Pirámide del Sol.
2. ¿Por qué se calló toda la familia un rato?
3. ¿A quiénes vieron en ese momento?
4. ¿Para qué se paseaban muchos automovilistas por el Bosque de Cha-
     pultepec?
5. ¿Cómo estaban todos los coches en la procesión?
6. ¿Cómo se paseaban los socios guapos de la Asociación?
7. ¿A dónde fué la familia a pasar (*spend*) un rato por la tarde?
8. ¿Qué leyenda le contó Jimmie a su familia?
9. ¿A qué distancia por carretera está el Lago de Xochimilco del mar?
10. ¿Qué crecía en la tierra entre los canales?
11. ¿Compró *Dad* lo mismo para *Mom* y *Sis?*
12. ¿Para qué se usan las flores de calabaza en México?

II. ¿Qué dice usted?

1. ¿Se ha paseado usted muchas veces en un bosque, o al lado de un lago?
2. ¿Es necesario pedir permiso para asistir a un club si uno no es socio?
3. ¿Qué hace una orquesta?
4. ¿Qué clase de ramillete quiere usted llevar a una fiesta?   (¿O qué
     clase de ramillete quiere usted comprar para una chica?)
5. ¿Cuándo toma usted muchos refrescos?
6. ¿En qué usa usted la salsa de jitomate?
7. ¿Le gusta a usted más pasearse en una canoa o en una cucaracha?
8. ¿Le gustaría a usted tener un tragadieces y algunos discos aquí mismo
     en la clase?
9. ¿Le gustaría a usted estar vestido de domingo todos los días?
10. ¿Hay peligro cuando las olas del mar están demasiado altas?
11. Cuando alguien quiere retratarle, ¿trata usted de evitarlo?
12. ¿Se puede flotar sobre las olas del mar?

---

[1] *Tortillas — corn-meal pancakes —* were invented by the Mayas, copied from them
by the Aztecs, and are today the bread of the poor in Mexico and Central America,
although even well-to-do people like them.

ESTUDIO DE VERBOS: ALGO VIEJO Y ALGO NUEVO

EJERCICIO 1. *Learn the present tense of* **huir**. Can you make a "shoe verb" of it? (See page 516, § 86.)

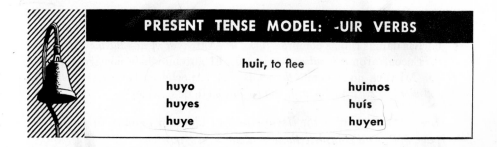

PRESENT TENSE MODEL: -UIR VERBS	
huir, to flee	
huyo	huimos
huyes	huís
huye	huyen

EJERCICIO 2. *Conjugate* **construir** *like* **huir**.

EJERCICIO 3. *Review the preterite and present participle of* **caer** *on page 68, Ejercicio 7. Then complete this statement:* Unaccented *i* between two vowels changes to ___ in the ___ tense and the ___ ___.

EJERCICIO 4. Verbs ending in *–uir* also have an *i > y* change in the preterite and present participle. **Huir** is conjugated like **caer** in the preterite except that **huir** has only the two usual accents. *Write the preterite tense and present participle of* **huir**.

EJERCICIO 5. *From this list choose the verbs for each of the following sentences and give their proper form.* With their reflexives and prepositions, these verbs are sometimes hard to manage. *¡Mucho cuidado!*

darse cuenta de	acercarse a	despedirse de	dejar caer
perderse	reírse de	quejarse	acabar de
querer a	callarse	portarse	tratar de
casarse con	asistir a	atreverse a	comenzar a

1. *We attend* una escuela magnífica.
2. *They complain* porque *they got lost* en el bosque cerca del lago.
3. *He will marry* Margarita porque *he doesn't love* María.
4. *I realized* que los extranjeros *were laughing at me.*
5. Si nosotros *try to be quiet*, los mexicanos creerán que sabemos *to behave ourselves* bien.
6. *I have just said good-by to* los soldados.
7. *He dropped* los discos, pero no los rompió.
8. *He dared to approach* el lago por la tarde.

111

ALGO QUE REPASAR

EJERCICIO 6. *Review the rule for the "personal a" in section 117, page 526. Then complete these sentences in Spanish, telling why you did or did not use the "personal a" in each.* (*¡Tenga usted cuidado!*)

1. Veo *Raymond* con los otros socios. 2. Escogemos *our friends*. 3. Ella coge *the record*. 4. Yo firmaría *the check*. 5. Molestan *the foreigners*. 6. Las damas rubias compran *furs*. 7. Anteayer vimos *the member* nuevo. 8. Encontraron *a handsome man*. 9. El automovilista construyó *the car*. 10. Mi vaca no se comió *the beans*. 11. Anoche en la carretera vimos *a collision*. 12. ¡Mira *Mary*, con su ramillete de claveles!

EJERCICIO 7. *Review the list of indirect object pronouns in section 96, page 520, and complete these sentences in Spanish.*

1. Cuenta la leyenda *to him, to her, to us*.
2. Dan los ramitos *to her, to you, to them* (*f.*).
3. Escriben las cartas *to you, to me, to them* (*m.*).

EJERCICIO 8. *Review the rule for using two object pronouns in section 98, page 520. Then complete these sentences.*

1. When there are two object pronouns, one direct and one indirect, the _ _ _ _ comes first.
2. If both begin with *l*, the indirect object pronoun, _ _ _ _ or _ _ _ _, must be changed to _ _ _ _.
3. If one is a reflexive pronoun, the _ _ _ _ pronoun comes first.

EJERCICIO 9. *Translate carefully.* (Little words are hardest of all!)

1. Me las ofreció. 2. Se lo dió a ella. 3. Nos la dijo. 4. No quería decírselo. 5. Después de leérselo a ella, me fuí. 6. Estaban diciéndoselo a ellos. 7. Me lo preguntó. 8. Se lo comió. 9. Se las llevaron. 10. Nos los dieron. 11. Dímelo. 12. Dámelo. 13. Démelo usted. 14. Tráiganosla usted. 15. Se lo dije a usted. 16. Los de Cuba son buenos.

EJERCICIO 10. *Write in Spanish.*[1]

1. He reads it to me.
2. He reads it to us.
3. He reads them to me.
4. He reads it to him.
5. He reads it to her; to you.
6. He reads them to her; to you.
7. He reads them to them; to you (*pl.*).

EJERCICIO 11. *Now rewrite the sentences in Ejercicio 10, using **está leyendo** for the verb instead of **lee**. Where do object pronouns go?*

[1] Write these sentences backwards if you are not sure of the order. For example, write *lee* first, put *lo* before it, then *me* in front of that. Later you can think faster and write them in order as you go.

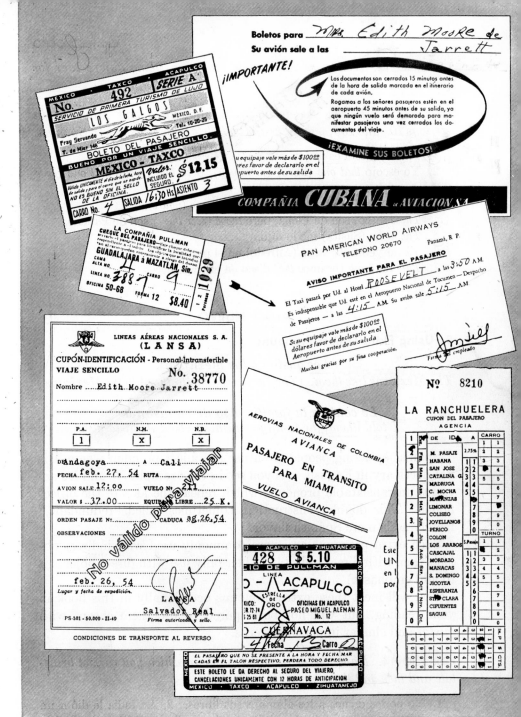

Train, bus, and plane tickets from various countries offer
practical reading problems. Can you find coupons from the
Greyhound Line, a Colombian airline, and one from Panama?

EJERCICIO 12. *Now rewrite the same sentences, using* **quiere leer** *for the verb.*

EJERCICIO 13. *Review the demonstrative adjectives and pronouns in sections 104 and 105, page 522, and complete these sentences in Spanish.*

1. *This* orquesta es mejor que *that one* (*over there*).
2. Yo escojo *that one* (libro) (*near you*), pero ella escoge *that one* (*over there*).
3. *This* calabaza es más grande que *that one* (*yours*).
4. *These* discos son de Elena, pero *those* (*over there*) son de Pancho.
5. *The latter* (Susita) me lo dijo.
6. Ya no veo a *the latter* (Alfredo) en el paseo.
7. *This* mañana tocamos *that* disco en el tragadieces.

ALGO NUEVO

8. Using Extra Object Pronouns

Les *gustan a los mexicanos*.
The Mexicans like them. (*They are pleasing* [*to them*] *to the Mexicans.*)

Le *conté a la familia algo de su historia.*
I told [*them*] *the family something about its history.*

Spanish-speaking people often use an object pronoun where it is not necessary in English. As you see in the examples, **le** and **les** are extra, untranslatable pronouns which repeat the idea of the object nouns. This double construction, sometimes called "redundant," merely adds more Spanish flavor.

Such extra pronouns are more commonly used with indirect objects than with direct objects. (Their only use with direct objects is to add emphasis.)

You will meet these extra pronouns occasionally in this book in your reading, but will not be required to use them except with **gustar** and similar impersonal verbs.

EJERCICIO 14. *Name the extra object pronoun which you cannot translate and then put the sentence into English.*

1. Ya no les damos a los alumnos sus libros. 2. La india le dió a mi hermanita un ramito. 3. Le pedí permiso a *Dad* para ir. 4. *Dad* le pidió al indio azteca una canoa grande. 5. ¡A mí no me gusta ese disco! 6. ¡Cómpreme a mí un refresco, *Dad*! 7. Se lo contó a su familia. 8. Tuve que traducírselo al indio.

9. Affirmative Familiar Commands, Singular [1]

1. *Regular Forms*

— ¡*Recuerda eso!*   «*Piensa en mí, preciosa.*»
"*Remember that!*"   "*Think of me, darling.*"

As you already know, formal commands require the "opposite vowel" [2] and *usted: comprar: compre usted.* Familiar (second-person) affirmative commands are exactly like the third person singular present tense: [3]

comprar: compra (tú)	dar: da (tú)	oír: oye (tú)

Sometimes the pronoun *tú* is added; often it is understood.
When are familiar commands used instead of formal?
Do stem-changing verbs follow the same rule?

2. *Irregular Forms*

The only irregular familiar commands you will be likely to need are the following, which you must learn. *Translate each one.*

decir: di (tú)	salir: sal (tú)
hacer: haz (tú)	ser: sé (tú)
ir: ve (tú)	tener: ten (tú)
poner: pon (tú)	venir: ven (tú)

3. *Familiar Commands with Pronoun Objects*

dime, *tell me*   **hazlo,** *do it*   **siéntate,** *sit down*
dile, *tell him*   **vete,** *go away*   **cállate,** *be quiet*

As you know, object pronouns must always follow and be attached to affirmative commands.

[1] The plural of familiar commands is regular for every verb in the language. Simply replace the infinitive –*r* with a –*d* (*vosotros* may be added or understood): *firmar: firmad* (*vosotros*), *sign; asistir: asistid* (*vosotros*), *attend.*
  In Spanish America the plural familiar is replaced by the formal form with *ustedes* even in speaking to children. The forms with *vosotros* are found in speeches, sermons, and hymns. For example: *Come, all ye faithful,* **Venid todos fieles.**

[2] The vowel used most in conjugating –*ar* verbs is *a;* the vowel used most in conjugating –*er* and –*ir* verbs is *e.* Therefore the "opposite vowel" for an –*ar* verb is –*e;* for an –*er* or –*ir* verb it is –*a.*

[3] These forms are never used in the negative. (For "don't," see Chapter 9.)

Remember that a familiar command is really a second-person form. Therefore the reflexive pronoun used with it is always *te:* *levantarse: levántate.*

EJERCICIO 15. *Give these commands in both the formal and familiar forms, singular only.* EXAMPLE: *put it; póngalo usted; ponlo (tú).*

1. put on	6. give me	11. return it
2. come out	7. tell me	12. wait for me
3. be careful	8. think of me	13. get up
4. come here (*acá*)	9. do it	14. get lost (lose yourself)
5. go away	10. remember it	15. be good [1]

PALABRAS PARA APRENDER

* anteayer	day before yesterday	* limpio, –a	clean
		* el *or* la mar	sea
* el (la) automovilista	motorist, driver	* la orquesta	orchestra
		* la orquídea	orchid
* el bosque	forest	* el paseo	drive, walk [2]
la calabaza	pumpkin, squash	* el permiso	permission
la canoa	canoe, barge	* el ramillete	corsage
* el clavel	carnation	* el ramito	bouquet
* cocido, –a	cooked	* un rato	a while
* crecer (crezco)	to grow	* el refresco	soft drink, "soda," refreshment
* el disco	phonograph record		
* evitar	to avoid	* el socio	member (of a club)
* flotar	to float	el tragadieces	"juke box," coin-operated phonograph
* guapo, –a	handsome		
* el lago	lake		

EXPRESIONES

* aquí (allí) mismo,	right here (there)	la salsa de jitomate, tomato sauce (*Mex.*)
* los (las) de,	those of	
* pedir permiso para,	to ask permission to	* por la tarde, in the afternoon
		* ya no, no longer

PALABRAS PARA REPASAR

* construir (construyo)	to build	* la margarita	daisy
* los frijoles	beans	* lo mismo	the same thing
* la hoja	leaf	* vestido de (domingo)	dressed in (Sunday best)
* huir (de) (huyo)	to flee, run away (from)		

[1] You may use *ser bueno* here, although *portarse bien* is more common.
[2] *Paseo* means *Drive* as the name of a street, too: *Paseo de la Reforma, Reform Drive.*

FOR ADDITIONAL, OPTIONAL MATERIALS TURN TO A ESCOGER, PAGE 444.

Capítulo 9

¡Dilo con flores!

In Spanish American countries they "say it with flowers" even more often than we do, probably because most of those lands are at least partly tropical. There gardenias grow in hedgerows, orchids — air plants — hang from almost any kind of tree, and everything else blooms madly all year.

Cuando un hispanoamericano desea decir *"And how!,"* puede exclamar, — ¡Como mil flores! — Esta expresión indica (*indicates*) que las flores hacen un papel importante en la vida de nuestros buenos vecinos. Y cuando, en una tierra tropical donde crecen juntas estas mil flores, también encontramos «floristerías»[1] en donde 5
se venden[2] sólo flores de papel,[3] es evidente que a todo el mundo le gustan muchísimo.

En las carreteras y en casi cada esquina de las ciudades se ven[2] vendedores de flores con cestas inmensas a la cabeza. Hay mercados inmensos donde se venden sólo flores, como el de la calle de Tacuba 10
en México y el de la Avenida de las Delicias (*Delights*) en Santiago de Chile.[4] Allí compran flores los ricos y los pobres, y se dice en México que cuando un indio tiene sólo diez centavos, prefiere comprar cinco centavos de claveles o margaritas antes de comprarse algo que comer. 15

[1] Remember what the *-ería* ending means?
[2] *se venden, se ve, se ven, se hace,* are used like our passive verbs and are translated *are sold, is seen, are seen, is made.* *Se puede* means *one can.*
[3] They are called *«flores de mano».* Can you explain that?
[4] Since there is also a Santiago de Cuba, the name of the country is usually added to Santiago.

Al lado de los caminos hay cruces donde ha muerto alguien en un accidente, y casi siempre se ven flores frescas puestas allí por los viajeros que pasan. También es costumbre llevar flores a los santos de la iglesia cuando uno quiere pedirles un favor. En el
20 estado de Michoacán, México, hay una ceremonia tradicional para regalar flores a un extranjero cuando visita a una familia. En la América del Sur, al contrario, cuando un invitado va a comer con unos amigos, él es el que tiene que llevar un ramito de flores a la señora de la familia.

25 La *poinsettia*, nuestra flor tradicional de Navidad, es natural (*native*) de los países tropicales. En México se llama la «flor de Nochebuena», y se dice que hace muchos años era sólo un arbolito de hojas verdes, sin flores. Pero cuando una niña lloró por no tener nada para regalar al Niño Jesús, sus lágrimas, al caer sobre las hojas
30 verdes, las hicieron rojas, y desde entonces la *poinsettia* ha sido una cosa hermosísima.[1]

Las gardenias de México no sirven para hacer ramilletes como aquí, excepto para venderlos a los turistas. Al contrario, los vende-

[1] In Argentina the poinsettia is called the "Federal Star," in Nicaragua it's "The Shepherdess," and it's "Christmas flower" in El Salvador. In Peru it is called "Inca's Heart," perhaps because it reminds Peruvians of the Inca's broken heart when he was captured by the Spaniards.

William Preston

Roadside shrine commemorating someone's sudden death **nearly always has** flowers, placed by anyone who happens **by.**

William Preston

Fortín de las Flores, small town of Mexico, is famous for its gardenia-covered swimming pool. The sweet white flowers grow in huge hedgerows all over the tropical village.

dores hacen coronas (*wreaths*) enteras de gardenias — coronas grandísimas — para llevar al cementerio. Éstas cuestan sólo unos 35 pocos pesos, aunque aquí tales coronas valdrían entre cincuenta y cien dólares.

Quien (*he who*) conoce bien a México siempre aconseja (*advises*) a un buen amigo cuando éste piensa viajar por el país, — No olvides el traje de baño si vas a Fortín de las Flores. 40

¿Por qué dice esto? Pues, las flores son tan baratas en las tierras tropicales que un hotel de aquella ciudad tiene una alberca (*swimming pool*) donde flotan sobre el agua miles de gardenias. — ¡Ay,

119

qué bonito! ¡Nademos entre las flores! —exclaman todos los
45 turistas al ver esto, y en seguida se ponen el traje de baño para
divertirse entre las gardenias. Entonces sus amigos les sacan la
fotografía rodeados de estos miles de flores blancas y perfumadas.

De todas las demás, las flores que nos interesan más a nosotros
son las orquídeas, porque no crecen aquí. En el Ecuador las or-
50 quídeas, que crecen en el bosque, valen cinco centavos el ramito, y
en Guatemala las pequeñas se venden por diez centavos. En
México se puede comprar por menos de (than) un dólar una orquídea grandísima, perfumada, de color amarillo y moreno, ¡que
aquí valdría cincuenta dólares!

55 La flor nacional de Guatemala es la «Monja (nun) blanca» —
orquídea muy rara. En Costa Rica es una orquídea morada, chica
pero hermosísima, que se ve por todas partes durante la Semana

"Say it with flowers," says the pretty vendor in her bright
fiesta dress as she offers gay corsages to tourists.

Earl Leaf — Kellick

Santa, porque entonces las mujeres la llevan en el vestido.

El Salvador tiene una orquídea con nombre de «flor del volcán». Panamá tiene una llamada «flor del Espíritu Santo», y en el Ecuador 60 crecen las que se llaman «flor de Paraíso (*Paradise*)» y «flor de mosquito». Pero de todas las orquídeas de todos estos países, la más curiosa es una de Venezuela. Cuando el comprador (*purchaser*) pide un ramito de esta clase en el mercado, el vendedor sabe que el pobrecito tiene un resfriado, porque de estas flores se hace un té 65 que ayuda a curarlo. Así es que el vendedor puede preguntar, — ¿Quiere usted llevarlas a casa o prefiere tomarlas aquí?

¿Son aficionados a las flores los hispanoamericanos?

No cabe duda — ¡como mil flores!

PREGUNTAS

I. ¿Entendió usted el cuento?

1. ¿Qué hace un papel importante en la vida hispanoamericana?
2. ¿Qué se venden en casi cada esquina de las avenidas y calles de las ciudades?
3. ¿Qué quiere decir una cruz al lado de una carretera?
4. ¿Qué ponen los viajeros alrededor de las cruces en los caminos?
5. ¿Llevan los vendedores claveles y margaritas a la cabeza o en los bolsillos?
6. ¿Qué prefiere comprar primero un indio?
7. ¿Qué regala a un invitado una familia del estado de Michoacán?
8. ¿Qué es una «flor de Nochebuena»?
9. ¿Para qué sirven las gardenias baratas de México?
10. ¿Qué hacen los turistas al ver las gardenias flotando sobre el agua?
11. ¿Qué países tienen la orquídea como flor nacional?
12. ¿Para qué sirve cierta orquídea de Venezuela?

II. ¿Qué dice usted?

1. ¿Están perfumados los claveles?
2. ¿Preferiría usted un ramito de claveles o de orquídeas moradas?
3. ¿Le gustaría a usted nadar rodeado de gardenias perfumadas que flotan sobre el agua?
4. ¿Preferiría usted nadar en el mar o en un lago?
5. ¿Se queja usted cuando se prohíbe nadar en un lago?
6. ¿Puede usted curar un resfriado con un té de orquídeas?
7. ¿Hay peligro si usted se pierde en el bosque?
8. ¿Qué estado de los Estados Unidos es más inmenso que los demás?
9. ¿Qué hizo usted para divertirse anteayer?

(*Continued on page 122*)

EN CASA DEL FOTÓGRAFO

— No me gusta esta fotografía de mi esposo. ¡Parece un orangután!

— Lo siento, señora, pero bien pudo usted haber pensado en eso antes de casarse con él.

10. ¿Comen juntos sus padres y sus hermanos en la Nochebuena?
11. Cuando los socios de su club hacen una fiesta, ¿sacan fotografías de los invitados?
12. ¿Le gustaría a usted hacer un papel en una película con los otros socios de su club?
13. ¿Estaría desconcertado usted al verse en el cine?
14. ¿Se llama «pobrecito» el que está rodeado de chicas alegres?
15. ¿Se prohibe estacionarse un rato en la esquina de una avenida?

REPASO DE VERBOS

EJERCICIO 1. *Complete this story in Spanish, giving the correct form of the verbs.* First you may wish to review the familiar commands in section 9, pages 115–116.

— (1) *Give me* la manzana, Susita! — gritó Alfredo a su hermanita.

— (2) *¡I won't!* (*I don't want to!*) — contestó Susita. — ¡Es (3) *mine!* (4) *¡Be careful,* o (5) *I am going to* decírselo a mamá!

— ¡No me digas! (6) *¡Tell it* a mamá, si quieres! — (7) *said* Alfredo.

— Alfredo, (8) *come* acá (*here*), — (9) *said* la señora, — y (10) *tell me* la verdad. ¿Por qué riñen (*quarrel*) los dos?

122

— Porque Susita es (11) *the worst girl in the* mundo.

— (12) *Listen*, Alfredo, te he dicho (13) *a million (of) times* que no debes exagerar, — (14) *said* la señora. — ¿Qué hizo Susita?

— Pues, (15) *we were playing* a Adán y Eva (*Adam and Eve*), y en vez de (16) *giving me* una parte de la manzana, ¡ella (17) *was eating it (prog.) all up!*

ALGO NUEVO

10. Present Tense, Subjunctive Mood

All the verb tenses you have learned so far have been in what is called the "indicative mood." Now we come to the "subjunctive mood," [1] a very important new set of tenses that Spanish-speaking people use all the time. (Without knowing it, you have already been using parts of the present subjunctive for formal commands.)

Study these models to learn how to form the present subjunctive.

PRESENT SUBJUNCTIVE MODELS: REGULAR VERBS

−ar verbs: **nadar**	−er verbs: **comer**	−ir verbs: **vivir**
(that) I (may) [2] swim	(that) I (may) dine	(that) I (may) live
(que) (yo) nad e	(que) (yo) com a	(que) (yo) viv a
nad es	com as	viv as
nad e	com a	viv a
nad emos	com amos	viv amos
nad éis	com áis	viv áis
nad en	com an	viv an

EJERCICIO 2. *Referring to the models, answer these questions.*

1. Is the "opposite vowel" used for all present subjunctive endings? 2. What is the stem? (The same as for a formal command.) 3. Since the endings for two persons are the same, how will you often have to distinguish between them? 4. If you put **usted** after the third person, what form do you have? 5. Give the formal commands, singular and plural, that come from the subjunctive conjugation of **nadar, comer,** and *vivir*. 6. What are the affirmative familiar commands of these verbs (page 115, section 9)? Are they found in the models?

[1] "Mood" shows the feeling or attitude of the speaker.
[2] "May" is often the sign of the subjunctive in English, as in "Be that as it may" or "You may be right."

11. Negative Familiar Commands ("Don't")

No olvides el traje de baño.   *¡No abras eso!*
Don't forget your bathing suit.   *Don't open that!*

The familiar (second person) commands you reviewed in Ejercicio
1, page 122, may be used only in the affirmative. In order to say
don't, you must use an entirely different form, the second person
singular present subjunctive. *Tú* may be added, but is usually
omitted in the negative.

Here are the various singular command forms for ***cantar.***

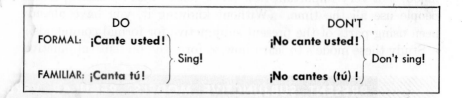

	DO		DON'T	
FORMAL:	¡Cante usted!	⎱	¡No cante usted!	⎱
		Sing!		Don't sing!
FAMILIAR:	¡Canta tú!	⎰	¡No cantes (tú)!	⎰

EJERCICIO 3. *Using the outline given above, give the four singular commands and their meanings for the following verbs.*

        1. pasar   2. correr   3. cubrir

12. Object Pronouns with Commands

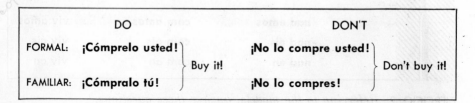

	DO		DON'T	
FORMAL:	¡Cómprelo usted!	⎱	¡No lo compre usted!	⎱
		Buy it!		Don't buy it!
FAMILIAR:	¡Cómpralo tú!	⎰	¡No lo compres!	⎰

Do you remember that we have always said "Object pronouns
precede a verb unless it is an infinitive, present participle, or *affirmative* command"? Notice in the outline given above how the
position of the object pronoun changes when *do* (affirmative)
changes to *don't* (negative).

EJERCICIO 4. *Following the outline in section 12, write the four singular
commands of these verb-pronoun combinations.* (See page 115, § 9.)

        1. levantarse   2. escribirlo   3. comerlo   4. rodearla

13. First Person Plural Commands ("Let's")

Nademos entre las flores.   *Let's swim among the flowers.*
Decidamos ~~pronto~~. mañana *Let's decide soon.*

The first person plural of the present subjunctive often means *let us.*

EJERCICIO 5. *Make these suggestions to your friends in Spanish.*

1. Let's think about him.
2. Let's have a party!
3. Let's run home.
4. Let's sing.

5. Let's not cry now.
6. Let's see a film.
7. Let's return the book.
8. Let's dine downtown.

Remember that *let us* can also be expressed by *vamos a: Vamos a comer, let's eat.*[1] But for *let's not eat,* always say *no comamos.*

EJERCICIO 6. *Now repeat the suggestions in Ejercicio 5, using vamos a whenever you can.*

14. Irregular Present Subjunctives

The stem for the present subjunctive of irregular verbs is the same as that for formal commands (the first person singular present, if it ends in –o, minus –o).

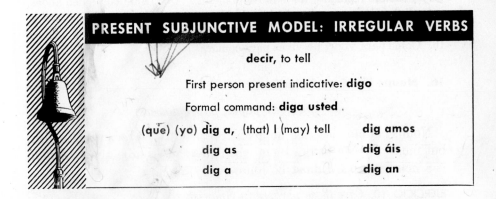

PRESENT SUBJUNCTIVE MODEL: IRREGULAR VERBS

decir, to tell

First person present indicative: **digo**

Formal command: **diga usted**

(que) (yo) dig a, (that) I (may) tell	dig amos
dig as	dig áis
dig a	dig an

EJERCICIO 7. *Give the first person present indicative and formal command of these verbs and then conjugate them in the present subjunctive.*

1. pasar
2. meter
3. escribir
4. hacer
5. poner
6. salir
7. tener
8. venir

[1] But say *¡Vámonos!* for *Let's go!*

15. Present Subjunctive of Stem-Changing Verbs (–ar and –er)

Stem-changing verbs of the first and second conjugations have the same stem changes in the subjunctive as in the indicative. Are they still "shoe verbs"? *yes*

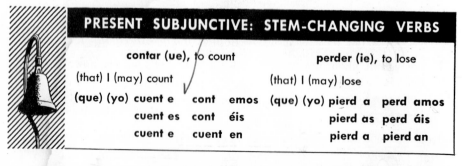

PRESENT SUBJUNCTIVE: STEM-CHANGING VERBS

contar (ue), to count			perder (ie), to lose		
(that) I (may) count			(that) I (may) lose		
(que) (yo) cuent e	cont	emos	(que) (yo) pierd a	perd	amos
cuent es	cont	éis	pierd as	perd	áis
cuent e	cuent	en	pierd a	pierd	an

EJERCICIO 8. *Conjugate* **volver** *and* **cerrar** *in the present subjunctive.*

EJERCICIO 9. Here are some popular Mexican song titles and phrases which use familiar forms. *Can you read them?*

1. No llores por tu Pancho. 2. Canta y no llores. 3. Dime que sí, no digas (que) no. 4. Estrellita (*little star*), baja y dime si (él) me quiere un poco. 5. Dime que me quieres. 6. Déjame recordarte. 7. No me olvides. 8. No lo pienses. 9. No me vayas a olvidar. 10. Mírame.

Old sayings: 11. No dejes (*leave*) para mañana lo que puedes hacer hoy. 12. A caballo regalado, no le mires el diente. 13. Dime con quien andas, y te diré quien eres. 14. Cuida de los centavos, (por)que los pesos se cuidarán solos. 15. Entre padres y hermanos no metas tus manos. 16. Come para vivir; no vivas para comer.

16. Nouns Used as Adjectives

flores de papel, paper flowers

Nouns cannot describe nouns in Spanish as they can in English, but must have **de** before them when they act as adjectives. **Millón** is a noun, too, and must be followed by **de**.

EJERCICIO 10. *Give these phrases in Spanish.*

1. a birthday card *Let's not*
2. a love letter
3. a gold cross
4. my pocket watch
5. a candy (*pl.*) heart
6. a million miles

7. some adventure (*pl.*) stories
8. a fur (*pl.*) coat
9. a silver feather
10. those paper hats
11. a million cards
12. a carnation (*pl.*) corsage

17. A New Way to Say "Very" [1]

Me gusta muchísimo.	*I like it very much.*
Es una cosa hermosísima.	*It is a most (very) beautiful thing.*

Some adjectives may use the ending *–ísimo* to express the superlative idea of "very" without making a comparison. What letter must be removed before adding the new ending?

EJERCICIO 11. *Give these adjectives in the form meaning "very" and tell what they mean.*

1. grande 2. barato 3. precioso 4. dulce 5. raro 6. alto

ALGO QUE REPASAR

EJERCICIO 12. *Review the prepositional pronouns in section 100, page 521, and then complete these sentences in Spanish.*

1. — ¿Va usted a comer *with them?* — Espero que sí. 2. Hay plumas moradas en el sombrero; hay plumas moradas *on it.* 3. El capitán desapareció bajo las olas del mar; desapareció *beneath them.* 4. El invitado iba a comer *with me.* 5. Los demás pagaron cinco centavos por los refrescos; pagaron cinco centavos *for them.* 6. Entre los discos encontré algunos raros; los encontré *among them.* 7. El pobrecito puede curar su resfriado con un té de orquídeas; puede curarlo *with it.* 8. Escribí la noticia en una tarjeta postal; la escribí *on it.* 9. Nos estacionamos demasiado tiempo cerca de ese mismo paseo; nos estacionamos *near it.* 10. Preciosa, deja caer los dulces en el bolsillo; déjalos caer *in it.*

ESTUDIO DE PALABRAS

EJERCICIO 13. Here are the expressions ("idioms") you have had with ***vez***, *time. Select one of them to complete each sentence, using each idiom only once.*

muchas veces	otra vez	a la vez
algunas veces	tal vez	en vez de

1. ____ las casas están rodeadas de hierba (*grass*).
2. Los pobrecitos ____ llevan grandísimas cestas a la cabeza.
3. Preferimos nadar juntos ____ hacer una fiesta.
4. Las manos pueden ser suaves y limpias ____.
5. Las lágrimas cayeron ____ de sus ojos cuando empezó a llorar.
6. ____ las orquídeas curarán su resfriado, pero no las coma usted.

[1] The form ending in *–ísimo* is sometimes called the "absolute superlative." What do we mean when we say something is "super"?

EJERCICIO 14. *Por* has many meanings in English, or sometimes no translation at all. Those you have already had are *by, for, in, through, along, in exchange for, on account of*. What does **por** mean in each of these cases? [1]

1. Por la tarde estábamos listos para terminar el trabajo. 2. Le daremos nuestros dólares por pesos para hacernos ricos pronto. 3. Camino de México, viajaremos por la carretera buscando aventuras raras por todas partes. 4. De noche nos pasearemos por las mismas avenidas por donde (*which*) pasaron los aztecas. 5. Por estar listos temprano, podíamos salir juntos. 6. La noticia fué escrita [2] por la tarde por cierto socio del Club. 7. Los demás han trabajado por dos horas, pero Roberto acaba de salir por estar enfermo.

PALABRAS PARA APRENDER

* comer	to dine (*new meaning*)	* la Nochebuena	Christmas Eve
* curar	to cure	perfumado, –a (de)	perfumed (with)
* los (las) demás	the rest	* (el) (la) pobrecito, –a	(the) poor (little) thing
* el estado	state		
grandísimo, –a	very large	* por	on account of (*new meaning*)
hermosísimo, –a	very (most) beautiful	* preferir (ie, i)	to prefer
* inmenso, –a	immense	* el resfriado	cold
* el invitado	guest	* rodear (de)	to surround (with, by)
* la lágrima	tear		
* morado, –a	purple	* santo, –a	holy (*new meaning*)
* nadar	to swim		

EXPRESIONES

* **a la cabeza,** on his (their) head(s)
* **al contrario,** on the contrary
  ¡**como mil flores!** and how!
* **el (la) de,** that of
* **hacer un papel,** to play a part
* **los (las) que,** those which, who
  el Niño Jesús, the Christ Child

PALABRAS PARA REPASAR

la cesta	basket	* sacar(le) (les)	to take a picture
* llorar	to weep	la fotografía	(of him) (of them)
* raro, –a	rare; strange		

[1] NOTE TO THE TEACHER: Further treatment of *por* (and *para*) is found in Chapter 17.
[2] *Escrita* agrees with *noticia* because it is a passive form.

FOR ADDITIONAL, OPTIONAL MATERIALS TURN TO A ESCOGER, PAGE 449.

Around the Spanish Sea

Spanish galleon

In the story of the New World there are no chapters more thrilling than those which tell of the days when conquerors sailed the Spanish Sea and claimed the islands and lands bordering it for the Spanish Crown. The galleons and pirate ships are gone from the blue waters now known as the Caribbean Sea, and with them have gone the treasure chests and the pieces of eight. But Spain's imprint still remains on the countries of Central America (Guatemala, Honduras, El Salvador, Nicaragua, Costa Rica, Panama) and on the three islands of the Caribbean (Cuba, Hispaniola, Puerto Rico) that she conquered and colonized.

130

Previous page: Entering harbor, Havana, Cuba

Cuba's Capitol, designed like ours by an American architect, has a diamond set in the center of its floor as the starting point for all measurements.

Sawders, from Cushing

Costa Rican "Americans" in their fiesta costumes pose in a home decorated with oxcart designs.

All but one of the Caribbean countries (Haiti on the Island of Hispaniola [1]) are Spanish in language and customs. The people of most of the countries are of the same races—Indian, Negro, white, and a mixture of all of them. All but two of the countries (Haiti and Puerto Rico) won their independence from Spain. Most of them have the same kind of climate and crops, and the people of all of them share with us the right to be called Americans. But when you know them better, you will notice differences that give each country its own personality.

The islands—Cuba, Hispaniola, and Puerto Rico—lie in a curved line southeast of the tip of Florida. "Islands of Romance," enthusiastic vacationers have called them, and indeed they are. Each has sunny, palm-fringed beaches, colorful tropical flowers,

[1] Originally called Española in Spanish.

Cutting sugar cane with machete

131

and a climate as alluring as its island beauty. The capital cities have stream-lined architecture, broad avenues, and smart shops which contrast sharply with the *ciudad antigua,* the old sections that preserve the architecture, leisurely atmosphere, and much of the charm of colonial days. But beyond the beaches and cities are the forest-clad mountains, the wide valleys, and the high plateaus where is found most of the typical beauty of the islands. It is the countryside, too, which accounts for most of the contrasts between the islands.

Cuba lies nearest to us geographically, and our ties with this friendly country have been closer than with any other of our Spanish American neighbors. You might remember Cuba for the charm of Havana, the rhythm of its rumbas, or its fine university, but once you see its cane fields you will never forget it. Under the sunlight the fields are a rippling sea of green, but at night the moonlight turns them to shimmering silver. Because of her enormous fields of sugar cane, Cuba is called "the world's sugar bowl."

Cuba's nearest Spanish-speaking neighbor is the Dominican Republic. It shares the island of Hispaniola with Haiti, whose language is French—

Cuba's sugar cane fields, flourishing by the mile under the tropical sun, provide much of our sugar and are responsible for the island's prosperity.

132

Centro América y Mar Caribe

TRÓPICO DE CÁNCER

SAN JUAN
•
Puerto Rico

República
Dominicana
CIUDAD
TRUJILLO

Haití

PORT-AU-PRINCE

ESPAÑOLA

C   A   R   I   B   E

Cuba

Jamaica

LA HABANA
•

M   A   R   C   A   R   I   B   E

1000 MILLAS

COLÓN
•
PANAMÁ
•
Zona del Canal

Panamá

Honduras
Británica

México

Nicaragua

MANAGUA
•

Costa

Rica

SAN JOSÉ
•

Honduras

TEGUCIGALPA
•

Guatemala

GUATEMALA
•
Lago de Atitlán
ANTIGUA •

El Salvador

SAN SALVADOR •

OCÉANO   PACÍFICO

133

México

134

as are many of her customs. When you visit the Dominican Republic, you hear that Ciudad Trujillo is one of the world's cleanest capitals, but your history teacher could also remind you that it was here that the Spaniards built the first permanent settlement in the New World, that the University of Santo Domingo is one of America's oldest, and that the bones of Columbus lie in the ancient cathedral nearby. This city, too, is the site of the Columbus Lighthouse, a beautiful white stone monument built in his memory. And if you ever see the Dominican countryside when the *amapola* trees are ablaze with brilliant blossoms, you will readily understand why this is the land Columbus loved so much that he wished to be buried here.

Half an hour by air from the Dominican Republic's east coast is the island of Puerto Rico. The Stars and Stripes fly over this little country, but its United States citizens cling to Spanish traditions and the Spanish language. Puerto Rico has much of the beauty but little of the wealth of Cuba and the Dominican Republic. Too many people live off too little land. Today this small country is tackling the big job of building industries, and already men and women who once tried to scratch a living from a patch of poor land are at work in shops and factories. They are making shoes

Keystone

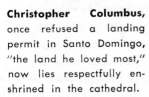

Christopher Columbus, once refused a landing permit in Santo Domingo, "the land he loved most," now lies respectfully enshrined in the cathedral.

135

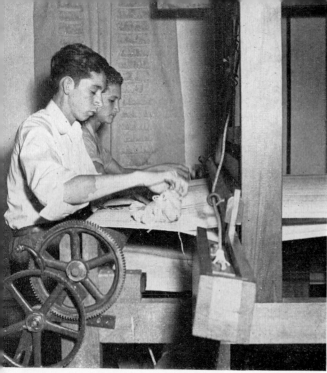

Puerto Rico seeks to solve its problem, employment for all, by the introduction of new industries, an important one being weaving.

and glass and furniture and fine needlework and many other things, in the hope that it won't be long before ships and planes leaving the island will carry their products instead of their people looking for work.

But let's take leave of the islands now and cross the Caribbean Sea to Central America, the home of six of our American neighbors—Guatemala, Honduras, El Salvador, Nicaragua, Costa Rica, and Panama. As you land on the coast of any of these countries you find that the scene is not very different from the islands you have just left. Here too in the tropical lowlands there are the same palm trees, the fields of sugar cane, the broad-leafed banana trees swaying lazily in the warm breeze. Then, as you climb to the broad plateaus, the air becomes cooler, and bananas and sugar cane make way for plantations of coffee trees with glossy green leaves. And still farther up where fingers and toes tingle in the sharp morning air, there are fields of corn and barley, and gardens of crisp cabbages. Here the people toiling in the fields have the dark reddish skin of the Indian. And here and there on the mountain ranges that form Central America's rugged backbone are the volcanoes which give the landscape its picturesque beauty.

In spite of the many similarities between these countries, the visitor remembers each one for some special reason. When you land at Guatemala's beautiful airport, an Indian girl will meet the plane to give you a gardenia, and you will have the chance to sample Guatemala's fine coffee and hear of the many awards it has earned for its excellence. You will also hear that its marvellous climate makes it "the land of eternal springtime." But more than climate or coffee or gardenias, it is the Indians that make you remember Guatemala. Although white people and *mestizos*, a mixture of Indian and white, live in its cities, beyond the cities Guatemala is an Indian country. You see the Indians tilling their fields on the steep mountain slopes, and in the villages you can watch them weaving the bright colored textiles for which they are so famous. On market day they leave looms and fields to carry their wares to the market beyond their own village. In their colorful costumes, walking in single file, they look like bright beads on a long string. Their proud carriage and dignity of manner are reminders that they are descendants of the cultured Mayans, whose lands these were for many centuries.

Honduras, next door to Guatemala, is the banana land of Central America. Men have sought its gold and silver and its fine mahogany, and the chewing gum made from its chicle has kept millions of jaws in motion, but for years its bananas have been the country's real wealth. Today Honduras is at work building roads which will help its neighbors know it better. Meanwhile Tegucigalpa, the capital, has the leisurely atmosphere of a city undisturbed by the whistle of trains or the roar of traffic. It is America's only capital without a railroad.

Jim Mitchell

Tobacco-raising by scientific methods is being introduced into El Salvador by a cooperative agricultural project.

137

Favorite park of Managua, Nicaragua, is named for Rubén Darío, beloved poet of Spanish America, whose verses are quoted by everyone.

Sprawling across Central America between Honduras and Costa Rica is Nicaragua, a larger country with room for many more people. This is a country of great open spaces, of picturesque volcanoes, and of lakes that mirror the beauty of its landscape in their calm blue waters. It is a country that has been torn with civil wars and shaken by earthquakes, but today its fertile fields spread over old battlegrounds, and its cities are prosperous. You may remember Nicaragua as the country across which the United States may one day build a canal, but Nicaraguans are proud to have their country known as the birthplace of Rubén Darío, one of the world's great poets.

El Salvador, the tiny country tucked in between Honduras and Guatemala, has many things for which to be remembered. This is Central America's smallest and most crowded country, and the only one with no coast on the Caribbean. She produces more coffee than any of her neighbors and has considerable gold. In addition, El Salvador has a product that is often more valuable than gold. From the sap of her balsam trees an ointment is made which is used in surgery and which is a cooling balm for the care of the skin.

Costa Rica bears little resemblance to its neighbors. Though there are some Negroes in the lowlands and a few Indians in remote parts of the little country, the highlands and cities are inhabited mostly by people of Spanish descent. Costa Rica has a good reputation as an orderly nation of hard-working, intelligent people who have well-kept farms and prosperous cities. Costa Ricans like to be remembered especially for the excellent schools they have provided for their children, but the visitor leaving with a large balloon made of banana leaves and filled with roses remembers it as a pleasant land of hospitable people and lovely flowers.

Panama, the most southerly of the Central American countries, bears an Indian name which means "abounding in fish," but it also abounds in people. Unlike Honduras, which has few visitors, Panama is never without them. Some come for a few days or weeks, but most of them are only stopping off on their way to some other place. Every day people from every corner of the globe crowd the shops and streets of its port cities,

139   **Native costumes** of San Blas Indians, complete with nose ring and pencil line down the middle of the nose, are worn at fashionable parties by society belles of Panama.

Rapho-Guillumette

Colón and Panama City. Ever since it was first discovered, this little S-shaped neck of land has been the crossroads of the world. For that reason its people are a mixture of more races and nationalities than any other of the Americas.

Beyond the cities of Panama lies a country of great natural beauty, and in the southern part of the republic one finds dense jungles inhabited by mysterious primitive tribes. But, of course, Panama's chief interest to us is the Panama Canal, which cuts thousands of miles in travel between the continents, making it possible for the American nations to become better acquainted. Men of vision who planned it thought of what this would mean to the Americas and to the world, and on the official seal of the Canal are these words: "The land divided, the world united."

Alike, yet different, are these near neighbors of ours, helpful to us with their tropical crops, as we are helpful to them with our manufactured products. Americans all, we live in friendly harmony in our places around the sunny Spanish Sea.

DELIA GOETZ

MORE ABOUT CENTRAL AMERICA AND THE ISLANDS

Clark, Sydney: *All the Best in Central America.* Dodd, Mead.
> An informative volume for the traveler as well as for the one who stays at home.

Díaz del Castillo, Bernal: *Discovery and Conquest of Mexico.* Farrar.
> Written by one of Cortés' captains, who enlivens his graphic account with anecdotes about his companions.

Kelsey, Vera, and Osborne, Lilly de Jongh: *Four Keys to Guatemala.* Funk and Wagnalls.
> Particularly interesting material on the Indians of Guatemala and their colorful crafts and festivals.

Pan American Union: *American Nation Series.*
> Each booklet of this set of twenty gives a brief survey of the geography, history, government, economy, and culture of a country.

Pan American Union: *Américas.*
> An attractively illustrated monthly magazine about the people of the Western Hemisphere, with sections on art, books, and music, as well as general articles. It is published in Spanish, English, and Portuguese.

Schurz, William Lytle. *This New World: The Civilization of Latin America.* Dutton.
> A well-rounded discussion of all aspects of Latin American civilization, social, economic, historical, and cultural, including informative sections on Central America and the Caribbean.

140

Capítulo 10

Cómo hacerse rico

Pieces of eight!
Chests of jewels!   Silver bars!
Pearls, and emeralds, and a golden throne!

The *conquistadores* came for treasure, and treasure they found.   Over every green, palm-fringed island of the Caribbean they swarmed; deep into every mile of mainland from Florida to Panama they penetrated in their search for wealth.   Here unbelievable dreams came true, and tales of easy riches spread.   Then over to the Spanish sea flocked buccaneers — English, French, Dutch — to lie in wait for the gold-heavy Spanish galleons and to seize the treasure for themselves.   Pirate highjacked pirate, and sometimes all were losers when no one lived to dig up jewels buried on a forgotten isle.

In colonial days family valuables were often mortared into thick stone walls for safe-keeping; in later times of revolution people hid them in the same way and sometimes died without telling the secret of the hiding place.   So it is that, from the days of the missing Aztec treasure to a matter-of-fact item in yesterday's newspaper, all around the Spanish sea there still persist rumors of wealth to be had for the finding.[1]

— Quiero que hallen [2] ustedes el tesoro de Moctezuma,[3] — dijo Cortés a sus soldados después de la conquista (*conquest*) de México. — Se dice que hay esmeraldas, y joyas de oro, y además, Moctezuma

---

[1] The author is indebted to Mr. Harlow Poe Merrick, member of two treasure-hunting expeditions, for the Cocos Island story material used in this chapter.

[2] *Quiero que hallen ustedes, I want you to find.*   *Hallen* is a new subjunctive use explained in section 21 of this chapter.

[3] Moctezuma II, emperor of the Aztecs in Central Mexico when Cortés conquered them, lived in a luxury of which the Spaniards had never dreamed.

Earl Leaf—Kellick

Old Panama was left in ruins by the pirate Henry Morgan,
who destroyed the city and carried away the riches which had
come there for Spain from all over the New World.

tenía un trono (*throne*) de oro, tan grande como una casa. Si lo
5 hallamos, todos nos haremos ricos.

Pero nunca consiguieron hallar ni el trono, ni las esmeraldas, ni
las joyas, que habían desaparecido. ¿Dónde estaría el tesoro? Ya
no lo sabía nadie, y todavía queda escondido.

De vez en cuando se han descubierto [1] grandes tesoros en México,
10 y todavía quedan otros por (*to*) descubrir. Por ejemplo, se dice que
el que se atreva [2] a entrar en cierta cueva de las montañas cerca de
Tepic, Nayarit, a las doce de cualquier noche de luna llena, oirá la
voz de un fantasma que guarda una cantidad de oro y plata, y que
manda, — Llévatelo todo o no te lleves nada.

15 Las leyendas siguientes son sólo dos de las muchas que se cuentan
por todas partes, y es cierto que de vez en cuando se encuentra algo

---

[1] *se han descubierto, have been discovered.* You often find the Spanish reflexive form
when in English we would use a passive verb.

[2] *se atreva,* a present subjunctive, from *atreverse.*

de valor. Aquí tiene usted una noticia que apareció en un periódico hace pocos años:

GRAN TESORO DESCUBIERTO DE VALOR DE ₡300.000.000

SAN SALVADOR, 10 de abril. El 26 del marzo pasado descubrió un 20 tesoro un marino (*sailor*) inglés, William P. Fox, en una pequeña isla cerca del Puerto Piñón. Fué escondido allí hace un siglo por un bisabuelo suyo, famoso pirata inglés, y vale, según los peritos (*experts*), más de trescientos millones de colones.[1]

El gobierno de esta república permitió al señor Fox buscar el tesoro 25 de su bisabuelo porque tenía en su posesión un mapa antiguo.

La leyenda que interesa más a todo el mundo es la de la Isla del Coco,[2] posesión de Costa Rica en el Pacífico. Es cierto que el pirata Morgan hizo varios viajes a esta isla, que Sir Francis Drake llegó hasta (*as far as*) allí, y se cree (*it is believed*) que Thompson, pirata 30 que se robó las riquezas de Lima,[3] fué a la isla para esconderlas. Según se cree, el tesoro vale más de sesenta millones de dólares y

---

[1] The "dollars" of El Salvador are *colones* (₡), so called after *Cristóbal Colón, Christopher Columbus.*

[2] A very small, uninhabited pile of volcanic rock about 265 miles west of Costa Rica, Cocos Island is buried in tropical vegetation so thick that it takes all day to hack a path a little way into the jungle.

[3] In 1819, when General San Martín started marching on Peru to free it from Spain, the wealthy Spaniards of Lima hastily collected their valuables to ship them to Spain for safety. A certain Captain Thompson, whose ship was in the nearby harbor, offered to save their treasures, which he did by sailing away with $12,000,000 worth. What the anxious *limeños* hadn't known was that the obliging captain was the pirate Thompson!

Cocos Island, far out in the Pacific, belongs to Costa Rica, which will share any treasure that may be found.

debe ser el más grande del mundo. Durante tres siglos, de vez en
cuando han llegado expediciones a esta pequeña isla. Sólo en años
35 recientes ha habido sesenta y seis expediciones de Alemania (*Germany*), de Inglaterra, del Canadá, de Panamá, y de los Estados
Unidos. Por ejemplo, una compañía inglesa, llamada *Treasure
Recovery, Limited*, llegó a la isla hace pocos años y gastó más de
$35.000 en el viaje sin hallar nada.
40 Hace pocos años, el famoso automovilista de Inglaterra, Sir
Malcolm Campbell,[1] pasó algún tiempo buscando la fortuna. Pero
no consiguió hallarla, aunque dijo, — Todavía estoy seguro de que
hay tesoro. Según el mapa antiguo que tengo, ha caído una inmensa
cantidad de piedras sobre cierto lugar donde estará la puerta de la
45 cueva subterránea.

Hoy día se hace uso de métodos modernos con los «detectores de
metales».[2] Cosa rara es que estos «detectores» allí se portan de una
manera muy misteriosa. Por ejemplo, una vez uno indicó la presencia de muchos metales al ser colocado (*being placed*) sobre cierta roca
50 (*rock*) grande, y todos estaban seguros de que habían encontrado
algo de valor. Pero al mover la roca, dejó de sonar el instrumento,
y no volvió a sonar sobre el lugar donde había estado la roca.

La leyenda antigua dice que las riquezas de las cuevas bajo la isla
«están reservadas para hombres del norte». De todos modos, no
55 cabe duda de que estos «hombres del norte» seguirán tratando de
hacerse ricos. Por ejemplo, ésta es una noticia de un periódico
reciente:

San José, Costa Rica, 9 de octubre. Una expedición de sesenta
personas, bajo la dirección de los hermanos Forbes de California, salió
60 hoy en el L.C.I.[3] Bolívar camino de la Isla del Coco. Ésta es la
sexta expedición de los señores Forbes, quienes tienen mapas antiguos
de un bisabuelo suyo que escondió un tesoro en la isla en el año de 1820.
Unos soldados de Costa Rica los acompañan para observar sus operaciones. Tendrán constante comunicación por radio con el gobierno.
65 Les aconsejamos que tengan [4] mucho cuidado, porque la mala suerte
vive entre las cuevas de la isla.

¿Estará esperando el tesoro a estos «hombres del norte» que
quieren hacerse ricos?

¡Quién sabe!

[1] Sir Malcolm Campbell set many automobile speed records in this country.
[2] *detector de metales,* a *"metalloscope,"* which works on the principle of radar.
[3] L.C.I. = Landing Craft, Infantry, a World War II "ship" for landing soldiers
on a beach. Notice that it was named for South America's greatest hero.
[4] *Les aconsejamos que tengan mucho cuidado. We advise them to be very careful.*

Costa Rican soldiers who accompanied a Forbes expedition to Cocos Island carved their names on rocks bearing ancient pirate clues. Note the denseness of the jungle.

PREGUNTAS

I. ¿Entendió usted el cuento?

1. ¿Quiénes trataron de hallar las joyas de Moctezuma para hacerse ricos?
2. ¿Qué había desaparecido?
3. De todos modos, ¿qué se ha descubierto en México de vez en cuando?
4. ¿Qué manda la voz del fantasma en la cueva?
5. ¿Cuánto vale el tesoro que escondió el bisabuelo del señor Fox?
6. ¿Por qué estaba seguro el señor Fox que conseguiría hallar algo en la isla?
7. Según la leyenda, ¿dónde queda el tesoro más grande del mundo?
8. ¿Qué compañía de Inglaterra gastó más de treinta y cinco mil dólares sin hallar nada?
9. ¿Por qué no consiguió hallar el tesoro ese famoso automovilista?
10. ¿Cómo se portó un «detector de metales» cuando lo usaron en la isla?
11. De todos modos, ¿cuándo dejó de sonar el instrumento?
12. ¿A quiénes espera el tesoro, según la leyenda antigua?
13. ¿De qué país es San José la capital?
14. ¿Qué aconseja el periódico de San José a la expedición?

II.   ¿Qué dice usted?

1. Cuando acaba usted de conseguir una gran cantidad de dinero, ¿le aconsejan sus padres que no lo gaste todo?
2. ¿Deja usted de gastar dinero cuando los bolsillos están casi vacíos?
3. ¿Qué consejo podría usted dar a un pobrecito que acababa de gastar todo su dinero?
4. Si no sabe usted bien su lección en la clase, ¿vuelve a estudiarla de vez en cuando?
5. Cuando deja usted de estudiar, ¿qué hace para divertirse?
6. ¿Se puede divertir a los socios de una orquesta tocando discos en un tragadieces?
7. ¿Es la esmeralda una joya o sólo una piedra?
8. ¿Preferiría usted conocer a un hombre guapo o a un hombre inteligente?
9. ¿Pasa su padre más de ocho horas por día en su trabajo diario?
10. ¿Puede pasar un hombre más de un siglo en este mundo?
11. ¿Le gustaría a usted hacer una fiesta con algunos invitados hispanoamericanos?
12. ¿Le gustaría a usted pasar un rato en una isla rodeada del mar?

ALGO NUEVO

18. More Subjunctive Verb Forms

Review the present subjunctive forms given in section 10, page 123, section 14, page 125, and section 15, page 126.

EJERCICIO 1.   *Conjugate these verbs in the present subjunctive tense.*

1. conocer	3. costar (ue)	5. oír	7. volver (ue)
2. caer	4. traer	6. perder (ie)	8. sentarse (ie)

19. Verbs with Irregular Present Subjunctives

The six common verbs whose first person singular present indicative does not end in –o have the following present subjunctive forms, some of which you have used for commands.

dar: dé	haber: haya	saber: sepa
estar: esté	ir: vaya	ser: sea

Remember the same stem is kept throughout the conjugation:

ir: vaya, vayas, vaya; vayamos, vayáis, vayan

EJERCICIO 2.   *Learn the conjugation of these six verbs in the present subjunctive.* *(pages 509–514, § 51, ff.)*

20. "III SC" Subjunctives

Third conjugation stem-changing verbs have the usual stem changes in the present subjunctive. In addition, the first and second persons plural have the same *e > i* or *o > u* change that you found in the third person preterite.

PRESENT SUBJUNCTIVE MODEL: III SC VERBS		
sentir (ie, i)	**pedir (i, i)**	**dormir (ue, u)**
to regret	to ask	to sleep
sient a	pid a	duerm a
sient as	pid as	duerm as
sient a	pid a	duerm a
sint amos	pid amos	durm amos
sint áis	pid áis	durm áis
sient an	pid an	duerm an

EJERCICIO 3. *Conjugate in the same way* (1) **preferir**, (2) **servir**, (3) **vestir**, (4) **seguir**, *and* (5) **morir**.

EJERCICIO 4. Here is a list of assorted verb forms, including commands, present indicative, and present subjunctive tenses. *Give the infinitive of each one and tell what the form means (translating each subjunctive with "may" whenever you can).* EXAMPLE: **coma, comer,** *he may eat.*

1. vengan	8. sal tú	15. yo tenga
2. me siento	9. venid vosotros	16. cuentan
3. salgamos	10. ella vuelva	17. conozcamos
4. ten tú	11. ponte	18. no cantes
5. no tengas	12. diga usted	19. siga usted
6. viene	13. cueste	20. no te pongas
7. haga	14. dime tú	21. sirvamos

¡ADELANTE, SIEMPRE ADELANTE!

We Meet the Subjunctive

ASÍ

Now it can be told. Our Spanish so far has been carefully kept simple. For the most part, we have learned to say those things that are much like English. Even at that, we've had to form some new language habits, like getting used to the Spanish "I no have," where English says "I have not."

Now we come to the hardest of these new habits — learning to use the subjunctive mood. (All the verbs we have had so far have been in the indicative mood.)

This subjunctive, you discover, is a whole new set of verb forms that we scarcely notice in English, since our English subjunctive occurs mostly in such expressions as "be that as it may," or "if I were you."

But in Spanish — well, there just isn't any real, everyday Spanish without the subjunctive! It can be lurking anywhere. It pops up in conversation, in ads, in jokes, even in the comics. You can't get away from it! Little children use it correctly, and even uneducated people who say *semos* for *somos* and *traiba* for *traía* manage it without batting an eye. So there's no reason why we *yanquis* can't develop the same feeling for it.

Now this subjunctive is a mood of doubt or uncertainty, in contrast to the indicative, which states facts. (Mood means *feeling*.) When someone says, "I am going to town," he states a fact, but when he says, "I want you to go," or "I hope you will go," there may be some doubt in his mind about whether you really will go or not. And whenever there's the slightest feeling of doubt or uncertainty in Spanish, there you find a subjunctive, no matter what its exact grammatical classification may be.

Let's face it. For Americans, the Spanish subjunctive *is* tricky. To get it, we'll have to understand and learn every separate step thoroughly as we go, for this new project is like building a brick wall. If we don't lay the bottom bricks, how are we going to put on the top ones? But if we don't miss a "brick" for the next few chapters, we'll soon be rattling off real live subjunctives just like natives, speaking genuine Spanish at last.

¡Adelante, siempre adelante!

¿—O ASÍ?

148

Ewing Galloway

President's mansion is a show-place of San Salvador, capital of the tiny country of El Salvador, on one of whose islands an English sailor found his grandfather's buried treasure.

21. Using the Subjunctive after Verbs of Causing[1]

In the story you found your first new use of a present subjunctive:

	Quiero	*que*	*hallen ustedes*	*el tesoro.*
AS SPANISH SAYS IT:	*I want*	*that*	*you may*[2] *find*	*the treasure.*
AS ENGLISH SAYS IT:	*I want*		*you to find*	*the treasure.*

Quiero is the main verb of the sentence. Is it subjunctive or indicative?

---

[1] NOTE TO THE TEACHER: The presentation of the subjunctive is based upon Keniston's *Spanish Syntax List*, a study of syntax frequency, and stresses usages of proven high frequency.

[2] Remember the English translation of the present subjunctive models on page 123? Except when it's used for permission, as in *May I go?*, the word *may* often indicates a subjunctive in English.

Hallen is the *sub*ordinate verb of the sentence. Is it *sub*junctive or indicative? Right! (*Sub* means *beneath* or *below* — as in *sub*marine and *sub*way.)

Then remember that a *sub*junctive verb is a *sub*ordinate verb, nearly always following along behind an indicative, and unable to go on alone any more than a trailer can go on without its automobile.

. Now why is **hallen** subjunctive? Because *I want* is a "verb of causing" (if I want you to do something, I may cause you to do it), which automatically makes the following verb, *find*, subjunctive. This is the most common use of the subjunctive.

You have already used many a verb of causing without a subjunctive. When you say *I want to go* — **quiero ir** — there is no subjunctive because there is no "change of subject" — it's the same person who wants and who goes.

Compare the forms you already know with the new type of sentence in these examples.

QUIERO IR.

NO CHANGE OF SUBJECT:	*Quiero ir.* *I want to go.*
COMMAND:	*¡Vayan ustedes!* *Go!*
AFTER A VERB OF CAUSING:	*Quiero que vayan ustedes.*[1]
	I want you to go (*that you may go*).

Since this kind of sentence always has **que** in the middle, why not think of the main verb as the car, the subjunctive verb as the trailer, and of **que** as the trailer hitch! (The trailer can't go without the car, or without the hitch!)

---

[1] Notice that the word order **que vayan ustedes** is just like the command form of the verb. This inverted order is more common than **que ustedes vayan,** although you may find either one, especially in long, involved sentences.

EJERCICIO 5. *Put these easy combinations into Spanish like the preceding examples.* Remember that Spanish doesn't say "me to go" or "you to come" as English does, but changes the wording to "that I (may) go" or "that you (may) come." It will help if you use a symbol or "diagram" of this idea to mark your subjunctive sentences: *Quiero* ⟩ ⟨*que*⟩ *vaya.* *I want him to go.*

1. I want to eat.	Eat!	I want you to eat.
2. He wants to swim.	Swim!	He wants you to swim.
3. You want to sing.	Sing!	You want him to sing.
4. I want to hear.	Hear!	I want you to hear.
5. She wants to leave.	Leave!	She wants me to leave.
6. I want to bring it.	Bring it!	I want you to bring it.[1]

7. *Now answer this question:* Why was the underlined (subordinate) verb in each group in the subjunctive mood?

Remember	The subjunctive is used after verbs of causing IF there is a change of subject.

Note the many verbs that may cause someone to do something.

1. The most common verbs of causing, which *must* take the subjunctive if there is a change of subject, are:

querer, to want   **decir,** to tell   **pedir,** to ask   **desear,** to want

EXAMPLE: *Quiere que coman.*   *He wants them to eat.*

---

[1] Since object pronouns precede "conjugated verbs," they are placed before all subjunctive forms except affirmative commands.

2. Other verbs of causing which usually take the subjunctive are:

invitar (a), to invite
aconsejar, to advise
preferir (ie, i), to prefer

rogar (ue), to beg, coax
insistir (en), to insist
consentir (ie, i) (en), to consent

EXAMPLE: *Le aconsejo a usted que vaya.* *I advise you to go.*

3. Certain verbs of causing are exceptions to the rule, for they *may* take the subjunctive but more often do not. These are:

dejar, to let, allow
hacer, to make

permitir, to permit
mandar, to command, order

If you do not want to use the subjunctive after these four verbs, use the infinitive.

EXAMPLE: *No me permiten verlo.* *They don't permit me to see it.*

EJERCICIO 6. *Translate these sentences, first exactly as they stand, then as we would ordinarily say them, and tell why the subjunctive is or is not used in each case.*

1. Queremos que vayan todos a Inglaterra. 2. No quiere que pasen un rato allí. 3. Nos pide que dejemos de cantar. 4. Le pedimos que se calle y le rogamos que se calle, pero no se calla. 5. Le aconsejamos que devuelva las joyas. 6. No me dejan quedarme allí por tener un resfriado. 7. Deseo que alguien consiga mover las piedras. 8. José ruega a su bisabuelo que no gaste tanto dinero. 9. Me dicen que tenga cuidado. 10. El gobierno prefiere que no busquen las joyas sin permiso. 11. Su padre le hace trabajar todo el día. 12. Le ruego a usted que me dé trabajo. 13. Insisto en que mis invitados sean felices.

EJERCICIO 7. *Complete in Spanish, using the subjunctive where required.*

1. José quiere *me to go* de noche. (*Remember the trailer hitch!*) 2. Deseo *Joseph to dine* conmigo. 3. Me dice *to remain* sentado. 4. Me aconseja *to spend* tiempo allí, pero *not to spend* dinero. (*¡Cuidado!*) 5. Ruego *them to make* el viaje juntos. 6. Nos mandan *to return* el dinero. (*Two ways*) 7. Le aconseja al pobrecito *not to stop* estudiar. 8. Nos ruega *to come* de vez en cuando. 9. Nos permite *to write to each other.* (*Two ways*) 10. Le digo *to come out of* la cueva por la tarde. 11. Anda y dile *not to sing.*

22. Impersonal *Uno* and *Se*

no se puede describir
se dice
uno toma la derecha

one cannot describe
it is said, "they" say
one turns to the right

Se and *uno* are often used with third person verbs to express an indefinite subject, such as *"they"* or *one*.

Uno is used with reflexive verbs because another *se* is not possible: *uno se acuesta*, *one goes to bed*.

EJERCICIO 8. *Complete in Spanish.*

1. De vez en cuando *one sees* una cueva. 2. *One cannot* llevar una gran cantidad de piedras. 3. *They say* que nadie ha conseguido evitar un resfriado todo el año. 4. *One never knows* donde hay tesoros. 5. De todos modos, a causa de los mapas, *one can* buscarlos más fácilmente. 6. ¿*May one* entrar? 7. Al contrario, por aquí *it is not permitted* pasar. 8. ¿*Ought one* contar chistes para divertir a un invitado? 9. *One should* pedir permiso para quedarse. 10. ¡*One does not do* eso!

EJERCICIO 9. *Translate these Spanish proverbs freely.*

1. Del árbol caído se hace leña (*firewood*).
2. Preguntando se va lejos.
3. Riendo se va aprendiendo.
4. Con pan y vino (*wine*) se anda el camino.
5. Por la puerta de la casa se conoce quien vive dentro.
6. De piedra no se saca jugo (*juice*).
7. Cosas que se hacen de prisa, se sienten despacio.

ESTUDIO DE PALABRAS

EJERCICIO 10. Here are some idioms with *tener* which you have had in your first or second year Spanish course. *Choose the correct ones to complete these sentences, changing each verb to the proper form.*

aquí (lo) tiene usted	tener hambre	tener cuidado
¿qué tiene (usted)?	tener calor	no tener cuidado
tener ____ años	tener prisa	tener frío
¿cuántos años tiene?	tener que	tener sed
tener miedo (de) (a) [1]	tener razón	tener sueño
tener la costumbre de	no tener razón	

1. Todos *have to* quedarse en la esquina. 2. José *is right;* se debe trabajar primero. 3. Nadie *has to be cold* en la Isla del Coco. 4. Ella *is accustomed to* quedarse en la escuela. 5. El que come poco, *is probably hungry*. 6. Ese Roberto debe dejar de *being in a hurry*. 7. El señor de Inglaterra no consiguió hallar nada porque *he was wrong*. 8. Ella tiene lágrimas en los ojos;

---

[1] Use *de* before verbs and *a* before nouns or pronouns: *tengo miedo de irme; tengo miedo a los caballos.*

¿what's the matter with her? 9. *¿Are you thirsty? Here is* un refresco.
10. Buenas noches, todos. *I am sleepy.* 11. *Don't worry;* de todos modos
es imposible evitar eso. 12. — *¿How old is* José? — Se ve que José *is
twenty years old.* 13. *¡Be careful!* ¡Al sol *you will be warm!* 14. *I am
afraid of* los resfriados.

PALABRAS PARA APRENDER

* aconsejar	to advise	Inglaterra	England
el bisabuelo	great-grandfather	* insistir (en)	to insist
* la cantidad	quantity	* la isla	island
* la compañía	company	* la joya	jewel, piece of jew-
* conseguir (i, i)	to succeed in (do-		elry
(consigo)	ing something)	* mandar	to command, order
	(*new meaning*)		(*new meaning*)
la cueva	cave	* pasar	to spend (*time*)
* dejar de	to stop (*new mean-		(*new meaning*)
	ing*)	* permitir	to permit
* descubrir	to discover	* la piedra	stone, rock
* descubierto	*past part. of* des-	* rogar (ue)	to ask, beg, coax
	cubrir	* según	according to, as
* la esmeralda	emerald	* el siglo	century
* gastar	to spend (*money*)		

EXPRESIONES

* de todos modos, anyhow, at any rate
* de vez en cuando, from time to time
  la Isla del Coco, Cocos (Coconut) Island

* más (menos) de, more (less) than (*before a number*)
  San (José), Saint (Joseph)

PALABRAS PARA REPASAR

* mover(se) (ue)   to move
* pasado, –a   last (just past)
* quedar(se)   to remain, stay

* seguro, –a   sure (*with* estar) [1]
* volver a + *inf.*   to . . . again

[1] *ser seguro* means *to be safe.*

FOR ADDITIONAL, OPTIONAL MATERIALS TURN TO A ESCOGER, PAGE 450.

Capítulo 11

La leyenda
de Xochiquetzal

El Salvador, about the size of Maryland, is the smallest country of Central America, but an enterprising one with many cultured people who speak several languages and have seen the world. The country is plagued with earthquakes, and dotted with volcanoes, but coffee plantations climb boldly up crater sides so steep that the coffee pickers sometimes tie themselves to the shade trees to keep from falling off the farms!

The Aztecs in pre-colonial days had reached even this part of Central America, so it is not surprising to find ancient Aztec names and legends still common. The tale you are about to read of mysterious Lake Ilopango, where not so long ago some islands disappeared during an earthquake, is the most famous legend of all Central America. As you will see, the Aztec system of preventing earthquakes was a little tough on girls of your age, but such was life before the Spaniards came. And if you think the story is strange, remember that in a legend anything can happen and usually does!

1

— ¡Qué azules están las aguas del Ilopango [1] esta tarde! — dijo Atlox, sentado bajo una vieja higuera en el bosque a la orilla del lago con su hermano Atonal y su amiguita, Xochiquetzal. [2]

---

[1] The Aztecs who called the lake "Ilopango" didn't dream that one day that ancient name would be given to the smart and busy airport that serves San Salvador, the capital of the country.

[2] If in Aztec, *Xochimilco* means *flower garden* and **quetzal** is a *bird*, what does **Xochiquetzal** mean?

There is a shop in Mexico City called **Xochicali.** **Cali** in Aztec means *house.* What kind of shop is it?

155

— Sí, el azul es el color favorito de la diosa del lago, — contestó
5 Atonal.

— ¿Crees que de veras viva [1] una diosa en el fondo (*bottom*) del
lago? — preguntó Xochiquetzal.

— ¿Cómo no? — respondió Atonal. — Los sacerdotes dicen que
sí. Se dice que cuando sube el nivel de las aguas, quiere decir que
10 vendrá un temblor, porque la diosa desea otro sacrificio de cuatro
muchachas bonitas.

— ¿Por qué querría una diosa tal sacrificio? — preguntó Atlox. —
No creo que tengan razón los sacerdotes.

— Espero que no tengan razón, — dijo Xochiquetzal, riéndose,
15 — porque ¿no soy yo una de las muchachas de la edad en que se
sacrifican (*they are sacrificed*)?

— Y una de las más bonitas, también, — dijo Atlox, mirándola
con afecto (*affectionately*).

— ¡Miren ustedes! — exclamó Atonal de pronto. — ¿No está
20 más alto el nivel del agua esta tarde? Anteayer aquella otra higuera
estaba lejos del lago, ¡y ahora casi está en el agua!

— ¡Huy! ¡Es verdad! — murmuró Xochiquetzal, y empezó a
llorar. — ¡Ay, Atlox, tengo miedo! ¡Temo que venga un temblor!

En ese instante sonaron a lo lejos los teponaztles.[2]

25 — ¡Oigan ustedes! — exclamó Atlox. — ¡Algo importantísimo
va a pasar en el templo! ¡Y tú, Xochi, tú eres la más bonita y de
la edad . . .

— ¡Cállate! — mandó Atonal. — No hay peligro. Nuestra Xochi
no será sacrificada. ¡No permitiremos que se la lleven!

30 Pero los teponaztles seguían sonando, acercándose poco a poco,[3]
hasta que al fin llegaron los sacerdotes a donde los esperaban, temblando, los tres jóvenes aterrados . . .

2

Xochiquetzal vivía en el palacio con las otras tres hermosas
vírgenes. Todos los días los criados les daban vestidos nuevos;
35 todos los días les servían comidas ricas; todos los días les tocaban
música. Era costumbre tratar de mantener (*keep*) contentas a las
pobres muchachas, porque ellas iban a pedir a la diosa del lago
clemencia (*mercy*) para los demás.

---

[1] *viva,* a new use of the subjunctive which you will study in section 24 of this chapter.

[2] A *teponaztle* is an Aztec drum made from a section of hollow tree trunk and often
carved to represent a crouching animal.

[3] *poco a poco,* remember, means *little by little* as well as *take it easy!*

Mysterious Lake Ilopango, located in the crater of an extinct volcano, now gives its name to a modern airport as well as to local legends.

Pero entretanto, Atlox y Atonal estaban muy tristes.

— No pueden sacrificar a nuestra Xochi, — dijo Atlox con lá- 40 grimas en los ojos. — No creo que tal sacrificio pueda impedir (*prevent*) los temblores.

— No quiero que echen al agua a Xochi, — dijo Atonal, — pero ¿cómo podríamos salvarla a tiempo? Somos muchachos . . .

— Sí, somos muchachos, pero fuertes, y listos. ¡Es preciso sal- 45 varla! Oye, Atonal. Te digo cómo la vamos a salvar . . .

Y la vieja higuera escuchó las dos voces jóvenes, y la brisa las oyó, y las aguas azules del lago al pie del árbol sonrieron bajo el sol, oyendo la idea de los dos . . .

3

Llegó el día del sacrificio. Al toque (*beat*) triste de los teponaztles, 50 las cuatro hermosas vírgenes, todas vestidas de blanco y rodeadas de sacerdotes, caminaban en una procesión. Al lado de Xochiquetzal

caminaban Atlox y Atonal, hasta que al fin llegó la procesión a un
risco alto en la orilla del Ilopango. Otra vez el toque (*beat*) de los
55 teponaztles, y los sacerdotes se acercaron a Xochiquetzal para echarla
a las olas. Pero en ese momento Atlox y Atonal la arrebataron
(*snatched*) y huyeron con ella por el bosque.

Y — ¡empezó a temblar la tierra! La gente, aterrada, cayó de
rodillas para pedir perdón a la diosa. Nadie siguió a los tres jóvenes
60 que huyeron, huyeron, hasta que llegaron a la otra orilla del lago
donde no vivía nadie. Allí iban a quedarse, sin volver nunca a su
pueblo.

Street photographers of San Salvador, specializing in children's
pictures finished while you wait, post samples of their work
and furnish a wooden pony for customers to ride.

Frederic Lewis

Pero los sacerdotes estaban furiosos. — Se han atrevido a huir, —
dijeron, — pero no podrán escaparse. Mandaremos a los soldados
que los sigan y los devuelvan al templo, y entonces a ver qué pasa . . . 65

Los soldados los iban buscando por el bosque, y al fin, llegando a
la otra orilla del lago, uno de ellos vió a lo lejos el vestido blanco de
Xochiquetzal entre los árboles.

Los tres jóvenes aterrados vieron venir a los soldados. ¡Cómo
salvar a Xochiquetzal!   70

— ¡Diosa del lago! — gritó Atonal, desesperado (*desperate*),
cayendo de rodillas. — ¡Salva de los soldados a nuestra inocente
Xochi! ¡Hazla agua,[1] hazla una parte de tu lago azul!

Y en ese momento desapareció Xochiquetzal, y las olas del lago
sonrieron dulcemente.   75

Pero ¿qué pasaba con los dos jóvenes? Poco a poco iba desapareciendo Atlox, convirtiéndose en una higuera verde al lado del lago.
Y poco a poco iba desapareciendo Atonal, convirtiéndose en la
brisa suave que acariciaba (*caressed*) las hojas verdes de la higuera
y las olas azules del Ilopango.   80

Y cuando llegaron los soldados, ya no estaban allí los tres amigos.
Sólo quedaban el árbol, la brisa, y el lago azul . . .

PREGUNTAS

I.   **¿Entendió usted el cuento?**

1. ¿Dónde estaban sentados los tres jóvenes?
2. ¿Quiénes decían que vivía una diosa en el lago?
3. ¿Cuándo creían que vendría un temblor?
4. ¿Por qué sacrificaban los aztecas a las chicas?
5. ¿Quién era de la edad en que se sacrificaban?
6. ¿Cómo sabían los muchachos que algo importantísimo iba a pasar en
     el templo?
7. ¿A quién escogieron los sacerdotes para el sacrificio?
8. ¿Eran listos los dos jóvenes?
9. ¿Qué pasó cuando los muchachos huyeron con Xochiquetzal?
10. ¿Qué hizo la gente aterrada?
11. ¿A dónde [2] fueron los jóvenes?
12. ¿Por qué no devolvieron al templo los soldados a Xochiquetzal?
13. ¿En qué se convirtieron los dos jóvenes?

[1] *Hazla agua,* turn her into water. What form is *haz?*
[2] *A dónde* is used with the verb *ir* or any verb of motion.

II.   ¿Qué dice usted?

1. ¿Cuándo es mejor un refresco — en un día cuando hace calor o cuando hay brisa?
2. Para evitar peligro, ¿es mejor nadar cerca de la orilla de un lago o en el centro?
3. ¿Tiembla la tierra cuando hay temblores?
4. Cuando un amigo pide permiso para sacarle fotografías, ¿dice usted que sí o que no?
5. ¿Es preciso llorar o caer de rodillas para rogar algo?
6. ¿Cómo se llama una parte de tierra rodeada de agua?
7. ¿Teme usted los exámenes de vez en cuando?
8. De todos modos, ¿pasa usted un rato estudiando antes del examen?
9. ¿Sabe usted construir una cama o una silla con sus propias manos?
10. Cuando un hombre está aterrado, ¿ruega que alguien le ayude?
11. ¿Puede un hombre feo convertirse en hombre guapo con un traje nuevo?
12. ¿Es un buen consejo no volver la cabeza para hablar en la clase?

REPASO DE VERBOS

EJERCICIO 1. *Give the infinitives of these verbs, tell whether they are indicative or subjunctive, and translate, using "may" to show a subjunctive meaning if it is not a command.* (You must learn to recognize the subjunctive when you meet it!)

1. rompamos	6. den	11. ¡pague usted!	16. durmamos
2. pidamos	7. hagan	12. conozca	17. dormimos
3. pedimos	8. venimos	13. vaya	18. limpiemos
4. busquen	9. nieva	14. yo sea	19. salen
5. buscan	10. usted pague	15. vivan	20. rodee

EJERCICIO 2. *Give the first person singular present subjunctive of each of these verbs, preceding it with* **que yo,** *and tell what it means, using "may" in the translation.* EXAMPLE: *decir:* **que yo diga,** *that I may tell.*

1. poner	5. evitar	9. descubrir	13. construir
2. desear	6. hacer	10. tener	14. saber
3. conocer	7. dormir	11. llegar	15. ser
4. ir	8. pagar	12. buscar	16. haber

EJERCICIO 3. *Give the familiar singular commands, affirmative and negative ("do" and "don't") for each of these verbs.* EXAMPLE: **trabaja tú; no trabajes.** (Don't use *tú* with the negative.)

1. pedir	3. atreverse	5. quitar	7. descubrir
2. limpiar	4. romper	6. construir	8. permitir

EJERCICIO 4. *Using the list of verbs in Ejercicio 3, give the first person plural present subjunctive of all but number 3 and translate.* EXAMPLE: **nadar: nademos,** *let's swim.*

ALGO NUEVO

23. Using the Subjunctive after Expressions of Emotion

In the story you found this new use of the present subjunctive:

Espero que no tengan razón.   I hope (that) they are not right.
¡Temo que venga un temblor!   I fear (that) an earthquake may come!

Just as after verbs of causing, the subjunctive is used after expressions of emotion or feeling (to be glad, sorry; to hope, fear, etc.) when there is a change of subject.

But if there is no change of subject, the infinitive is used.

ESPERO IR.

Espero ir.   I hope to go.
Espero que vayan todos.   I hope (that) everyone goes.

Do you still need *que* for your "trailer hitch"?

You may "diagram" this kind of sentence just as you did those with verbs of causing: *Espero ⟩ que vayan todos.*

ESPERO   QUE   VAYAN TODOS.

Remember	The subjunctive is used after expressions of emotion IF there is a change of subject.

The most common expressions of emotion are:

esperar, to hope
¡qué lástima! what a pity!
es lástima, it's too bad

temer, to fear [1]
alegrarse (de), to be glad (to)
sentir, to regret, be sorry

24. Using the Subjunctive after Expressions of Doubt

In the story you also found this new use of the subjunctive:

¿Crees que haya diosa en el lago?
Do you believe there is a goddess in the lake?

No creo que tengan razón.
I don't believe they are right.

The subjunctive is used after any expression that shows doubt in the mind of the speaker, just as it is used with verbs of causing and emotion when there is a change of subject.

NO CREO QUE VAYAN TODOS.

Remember	The subjunctive is used after expressions of doubt IF there is a change of subject.

[1] The difference between **temer**, *to fear*, and **tener miedo a**, *to be afraid of*, is that **temer** usually means a mental fear or apprehension, while **tener miedo a** means to be physically afraid of something. **Tener miedo de** is to be afraid to *do* something: **tengo miedo a los perros; tengo miedo de ir.**

Common expressions of doubt are:

no creer, not to believe, think   **no estar seguro de,** not to be sure
¿cree usted? do you believe?

Can sentences of this type be "diagrammed" like the others you
have had?

EJERCICIO 5.   *Translate these sentences, showing by the skeptical tone
of your voice that you are doubtful about the matter!*

1. ¿Cree usted que José sepa su lección?
2. No creo que pueda leerla sin estudiar.
3. La profesora no está segura de que la entienda.
4. Y José no cree que la lección sea difícil.
5. ¿Creen los otros alumnos que sea preciso escribirla?
6. No, no creen que sea preciso, aunque sería mejor escribirla.

EJERCICIO 6.   The following sentences contain no subjunctives because there is no change of subject.   *Revise each sentence, supplying*
usted *as the subject of each subordinate verb.*   Remember that this
change will automatically cause a subjunctive in all the subordinate clauses.   EXAMPLE: *Quiero ir; quiero que vaya usted.*

1. Quiero sacar fotografías.
2. Espero pedir permiso para ir.
3. ¡Qué lástima no ir!
4. De todos modos, siento no tener silla.
5. Temo perderme.
6. Prefiero convertirme en un joven guapo.
7. No estoy seguro de llegar a la esquina a tiempo.
8. Nos alegramos de pasar un rato con ellos.
9. Es lástima caer de rodillas.

EJERCICIO 7.   When, according to the rules, the subjunctive can be
avoided, it's perfectly legal to do it. (See pages 151–152.)   *Translate the italicized words in these sentences, using the infinitive instead
of the subjunctive wherever you can.*

1. Quiero *you to do it.* (*Can you usually say "you to do"?*) 2. Me
aconseja *to come.* 3. Nos manda *to pay.* 4. Le pide *to stay* allí. 5. Espero
que ellos *go.* 6. Temo que ella *may not arrive* a tiempo. 7. Mi madre me
deja *go* al cine. 8. Mi padre no me permite *return* a casa muy tarde.
9. Me alegro de que usted *are curing* su resfriado. 10. Siento muchísimo
que usted *can't go* a nadar. 11. Le he dicho *not to fear* nada. 12. ¿No
cree que ella *can change into* agua? 13. No creo que ningún joven *changes
into* una brisa.

25. Spanish Neuter Forms

You have been using neuter forms without realizing what they were in such expressions as these:

Eso quiere decir lo mismo.   *That means the same thing.*
¿Es esto lo que quiere usted?   *Is this what you wish?*
Aprende todo lo que estudia.   *He learns all that he studies.*

As you know, all Spanish nouns are either masculine or feminine, and pronouns and articles referring to them must agree in gender. Therefore, neuter pronouns (*neuter* means neither masculine nor feminine) cannot be used to replace or refer to nouns. Instead, they are used to refer to a whole idea, or to some unidentified object.

Common neuter forms are *esto, eso, aquello, lo* plus an adjective, and *lo que.*

Remember | Any Spanish neuter refers to a WHOLE IDEA or an UNIDENTIFIED OBJECT.

EJERCICIO 8.   *Translate these sentences freely, expressing the neuter idea as clearly as possible.*

1. Si no ve usted lo que quiere, pídanoslo. 2. Lo que usted debe saber es esto. 3. Compre lo que usted desea, pagándolo más tarde. 4. ¡Eso no se hace! 5. ¿Por qué piensa usted en eso? 6. Todos hicieron lo mismo. 7. Deseamos todo lo mejor para los niños. 8. ¡No se puede hacer eso! 9. Lo importante es no temer nada. 10. Un cinco (*nickel*) por lo que piensas. 11. — ¿Es esto lo que quería usted? — ¡Eso sí (*certainly*) que es!

ESTUDIO DE PALABRAS

EJERCICIO 9.   *Which word in each of these groups does not belong there and why?*

1	2	3	4	5	6
cubierto	pague	lo mismo	esperar	mandar	ven
abierto	busque	esto	desear	creer	pon
dormido	cubra	aquello	querer	dejar	son
barato	canta	siglo	aconsejar	permitir	ten
llegado	conozca	eso	preferir	hacer	sal

EJERCICIO 10. **Volver a** (*to — again*) is a tricky idiom, but Spanish-speaking people seem to prefer it to **otra vez**. Sometimes it includes the idea of *beginning again*.

Acabar de, *to have just,* is also confusing to us, because there is no such verb in English. It is used in only two tenses, present and imperfect (*had just*). In other tenses it has a different meaning.

Practice these two idioms by translating the following sentences.

1. Volvieron a llorar. 2. Claro que no volvió a comer. 3. El peligro volvió a aparecer. 4. Volvieron a darse la mano. 5. Volvió a nevar anteayer. 6. De prisa volví a caer de rodillas, temiendo lo peor. 7. Aquí tiene usted lo que acaba de llegar. 8. El invitado acababa de pasar un rato con sus amigos. 9. Me alegro de que acaben de construir una casa nueva en esta esquina. 10. De todos modos, la orquídea morada que acabo de comprar no era barata.

PALABRAS PARA APRENDER

* alegrarse (de)	to be glad (to) (of)	* la orilla	shore
* aterrado, –a	terrified	* preciso	necessary
* la brisa	breeze	el sacerdote	priest
* convertir(se) (ie, i) (en)	to change (into)	* sacrificar	to sacrifice
la diosa	goddess	* temblar (ie)	to tremble
* la edad	age	el temblor	earthquake
* entretanto	meanwhile	* temer	to fear, be afraid
* listo, –a	(*with* ser) clever, smart (*new meaning*)	* el templo	(*mentally*)
		el teponaztle	temple
el nivel	level	* la tierra	Aztec wooden drum earth (*new meaning*)

EXPRESIONES

* **a tiempo,** on time
* **(caer) de rodillas,** (to fall) on one's knees

* **(decir) que sí,** (to say) so

PALABRAS PARA REPASAR

* **escaparse** to escape, run away
* **la higuera** fig tree

* **pasar (con)** to happen (to)

FOR ADDITIONAL, OPTIONAL MATERIALS TURN TO **A ESCOGER,** PAGE 452.

Capítulo 12

Cuentos
de Puerto Rico

On his second voyage in 1493, Columbus stepped onto a tropical island in the West Indies, planted the flag of Spain in the sand before a few puzzled Indians, and christened the place San Juan Bautista in honor of the Crown Prince of his country.

Ponce de León was with Columbus that day, and later became the first governor of the flowering little island whose people are now citizens of the United States. He called the landlocked bay Puerto Rico — Rich Harbor — and the name has come to be that of the entire territory, while the capital city, situated on a small island inside the bay, now bears the name of San Juan.

Spain neglected Puerto Rico for many years, but finally Sir Francis Drake's raids frightened the Spanish king into sending money to complete El Morro, the great gray stone fortress that rears up out of the sea on the northern point of the capital island. Fort San Cristóbal, now four hundred years old, had already been built at the other end of San Juan, and today its famed sentinel towers still peer suspiciously at the horizon. Between the two great fortresses stands the surprisingly Americanized and sky-scrapered little city, where polite people insist on speaking to visitors their very best high-school English.

For some reason, San Cristóbal Castle, as it is usually called, seems to monopolize the local legends, and although it is the neatest old Spanish ruin that ever scratched a visitor's shoe, the place still manages to keep an air of mystery.

Here are two of the tales told to everyone who scrambles over its time-stained ramparts and into its subterranean galleries.

1. El milagro de San Cristóbal

Hace unos cuantos (*a few*) siglos que llegó de España a San Juan un sacerdote que había de cuidar de la capilla [1] del Castillo de San Cristóbal. En seguida el buen padre hizo una inspección del Castillo, insistiendo en que todo estuviera [2] bien.

Al fin llegó a la inmensa cisterna debajo del Castillo. Ésta contenía el agua de lluvia que iba cayendo durante todo el año, porque era preciso que en el Castillo nunca faltara [3] agua. Pero también contenía otra cosa, porque el buen padre, con mucha sorpresa (*surprise*), reconoció allí, colgada dentro de la obscura cisterna donde nadie podía verla, ¡una pintura de San Cristóbal mismo! [4]

— ¡Qué barbaridad! ¡No conviene que esta pintura esté en tal lugar! — exclamó el padre, y mandó a un soldado que sacara la pintura de la cisterna y la llevara a la capilla para colgarla allí en la pared.

Pero, ¡cosa rara! Al día siguiente no llovió ni una gota (*drop*), ni al otro día tampoco. Pasaron semanas, y día tras día no cayó lluvia. Poco a poco iba acabándose el agua de la cisterna, hasta que al fin los soldados se fijaron en que se había acabado casi toda.

[1] Every old Spanish fort has a chapel dedicated to the patron saint of that particular place. Ammunition storage tunnels are dedicated to Santa Bárbara, the saint who guards soldiers from danger against explosives.

[2] *estuviera*, a past subjunctive. See page 172, § 26.

[3] *faltara*, a new subjunctive form and use explained in sections 26 and 29, pages 172 and 176.

[4] Not in the water, of course, but hanging on the wall above the water line.

Ancient fortifications, built in colonial times to protect **San Juan** on its tiny island, still stand guard over a now modern, progressive city.

167

Pero aquella noche, de pronto empezó a llover. Hora tras hora y
20 todo el día siguiente siguió lloviendo, y dentro de poco volvió a estar
llena la inmensa cisterna.

Los soldados, al asistir a la misa (*Mass*) aquella mañana para dar
las gracias a San Cristóbal, se fijaron en que faltaba algo en la
capilla. ¡Ya no estaba colgada en la pared la pintura santa de San
25 Cristóbal! Había desaparecido de su lugar, y todos salieron a bus-
carla. Por todas partes la iban buscando, y al fin, alguien abrió la
puerta de la cisterna grande, y ¡a la luz de una vela vió, colgada
en su lugar antiguo, la pintura famosa! ¡Era un milagro! ¡Para
hacer llover, San Cristóbal mismo había vuelto a su cisterna para
30 cuidar del agua!

Y actualmente, todavía está allí la pintura, dentro de la obscura
cisterna, y ninguno de los habitantes de Puerto Rico se ha atrevido
a sacarla de allí, ni siquiera el más valiente.[1]

2. *La garita embrujada*

Por todas las murallas (*walls*) del Castillo de San Cristóbal hay
35 garitas de piedra. En cada una de éstas antes se veía, de día y de
noche, un centinela velando (*watching over*) la costa de la isla, porque
los habitantes temían que los piratas vinieran a quitarles las riquezas del Nuevo Mundo.[2]

Una de estas garitas se llama hoy «la garita embrujada», porque
40 hace más de cien años, en una noche obscura desapareció de ella un
centinela, dejando allí su ropa y su escopeta. ¿Qué habría pasado?
No era posible que el soldado hubiera podido bajar al mar al pie del
risco, y no había otra manera de salir si no quería que nadie le viera.

— ¡Será el diablo (*devil*) mismo que se lo ha llevado! — se dijeron,
45 aterrados, los soldados supersticiosos, y después de eso, ni siquiera
los más valientes se atrevían a pasar la noche en esa «garita embrujada». Al fin fué preciso cerrar el túnel que conducía (*led*) a la
garita, y ésta se quedó abandonada.

¿Qué habría pasado? Pues, muchos años después, el soldado
50 «perdido», ya muy viejo, fué reconocido en otra parte de la isla, y
lo explicó así:

[1] Nowadays visitors can see the great cistern and its moldy old painting with the aid
of a flashlight.

[2] The pirates knew that much of the gold and silver brought from Mexico and South
America was stored in Puerto Rico in colonial days, waiting for the "Silver Fleet" to
carry it to Spain.

— Yo era muy joven, y estaba enamorado de una bonita chica de Caguas [1] a quien había conocido en una fiesta en San Juan. Ella tuvo que volver a su pueblo, y yo no pude acompañarla, siendo soldado con tres años más que servir al rey. Solito [2] en la garita, 55 noche tras noche, pensaba sólo en esa preciosa chica. De todos modos, «donde una puerta se cierra, otra se abre».[3] En una noche obscura, dejando allí mi uniforme y mi escopeta, porque era preciso que nadie me reconociera más tarde, bajé por las piedras del risco, con la ayuda (*help*) de una cuerda (*rope*). Nadé por las olas hasta 60 llegar a la playa (*beach*) donde ya había escondido otra ropa, y al fin conseguí llegar a esta finca, donde vivía mi novia. Aquí nos casamos, y aquí mismo he pasado la vida.

[1] Caguas is a town in the interior of the island.
[2] Notice the force of the diminutive *–ito: all alone.*
[3] Spanish is rich in proverbs, and people often quote them to prove a point. Can you give the English equivalents in ideas — not words — of the three proverbs in the story?

Famed sentinel tower of El Morro fortress at the entrance to San Juan harbor still peers suspiciously at the horizon, where now pass only peaceful merchant vessels.

— ¿Embrujada la garita? No, aunque todos dijeron que no era
65 posible que nadie bajara del risco, «los hechos (*facts*) son más
seguros que las palabras». Estaba enamorado, y «el amor vence
(*wins*) siempre».

Pero actualmente la garita todavía se llama «embrujada», y los
turistas, buscando recuerdos de Puerto Rico que comprar, siempre
70 los encuentran hechos todos con una vista de aquella garita, ¡marca
(*trademark*) moderna de la isla! [1]

PREGUNTAS

I.   ¿Entendió usted los cuentos?

El milagro de San Cristóbal

1. ¿Qué contenía la inmensa cisterna debajo del Castillo de San Cristóbal?
2. ¿Qué otra cosa estaba colgada allí?
3. ¿Qué exclamó el padre al reconocerla?
4. ¿Qué mandó el padre?
5. ¿Se acabó toda el agua cuando no llovió día tras día?
6. Al fin, ¿en qué se fijaron los soldados?
7. ¿Qué hicieron los soldados después de la lluvia?
8. ¿Qué había desaparecido de una pared de la capilla?
9. ¿Qué era el milagro?
10. Actualmente, ¿dónde está la pintura santa?

La garita embrujada

11. ¿Por qué había siempre centinelas en las garitas del Castillo?
12. ¿Qué pasó en una garita una noche obscura hace más de cien años?
13. ¿Qué no era posible?
14. ¿Dónde fué reconocido el soldado «perdido» muchos años después?
15. Noche tras noche, ¿en qué había pensado el centinela solito en su garita?
16. ¿A dónde había ido el soldado enamorado?
17. Actualmente, ¿dónde encuentran los turistas la vista de la garita?

II.   ¿Qué dice usted?

1. ¿Hay alguien en la clase que ha de tocar el piano esta tarde?
2. ¿Cuántas pinturas hay colgadas en este cuarto?
3. ¿Está usted bien, día tras día?
4. ¿Prefiere usted tomar un refresco u otra cosa?

---

[1] In July, 1950, Puerto Rico sent a life-sized reproduction of the famous sentry box for an exhibit in Rockefeller Plaza, New York, along with a sign telling its story. There are many Puerto Ricans in New York City.

Capitol building at San Juan is now the seat of the "Commonwealth of Puerto Rico," which under its new constitution has one of the fastest-rising living standards in the world.

5. ¿Puede ser que ni siquiera la lluvia les importe a los enamorados?
6. ¿Dice usted «¡Qué barbaridad!» o «¡Espero que sí!» cuando un hombre listo acaba de decir algo inteligente?
7. ¿Hay lágrimas en los ojos de una persona cuando está triste o cuando está contenta?
8. ¿Quiere usted esperarme aquí mismo por la tarde?
9. ¿Contienen los bolsillos de los jóvenes una gran cantidad de cosas?
10. Cuando tiene uno calor andando por el campo, ¿le gusta caer de rodillas en la orilla de un lago para tomar agua?
11. ¿Pasa un siglo poco a poco o rápidamente?
12. ¿Qué conviene decir cuando pasa uno delante de alguien que está sentado?
13. ¿Puede ser que un hombre aterrado tiemble porque tiene miedo?
14. Actualmente, ¿conviene hablar sólo una lengua en este mundo pequeño?

REPASO DE VERBOS

EJERCICIO 1.   Here is a review of some common verbs which are irregular or unusual in the present subjunctive. A few regular ones are included, for sometimes we drill so much on the hard ones that we forget the easy ones. *Give the first person singular present indicative and subjunctive of each verb.* EXAMPLE: **hacer: hago, haga**

REGULAR: 1. bajar   2. romper   3. descubrir

IRREGULAR: 4. dar   5. estar   6. ir   7. haber   8. saber   9. ser

IRREGULAR INDICATIVE STEM: 10. conocer   11. ofrecer   12. decir 13. hacer   14. construir   15. oír   16. poner   17. contener   18. traer 19. venir   20. ver

SPELLING-CHANGING: 21. sacrificar   22. escoger   23. comenzar   24. colgar   25. rogar

"III SC": 26. conseguir   27. morir   28. pedir   29. convertir   30. servir

EJERCICIO 2.   *See how fast you can give the infinitive of each of these verbs and tell whether the form is indicative or subjunctive.*

1. cuelgue	6. consigamos	11. ofrezcan	16. evita
2. reconozcan	7. sacrifiquen	12. permiten	17. convirtamos
3. contenga	8. tiemblo	13. nieva	18. huyen
4. ruega	9. escojamos	14. aparezcamos	19. sirva
5. descubrimos	10. interesa	15. construyan	20. vine

ALGO NUEVO

26. The Past (Imperfect) Subjunctive Tense

The past subjunctive tense always uses for its stem the one found in the third person plural of the preterite.

hablar:	hablaron	hablara or hablase	tener:	tuvieron	tuviera or tuviese
comer:	comieron	comiera or comiese	hacer:	hicieron	hiciera or hiciese
dormir:	durmieron	durmiera or durmiese	caer:	cayeron	cayera or cayese

There are two ways to conjugate any verb in the past subjunctive, and you may ordinarily use either one. In Spanish America the *-ra* form is more popular.

The same endings are used for both *-er* and *-ir* verbs. You can see from the following model that the simplest way to learn the past subjunctive is to think first of the third person plural preterite.

PAST SUBJUNCTIVE MODELS			
tomar (–ar verbs)		**vender (–er and –ir verbs)**	
I (might) take, etc.		I (might) sell, etc.	
tom ara	*or* tom ase	vend iera	*or* vend iese
tom aras	tom ases	vend ieras	vend ieses
tom ara	tom ase	vend iera	vend iese
tom áramos	tom ásemos	vend iéramos	vend iésemos
tom arais	tom aseis	vend ierais	vend ieseis
tom aran	tom asen	vend ieran	vend iesen

EJERCICIO 3. *Referring to the models, try to answer these questions:*

1. How can you tell an *-ar* past subjunctive ending from an *-er* or *-ir* ending?
2. Are the *-ra* and *-se* endings exactly alike except for those two letters?
3. Which person has a written accent in all four sets of endings?
4. What stem is always used to form the past subjunctive tense?
5. Which two persons are alike in each of the four sets of endings?
6. What English word is often used in translating a past subjunctive?

EJERCICIO 4. *Give the third person plural preterite of each of these verbs, then the third person plural past subjunctive which comes from it (both -ra and -se forms).* EXAMPLE: *venir: vinieron: vinieran, viniesen*

1. haber	5. ir [1]	9. estar	13. fijarse
2. querer	6. decir [2]	10. saber	14. construir
3. dar –	7. traer [2]	11. reconocer	15. contener
4. acabarse	8. colgar	12. oír	16. pedir

[1] There is no *i* following the *u* anywhere in this past subjunctive conjugation. *Ser,* of course, is the same: *fueron: fueran, fuesen.*

[2] Verbs with a *j* in the preterite drop the *i* following the *j* anywhere in the past subjunctive also.

Popular bread sold unwrapped in the open-air market place of Ponce, Puerto Rico, is a long, thin, crusty loaf.

27. Present Perfect and Past Perfect Subjunctives

No creo que haya venido.　　*I don't believe that he has come.*
Temía que lo hubieran hecho.　　*He feared that they had done it.*

Present perfect and past perfect subjunctives are formed by using the present and past subjunctives of **haber** with a past participle:

INDICATIVE:　*he tomado, etc.*　　　　*yo había tomado, etc.*
SUBJUNCTIVE: *yo haya tomado, etc.*　　*yo hubiera tomado, etc.*

EJERCICIO 5.　*Use the phrase **No creo que** to begin each of the following sentences and make the necessary verb change.　Then change the sentences to the past, beginning each one with **No creía que.**　How would you say, "I might have taken"?*

1. La clase ha entendido la lección.
2. Usted ha escrito la carta.
3. Se ha acabado su dinero.
4. Ha comprado las velas.
5. La lluvia ha caído.
6. Ha colgado la pintura.

28. Using the Past Subjunctive

In the stories you found the following new verb forms:

> *Mandó a un soldado que sacara la pintura.*
> *He ordered a soldier to take the picture out.*

> *Temían que los piratas vinieran.*
> *They feared that the pirates might come.*

The subordinate verbs **sacara** and **vinieran** are in the past subjunctive tense because the main verbs are in the past. Notice the difference in the following pair of sentences, even though the English, *you to go*, stays the same:

> *Quiero que vaya usted.*   I *want you to go.*
> *Quería que fuera usted.*   I *wanted you to go.*

There are two ways to tell whether to use the present or past subjunctive:

1. If the English says *may*, use the present subjunctive (*it is possible that he may go*); if it says *might*, use the past (*it was possible that he might go*).

Remember	May = present
	Might = past

2. If neither English *may* nor *might* is used, as in *I asked you to go*, watch the main verb and use the same tense for the subjunctive that you find in the indicative.[1]

Remember	Present follows present.
	Past follows past.

EJERCICIO 6. *Change these sentences from the present to the past (imperfect) tense and translate.*

> EXAMPLE: *Quiero que vayan.*   I *want them to go.*
> *Quería que fueran.*   I *wanted them to go.*

1. Temo que se acabe el agua de lluvia. 2. Quiere que me fije en el milagro. 3. Espero que no me reconozcan. 4. Me alegro de que no falte

[1] NOTE TO THE TEACHER: More detailed instructions will be given as they are needed.

agua, con este calor. 5. No estoy seguro de que Fulano[1] haga el papel.
6. Es preciso que ella cuelgue la pintura en la pared. 7. Sienten que
Fulano ya no esté bien. 8. ¿Crees que se haya acabado mi dinero?
9. Aconsejo que usted le dé la mano al conocerle. 10. Insisten en que
hagamos lo mismo. 11. Es lástima que el niño le quite los dulces a su
hermanito. 12. ¿Cree usted que la compañía acabe de gastar tal cantidad?

29. Using the Subjunctive after Impersonal Expressions

You found these new uses in the story:

> *Era preciso que nadie me reconociera.*
> *It was necessary that no one recognize me.*

> *No era posible que nadie bajara del risco.*
> *It wasn't possible for anyone to climb down the cliff.*

Era preciso and *era posible* are "impersonal (not personal) expressions" because the subject of each is *it*, not a person.

[1] *Fulano (Fulana, f.)*, like our term *So-and-so*, is used when you do not remember, or
wish to mention, a person's real name.

Monkmeyer

Basket-weaving project is
part of the Puerto Rican development plan to provide
new jobs with the expan-
sion of industry.

An impersonal expression is usually followed by the subjunctive when the subordinate verb has an expressed subject; otherwise, an infinitive may be used instead.   Compare these sentences:

> *Es posible ir.*   *Es preciso estudiar.*
> *Es posible que usted vaya.*   *Es preciso que yo estudie.*

The most common impersonal expressions are:

es posible, it is possible
puede ser, it is possible, it may be
es preciso, it is necessary
es mejor, it is better

es necesario, it is necessary
es probable, it is probable
es importante, it is important

Impersonal verbs which sometimes take the subjunctive are:

> **importar,** to be important, to matter
> **convenir,** to be fitting, proper, or suitable

Remember	The subjunctive is often used after impersonal ("it") expressions.

Why are the impersonal expressions **es verdad** and **es cierto** (*it is certain*) not followed by the subjunctive?

EJERCICIO 7.   *Translate these sentences carefully.* (They are tricky because of the varied tenses.) *Then tell why each does or does not have a subjunctive verb.* These may be "diagrammed" like the other subjunctive sentences you have had: *Es posible* ⟩⟨ *que* ⟩ *vaya Juan.*

1. Puede ser que ni siquiera se fije en la vista. 2. Era importante que la cisterna estuviera llena de agua de lluvia. 3. Espero que los conquistadores no hayan escondido sus tesoros bajo tales piedras. 4. Me dijo que sacara los dulces del bolsillo, pero no me convenía. 5. Me dijo que iba a

pedir permiso para hacer lo mismo. 6. Era preciso que el soldado reconociera la pintura famosa. 7. ¿Cree usted que Elena haya de quedarse sola?
8. No me conviene que vayan ustedes al cine noche tras noche. 9. No
nos importaba que los demás se vistieran de domingo. 10. ¿Teme usted
que entretanto haya un temblor? 11. Yo soy demasiado listo para creer
eso. 12. ¿Cree usted que sea preciso dar las gracias a un amigo por un
ramito de flores?

EJERCICIO 8. *If you can write these little sentences correctly in Spanish,
you're doing all right with the subjunctive.* Look out for "trailer
hitches"!

1. I don't believe it's Fulano.
2. I'm afraid he recognizes you!
3. It's necessary for you to thank him.
4. I hope he's all right.
5. Do you think (believe) she is in love?
6. I'm afraid he isn't clever enough to (*para*) win.
7. It may be that he has escaped.
8. I was glad you noticed that.
9. I don't believe it's really a miracle.
10. Is it possible that the water's all gone?
11. It's too bad we lack a good view.

REPASITO

EJERCICIO 9. *Complete these sentences using the proper form of ser
or estar in the present tense unless some other tense is indicated.*

1. — ¿Quién *is it?* 2. — *It is* su amigo, Tomás. 3. ¿Dónde *have you
been?* 4. — *I have been* sentado en el patio. 5. — ¿*Is* estudiando José
ahora? 6. — No, *he's* enfermo. 7. — ¡Qué lástima! Siento que *he is*
enfermo, y espero que pronto *he is* bien. 8. — Espero que sí. Todavía
he is en el hospital. 9. — A ver. Usted tiene un reloj, ¿verdad? ¿*Is it* de
plata? 10. — No, *it is* de oro. *It used to be* de mi tío, y me lo dió anteayer.
11. — ¿*Is it* un reloj barato? 12. — No, al contrario, *it is* muy bueno. *It
isn't* roto. *It is* en la casa ahora. 13. — Si *it is all right* y si le conviene por
la tarde, iré a ver su reloj. 14. — ¡Tanto mejor! *Be* allí a las dos. Le
espero allí mismo.

EJERCICIO 10. *Complete these sentences with the proper expressions.*

1. *Let's see.* ¿Me pondré *my bathing suit* otra vez?
2. *I should say so!* Usted aprenderá a nadar *little by little.*
3. ¿*May I* preguntar *what happened to* las margaritas?
4. ¡*How ridiculous!* ¡Usted no tiene que *ask permission for that!*

5. Dígale que *thank* Elena por el refresco.

6. *Day before yesterday* yo había de llegar *on time.*

7. *On the way to* la finca, reconocí muchas flores moradas colgadas de las piedras de la tierra morena.

8. Me alegro de que usted *are to* cantar así como tocar el piano.

9. *I hope so.* Pero espero que los invitados se fijen en mí.

10. Usted *say so*, pero *it may be* que usted no se alegre de cantar.

11. *What can I do for you?* — Dígame, precioso, ¿*what happened to* Ana María?

PALABRAS PARA APRENDER

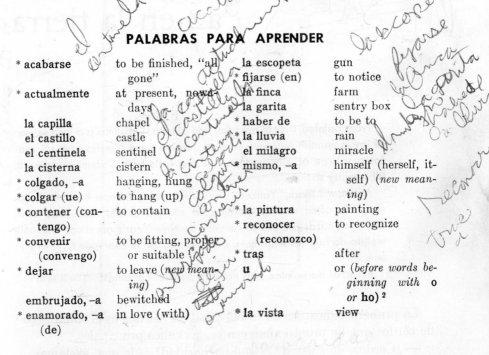

* acabarse	to be finished, "all gone"	la escopeta	gun	
* actualmente	at present, nowadays	* fijarse (en)	to notice	
		la finca	farm	
la capilla	chapel	la garita	sentry box	
el castillo	castle	* haber de	to be to	
el centinela	sentinel	* la lluvia	rain	
la cisterna	cistern	el milagro	miracle	
* colgado, –a	hanging, hung	* mismo, –a	himself (herself, itself) (*new meaning*)	
* colgar (ue)	to hang (up)			
* contener (contengo)	to contain	* la pintura	painting	
		* reconocer (reconozco)	to recognize	
* convenir (convengo)	to be fitting, proper or suitable [1]			
		* tras	after	
* dejar	to leave (*new meaning*)	u	or (*before words beginning with* o *or* ho) [2]	
embrujado, –a	bewitched			
* enamorado, –a (de)	in love (with)	* la vista	view	

EXPRESIONES

* estar bien, to be all right
* otra cosa, something (anything) else
* puede ser, it is possible

* ¡qué barbaridad! how ridiculous!
San Cristóbal, St. Christopher

PALABRAS PARA REPASAR

* dar las gracias a to thank
* faltar to lack, need (*used like* gustar)

Juan John
* ni siquiera not even

[1] *me conviene, it suits me.*

[2] Just as **y** (*and*) turns to **e** before words beginning with **i** or **hi,** so **o** (*or*) turns to **u** before a word beginning with **o** or **ho** because of the sound.

FOR ADDITIONAL, OPTIONAL MATERIALS TURN TO **A ESCOGER**, PAGE 454.

Capítulo 13

Paz en la tierra

From painted pigs to *posadas* and *piñatas*, Christmas is a long season of joy in Spanish American countries, where some families save all year for a splurge of gifts and parties that lasts from December sixteenth till January sixth.

As you will learn, "Yankee" Christmas customs are now becoming popular, too, often making Christmas a mixture of old ways and new. Christmas cards are not so common as New Year's greetings and only well-to-do families send them, but gifts must go to everyone from everyone.

But what do painted pigs have to do with Christmas? You'll see!

La primera indicación de la Navidad en México es el sinnúmero [1] de cerdos que de pronto aparecen en las calles principales.

— ¿Cerdos, dice usted? ¡Qué barbaridad! — le oigo exclamar.

No tenga cuidado. Son cerdos de barro (*clay*), pintados de flores
5 y cintas (*ribbons*). Cada cerdito es una alcancía (*bank*) en la mano de un muchacho que pide a los que pasan un centavo de (*as*) «aguinaldo».

La costumbre del aguinaldo da a todo el mundo la oportunidad de hacer más alegres a sus empleados o criados de cualquier clase,
10 regalándoles un poco de dinero para que éstos gocen [2] de la Navidad. El lechero,[3] el cartero, el bolero (*bootblack*), el vendedor de periódicos, el portero (*janitor*), el mesero del restaurante — hasta el policía de

---

[1] *sinnúmero.* Take the word apart and guess! Pigs are considered a symbol of good luck among the Indians, for anyone who has a pig, they reason, can never die of hunger!
[2] *gocen,* from *gozar,* is a new subjunctive use explained in this chapter.
[3] Notice the *-ero* ending. Who are the *lechero* and *cartero*?

la manzana,[1] cada uno espera recibir de cada cliente un aguinaldo.
Los que trabajan en cierto sitio (*location*) en la calle ponen a su lado
su cerdito pintado, algunas veces acompañado de un letrero (*sign*) 15
que dice, «Mi aguinaldo».

El símbolo de Navidad es para nosotros el arbolito, pero en los
países tropicales es la «flor de Nochebuena» (*poinsettia*), aunque
actualmente llegan a México del norte miles de arbolitos para los
que prefieren la costumbre norteamericana.   Esto no les gusta a 20
muchos que sienten ver desaparecer las viejas costumbres, sobre
todo a los indios que ya no pueden ganarse tan buena vida (*living*)
haciendo las figurillas de barro (*clay*) para los portales o nacimientos.[2]

Pero todavía se ven estos nacimientos en muchos hogares, cada uno
con las figurillas de la Familia Santa, de los Reyes Magos,[3] y de los 25
animales.   Día tras día estas figurillas se mueven hacia Belén (*Bethlehem*), donde nació el Niño Jesús hace muchos siglos.   En algunos
hogares, la Virgen María del nacimiento tiene nueve vestidos, para
poder llevar cada día uno nuevecito.   Algunos nacimientos, como
en Honduras, son tan grandes que llenan la sala entera.   30

El diez y seis de diciembre empiezan las posadas,[4] cuando todo el
mundo hace nueve fiestas en casa, con sus piñatas [5] para grandes y
chicos, sus canciones, y sus cenas típicas de tamales [6] y chocolate.
Entretanto, en muchos países los muchachos disparan (*set off*) cohetes
(*skyrockets*) durante estos días, como hacían nuestros muchachos 35
el cuatro de julio.

Los regalos, entre los hispanoamericanos, generalmente no son
cosas útiles, como una máquina (*machine*) de lavar o algo para la
casa, sino cosas personales.   Si un amigo o un pariente hace un
regalo a (*by*) mano, tanto mejor.   40

Para recibir los regalos, en Puerto Rico, por ejemplo, los niños

---

[1] Here *manzana* is not an *apple*, but a *city block!*

[2] A *portal* is an elaborate Nativity scene which also represents the countryside around
Bethlehem.   A *nacimiento* is usually strictly a Nativity scene or "crèche," with only
the figures of Mary and Joseph, the shepherds, angels, and on December 25, the Christ
child in it.   Most countries have only the *nacimiento;* it's in Mexico that the *portales*
display a great array of general scenery as well.

[3] *Los Reyes* or *Reyes Magos, the Wise Men.*

[4] The traditional Christmas parties of Mexico are called *posadas* (*inns*) because they
symbolize the nine days' journey of Mary and Joseph to Bethlehem, when they asked
for shelter at a *posada* each night along the way.   Nine families take turns giving the
successive parties, and everyone goes to them all.   They were once wholly religious, but
have become less so until now many of them are merely Christmas dances.

[5] A *piñata* is a large clay jug filled with goodies and used in a kind of game at birthday parties in many countries and, in some, at Christmas too.

[6] These, you may remember, are steamed rolls of corn-meal paste with a hot or sweet
filling.

Bernard Dohn

Open-front china shop of Mazatlán, Mexico, stocks *piñatas* for the Christmas trade. The monkey, built around a pottery jar, is covered with fringed strips of tissue paper.

dejan una caja de paja (*straw*) fuera de la puerta para que la coman los camellos y para que los Reyes puedan dejar en la caja los juguetes. En muchos países los niños dejan los zapatos, llenos de paja, en un balcón. En otros, como en Guatemala y Costa Rica, los niños reciben 45 sus regalos de un arbolito de Navidad en la Nochebuena, creyendo que éstos son de parte del Niño Jesús. En los lugares donde hay que esperar hasta que llegue el seis de enero para recibir los regalos, los niños creen que son de parte de los Reyes Magos. Así es que siempre que escribe un niño una carta pidiendo cierto juguete, la 50 dirige (*addresses*) al Niño, o a los Reyes, o actualmente, ¡hasta a «Santa Claus» o a San Nicolás!

Una vez un viajero norteamericano, buscando libros que comprar en una tienda de Tegucigalpa, Honduras, encontró en un libro viejo algo muy triste. Fué una cartita escrita por un niño, quién sabe 55 cuándo. Este pobrecito había oído platicar de la costumbre de escribir cartas a San Nicolás, y había decidido experimentar. Aquí tiene usted la carta:

Señor don San Nicolás:

Quiero que me traiga pasado mañana, si me hace el favor, una 60 bicicleta, un avioncito [1] que vuele [2] solo, unos pantalones nuevecitos, y si no hay, escoja usted. Ya sabe que con cualquier otra cosita estaré contento.

Como mi hermanita no sabe escribir porque es muy chiquita (*tiny*), le ruego que le traiga también una muñeca de ésas que se duermen y 65 lloran.

Todos le saludamos y queremos que nos traiga algo si puede; le vamos a querer mucho.

Ah, también quería decirle que dice mi amigo Alfredo que hay que poner el zapato en el balcón, pero como yo no tengo zapatos porque 70 soy muy pobre, le digo que voy a poner la gorrita (*little cap*). Ya sabe pues que allí puede dejar las cosas y lo digo para que no se equivoque.

Su amigo,
Manuelito

¿Recibió el pobre Manuelito sus juguetes en Navidad? Quién 75 sabe, pero parece imposible, cuando la cartita nunca fué entregada ni a San Nicolás ni a nadie.

[1] This is a real letter, and the little boy had trouble with his spelling, not being sure when to use *b* and *v*, *s* and *c*, *ll* and *y*, and silent *h's*. These are the words he missed, as he spelled them: *abioncito, buele, no ay, save, cocita, yoran, bamos, desir, dise.* Compare these with the correct spelling as given in the letter.

[2] *que vuele solo, that flies alone (by itself).* **Vuele** is a subjunctive use you have not studied yet.

Pero en otros casos esto de escribir cartitas en Navidad ha salido
mejor.   En Oaxaca,[1] México, el día antes de la Nochebuena, una
80 niña simpática de unos ocho años de edad se acercó al mismo viajero
yanqui y le entregó una cartita que ella había escrito, dirigida
(*addressed*) al Niño Jesús.

— Señor, — le dijo la niña, — ¿me hace el favor de entregar esta
cartita al Niño? Me parece que los yanquis saben platicar mejor
85 con el Niño que nosotros porque todos son ricos, y si usted se la
entrega, puede ser que yo reciba esta noche las cositas que pido.

— Con mucho gusto, — contestó el viajero, y más tarde leyó la
cartita, en la que (*which*) la niña había pedido una muñeca con sus
vestiditos.

90   Pues, ¿consiguió la niña sus juguetes? No tenga cuidado. En
Navidad todo el mundo tiene el corazón de oro. El viajero compró
en seguida una muñeca preciosísima con ropa de todas clases y la
mandó a la dirección de la niña. ¡Feliz Navidad y paz en la tierra
para esa niña afortunada!

PREGUNTAS

I.   ¿Entendió usted el cuento?

1. ¿Qué aparece de pronto antes de Navidad en México?
2. ¿Qué piden en Navidad los muchachos con sus cerdos pintados?
3. ¿Para qué da aguinaldos todo el mundo?
4. ¿Quiénes esperan recibir aguinaldo en Navidad?
5. ¿Dónde ponen el cerdito pintado los que trabajan en la calle?
6. Actualmente, ¿qué es el símbolo de Navidad en casa?
7. ¿Quiénes ya no pueden ganar tan buena vida haciendo figurillas para
    los nacimientos?
8. ¿Qué contiene un nacimiento?
9. ¿Dónde nació el Niño Jesús hace muchos siglos?
10. ¿Qué puede llenar la sala entera en Navidad?
11. ¿Cuántas noches celebran los mexicanos las posadas con sus cancio-
    nes, piñatas, y cenas típicas?
12. ¿Qué clase de regalo no es costumbre?
13. ¿Dónde dejan los niños los zapatos llenos de paja (*straw*)?
14. ¿De parte de quién son los regalos de Nochebuena?
15. Cuente usted el cuento de la carta escrita a San Nicolás.
16. Cuente usted el cuento de la niña de Oaxaca.

[1] *Oaxaca* (pronounced *Wa-ha-ca*) is a charming city several hundred miles south of
Mexico City, rarely reached by tourists until fairly recently, when the highway was
built and commercial airlines began to stop there. This is a true story too.

Traditional posada procession in early California style is held on Catalina Island as part of a nine-day fiesta. Their song asks for admittance to the party.

II. ¿Qué dice usted?

1. ¿Qué le gusta a usted hacer sobre todo en la Nochebuena?
2. ¿Cuándo decimos «Paz en la tierra»?
3. ¿Qué puede volar solo?
4. ¿Cantamos canciones típicas durante una cena en la Nochebuena?
5. ¿De parte de quién recibe usted sus regalos de Navidad?
6. ¿Cuándo los recibe usted?
7. Siempre que quiera usted cierto regalo, ¿escribe cartitas a San Nicolás para que no se equivoque?
8. ¿Tiene usted la costumbre de dar juguetes, regalos útiles, u otras cosas a sus parientes y amigos?
9. ¿Qué hará usted pasado mañana?
10. ¿Qué hará usted esta noche?
11. ¿Cuándo prepara usted la cena en casa?
12. ¿Qué espera usted recibir en Navidad de parte de sus parientes?

13. ¿Dónde nació usted?
14. ¿Tiene usted arbolito de Navidad en casa cada año?
15. ¿Cuándo se oyen las palabras «No hay»?
16. ¿Cuándo dice usted, «¡Qué barbaridad!»? (*Use* **siempre que** *in your answer.*)

REPASO DE VERBOS

EJERCICIO 1.   *Give the first person plural present and past subjunctives of these verbs.*

1. haber	4. ir	7. venir	10. decir	**13.** sacar
2. dar	5. buscar	8. poner	11. dormir	**14.** poder
3. saber	6. pagar	9. caer	12. servir	

EJERCICIO 2.   *Translate these assorted verb forms, using "may" to indicate present subjunctive (except for commands) and "might" to indicate past subjunctive.*

1. salgan	6. dé usted	11. lleguen	16. fueran
2. salen	7. que dé usted	12. llegara	17. fueron
3. saliesen	8. vemos	13. llegará	18. serán
4. veamos	9. traiga usted	14. estuvieron	19. llevó
5. voló	10. que traiga usted	15. estuvieran	20. mueva

EJERCICIO 3.   *Put these verbs into Spanish.*

1. I used to paint	10. that you may fly
2. we were sleeping	11. that she may tell
3. we were mistaken	12. that we might move
4. he will fill	13. we may have painted
5. they continued	14. I might have seen
6. he was born	15. she will move
7. that we may fly	16. he has been mistaken
8. that I might fill	17. you will fly
9. that he may put	18. Go away! (*two ways*)

EJERCICIO 4.   You may have noticed that there are several verbs, like *conocer,* which have a first person singular present tense ending of –*zco* (*conozco*), and a present subjunctive to match. All verbs of this type have a stem ending in –*cer* preceded by a vowel.

   Give the first person singular present indicative and subjunctive of these verbs.

1. crecer	3. parecer	5. desaparecer	**7.** nacer
2. reconocer	4. aparecer	6. ofrecer	

30. Sequence (Following) of Tenses

$$\left.\begin{array}{l}\textit{Quiero}\\\textit{He querido}\end{array}\right\} \textit{que me traiga una bicicleta.}$$

$$\left.\begin{array}{l}\textit{I want}\\\textit{I have wanted}\end{array}\right\} \textit{him to bring me a bicycle.}$$

$$\left.\begin{array}{l}\textit{Yo quería}\\\textit{Yo había querido}\end{array}\right\} \textit{que me trajera una bicicleta.}$$

$$\left.\begin{array}{l}\textit{I wanted}\\\textit{I had wanted}\end{array}\right\} \textit{him to bring me a bicycle.}$$

a little piggy

You have learned that in general a present subjunctive tense follows a present indicative, and a past follows a past. Compound tenses follow the same rule, a present perfect being considered a present tense and a past perfect a past tense.

The future indicative is grouped with the present tenses, and the conditional is grouped with the past. A complete general outline of the sequence (following) of tenses looks like this:

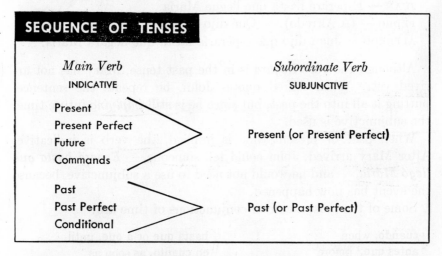

SEQUENCE OF TENSES	
Main Verb INDICATIVE	*Subordinate Verb* SUBJUNCTIVE
Present Present Perfect Future Commands	Present (or Present Perfect)
Past Past Perfect Conditional	Past (or Past Perfect)

There are exceptions to this rule, but in such cases it is usually safe to follow the English wording, as in **Siento que muriera Ramón,** *I am sorry* (present) *that Raymond died* (past).

EJERCICIO 5. *If a subjunctive were to be used, which tense (present or past) would ordinarily follow each of these indicative verbs?*

1. pide	3. aconsejo	5. esperaré	7. había mandado
2. sentían	4. he querido	6. ¿creía usted?	8. me alegro de

(*Continued on page 188*)

9.	deja	12.	puede ser	15.	sería preciso	18.	será lástima
10.	temía	13.	pediría	16.	dígale usted	19.	temeríamos
11.	diría	14.	siento	17.	han buscado	20.	¿no cree usted?

31. The Subjunctive after Adverbial Expressions

1. *After conjunctions of time:*

> **Esperaré hasta que llegue María.**
> *I'll wait until Mary arrives.*

> **No iré antes que vuelva.**
> *I will not go before he returns.*

The subjunctive is used after conjunctions of time, but only when future time is implied or expressed.

To say "future time is implied" does not necessarily mean that the main verb will be in the future tense, as you can see from this conversation:

JUAN — Esperaré hasta que llegue María.
PEDRO — (A Alfredo) — ¿Qué dijo Juan?
ALFREDO — Juan dijo que esperaría hasta que llegara María.

Although the verb **llegara** is in the past tense, Mary has not arrived yet. When Alfred quotes John, he repeats the sentence, putting it all into the past, but since he is still *implying* future time, the subjunctive is used.

When past or present time is implied, the verb is indicative. After Mary arrived, John could tell someone, — **Esperé hasta que llegó María,** — and he would not need to use a subjunctive, because the event has now happened.

Some of the most common conjunctions of time are:

cuando, when	hasta que or a que, until
antes que,[1] before	en cuanto, as soon as
mientras (que), while	siempre que,[2] whenever

> *Remember*   The subjunctive is used after conjunctions of time IF future time is implied.

[1] *Antes que* (sometimes *antes de que*) *always* takes a subjunctive.
[2] *Siempre que* is not always a conjunction of time, for it sometimes has the meaning *provided that.*

To show what you are doing, "diagram" sentences of this type by putting an arrow after the word which causes the subjunctive and underlining the subjunctive verb: *cuando*> *venga; antes que*> *vaya.*

2. *After other conjunctions:*

> **aunque usted no lo crea,** *although you may not believe it*
> **para que coman,** *in order that they may eat*

The subjunctive is used after some other conjunctions if the subordinate verb expresses something which may not have happened yet. The most commonly used conjunctions of this kind are:

para que,[1] in order that   **sin que,**[1] unless, without
aunque, although, even if

Other conjunctions of this kind, but much less commonly used, are:

a fin de que,[1] so that   **con tal (de) que,**[1] provided that
de manera que, so that   **siempre que,** provided that

3. *After other words:*

> **como usted quiera,** *as you wish*
> **Iré adonde vaya usted.** *I will go where(ever) you go.*

Some adverbs and conjunctions often take the subjunctive because they imply something doubtful. Those frequently found are:

como, as   **(a)donde,** where, wherever   **dondequiera,** where, wherever

[1] This *always* takes a subjunctive.

4. *Subjunctive after* **si**:

Si yo fuera usted, no diría eso.
If I were you, I wouldn't say that.

The past subjunctive (never the present subjunctive) is used after *if* when it expresses a condition that is not true ("contrary-to-fact"). In this case the other (main) verb in the sentence, whether it comes first or last, is in the conditional tense. Learn the model sentence *si yo fuera usted, no diría eso,* and follow the model for all such sentences.

| *Remember* | Use the past subjunctive after **si** in contrary-to-fact sentences. |

Christmas Eve cradle song for the Christ Child is sung beside a *nacimiento* where a poor family has put simple gifts of fruit and peanuts, which are very cheap in Mexico.

Pix, Inc.

5. *Subjunctive after* **como si:**

> **como si nunca hubiera ido,** *as if he had never gone*
> **como si estuviera cansado,** *as if he were tired*

Como si is found even more frequently than *si* alone. It always takes the past subjunctive, although it does not necessarily express something that is not true. We call this an "imaginative comparison."

EJERCICIO 6. *Make a list of all the words in section 31 which cause the subjunctive, with their meanings, and use the list for reference as you do the remaining exercises of this chapter.*

EJERCICIO 7. *Translate these sentences and give the reason for each subjunctive you find.*

1. Cuando Alfredo venga a verme, iremos a nadar en el río (*river*). 2. Iríamos al lago si no hiciera tanto frío. 3. Antes que nos vayamos, tendremos que comer. 4. Para que lleguemos a casa a tiempo, saldremos pronto. 5. Pero no podremos salir hasta que venga José. 6. Mientras esperemos a José, empezaremos a comer. 7. En cuanto llegue José, le invitaremos a acompañarnos. 8. No esperaremos a que llegue, si no llega a tiempo. 9. Si Susita no tuviera miedo del agua, la invitaríamos a ir también. 10. Puede ser que ella pueda aprender a nadar. 11. ¡Pero Susita dice que nunca entrará en el agua hasta que sepa nadar! 12. Así estará segura de que nunca se ahogará (*drown*).

EJERCICIO 8. These uses of the subjunctive are very common, as you will see when you read these advertisements, proverbs, song titles, sayings, etc., from several Spanish-speaking countries.

Translate and tell why the subjunctive is used in each case.

1. Ford Servicio Donde Vaya (*Guatemalan advertisement*)
2. «Cuando ya no me quieras» (*Mexican song title*)
3. ¡Compre hoy! ¡No espere hasta que sea tarde! (*Advertisement*)
4. Cuando quiera lo mejor, piense en Philco. (*Advertisement*)
5. Cuide estos libros como si fueran suyos. (*Library in Mazatlán, México*)
6. Si yo fuera el gerente (*manager*) . . . (*Compañía Mexicana de Aviación, asking for suggestions*)
7. Este restaurante es para el que desea comer bien, aunque tenga que esperar. (*Henri's, Mexico City*)
8. Dame donde me siente, que (*for*) yo haré donde me acueste (*lie down*). (*Proverb*)

(*Continued on page 192*)

9. Dijo una chica de Guatemala, platicando de su clase de inglés:
— ¡Tendré que estudiarlo hasta que lo aprenda!
10. «Si tuviera cuatro vidas, cuatro vidas serían para ti.» (*Mexican song*)
11. Antes que te cases, mira lo que haces. (*Proverb*)
12. Cuando se construyan mejores automóviles, Buick los construirá. (*Advertisement*)
13. Favor de apagar (*put out*) la luz cuando ya no la necesite. (*Sign in hotel, El Salvador*)

EJERCICIO 9.   This exercise is hard, but worth the trouble. *Put the italicized infinitives into the correct tense and explain why you use a subjunctive, when you do.*

1. Siempre que *ir* usted esta noche, yo le acompañaré. 2. — ¿Qué dijo usted? — Dije que siempre que *ir* usted esta noche, le acompañaría.
3. Convendrá sentarme mientras yo le *esperar*. 4. ¿Qué quiere usted que *hacer* Alberto pasado mañana? 5. Dije que quería que Alberto *estudiar*, aunque no le *gustar*. 6. En cuanto lo *saber* Enrique, irá a casa. 7. Si yo *tener* más tiempo, ya sé lo que haría. 8. ¿Qué *hacer* usted si *poder*? 9. A ver. Si yo *ser* usted, trataría de manejar mejor. 10. Bolívar nació rico, pero murió pobre, como si *haber* nacido sin un centavo. 11. José, su criado, le dijo a Bolívar, — A dondequiera que *ir* usted, yo iré también.

REPASITO

EJERCICIO 10.   As you know, the endings *–ito* and *–cito* (*–ecito*) add a diminutive, flattering or affectionate meaning to nouns and adjectives. The following were used in the story. *Can you give them in Spanish?*

1. my piggy	4. a little plane	7. the poor little thing
2. a note	5. any little thing	8. its little dresses
3. brand-new	6. my little sister	9. a little tree

EJERCICIO 11.   *Tell what these words and expressions mean and why they take the subjunctive.*

1. querer	7. ¿cree usted?	13. con tal que
2. sentir	8. aconsejar	14. a fin de que
3. esperar	9. es preciso	15. como si
4. puede ser	10. antes que	16. sin que
5. no creo	11. dejar	17. a que
6. es lástima	12. en cuanto	18. temer

EJERCICIO 12. You cannot guess short words; you just have to know them. *What do these expressions mean?*

1. el mío
2. me la
3. nos los
4. para él
5. sin ella
6. le — a usted
7. la — a usted
8. se lo (*three meanings*)
9. la suya
10. el de ella
11. la de él
12. se las — a usted

13. a las tres
14. les — a ellas
15. su — de usted
16. los — de ellas
17. éste
18. de parte de
19. sobre todo
20. en casa
21. no hay
22. esta noche
23. aquí mismo
24. el que

25. así como
26. no sirve
27. tanto como
28. desde ayer
29. a causa de
30. a ver
31. los de
32. he de
33. él mismo
34. otra cosa
35. siempre que
36. para que

PALABRAS PARA APRENDER

adonde	wherever
a fin de que	so that
el aguinaldo	Christmas present
* antes que	before
* la canción	song
* la cena	supper
* el cerdo	pig
* como si	as if
* con tal (de) que	provided that
de manera que	so that
* (a) dondequiera	wherever
en cuanto	as soon as

* equivocarse	to be mistaken, to make a mistake
la figurilla	little figure
* el juguete	toy
* llenar (de)	to fill (with)
* nacer	to be born
* para que	in order that
* el pariente	relative
* la paz	peace
* pintar (de)	to paint (with)
* siempre que	whenever; provided that
* sin que	unless, without
* útil	useful
* volar (ue)	to fly

EXPRESIONES

el arbolito de Navidad, Christmas tree
* de parte de, in the name of, from
* en casa, at home
* en Navidad, at Christmas, for Christmas
Feliz Navidad, Merry Christmas

hacer el favor de, (to) please (to)
¿me hace el favor de . . . ? will you please?
si me hace el favor, if you please
* no hay, there isn't any
* pasado mañana, day after tomorrow
* sobre todo, especially

PALABRAS PARA REPASAR

* esta noche	tonight
* la muñeca	doll

el nacimiento	Nativity scene
* típico, –a	typical

FOR ADDITIONAL, OPTIONAL MATERIALS TURN TO A ESCOGER, PAGE 456.

Capítulo 14

¿Cuánto sabe usted?

Many of the tales in Spanish which are told over and over are historical as well as fictional, for Spanish-speaking people talk about history over the teacups as happily as we do about the latest gossip. The two favorites contained in this chapter have been handed down from generation to generation for several centuries.

As you read, prepare to answer the questions at the end of each story.

1. *Las cucharitas de Moctezuma*

This story, about the Emperor Moctezuma's teaspoons, is sometimes told slyly in Mexico without giving away the secret, to tease someone who does not know the custom of the country. Moctezuma was the emperor of the Aztecs when Cortés arrived in 1519 to start his conquest of Mexico. The new words you will need are given at the bottom of this page.[1]

Al acercarse Cortés a Tenochtitlán, capital de los aztecas, salió un embajador del Emperador Moctezuma para preguntarle qué quería. Cortés empezó a contarle algo de las glorias de España para que los aztecas aceptaran la dominación de los españoles sin com-
5 batir.

— Soy, — dijo Cortés, — del gran imperio de España, el país

---

[1] **el bocado,** *mouthful;* **combatir,** *to fight;* **la corte,** *court;* **la cucharita,** *teaspoon;* **el embajador,** *ambassador;* **el emperador,** *emperor;* **el imperio,** *empire;* **puesto,** *on.*

194

más importante del mundo. El imperio de mi emperador da al océano como si diera a su propio patio.

— El imperio de mi emperador, — respondió el embajador azteca, — da a dos océanos. 10

— Nadie, — dijo Cortés, — lleva puesto el sombrero en la corte de mi emperador.

— Nadie, — contestó el azteca, — entra en la corte de mi emperador con los zapatos puestos.[1]

— Nadie, — dijo Cortés, — se sienta en presencia de mi empera- 15 dor.

— Nadie, — respondió el azteca, — levanta los ojos en presencia del mío.

— Mi emperador, — dijo Cortés, — vive en un palacio en donde hasta las cortinas (*curtains*) son de oro. 20

— El mío, — contestó el azteca, — en su palacio, duerme en una cama de oro y come en una mesa de oro.

— Oiga usted, — dijo Cortés. — Eso no es nada. El emperador de España es tan rico que los platos de su mesa son de oro y plata. Hasta las cucharitas con que come son de oro. 25

— Eso no es nada, — respondió el azteca. — Mi emperador nunca usa por segunda vez una cucharita en su palacio. Con cada bocado que toma, usa otra cucharita, nueva y limpia.

Esto sorprendió tanto a Cortés que no tuvo más que decir. Y no supo hasta que llegó a Tenochtitlán que el listo azteca se había 30 burlado de (*made fun of*) él. Porque el Emperador Moctezuma, como todos los aztecas, tenía la costumbre india de usar como cucharita un pedazo de tortilla, que se comía con cada bocado.

Y actualmente, hasta los indios más pobres de México siguen usando como entonces «una cucharita nueva y limpia con cada 35 bocado».

¿Entendió usted el cuento?

1. ¿Por qué quería Cortés contar cuentos de las glorias de España? 2. ¿Dónde no podía la gente levantar los ojos? 3. ¿Quién dormía en una cama de oro y comía en una mesa de oro? 4. ¿Quién usaba cucharitas de oro? 5. ¿Quién nunca usó dos veces una cucharita? 6. ¿Eran de oro estas cucharitas? 7. Entre los indios mexicanos, ¿qué sirve todavía para cucharita? 8. ¿Supo Cortés cómo el indio le había engañado (*deceived*)?

---

[1] Even Aztec nobles, when they brought messages to Moctezuma, went barefoot, wore humble clothing, and never addressed him directly or looked at his face.

2. Las plumas rojas del quetzal

This story of how the quetzal *got his red feathers is told in Guatemala and is a combination of truth and legend. Another legend about the same bird says that once all* quetzales *sang beautifully, but that not one has ever even chirped since the tragic death of Tecún Umán, the valiant chief of the Mayan Indians. The new words you will need in reading this story are given at the bottom of this page.[1]*

El emblema de Guatemala es el quetzal porque este pájaro raro es el símbolo de la libertad,[2] y los guatemaltecos aman (*love*) sobre todo la libertad. «Esmeralda con alas (*wings*)» llaman a su pájaro favorito, u «orquídea que vuela», y dicen que sus largas plumas
5 verdes forman un arco iris (*rainbow*) de paz para ellos.

Pues se dice que este pájaro hermosísimo era una vez enteramente verde, aunque actualmente tiene en el pecho plumas rojas. Aquí tiene usted la historia de estas plumitas rojas, en la que todavía cree cada indio maya.[3]

10 El Capitán Pedro de Alvarado, conquistador que ayudó a Cortés en la conquista de los aztecas de México, fué más tarde a Guatemala, pensando vencer (*conquer*) a los mayas. Tecún Umán, jefe valiente de los indios, con la ayuda (*help*) de sus intérpretes (*interpreters*) aztecas, pudo platicar con Alvarado, y pronto decidió que los mayas
15 no podrían evitar un conflicto con los españoles. Así es que el jefe maya propuso (*proposed*) que él y Alvarado combatieran solos, y

[1] *combatir, to fight; el jefe, chief; el pecho, breast.*
[2] The bird usually dies when kept in captivity, its heart broken because it has lost its freedom.
[3] When the Spaniards arrived, the inhabitants of Yucatán and Central America were mostly Mayas, whose descendants still live there much as they did four hundred years ago.

Pan American Union

Guatemala's famous quetzal appears upon its "dollar," which is worth a bit more than ours.

Miniature quetzal bird, souvenir of Guatemala, is made of carved wood covered with green and red feathers.

que el que ganara[1] fuera desde aquel momento rey de todas las tierras mayas. Esto les salvaría la vida a muchos soldados españoles y mayas, y al valiente Tecún Umán le parecía mejor perder una vida que muchas.   20

Alvarado aceptó la idea, y empezaron a combatir. El capitán español iba montado en su caballo hermoso, y vestido de toda la armadura (*armor*) tradicional de los conquistadores. Tecún Umán, al contrario, iba a pie sin protección alguna. Sobre la cabeza volaba un quetzal, emblema de libertad, que había aprendido a 25 acompañar siempre al jefe maya.[2]

Éste, creyendo como todos los indios que caballo y soldado eran uno, trató de matar al caballo y pronto consiguió hacerlo. Pero, muerto el caballo, el capitán español siguió combatiendo a pie, lo que le sorprendió tanto al maya que en ese momento Alvarado con- 30 siguió matar al quetzal que volaba cerca del jefe. Tecún Umán, aterrado al ver caer al pájaro santo, cayó de rodillas para cogerlo, y en ese instante Alvarado le hirió (*wounded*) en el corazón con su lanza. La sangre (*blood*) que brotó (*burst*) del corazón del jefe maya tiñó (*stained*) de rojo las plumas del quetzal verde que tenía en las 35

---

[1] *el que ganara, the one who should win,* a subjunctive use you have not had yet.

[2] The chief always carried a *quetzal* with him, sometimes one made of gold and emeralds, sometimes a live one trained to perch on his head or shoulder. Wooden masks worn by Indian dancers in Guatemala today represent Tecún Umán with two *quetzales* perched on his head, their curling green tails forming his bright mustache.

manos, y murieron los dos juntos, terminando así para siempre el
conflicto entre mayas y españoles.[1]

Y desde entonces, todos los verdes quetzales, para honrar al
valiente Tecún Umán porque había tratado de salvarles la vida a sus
40 soldados, llevan plumas rojas en el pecho.

¿Entendió usted el cuento?

1. ¿Por qué escogieron los mayas para su emblema el quetzal? 2. ¿Por
qué fué a Guatemala el capitán Alvarado? 3. ¿Creía el jefe Tecún Umán
que los mayas pudieran evitar un conflicto con los españoles? 4. ¿Cómo
propuso (*proposed*) el jefe indio evitar una gran batalla? 5. ¿Tenían la
misma protección el jefe indio y el capitán español? 6. ¿Qué acompañaba
siempre al jefe maya? 7. Durante el combate, ¿qué sorprendió mucho al
jefe maya? 8. ¿Qué hacía el jefe al instante en que Alvarado le mató con
su lanza? 9. ¿Volvieron a combatir los mayas y los españoles después de
este conflicto? 10. ¿Por qué, según la leyenda, tienen hoy día los quetzales
unas plumas rojas?

REPASO DE PALABRAS

EJERCICIO 1.   In the RODEO DE PALABRAS on pages 199 and 200 you
will find the most important words and expressions from Chapters
8 through 13.   The Spanish list is numbered to correspond with the
English.   *Check yourself by giving each item in the opposite language.
Use **el** or **la** with each Spanish noun, and give both the masculine and
the feminine form of each adjective.   Make a list of any words you do
not remember, and then use each one in a sentence.*

EJERCICIO 2.   *Choose an answer for each question, giving your replies
in complete sentences.*

1. ¿Qué le importaría a usted más: estar alegre, listo, limpio, vestido de
domingo, aterrado, temblando, enamorado, o bien?
2. ¿Le convendría a usted más estar: camino de México, aquí mismo, de
rodillas, en casa, en paz, o en la orilla de un lago?
3. ¿Le interesa a usted más tener: un feliz viaje, buena salud, mil años,
una esmeralda, muchos parientes, un juguete, una muñeca, una aventura,
o un traje de baño?

(*Continued on page 201*)

[1] The story of the battle between Alvarado and Tecún Umán is true, regardless of the
part about the red feathers! The place where the combat took place, with the Spanish
and Mayan troops looking on, is now called Quezaltenango — *place of the* **quetzal** — and
is one of Guatemala's largest cities.

Nouns

1. el automovilista	13. el estado	25. la margarita+	37. el pobrecito
2. el bosque	14. los frijoles+	26. la muñeca+	38. el ramillete
3. la brisa	15. la higuera+	27. la Nochebuena	39. el ramito
4. la canción	16. la hoja+	28. la orilla	40. un rato
5. la cantidad	17. el invitado	29. la orquesta	41. el refresco
6. la cena	18. la isla	30. la orquídea	42. el resfriado
7. el cerdo	19. la joya	31. el pariente	43. el siglo
8. el clavel	20. el juguete	32. el paseo	44. el socio
9. la compañía	21. el lago	33. la paz	45. el templo
10. el disco	22. la lágrima	34. el permiso	46. la tierra*
11. la edad	23. la lluvia	35. la piedra	47. la vista
12. la esmeralda	24. el or la mar	36. la pintura	

Adjectives

1. aterrado	4. los demás	7. inmenso	10. mismo*	13. preciso	16. seguro+
2. cocido	5. enamorado	8. limpio	11. morado	14. raro+	17. típico+
3. colgado	6. guapo	9. listo*	12. pasado+	15. santo*	18. útil

Verbs

1. acabarse	12. curar	23. haber de	34. permitir
2. aconsejar	13. dejar*	24. huir (de)+	35. pintar
3. alegrarse (de)	14. dejar de*	25. insistir (en)	36. preferir
4. colgar	15. descubrir	26. llenar (de)	37. quedar(se)+
5. comer*	16. equivocarse	27. llorar+	38. reconocer
6. conseguir*	17. escaparse+	28. mandar*	39. rodear (de)
7. construir+	18. evitar	29. mover(se)+	40. rogar
8. contener	19. faltar+	30. nacer	41. sacrificar
9. convenir•	20. fijarse (en)	31. nadar	42. temblar
10. convertir(se) (en)	21. flotar	32. pasar*	43. temer
11. crecer	22. gastar	33. pasar (con)+	44. volar

Adverbs

1. actualmente
2. anteayer
3. entretanto

Prepositions

1. por*
2. según
3. tras

Conjunctions

1. antes que	5. para que
2. como si	6. siempre que
3. con tal (de) que	7. sin que
4. (a) dondequiera	

Expressions

1. a la cabeza	13. en casa	24. otra cosa
2. al contrario	14. en Navidad	25. pasado mañana
3. aquí (allí) mismo	15. esta noche+	26. pedir permiso para
4. a tiempo	16. estar bien	27. por la tarde
5. (caer) de rodillas	17. hacer un papel	28. puede ser
6. como si	18. lo mismo+	29. ¡qué barbaridad!
7. dar las gracias a+	19. los (las) de	30. sacar(le) la fotografía+
8. (decir) que sí	20. los (las) que	31. sobre todo
9. de parte de	21. más (menos) de	32. vestido de (domingo)+
10. de todos modos	22. ni siquiera+	33. volver a + inf.+
11. de vez en cuando	23. no hay	34. ya no
12. el (la) de		

* New meaning   + Introduced but not basic in Book I

199

Nouns

1. motorist	13. state	25. daisy	37. poor thing
2. forest	14. beans	26. doll	38. corsage
3. breeze	15. fig tree	27. Christmas Eve	39. bouquet
4. song	16. leaf	28. shore	40. a while
5. quantity	17. guest	29. orchestra	41. soft drink
6. supper	18. island	30. orchid	42. cold
7. pig	19. jewel	31. relative	43. century
8. carnation	20. toy	32. drive	44. member
9. company	21. lake	33. peace	45. temple
10. record	22. tear	34. permission	46. earth
11. age	23. rain	35. stone	47. view
12. emerald	24. sea	36. painting	

Adjectives

1. terrified	4. the rest	7. immense	10. himself	13. necessary	16. sure
2. cooked	5. in love	8. clean	11. purple	14. rare	17. typical
3. hanging	6. handsome	9. clever	12. last	15. holy	18. useful

Verbs

1. to be finished	12. to cure	23. to be to	34. to permit
2. to advise	13. to leave	24. to flee (from)	35. to paint (with)
3. to be glad (of)	14. to stop	25. to insist	36. to prefer
4. to hang	15. to discover	26. to fill (with)	37. to remain
5. to dine	16. to be mistaken	27. to weep	38. to recognize
6. to succeed in	17. to escape	28. to command	39. to surround (with)
7. to build	18. to avoid	29. to move	40. to ask, beg
8. to contain	19. to lack	30. to be born	41. to sacrifice
9. to be fitting	20. to notice	31. to swim	42. to tremble
10. to change (into)	21. to float	32. to spend (*time*)	43. to fear
11. to grow	22. to spend (*money*)	33. to happen (to)	44. to fly

Adverbs

1. at present
2. day before yesterday
3. meanwhile

Prepositions

1. on account of
2. according to
3. after

Conjunctions

1. before	5. in order that
2. as if	6. whenever
3. provided that	7. unless
4. wherever	

Expressions

1. on his head	13. at home	24. something else
2. on the contrary	14. at Christmas	25. day after tomorrow
3. right here (there)	15. tonight	26. to ask permission to
4. on time	16. to be all right	27. in the afternoon
5. (to fall) on one's knees	17. to play a part	28. it is possible
6. as if	18. the same thing	29. how ridiculous!
7. to thank	19. those of	30. to take a picture (of him)
8. (to say) so	20. those which	31. especially
9. in the name of	21. more (less) than	32. dressed in (Sunday best)
10. anyhow	22. not even	33. to — again
11. from time to time	23. there isn't any	34. no longer
12. that of		

4. ¿Le conviene a usted ser: morado, listo, útil, guapo, entero, o un pobrecito?

5. ¿Qué le importaría a usted más: tomar un refresco, equivocarse, sacrificar algo, platicar del calor, ser conquistador, u otra cosa?

6. ¿Qué le gustaría a usted menos: una lluvia, una vista hermosa, una brisa fría?

7. ¿A quién de esta clase le gustaría más hacer cada una de estas cosas? (EXAMPLE: A Arturo le gustaría. . . .)

(a) llevar algo a la cabeza (b) decir buenas noches (c) tocar un tragadieces (d) llevar un traje de baño (e) contar un chiste (f) recibir una muñeca de parte de San Nicolás (g) haber nacido en Inglaterra (h) exclamar, — ¡Qué barbaridad! (i) comer una cena en casa (j) decir, — ¿En qué puedo servirle? (k) cantar una canción triste (l) pintar una vista (m) pedir juguetes en Navidad (n) decir cuántos años tiene (o) dar la mano a un vecino

8. ¿Cuándo preferiría usted sobre todo volar en un avión: pasado mañana, la semana pasada, esta noche, anteayer, o este mismo día?

9. ¿Le convendría a usted recibir en Navidad: un juguete nuevecito, un cerdo, algo útil como una máquina (machine) de lavar, una muñeca bonita, un libro de chistes, un regalo típico de Navidad, u otra cosa?

10. ¿Para qué sirve: una campanilla, una orquídea morada, una película, una aventura, el calor, el mundo, un chiste, una margarita, un paseo?

EJERCICIO 3. *Tell what related Spanish words give you a clue to the meaning of each of these and give the meaning of both.* EXAMPLE: *acercarse,* to approach; *cerca de,* near.

1. aconsejar	8. enamorado	15. canción	22. diario
2. importancia	9. temblor	16. utilidad	23. gritar
3. llenar	10. resfriado	17. alegría	24. interesar
4. nacimiento	11. refresco	18. bajar	25. lluvia
5. pintura	12. vista	19. caliente	26. jardinero
6. rodeo (*roundup*)	13. pasearse	20. caminar	27. descubrir
7. limpiar	14. juguete	21. contrario	28. acompañar

EJERCICIO 4. *Can you complete these sentences correctly in Spanish?*

1. Mi dinero *is all gone* (*finished itself*). 2. Margarita me aconseja *to go* siempre que *I can*. 3. *¿May I dine* con usted *tonight?* 4. *It is fitting* que ellos se queden *right here.* 5. Manuel *himself* dice *so.* 6. No espere usted *too long, if you please.* 7. *There isn't any,* pero eso *is all right.* 8. *It doesn't matter, provided that* usted *are* en casa. 9. Hemos de hacer *something else.* 10. ¡*How ridiculous* cantar esa canción! 11. Llénelo usted *with something useful.* 12. Deje usted en paz a *your relatives.* 13. *According to* ellos, yo *was mistaken.* 14. Susita *herself* está *in love.*

REPASO DE VERBOS

EJERCICIO 5. Would you ordinarily use **ser** or **estar** with the following? *Give each phrase with the proper verb (**es** or **está**) and translate it.*

1. aterrado
2. cocido
3. enamorado
4. guapo
5. inmenso
6. bien
7. grandísimo
8. limpio
9. listo (*¡Cuidado!*)
10. morado
11. preciso
12. pariente
13. seguro
14. típico
15. útil
16. vestido de blanco
17. en el mundo
18. raro

EJERCICIO 6. *Copy this verb outline, noticing the relationship of the tenses opposite each other, and complete it with the proper forms of* **colgar, contener,** *and* **huir,** *using the third person plural.*

INFINITIVE ____   PRESENT PARTICIPLE ____   PAST PARTICIPLE ____

PRESENT INDICATIVE ____   PRESENT SUBJUNCTIVE ____

IMPERFECT INDICATIVE ____   PAST SUBJUNCTIVE ____ (**–ra**)

PRETERITE INDICATIVE ____   PAST SUBJUNCTIVE ____ (**–se**)

FUTURE INDICATIVE ____   CONDITIONAL ____

PRESENT PERFECT INDICATIVE ____   PRESENT PERFECT SUBJUNCTIVE ____

PAST PERFECT INDICATIVE ____   PAST PERFECT SUBJUNCTIVE ____

EJERCICIO 7. *Give the infinitive and meaning of each of these verb forms, using "may" to show a present subjunctive and "might" to show a past subjunctive.* Remember that there is nothing worth less than an incorrectly translated verb!

1. llene
2. llené
3. sonrió
4. sonrío
5. supe
6. supo
7. diéramos
8. dijéramos
9. querría
10. quería
11. dímelo
12. dámelo
13. démelo
14. vuelen
15. vuelan
16. cubriera
17. descubriera
18. seguiré
19. conseguiré
20. comí
21. me comí
22. contengan
23. viniera
24. conviniera
25. vete
26. váyase
27. no importa
28. no importaba
29. sacrifiqué
30. sacrifique
31. ofrecemos
32. ofrezcamos (*two meanings*)
33. saqué

EJERCICIO 8. *Give the formal and familiar singular commands of these verbs, first in the affirmative ("Do!") and then in the negative ("Don't!").* EXAMPLE: **tener: tenga usted, ten (tú); no tenga usted, no tengas.**

1. venir
2. salir
3. hacerlo
4. levantarse
5. sentarse
6. irse
7. poner
8. decirme
9. traerla
10. sacar
11. rogar
12. ofrecer

Dance of the Conquistadores features wooden masks with pink cheeks, blue eyes and blond curls to represent the Spaniards. Costumes of silk and velvet are rented for the occasion.

EJERCICIO 9. *Put these verbs into Spanish as quickly as you can.* (What tenses do *may, might, would, will, used to* and *was —ing* indicate?)

1. we may beg
2. they used to dine
3. he might paint
4. he might have recognized
5. they would contain
6. she made a mistake
7. I was painting
8. he was born
9. please
10. he is reading (*prog.*)
11. I will tell
12. she has noticed
13. it's all gone (*finished itself*)
14. it doesn't matter
15. there isn't any

16. it happened
17. we may change (into)
18. I am glad
19. they succeeded in
20. have you discovered?
21. stop laughing! (*fam.*)
22. don't stop laughing! (*fam.*)
23. he used to advise
24. I begged
25. they preferred
26. he might cry
27. they may cure
28. she would swim
29. you have surrounded
30. they fled

EJERCICIO 10. *If each of these verb forms were the main verb in a sentence containing a subjunctive, in what tense would the subjunctive verb probably be?*

1. pida
2. temen
3. quería
4. mandó
5. dirá

6. esperaba
7. ¿cree usted?
8. es posible
9. ha sentido
10. me gustaría

11. no habían creído
12. es lástima
13. había pedido
14. ha sido preciso
15. me alegro de

16. puede ser
17. esperan
18. pidieron
19. aconseja
20. permitiría

REPASO DE COSAS NUEVAS

If you can complete these tricky sentences correctly in Spanish, you have proved that you know the rules. If you can't, you will need to look up the section references, study the rules again, and complete the statements to help you remember. (**¡Cuidado!** *You may have to change word order sometimes!*)

1. Quiero que usted vea *Joseph.*
   When the direct object of a verb is a definite ____, it must be preceded by ____. (page 526, § 117)
2. Entretanto ofreció *them to me.*
   When two object pronouns are used with the same verb, the ____ always precedes. (page 520, § 98)

CARTA IMPORTANTE

— ¿Por que llevas esa cinta (*string*) en el dedo?

— Me la puso mi esposa para que no me olvidara de echar al correo una carta suya.

— ¿Y te has acordado?

— Ella se olvidó de darme la carta.

3. Según ellos, está leyendo *it to her*.
   If two object pronouns both begin with l, the first one always changes to
   ____. (*page 521, § 98*)

4. Tráigame usted *that one*, si me hace el favor.
   When a demonstrative adjective becomes a pronoun, it must have an ____.
   (*page 522, § 105*)

5. — Déme usted *a birthday card*, si me hace el favor. — No hay.
   In Spanish, nouns cannot describe nouns without the use of ____ *before
   them.* (*page 126, § 16*)

6. Es una vista *very beautiful*, sobre todo de noche.
   A new way to say "very" is to add ____ *to an adjective.* (*page 127, § 17*)

7. *Let's play* el tragadieces mientras esperamos.
   "Let's" may be expressed by using either ____ ____ *or the first person
   plural of the* ____ ____. (*page 125, § 13*)

8. — *Don't cry* (*fam. sing.*) por perder tu pintura. — *Don't worry!* (*fam.*)
   "Don't" (*familiar singular*) *is expressed by* **no** *with the second person
   singular of the* ____ ____ *tense.* (*page 124, § 11*)

9. ¡Qué barbaridad! *One cannot* imaginar por qué no conviene tal cosa.
   Impersonal "one" or "they" is expressed by ____ *or* ____ *with a third
   person singular verb.* (*page 152, § 22*)

10. No quiero *you to make a mistake*, porque eso no sirve.
    The ____ mood must be used after a verb of causing if there is a ____ of ____. (page 149, § 21)

11. Él mismo se alegra de que *they leave me* en paz.
    After a verb of emotion, the subjunctive must be used if there is a ____ of ____. (page 161, § 23)

12. No creo que *they will arrive* antes de la cena.
    Any expression that shows ____ in the mind of the speaker will cause a subjunctive verb. (page 162, § 24)

13. *This is what* debe convenir.
    Any Spanish neuter refers to a whole _____. (page 164, § 25)

14. Es preciso *for the motorists to follow* el paseo nuevo.
    An impersonal expression is usually followed by the ____ if a subject is expressed. (page 176, § 29)

15. Roberto quería *Paul to dine* con él para que *they might chat* acerca de sus aventuras.
    When the main verb is past, the subordinate (subjunctive) verb must be _____. (page 175, § 28, 2; page 187, § 30)

16. Es posible que entretanto *it may disappear;* era posible que entretanto *it might disappear.*
    "May" shows ____ subjunctive; "might" shows ____ subjunctive. (page 175, § 28, 1)

17. No podré reconocerle hasta que *I look at him* bien.
    Conjunctions expressing time take a subjunctive when ____ time is implied. (page 188, § 31, 1)

18. Con tal de que él mismo *says so*, creeré que puede volar.
    Such conjunctions as ____, ____, and ____ cause a subjunctive if the subordinate verb tells about something which may not have happened yet. (page 189, § 31, 2)

19. — Quiero ir a dondequiera *you want* ir. — Como *you like.*
    An adverb or conjunction implying the idea of something doubtful often takes the _____. (page 189, § 31, 3)

20. Si *I had* el tiempo, miraría esa vista hermosísima.
    Only the ____ subjunctive is used after si (contrary-to-fact) and como _____. (pages 190 and 191, § 31, 4 and 5)

21. Cuide usted mi libro como si *it were* de usted, si me hace el favor.
    "As if" always takes the past ____ even if it does not express something that is not true. (page 191, § 31, 5)

FOR ADDITIONAL, OPTIONAL MATERIALS TURN TO **A ESCOGER**, PAGE 458.

Capítulo 15

Sucesos del día

"Novelties in the news," you might call these three newspaper articles from Honduras, El Salvador, and Mexico.

In the first one, a great American banana company in Honduras finds that as a good neighbor, it has more to do than raise and ship bananas. In the second, a young couple of El Salvador, planning to elope, gets into trouble by an unforeseen development. And in the third, a large city newspaper of Mexico reports a grisly ghost story that may be merely an example of how tales grow in the telling. You may not believe the story, but it made the front page!

1. *La Frutera*[1] *hace llover*

Campos convertidos en atascaderos
Gran regocijo[2] en el Valle de Sula

SAN PEDRO SULA, 31 de julio. Después de seis meses casi sin lluvia, con los campos ya secos y el ganado (*cattle*) muriéndose de sed, ayer llovió como cinco centímetros,[3] cambiando los campos polvorientos (*dusty*) en atascaderos, pero atascaderos bienvenidos.

Desde hace varios meses «La Frutera», cuyos plantíos (*planta-* 5 *tions*) cubren la tercera parte del valle, ha empleado a un piloto yanqui con su avioncito para que dejara caer pedacitos de hielo seco en las nubes sobre sus campos, causando casi en seguida agua-

---

[1] *«La Frutera»* is the local name for the *United Fruit Company*, which operates the major industry of banana-growing Honduras.

[2] *regocijo*, *rejoicing*.

[3] *como cinco centímetros*, *about five centimeters* (almost two inches).

Chief industry of agricultural Honduras is raising bananas by the shipload, most of which are sent to the United States.

Black Star

ceros (*heavy showers*) salvadores (*saving*). Entretanto, los ganaderos
10 (*cattlemen*) del resto del valle, sabiendo esto, han estado quejándose, diciendo, — No hay que extrañar que no llueva aquí. ¡El piloto de «La Frutera» anda recogiendo nuestras nubes con su avioncito para llevarlas a los plantíos de la compañía bananera!

A causa de esto, el gerente (*manager*) de «La Frutera» propuso,
15 hace ocho días, que la Compañía o dejara de hacer llover en alguna parte, o tratara de hacer llover dondequiera que escogieran los ganaderos (*cattlemen*). Éstos decidieron pedir lluvia para sus campos secos, y ayer a las catorce horas el piloto yanqui despegó (*took off*) en su avión «Lockheed Lodestar», buscando nubes que contuvieran [1]
20 agua. Siempre que encontraba un buen cúmulo (*cloud bank*), lo sembraba (*sowed*) de hielo seco y dentro de pocas horas llegó la lluvia al valle, siendo ésta recibida por la gente como un milagro bienvenido.

Gracias a «La Frutera», se acabó la sequía (*drought*).

ADAPTED FROM *Diario Comercial*, SAN PEDRO SULA, HONDURAS

[1] *contuvieran,* a new use of the subjunctive explained in section 32 of this chapter.

2. Enamorado que raptó[1] a su suegra

Suceso loco debido a la obscuridad
La familia pidió una investigación

SAN SALVADOR, 2 de abril. No hay nada que sea más divertido que algo que sucede por casualidad, saliendo a veces más extraño que lo que pudiera imaginar el autor de novelas.

La señorita Irene Castañeda, de la Calle del Carmen No. 18, fué anoche a la policía[2] pidiendo una investigación sobre la desaparición 5 de la señora su madre, María García viuda de Castañeda.[3] Según la señorita, dos hombres, aprovechando la obscuridad de la calle, la cubrieron con un sarape, la subieron en un coche y huyeron con ella. La señora, que tiene treinta y tres años de edad, es, según las fotografías, de buena presencia, y la hija, que cuenta diez y seis 10 años, es muy bonita también.

Antes de poder hallarla la policía, llegó a casa la infeliz señora,

---

[1] *raptó, kidnapped;* **el rapto,** *the kidnapping.*

[2] *El policía* is *the policeman;* **la policía** is *the police force.*

[3] ***La señora su madre, María García viuda de Castañeda,*** is the polite way to say *her mother, Mary Castañeda.* Mrs. Castañeda was María García de Castañeda when her husband was living; now she's always spoken of as the "widow of Castañeda."

Black Star

Escuela Agrícola Panamericana of Honduras teaches local boys modern methods of farming in order to improve production.

bastante enfadada, quejándose que había sido llevada por los dos hombres a una casa en las afueras (*outskirts*) de la ciudad, a la que
15 (*which*) había llegado más tarde el novio de su hija, Francisco Ojeda. Éste se sorprendió mucho al reconocer a su futura suegra. Insistiendo en que todo había sido una broma y pidiéndole que le perdonara, Francisco la había llevado a casa.

Allí la hija, Irene, explicó con muchas lágrimas que esperando los
20 novios casarse sin el permiso de la madre, habían proyectado (*planned*) la cosa. Para excusarse más la chica ante sus familiares,[1] habían decidido que el rapto debiera parecer violento. No queriendo Francisco hacerlo por sí solo (*by himself*), había pedido que le ayudaran dos amigos suyos. Ellos, al ver a la futura suegra, pen-
25 saron que ella era la candidata a la aventura y huyeron con ella.

El problema ahora depende de que (*whether*) sea castigado o no el enamorado Francisco. Es posible que sea consignado (*sent*) a la cárcel, aunque la víctima misma insiste en que todo lo perdonará con tal de que su hija termine con su infeliz novio.

ADAPTED FROM *La Prensa Gráfica*, SAN SALVADOR

3. *La muerte se pasea en auto y luego paga*

Extraño suceso en San Luis Potosí
causa gran sensación

SAN LUIS POTOSÍ, 29 de enero. La mayor parte de los que han escuchado un suceso de hace ocho días se niegan a (*refuse*) creerlo. Pero es el caso que es el tópico general de las conversaciones de esta ciudad. Cuenta el cuento cómo regresó a la vida una dama que
5 murió hace algunos meses, y que ha dejado prueba (*proof*) escrita de su visita entre nosotros.

Se dice que un chófer de automóvil de alquiler [2] fué llamado a la una de la noche por una dama vestida de negro quien apareció en una calle obscura. Ésta le mandó llevarla a todas las iglesias de la
10 ciudad, y al llegar a cada una, la dama bajaba del automóvil e iba a la puerta cerrada, caía de rodillas y pasaba algunos minutos rezando. Al fin la dama mandó al chófer que se dirigiera al cementerio, donde le dijo que le faltaba dinero para pagarle, pidiéndole permiso para darle un cheque. El hombre no pudo menos de aceptarlo, y la

---

[1] *ante sus familiares,* *before her family and friends.* Such a kidnapping may happen, especially if the family has been objecting to the romance.

[2] *Alquilar* is *to rent,* and *el alquiler* is a noun meaning *rental,* so *automóvil de alquiler* is a rental car.

señora escribió su cheque a la luz del farol (*street light*) de la calle, y 15
entregándoselo, entró por la puerta del cementerio y desapareció en
la obscuridad.

Aunque algo asombrado por cosa tan extraña, el chófer regresó a
casa y durmió tranquilamente el resto de la noche. Al día siguiente
fué al banco para hacer efectivo el cheque, pero el cajero (*cashier*) 20
se sorprendió mucho al fijarse en la firma y la fecha, y quería saber
cómo y cuándo había conseguido el chófer aquel cheque. Cuando
éste se lo explicó, el cajero dijo que la firma sobre el cheque era
legítima (*genuine*), siendo de una señora rica que había tenido una
cuenta en el banco. Pero — ¡lo extraño era que la dama de ese 25
nombre había muerto hacía tres meses!

Oyendo esto, el chófer se puso tan asustado que al llegar a casa
cayó en cama, enfermo y loco de miedo.

Tal vez la cosa hubiera quedado [1] allí, considerada debida a cir-
cunstancias anormales (*unusual*), pero sucedió que tres días después, 30
murió el chófer. Este extraño suceso ha sido comentado por los
periódicos locales, y, como ya dijimos, no hay que extrañar que sea
el tópico de todas las conversaciones.

ADAPTED FROM *Excelsior*, MEXICO

PREGUNTAS

I. ¿Entendió usted los cuentos?

«La Frutera» hace llover

1. ¿Desde cuándo no había llovido en el valle de Sula?
2. ¿Qué sucedió ayer?
3. ¿A quién empleó «La Frutera»?
4. ¿A dónde se dirigió el piloto con su avioncito?
5. ¿Por qué empezaron a quejarse los ganaderos (*cattlemen*)?
6. ¿Qué propuso el gerente (*manager*) de «La Frutera» hace ocho días?
7. ¿Qué hizo el piloto cuando vió un buen cúmulo (*cloud bank*)?

Enamorado que se raptó a su suegra

8. ¿Qué, por casualidad, es más divertido a veces que una novela?
9. ¿Cómo desapareció la viuda de buena presencia?
10. ¿Llegó a casa esa misma noche la infeliz viuda?
11. ¿Quién insistió en que todo había sido una broma?
12. ¿Quién se lo explicó con muchas lágrimas?
13. ¿Quiénes se equivocaron al ver a la futura suegra?
14. ¿Va a ser consignado (*sent*) a la cárcel el infeliz novio?

[1] *hubiera quedado*, *would have remained*, a subjunctive use you have not had yet.

La muerte se pasea en auto y luego paga

15. ¿Qué sucedió a la una de la noche?
16. ¿A dónde quería dirigirse la dama vestida de negro?
17. ¿Qué hacía delante de cada iglesia?
18. ¿Qué no pudo menos de aceptar el chófer?
19. ¿Cómo se sentía el chófer después de ver cosa tan extraña?
20. ¿Para qué fué al banco al día siguiente?
21. ¿Qué sucedió cuando el chófer oyó lo que dijo el cajero (*cashier*) acerca de la firma del cheque?

II. ¿Qué dice usted?

1. ¿Cuál de estos tres sucesos del día es el más divertido, el más loco, y el más extraño?
2. Explique usted lo que es una suegra, una viuda, y una cárcel.
3. ¿Se debe castigar a los infelices que se portan como locos en una clase?
4. ¿Llueve en los valles debido a la presencia de una nube?
5. ¿Cuál le gusta a usted más, una broma o un chiste?
6. ¿Podría usted recoger nubes sobre un valle si tuviera un avioncito?
7. ¿Por casualidad busca usted una suegra que sea de buena presencia?
8. ¿Por qué es una buena idea tener cuenta en un banco?
9. ¿Cuándo propone usted dirigirse a un banco para hacer efectivo un cheque?
10. ¿Para qué sirve el hielo seco?
11. ¿Aprovecharía usted las oportunidades para ganar dinero en alguna parte?
12. Si fuera muy divertida, ¿se reiría usted de una broma loca? (*Use* **depender** *in your answer.*) [1]
13. ¿Puede usted hacer efectivo un cheque que no tenga firma?
14. ¿Le gustaría recibir un cheque de un hombre cuya cuenta está vacía?

REPASO DE VERBOS

EJERCICIO 1. *Change these verbs to the same person of the past subjunctive and then give the infinitive of each.* EXAMPLE: **vayan: fueran, ir.**

1. suceda	6. sepa	11. dependa
2. usted recoja	7. hagamos	12. extrañen
3. propongan	8. consigan	13. emplee
4. castiguemos	9. me dirija a	14. hayamos de
5. recen	10. aprovechen	15. digan que sí

[1] *Eso depende de la dependeduría,* they say in Costa Rica, and it's just a joke because the last word doesn't mean a thing!

Bonilla Park tops a hill above peaceful Tegucigalpa, Honduras, one of the few world capitals without a railway. Because it is located 3200 feet above sea level, the city has almost perfect weather.

EJERCICIO 2.   *Substitute the correct verb form for each infinitive in italics.* **¡Cuidado con los subjuntivos!**

1. Mi papá no me castigaría si la broma *ser* divertida. 2. Yo lo haría si *poder*, pero no puedo. 3. Si yo *ser* usted, yo no haría efectivo ese cheque con la firma extraña. 4. ¿Creía usted que *ser* broma cuando el dinero en mi cuenta se acabó? 5. Me dijo que el soldado *aprovechar* la obscuridad para escaparse de la cárcel. 6. Si por casualidad es preciso que (nosotros) *emplear* a José en los campos, espero que (él) *portarse* bien. 7. ¡Ese joven es de buena presencia, pero no puede menos de portarse como si *ser* loco! 8. Mientras que (nosotros) *estar* en la iglesia, rezaremos por ese infeliz. 9. Siento sobre todo que usted *equivocarse* en los exámenes. 10. Temo que no *haber* nada más seguro que la muerte y los impuestos (*taxes*).

ALGO NUEVO

32. The Subjunctive in Adjective Clauses [1]

1. *Describing something indefinite*
You found this new use of the subjunctive in one of the stories:

> **buscando nubes que contuvieran agua**
> *looking for clouds that might contain water*

Contuvieran is a subjunctive because it is in an adjective (or relative) clause (**que contuvieran agua**) which describes something indefinite (**nubes**).

You may have to review your English grammar in order to identify "adjective clauses." These points will help you:

a. An adjective clause takes the place of an adjective:

a (good) car	*or*	a car (that is good)
[*adjective*]		[*adjective clause*]

b. An adjective clause begins with one of the "relative pronouns." (For this reason it is often called a "relative clause.")

c. The "relative pronouns" are *who*, *which*, *what*, or *that* (usually **que** in Spanish).

In using Spanish, before we get the feel of this kind of subjunctive, we must often analyze a sentence carefully in order to locate an adjective clause and decide whether it describes something definite or indefinite. Try marking such sentences in the following way:

I want a car (that is good).

[1] This is the most difficult subjunctive use for us, because it is so unlike English. Don't let a thing get by without your understanding it, or you'll be lost!

Put parentheses around the adjective clause beginning with *who*, *which*, *what*, or *that* and underline the verb in the clause. Then put an arrow pointing back from the relative pronoun (*that*) to the word described by the adjective clause, which this time is *car*. Then say to yourself, "Do I want a certain definite car? No, *any* make, *any* model, *any* indefinite car will do, as long as it's good."

Now, since it's an indefinite car, you know that the verb you underlined must be in the subjunctive, which is the doubtful or indefinite mood.

I WANT A CAR (THAT IS GOOD).

But suppose you've shopped all the used car lots and you come home with a real buy. (It's a red convertible sport car, nearly new, radio, everything!) Now you can say, "I have a car that is good," and there's no subjunctive this time because yours is certainly a definite car "that is good"!

I HAVE A CAR (THAT IS GOOD).

2. *After a negative*

> **No hay nada que sea más divertido.**
> *There is nothing that is funnier.*

> **No hay hombre que pueda hacer eso.**
> *There is no man who can do that.*

When an adjective clause is preceded by a negative word, the verb in the clause is in the subjunctive, *because such a negative idea is automatically indefinite.* Such sentences can be marked as before, and the arrow will often point at the negative word itself:

> **No hay náda (que me guste).**
> *There is nothing that I like.*

3. *After indefinite relative pronouns*

> **— ¿Cuánto le debo? — Lo que usted quiera.**
> *"How much do I owe you?" "Whatever you wish."*

> **«Pregunte a quien tenga uno.»**
> *"Ask [the man] who owns one."*

> **El que tenga un buen coche puede llevarnos.**
> *Whoever has a good car can take us.*

Some common relative pronouns often contain an indefinite idea themselves. They are:

> **lo que,** that which, what, whatever
> **el que,** he who, the one who (which), whoever
>   (also **la que, los que, las que**)
> **quien** or **a quien,** he who, him who, whoever [1]

Whenever these relative pronouns refer to anything indefinite, they are followed by a subjunctive. However, you have often found *lo que* in sentences like *ví lo que hizo, I saw what he did,* where the indicative is used because what he *did* is now very definite.

Remember	When an adjective clause describes anything indefinite, the verb IN the clause must be subjunctive.

---

[1] *Quienquiera, whoever,* and *por (bueno) que, however (good),* automatically take the subjunctive. Note, then, that the complete list of words ending in *–ever* is: *dondequiera, wherever; lo que, whatever; quien, el que,* or *quienquiera, whoever; siempre que, whenever,* and *por — que, however.*

EJERCICIO 3.   *Copy these English sentences, mark them like the example in Part 1 (page 214) of this section, and then think carefully, as you underline each verb, which ones should be subjunctive, and mark those with S.*   After you get used to that indefinite *feeling* in this type of sentence, you will be able to use the subjunctive correctly without having to do so much analyzing.

Do not try to translate the sentences into Spanish.

1. I want a book that is new.   (*A certain definite book or just any new book?*)   2. You have a book that is old and torn, haven't you?   3. I don't want any book that is torn.   4. You bought one that was in good condition. 5. Any pupil who has a good book ought to take care of it.   6. Books that are dirty show somebody's carelessness.   7. People who drop books on the floor are making a mistake.   8. Nobody likes a book that is a wreck. 9. Have you heard enough about people who destroy books?   10. Yes, I want to talk about something that is more interesting.   11. Well, let's talk about the game (that) we played yesterday.[1]   12. I don't like games that are not exciting.

EJERCICIO 4.   These signs, warnings, advertisements, etc. from Spanish-speaking countries show how often the subjunctive is used in adjective clauses.   *Translate each one, marking it if that will help, and then explain why there is a subjunctive.*

1. El que haga daño (*damage*) a los arbolitos de este parque tendrá Q5 multa (*a fine of five quetzales or dollars*).   (*Sign in park, Guatemala City*)

2. Pida lo que quiera; nosotros lo tenemos.   (*Department store ad, San Juan, Puerto Rico*)

3. Entregamos los muebles el mismo día que se compren.   (*Furniture store, Managua, Nicaragua*)

4. Se prohíbe pasar con perros que vayan sueltos (*loose*).   (*Sign in Chapultepec Park, Mexico City*)

5. Niños que sepan andar pagarán pasaje (*fare*).   (*Street car, Mexico*)

6. Pasajeros [2] que permanezcan (*from* **permanecer,** *to remain*) en Honduras deben presentarse con sus pasaportes a las Oficinas del Departamento de Investigación dentro de las 24 horas de su llegada.   (*Sign in airport, Tegucigalpa*)

7. Todo plato que no esté incluido en la lista se cobrará (*charge*) extra. (*Menu at Fonda* [Inn] *Santa Fe, Guanajuato, Mexico*)

8. En Navidad la niña pide una muñeca que diga papá y mamá, y su hermanito pide un avioncito que vuele solo.   (*Toy shop ad, Argentina*)

---

[1] Note how much more natural our English often sounds when we omit the relative pronoun.   But Spanish never leaves it out!

[2] Guess!

9. Todo billete que contenga la indicación de «pagado» o que esté roto se considerará sin valor alguno. (*Lottery ticket, Panama*)

10. Anuncios clasificados:

    a. Necesito muchacho que sepa manejar y que tenga licencia.

    b. Solicito (*look for*) señoritas de buena presencia que hablen inglés para telefonistas internacionales.

11. No hay hombre que pueda resistir la fascinación de la hermosura (*from* **hermoso**). (*Cosmetic advertisement, Cuba*)

12. Los premios se entregarán a las personas que presenten los billetes. (*Lottery ticket, Panama*)

EJERCICIO 5. *Give the correct form of the italicized verbs in the adjective clauses which are enclosed in parentheses.* Watch out for subjunctives!

1. Entretanto la suegra (a quien los jóvenes *llevarse*) estaba muy enfadada.

2. El valle (cuyos campos *estar* muy secos) no ha sido bonito desde entonces.

Radio program announcement from a Costa Rican newspaper describes a service offered by «La Frutera». By thinking of radio words and guessing, can you read it all?

PARA NOTICIAS DE ACTUALIDAD

Escuche "EL MUNDO MARCHA"

Quince minutos de noticias del día compiladas por los servicios internacionales de la Prensa Asociada. Todas las noches desde las 8:45 hasta las 9:00 p.m.

Servicio presentado al público por cortesía de la

UNITED FRUIT COMPANY

Por medio de la EMISORA

TIPG

LA VOZ DE LA VÍCTOR

625 c. — 9615 Kc.

San José, Costa Rica

3. La chica (que *estar* enamorada) no aprovechó la oportunidad de huir con su novio.

4. Al contrario, la chica (cuya madre *haber* desaparecido) pidió una investigación de lo (que *suceder*) porque no era una broma.

5. La Compañía propuso emplear un piloto (que *saber* recoger las nubes).

6. El piloto se dirigió a una nube (que *parecer* llevar agua).

7. El hielo seco (que el piloto *dejar* caer en las nubes) causó la lluvia.

8. ¿Por casualidad, quiere usted emplear sobre todo una señorita (que *ser* de buena presencia)?

9. Le extrañó al chófer cuando vió a la señora (que *dirigirse* a las iglesias para rezar).

10. No hay que castigar con la cárcel (a quien *portarse* bien).

11. (Los que *depender* de la suerte) no pueden menos de perder mucho.

12. Propongo que empleemos a (quien *ser* de buena presencia).

REPASITO

EJERCICIO 6.   In Chapter 8 you had some important exercises on the use of two object pronouns which you may have found difficult at the time, but which should be easier now.   *Turn back to page 112 and do again Ejercicios 10, 11, and 12.*

EJERCICIO 7.   *Gustar, faltar, molestar,* and **importar** are often used in the third person, with the English object used as the Spanish subject: **Me gustan las bromas.**   *I like jokes (jokes are pleasing to me).*

Notice that if the English object (*jokes*) is plural, the Spanish verb must be plural.   Notice also that the definite article is used with the noun subject when it means something *in general,* as here, *jokes* in general.

Using the four verbs **gustar, faltar, molestar,** *and* **importar,** *complete the following sentences in Spanish, reversing the word order in English first if that helps*.   (To say "to me," "to him," etc., do you use the direct or indirect object?)

1. *I like* hacer efectivo un cheque.   2. *They don't like* ir a la cárcel. 3. ¿*Do you like* las bromas divertidas?   4. Sí, pero las bromas locas *bother me*.   5. *You lack* el dinero para poner en su cuenta.   6. *It bothers us* cuando se nos acaba el dinero.   7. *Who cares (to whom is it important)*?   8. *I don't care (it doesn't matter to me)*.[1]   9. *It bothers him* castigar a un mal niño. 10. A ese cheque *is lacking* la firma.   11. *He likes to* molestarme.   12. ¿Qué does *it matter to him* si yo recojo los papeles?

[1] When you use **importar** in this way, you'd better smile, for it's pretty strong language.   Ordinarily **no le hace** is used for *it doesn't matter*.

PALABRAS PARA APRENDER

Note the extra list which contains new words related to some you already know.

* aprovechar	to take advantage of	* loco, –a	crazy
* asombrado, –a	astonished	* la nube	cloud
el atascadero	mudhole	o —— o	either —— or
* la broma	joke (*practical*)	* proponer	to propose, suggest
* el campo	field (*new meaning*)	(propongo)	
* la cárcel	jail	* quien	he who, whoever
* castigar	to punish		(*new meaning*)
* cuyo, –a	whose	* a quien	him who
* depender (de)	to depend (on)	* recoger	to gather up, collect
* dirigirse a	to go to, toward	(recojo)	
(me dirijo)		* rezar (§ 84)	to pray
* extrañar	to wonder (at), to seem strange to [1]	* seco, –a	dry
		* la suegra	mother-in-law
* extraño, –a	strange	* el valle	valley
* el hielo	ice	* la viuda	widow

NEW WORDS RELATED TO OTHERS YOU KNOW

*la cuenta (contar)	account	*la firma (firmar)	signature
*debido (–a) a (deber)	due (owing) to	*infeliz (feliz) [2]	unhappy
*divertido, –a (divertirse)	funny, amusing (*used with ser*)	*la muerte (morir)	death
		*la obscuridad (obscuro)	darkness
*emplear (el empleado)	to employ	*suceder (el suceso)	to happen

EXPRESIONES

* **de buena presencia,** good-looking
* **en alguna parte,** anywhere, somewhere
* **hacer efectivo,** to cash
* **lo (extraño),** the (strange) thing
* **no hay que extrañar (que),** no wonder (that)
* **no poder menos de,** not to be able to help
* **por casualidad,** by chance

---

[1] *Extrañar* is often used impersonally, like *gustar*. Instead of saying *I wonder*, you say *me extraña (que)*, *it seems strange to me (that)*. This is usually followed by the subjunctive because it's an expression of emotion or doubt.

[2] Use *ser* with *infeliz* because it is considered more of a characteristic than a temporary condition. To be temporarily unhappy would be *estar descontento*.

FOR ADDITIONAL, OPTIONAL MATERIALS TURN TO **A ESCOGER,** PAGE 463.

De peatón a

pasajero

In this nutshell history of local transportation in Latin America, Mexico is used as an illustration, but it was much the same story in almost every country.

Until the early thirties you still found mule-drawn streetcars in many small towns, and in some cities even now, if you're not in a hurry, you can ride in ancient horse-drawn buggies or victorias instead of taxis.

The oxcart has recently been forbidden on the main streets in most countries, for its slow-motion oxen can barely cross an intersection on the green light, but its high wheels are still the only thing for unpaved country roads. One farm machinery manufacturer of our own country makes steel oxcarts for export to the sugarcane countries, and in Costa Rica a proud profession is that of painting bright geometrical designs on the heavy slab wheels of the home-made product.

On the unpaved pampa roads of Argentina and Chile the horse is still a "must," while in the capitals, expensive American and European cars, enormous buses, and great trucks create tangled traffic.

But it's mostly in Mexico that the truck driver enlivens the highways with his irrepressible sense of humor. How? Read on and see!

Un carpintero español que llegó con Cortés inició (*started*) la Edad de la Rueda en el Nuevo Mundo, construyendo en México por primera vez en el continente una carreta. Hasta entonces ningún indio jamás había visto una rueda. Los viajeros, ricos o pobres, adondequiera que fueran, tenían que ser peatones, y el emperador 5 azteca mismo (así como el Inca del Perú) viajaba en una silla llevada sobre las espaldas de sus nobles.

Los indios de las Américas no habían inventado la rueda debido
a la falta de animales grandes para tirar de los carros. Cuando los
10 españoles llegaron con caballos, mulas, burros y bueyes (*oxen*),[1]
éstos asustaron mucho a los indios a causa de su gran tamaño (*size*).
Al principio los indios creían que los caballos eran dioses, pero
después de la muerte de algunos, supieron que eran sólo animales.

Puesto que eran pocos los caballos que llegaron de España, du-
15 rante doscientos años pasearse en carreta o ir a caballo era medio
de transporte prohibido a los indios, porque eran ellos quienes
tenían que empujar las carretas o tirar de ellas cuando faltaban
caballos o mulas.

Después de cien años de carretas, empezaron a llegar coches
20 hechos en Europa, y más tarde las diligencias tiradas por media
docena de caballos. No hay que extrañar que la gente, al ver por
primera vez estas diligencias, se asombrara tanto como nosotros
cuando vimos nuestro primer automóvil. Pero dentro de poco
fueron establecidas rutas fijas de diligencias con asientos en que

---

[1] The Spaniards brought the first cats to the Americas, too, and in Lima, Peru, in
colonial times, any old alley-cat sold for the equivalent of $200.

Earl Leaf

Indian transportation before the day of the wheel put the weight on a strap across the bearer's forehead.

Creaking oxcarts made use of the first wheels ever seen by the Indians. This one took first prize in a recent Costa Rican contest for the best team and decorated cart.

cabían dos docenas de pasajeros, quienes, aunque yendo como 25 sardinas, preferían este vehículo a los caballos.

Los ferrocarriles llegaron en el año de 1880, dando un gran golpe a las diligencias, y dando origen a la vez a los tranvías de mulitas de las ciudades. En el año de 1886 la capital de México tenía uno de los mejores sistemas de transportes del continente americano, 30 con más de quince rutas de tranvías.

Los coches de alquiler (*rental*) llegaron el mismo año, siendo de tres clases. En los coches de tercera clase cabían asientos para ocho personas, y los usaban los de las clases pobres los domingos para pasearse. Un joven, para llevar a pasear a la chica de su corazón, 35 se veía obligado a invitar a acompañarlos [1] a sus futuros suegros, cuñados (*brothers and sisters-in-law*) y primos.

En esta época aparecieron los elegantes coches particulares de las

[1] Although the old custom of the chaperone is not quite so strict these days, in many countries even now a young fellow cannot date a girl without asking her mother, aunt, or married sister to go along.

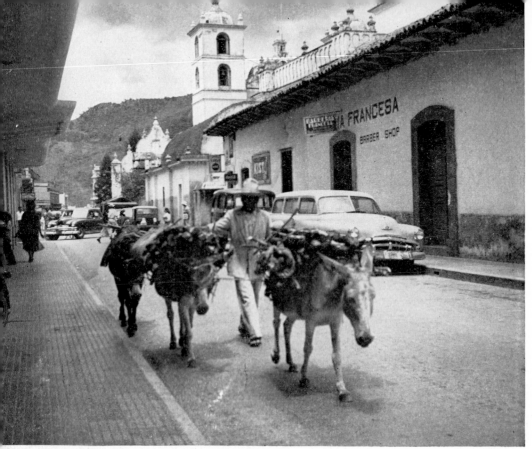

Burro and auto traffic intermingle in the streets of Tegucigalpa, Honduras, for farmers coming in from the country cannot use modern transportation on unpaved roads or ancient trails.

familias ricas. Se dice que en ninguna otra ciudad del Nuevo Mundo
40 gastaron los ricos tanto dinero en coches y caballos de sangre pura como en México.

El primer automóvil llegó a México en los últimos días de 1903, y todavía es conservado allí como una verdadera curiosidad. Pocos años después, los camiones [1] de pasajeros invadieron los caminos, y
45 actualmente en todas las carreteras hay rutas fijas de autobuses entre casi todas las ciudades. Los caminos construidos entre 1929 y hoy cubren el país de una frontera a otra, y cada año tiene lugar sobre ellos grandes carreras de automóviles. Por ejemplo, en mayo

---

[1] *Camión* means *bus* in Mexico, but *truck* in most other Spanish-speaking countries, where *ómnibus* or *autobús* is *bus*.

de 1950 se abrió la carretera de 2.178 millas [1] entre El Paso del Norte [2] y la frontera guatemalteca, celebrándose el estreno [3] con una carrera 50 de seis días para coches de pasajeros. [4] El ganador (*winner*), un norteamericano en un coche marca (*make*) «Óldsmobile», demostró (*demonstrated*) el buen estado del camino con un promedio (*average*) de 79 millas por hora.

El indio que antes llevaba sus mercancías (*wares*) a la cabeza o 55 sobre las espaldas también ha aprovechado la invención de la rueda,

[1] A period is used instead of a comma in Spanish numbers over one thousand.

[2] El Paso del Norte, Texas, got its name from the fact that it grew up at the North Ford of the Rio Grande.

[3] *Estreno, opening,* is the first use or appearance of anything.

[4] These were regular passenger cars, and all other traffic was cleared from the road during the blood-curdling race, in which several drivers were killed. The stretch between Mexico City and Guatemala is called the Christopher Columbus Highway.

Peruvian railroad trains provide spectacular transportation over steep Andean passes by means of Y-shaped switchbacks.

Pix, Inc.

puesto que hoy día puede poner su huacal [1] pesado sobre las rueditas
de un par de patines (*skates*) y andar empujándolo por las calles sin
tener que pararse para descansar.

60   Pero lo divertido acerca del transporte moderno en los países de
habla española es que quien viaja por los caminos (sobre todo en
México) no puede menos de divertirse leyendo los letreros (*signs*) que
encuentra pintados sobre los paragolpes [2] de los camiones.   Parece
que el camión quisiera hablar, y lo que ha pintado el chófer en el
65 paragolpes depende de su sentido (*sense*) de humor o de su filosofía
de la vida.   El chófer práctico pinta «Para harina (*flour*) y cemento
soy», o

$$\boxed{\;\longleftarrow \text{PASE USTED}\ldots\text{PRECAUCIÓN}\ldots\;|\;\ldots\text{PELIGRO}\ldots\text{NO PASE USTED}\longrightarrow\;}$$

Si es humilde, quizás pinte «A sus órdenes»,[3] «Me ves y sufres»,
70 «Con su amable (*kind*) permiso», o «Como me ves, te has de ver».
Si es romántico, su camión puede lucir ("*sport*") algo como «Vuelve
a ser mía», «Tú, sólo tú», «Tuyo hasta la muerte», «Ya estoy aquí,
mi vida»,[4] o «Romeo sin Julieta».

Pero es el matasiete [5] quien nos da los letreros (*signs*) más di-
75 vertidos, porque adorna su paragolpes con cosas como «Siempre
listo», «Rey del camino», «La bomba atómica», «El súperhombre»,
«Yo soy tu Mejoral»,[6] «Me fuí, pero volví», «Pues tú, ¿qué te
crees?»,[7] o «Busco suegra con plata».

¡Ojalá que el carpintero español que inició (*started*) la Edad de la
80 Rueda en el Nuevo Mundo pudiera saber todo lo que nos trajo su
trabajo!

HISTORICAL INFORMATION ADAPTED FROM
La Opinión, LOS ANGELES, CALIFORNIA

---

[1] *huacal pesado,* heavy crate.   These crates are hand made of willow sticks laced together with rawhide strips at the corners, and may be of any size.   Indians carry pottery
or vegetables to market in them.

[2] *El paragolpes* (*parar* + *golpes*) is also known as *el parachoques.*   Can you explain
these compound words?

   Camión here is *truck*, not *bus*, although buses sometimes have signs too.

[3] *A sus órdenes,* at your service, is often said when someone is asked to give his name
or to do something.

[4] *mi vida,* darling.

[5] *matasiete* (*matar* + *siete*), boaster, referring to the fable of the braggart who "killed
seven at one blow" but neglected to state that they were flies!

[6] See page 77, footnote 4, if you have forgotten what Mejoral is.

[7] *«Pues, tú, ¿qué te crees?»*   "*Well, what do you think you are?*"

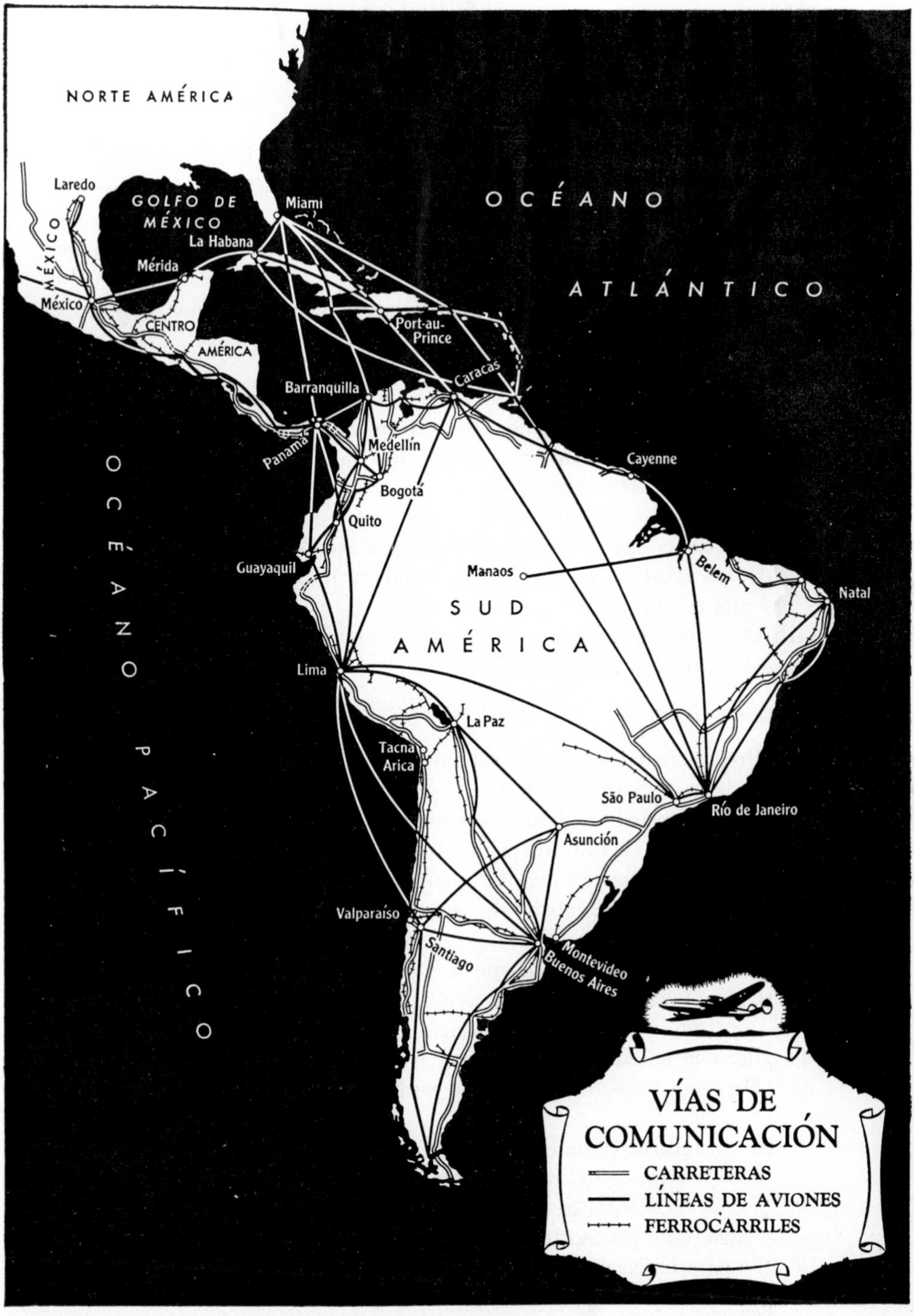

NORTE AMÉRICA

GOLFO DE MÉXICO

OCÉANO ATLÁNTICO

Laredo
Miami
La Habana
Mérida
MÉXICO
México
CENTRO AMÉRICA
Port-au-Prince
Barranquilla
Panamá
Caracas
Medellín
Bogotá
Cayenne
Quito
Guayaquil
Manaos
Belem
Natal
SUD AMÉRICA
Lima
La Paz
Tacna
Arica
São Paulo
Río de Janeiro
Asunción
Valparaíso
Santiago
Montevideo
Buenos Aires

OCÉANO PACÍFICO

VÍAS DE COMUNICACIÓN

═══ CARRETERAS
─── LÍNEAS DE AVIONES
┼┼┼ FERROCARRILES

227

PREGUNTAS

I. ¿Entendió usted el cuento?

1. ¿Quién inició (*started*) la Edad de la Rueda, y cómo?
2. ¿Por qué no inventaron la rueda los indios?
3. ¿Qué animales llegaron al Nuevo Mundo con los españoles?
4. ¿Cuál era un medio de transporte prohibido a los indios en tiempos coloniales?
5. ¿Quiénes empujaban o tiraban de las carretas cuando faltaban animales grandes?
6. ¿De dónde vinieron los coches y las diligencias tirados por media docena de caballos?
7. ¿Cuántos asientos cabían en estas diligencias?
8. ¿Qué dió un gran golpe a las rutas fijas de diligencias?
9. ¿Qué ciudad tenía más de quince rutas fijas de tranvías?
10. ¿Cuántos asientos cabían en los coches de tercera clase?
11. ¿Qué clase de caballos tiraban de los elegantes coches particulares?
12. ¿Qué tiene lugar cada año entre las dos fronteras de México?
13. ¿Cómo ayuda la invención de la rueda al indio que antes llevaba todo a la cabeza o sobre las espaldas?
14. ¿Cómo no puede menos de divertirse cualquier pasajero que viaje por las carreteras de México?

II. ¿Qué dice usted?

1. ¿Prefiere usted ser peatón o pasajero?
2. ¿Quisiera usted llevar cosas a la cabeza o sobre las espaldas?
3. ¿Quisiera usted empujar o tirar de su coche particular?
4. ¿Sufre usted de falta de primos o tiene usted docenas?
5. ¿Caben dos pasajeros en un asiento de tranvía?
6. ¿Puede ganar un caballo de sangre pura en una carrera con un tranvía?
7. ¿Cuál es el medio de transporte más seguro (*safe*) en una ruta fija?
8. ¿Caben más pasajeros en un avión, un tranvía, un camión, una carreta, un tren, o un coche particular?
9. ¿Por qué se llama así el paragolpes de un camión?
10. ¿Debieran [1] los automovilistas parar sus coches dondequiera que les guste?
11. Si, por falta de cuidado, un automovilista le diera un golpe con su coche, ¿se sentiría usted humilde o querría usted castigarle?
12. ¿Jamás ha dicho usted, cuando peatón, — Ojalá que tuviera un mejor medio de transporte?
13. ¿Se para usted para descansar al principio o al fin de un viaje?
14. ¿Debieran tener lugar carreras de camiones en nuestras carreteras?

[1] See page 231, § 33, 2.

Earl Leaf

Modern superhighways of Argentina eliminate cross-traffic with underpasses and "clover leaf" intersections — and there is no speed limit!

REPASO DE VERBOS

EJERCICIO 1. *Review the future and conditional tenses on pages 83-85 of Chapter 6, if you need to; then complete these sentences in Spanish.*

1. Puesto que usted insiste, *I will say* que sí. 2. ¿Cuántos años *can he be* (*is he probably*)? 3. *¿Will you cash* mi cheque, si me hace el favor? 4. *He couldn't* (*wouldn't be able to*) *help* de reír si fuera divertido el chiste. 5. *They will choose* un par de asientos. 6. *¿Will take place* la carrera sobre una ruta fija? 7. Entretanto *they will stop* para no asombrar a sus primos. 8. *¿Would you push or pull* del coche si se parara? 9. *¿Will there be room for* [1] todos los peatones? 10. *¿Would we suffer* si la rueda no hubiera sido inventada? 11. ¿Qué *will happen* debido a la muerte de aquel peatón anteayer? 12. *¿Will come* la viuda a la iglesia para rezar? 13. *I would take advantage of* tal oportunidad en alguna parte. 14. *I would like to* descansar ahora porque tengo las espaldas cansadas.

[1] These five English words are translated by only one Spanish word!

Mule-drawn street cars out of the past still operate in some sleepy little towns where life does not seem to demand more modern transportation.

EJERCICIO 2. *Using these verbs in any order, compose a short paragraph with the title* **Lo que (no) haré mañana.**

descansar	pararse	no poder menos de	aprovechar	nadar
dirigirse a	equivocarse	conseguir	gastar	rogar

EJERCICIO 3. *Using as many of the verbs in Ejercicio 2 as possible, write a new paragraph with the heading* **Lo que haría si pudiera.**

ALGO NUEVO

33. The Last New Subjunctive Uses

1. *With ojalá (que)*

> **¡Ojalá que el carpintero pudiera saber!**
> *If only the carpenter could know!*

> **¡Ojalá hubieran venido!**
> *Oh, that they had come!*

The word *ojalá* comes from a short Moorish prayer meaning "May Allah will it!" and may be translated by almost anything that expresses the idea of longing for something to happen. (Some common translations are *if only*, *oh that*, and *would that*.)

Since there was always some doubt as to whether or not Allah would grant the plea, *ojalá* was and still is followed by the subjunctive. It may be used either with or without *que*, and the verb following it is usually in the same tense as in English.

In spoken Spanish *ojalá* is often found alone as an exclamation agreeing with what has been said:

> — *Espero volver a verle a usted el año que viene.*
> — *¡Ojalá!* [1]   *Here's hoping!* (*I hope so!*)

¡Ojclá que no! means *I hope not!*

2. *In softened (polite) statements*

> *Quisiera pedir prestado un dólar.*   *¿Cuál debiera ser?*
> *I should like to borrow a dollar.*   *Which should it be?*

The verbs *querer* and *deber* are often used in the *-ra* form of the past subjunctive to express an idea more politely. For example, instead of saying bluntly, "I want to borrow a dollar [and I don't mean maybe]," it is more polite to say "I should like to borrow a dollar [if you don't mind]."

This is one of the few instances when a subjunctive can start a sentence with nothing preceding it to cause the subjunctive.[2]

Remember	Quisiera is more polite than quiero.

3. *Subjunctive of uncertainty after "perhaps" ("maybe")*

> *Quizás se hayan quedado allí.*
> *Perhaps they have remained there.*

> *Tal vez (quizás, acaso) tenga usted razón.*
> *Maybe you are right.*

The subjunctive is used after "*perhaps*" or "*maybe*" (*quizás, tal vez, acaso*) when future time or anything doubtful is implied.

---

[1] Then the cautious speaker usually adds, — *Si no morimos* — or — *Si Dios quiere* . . .

[2] Note that the conditional tense expresses the same idea: *Nos gustaría descansar. We should like to rest.*

When *quisiera* itself is a verb of causing and therefore the main verb in the sentence, in what tense must the subordinate verb be?

EJERCICIO 4.   *Translate these sentences from real-life situations and explain each subjunctive you find.*

1. Aproveche nuestros precios antes que se acaben estas gangas (*bargains*).

2. Gire (*turn*) la perilla (*knob*) hasta que la pregunta cuya respuesta (*from* **responder**) busque usted aparezca en la ventanilla [1] entre las líneas rojas. (*Directions on fortune-telling scales in Mexico*)

3. ¡Quisiera que viniera ese mesero!

4. Trate (*treat*) a los demás como quisiera ser tratado.

5. Si hubiera mejor, lo tendríamos. (**Dulcería** *in San José, Costa Rica*)

6. A dondequiera que usted vaya, hallará más garages de servicio Ford que de cualquier otra marca (*make*). (*Guatemala*)

7. Confiamos (*trust*) que su estancia (*stay*) en este hotel haya sido agradable y esperamos que regrese. (*Gran Hotel, Camagüey, Cuba*)

8. El mejor radio portátil (*portable*) jamás construido: toca dondequiera [que vaya], en casa o afuera (*from* **fuera**). (*Philco ad, El Salvador*)

9. Su boleto (*ticket*) a la fiesta incluye (*includes*) lo que guste comer a la hora que desee. (*Mexican fiesta*)

10. Para que sus dientes sean hermosos, se necesita cuidarlos bien. (*Toothpaste ad, Mexico City*)

EJERCICIO 5.   *Complete these sentences in Spanish, watching out for subjunctives.*

1. *I should not like to stop* por falta de gasolina.

2. *¿Would you like to* asombrar a sus primos?

3. Si *wish* usted, puedo llevarle a pasear en mi coche.

4. ¡*If only would push* esos pasajeros el coche en vez de descansar!

5. *I wish they would!* (*One word*) Pero quizás *they think* que esto es divertido.

6. Susita dice que no va a casarse hasta que *she is thirty years old.*

7. Rosita dice que ella no va a tener treinta años hasta que *she gets married.*

8. Ana María dice que *she would like* saber la manera de hacer feliz a su futuro esposo.

9. Dolores dice que lo mejor es *not to marry him.*

10. LA ESPOSA: *I should like* que en el santo de mamá tú le *give* algo eléctrico.

EL ESPOSO: ¡*Here's hoping!* ¡Escogeré para mi suegra una buena silla!

11. *I should like to go* por el paseo.

12. ¡*If only he arrives* a tiempo!

---

[1] *-illo* (*-a*), like *-ito* and *-cito,* is a "diminutive ending."   When added to a word, it makes the thing talked about seem smaller or less important.

SIEMPRE LISTO

— ¿Pero llevas tres paraguas?
— Sí; uno, para olvidarlo en el café; el otro, para perderlo en el tranvía; y el otro lo necesito, por si llueve . . .

EJERCICIO 6.   Here is a review of various kinds of subjunctive uses. (Though it may be hard for a while to get along *with* the subjunctive, you definitely can't get along *without* it!) *Can you complete all these correctly?*

1. Elena quiere *me to go.* ¿Me permite usted?   2. Diego me dijo *not to go.*   3. Me alegro de que *I can rest* antes de *arriving* a la frontera.   4. Sentían que ella *was suffering* tanto.   5. Quisiera un coche que *has*[1] dos asientos.   6. ¡Ojalá que *would take place* algo muy divertido!   7. Ese chófer manejaba *as if he were going* en una carrera.   8. El piloto no recogería las nubes si *he could.*   9. La compañía no emplea a nadie que *is* loco; muy (*quite*) al contrario.   10. Nunca le faltará dinero a quien *can* hacer efectivo un cheque.   11. — A ver, ¿a dónde se dirige? — Adondequiera que *he can.*   12. Estoy seguro de que la viuda *astonished* a su hija con su aventura extraña.   13. Es preciso que los camiones *go* por una ruta fija, como los tranvías.   14. Busque usted lo que *you lack,* dondequiera que *it may be.*   15. Quizás eso *may be* el mejor medio.   16. ¡No hay que extrañar que *he came!*

[1] The present tense is all right even though *quisiera,* the main verb, is past, because it is not used as a verb of causing.

233

REPASITO

EJERCICIO 7. This is old stuff, but tricky. *Do your best!*

1. *His* es el *good one.* 2. ¿Dónde está *hers?* 3. *Yours* es divertido.
4. No se pare usted en un *bad* camino. 5. Ya tuvo lugar *the first* par de
carreras. 6. ¿Le asombró *the third one?* 7. *Some* golpes nos hacen sufrir
mucho. 8. No le dé usted *any.* 9. Quizás Dolores *hasn't any* primos.
¿Tiene usted *one?* 10. Ojalá pudiera usted tomar *one of mine (pl.)* 11. El
great Bolívar era muy humilde. 12. — Tenemos *one hundred* cosas que
comer. — ¿Qué son? — Frijoles.

PALABRAS PARA APRENDER

* caber [1]	to be room for, fit into	el paragolpes	bumper
* el camión	truck (*new meaning*)	* parar(se)	to stop (oneself)
* la carrera	race	* particular	private
* el coche	carriage (*new meaning*)	* el pasajero	passenger
la diligencia	stagecoach	el peatón	pedestrian
* empujar	to push	* el primo	cousin
* la espalda	shoulder; back	* puesto que	since
* fijo, –a	fixed	* quisiera	(I, you, he, she) would like (to)
* el fin	end (*new meaning*)	* quizás	perhaps, maybe
* el golpe	blow	* la rueda	wheel
* humilde	humble	* la ruta	route
* jamás	never, ever	* la sangre	blood
* el medio	means	* sufrir	to suffer
* ojalá (que)	if only, oh that, would that	* tirar de	to pull (*new meaning*)
* ¡ojalá!	I hope so!	* el transporte	transportation
* el par	pair, couple (*of things*) [2]	* el tranvía	street car

NEW WORDS RELATED TO OTHERS YOU KNOW

* el asiento (sentarse)	seat	* descansar (cansado)	to rest
* asombrar (asombrado)	to astonish	* la docena (doce)	dozen
* la carreta (carro)	oxcart	* la falta (faltar)	lack

EXPRESIONES

* al principio, at first, at the beginning * tener lugar, to take place
* por primera vez, for the first time

[1] *Caber* is irregular in much the same way as *saber.* PRESENT: *quepo, cabes, cabe,*
etc.; PRETERITE: *cupe, cupiste, cupo,* etc.; FUTURE and CONDITIONAL, *cabr–.* There is
often necessary in translating: *No cabe(n) más, there isn't room for any more.*

[2] A couple, meaning people, is *una pareja.*

FOR ADDITIONAL, OPTIONAL MATERIALS TURN TO **A ESCOGER,** PAGE 465.

South America Today

Indian dancers, Bolivia

South America, the large tri-angular-shaped land stretching from Panama to Cape Horn, is the home of ten American nations. All of them except Brazil were discovered, conquered, and colonized by Spain, and like Mexico, Central America, and the Caribbean islands, today they still speak the language of their conquerors and follow many Spanish customs. Brazil, an enormous land which covers nearly half the continent, is the one Portuguese-speaking member of the American family. The Guianas, which occupy the coastal strip between Venezuela and Brazil,

Previous page:
Calle Florida,
Buenos Aires

Great hacienda near Quito, Ecuador, has its own private church, relic of colonial days when Spanish landowners supplied all the needs of their Indian laborers.

236

Mayors of nearby villages in their bright-colored best come to Ollantaytambo, Peru, to celebrate a fiesta.

are colonies of France, the Netherlands, and Great Britain and are not included among the American republics.

Let us now take a quick look around the nine Spanish-speaking countries for scenes or incidents which will help us recall each one as a definite place distinct from any other.

Venezuela and Colombia, which face the Caribbean, were once part of the same country, and the two nations today have many similarities in landscape, climate, crops, and people. But there are many differences too, and nowhere are these more noticeable than in the capital cities.

237

Selecting the Grand Champion, Argentina

Sud América

BARRANQUILLA

CARACAS

Venezuela

Las Guianas

LLANOS

Río Orinoco

BOGOTÁ

Colombia

Río Amazonas

EL ECUADOR

Ecuador

QUITO

Chimborazo

GUAYAQUIL

Perú

B r a s i l

LOS ANDES

JUNÍN

LIMA

AYACUCHO

CUZCO

AREQUIPA

Lago de Titicaca

LA PAZ

Bolivia

SUCRE

Paraguay

RÍO DE JANEIRO

ASUNCIÓN

SÃO PAULO

TRÓPICO DE CAPRICORNIO

Río Paraguay

Río Paraná

OCÉANO PACÍFICO

CORRIENTE DE HUMBOLDT

Aconcagua

CÓRDOBA

VALPARAÍSO

MENDOZA

Uruguay

SANTIAGO

Argentina

MONTEVIDEO

Río de la Plata

BUENOS AIRES

Chile

PAMPA

OCÉANO ATLÁNTICO

3850 MILLAS

ESTRECHO DE MAGALLANES

OCÉANO ATLÁNTICO

238

Caracas, the capital of Venezuela, with its eight-lane traffic, its underground expressways and enormous garages, its modern shops, luxurious hotels, and elegant residences, has all the feverish activity of our own busy cities. For Caracas is the prosperous capital of a country rich in oil, the "black gold" of Venezuela.

Beyond the capital are the oil camps. These neat little communities with rows of houses all built alike, with their green lawns, offices, shops, stores, hospital, and school look as if they had been set up as children arrange a toy village. Out beyond the camps, the oil derricks dot the fields like tall skeletons, and at night the flames from the burning gas flares bite deep into the darkness, their rising smoke taking on weird shapes in the air.

Venezuela has many small villages, and it got its name from those which the Samaná Indians built over the waters of Lake Maracaibo. The houses on stilts reminded the Spaniards of Venice, and so they called the country Venezuela, or "Little Venice." The Samaná villages are still there, unaffected by the rapid changes which have taken place in the rest of the country.

239 **Christopher Columbus** is likely to be a bronze statue in any Spanish American country's plaza. Here he looks down on Caracas, Venezuela, from El Calvario Park.

Earl Leaf

Many other countries of the continent rival Venezuela in potential wealth, or in climate and natural beauty, but Venezuela has the honor of being the birthplace of Simón Bolívar, beloved throughout the Americas as the Great Liberator.

Bogotá, the capital of Colombia, is located in the highlands more than a mile and a half above sea level, where the mornings are crisp and the nights are a penetrating cold. Here life moves more slowly than in the cities of the coast, and in contrast with busy Caracas, the city has the leisurely manner of a dignified gentleman. Men in somber-colored clothes saunter through the streets reading their newspapers as they walk, and students study their lessons as they wander through shady lanes or quiet parks near the beautiful University City. For centuries Bogotá has proudly borne the title of "The Athens of America."

Colombians are fond of poetry, and a surprising number of them try their hand at writing it. The story is told of a Colombian who was returning to his country and had misplaced his passport. As he frantically emptied his pockets to find it, a poem slipped out and fell on the immigration officer's desk. "That's fine," said the officer, "you won't need the passport. This proves you are a Colombian."

Besides Bogotá, Colombia has other cities of interest and beauty. Cali is a city of sunshine and life. Popayán dreams of its past as a great city. Medellín, one of the world's important orchid centers, is a bright memory for visitors. And beyond the cities there is the Colombia of beautiful valleys, jungles, rugged mountains, and flat, empty plains.

Ecuador, Bolivia, and Peru are three Andean countries carved from lands which were once part of the great empire of the Inca. In the cold highlands people worshiped the sun because it gave warmth and life. Gold they prized, not as wealth but because it was the color of the sun. A large part of the population of each of these countries is pure Indian or *mestizo*, and today their way of life is little changed from that of their ancestors centuries ago. Their clothes are of the same color and cut, and they serve the same food on clay dishes of the same shape and design. They grow the same crops, weave the same kind of cloth and baskets, and even carry their products to market on the same day of the week. In their colorful costumes they still gather to celebrate festivals their ancestors enjoyed, and with the same ancient rites they solemnly bury their dead.

Yet slowly, very slowly, a few changes are being made. Today the Indians of Otavalo in Ecuador are trying out new looms to weave the cloth for which they are finding markets in other countries. Here and there Indians on the cold, windswept plateaus near Lake Titicaca are learning new methods of tilling the soil and are growing new crops. Each year a few more children are going to school, and each year a few more mothers are learning better ways of caring for their homes and their families. But customs of centuries are not changed quickly by people who live their lives shut off from the rest of the world and who seldom go beyond their own isolated villages.

Ecuador is named for the equator, which crosses the country. A few miles outside Quito you can see the stone marking this imaginary line that reverses the seasons in North and South America. But it is Quito, the capital, rather than the equator, that remains longest as a memory of Ecuador. Built in a tiny, high valley, the city is so closely surrounded by lofty, snow-capped mountains that houses at the city's edge seem to climb up the steep slopes. More colonial than modern, Ecuador's capital is a city of much charm at any time, but the most unforgettable Quito is to be seen at twilight. Darkness comes quickly so close to the equator, and soon the center of the city is a blaze of lights, but in the houses on the mountainsides, the lights twinkle on one by one, some here, some there, like fireflies fluttering toward the mountaintop.

Peru too has a haunting kind of charm, with countless scenes that are hard to forget. There is the attraction of modern Lima, City of Kings, and capital of the country where the grace and atmosphere of earlier

241   **Interesting landmarks** of Bogotá, Colombia, can be seen from the Church of Monserrate, built by Spanish monks 300 years ago high atop a hill above the city.

Henriques — Pix

centuries linger on. Then there is the breathtaking ride over Peru's stupendous mountain wall, as well as the beauty of sunlight on delicate aspen trees, and the deep gold of flowering broom—the *ratamé*, as the Indians call it. And then again there is the high plateau with Cuzco in the distance, a city straight from the pages of a history book. Cuzco was the ancient capital of the Inca Empire, a city so sacred to the people that those going toward the city stepped aside to let those pass who had already visited there. Although today Christian churches have been built on old temples, and new buildings are replacing those of centuries ago, Cuzco still has the illusion of a city of the past more than of the present.

Yet in all Peru, the scene that etches itself deepest in one's memory is Machu Picchu, the Inca city the Spaniards never found. Built far up on

Quito, Ecuador, located almost on the equator at over 9000 feet altitude, has kept much of its original Spanish atmosphere in typical plazas and churches.

242

Rapho-Guillumette

Movie fan of Ecuador gets to the village only once or twice a year, but never misses seeing cowboys and Indians fight it out in the current western picture.

a mountain peak beyond Cuzco, it is the place to which the Inca priests and Virgins were said to have fled to escape the conquerors. The ruins of the city are there today—the Sacred Plaza, the Temple of the Three Windows, the Staircase of the Fountains, and way at the top the sundial, or "place that catches the sun," as the Indians call it. Flowers bloom everywhere. On terraced slopes, inside walls, and on sagging roofs yellow lilies, broad-leaved begonias, and tall spikes of bright gladiolas grow as though cared for by those who lived there long ago. To look from the sundial across the deep chasm almost surrounding the mountain to the rows of snow-crested peaks upon peaks brings the eerie feeling of being at the top of the world. Only Peru has a Machu Picchu.

Bolivia lies high in the Andes, hemmed in by its neighbors with no outlet to the sea. Although it is one of South America's least modern countries, it boasts many world's records. La Paz, perched on a mountain-top 12,000 feet above sea level, is the world's highest capital, and beyond the city is the world's highest ski jump. Lake Titicaca, which Bolivia shares with Peru, is not only South America's largest lake, but the highest steam-navigated lake in the world. Cross it by moonlight, or stand on its shores to watch the brilliant sunrise, and the scene is forever locked in your memory.

Temple of the Sun in Cuzco, Peru, once decorated with Inca gold, was the religious center of the Inca Empire before the Spanish conquest, and is today occupied by Dominican monks.

Tin and silver are the wealth of Bolivia, and most of its people work in the mines. Life is hard for the natives who live in its cold and barren highlands. But as if to make up for their drab existence, the Indians wear the most colorful clothes to be found anywhere on the continent. Women bounce along the roads in layers of half a dozen or more full skirts of bright hues of blue, green, pink, and purple. But the really brilliant costumes are worn at festivals—richly decorated garments, head-dresses of many-colored plumes, and a wealth of gold and silver jewelry, which is the work of highly skilled craftsmen.

Chile, Argentina, and Uruguay are more like the United States than the other countries of South America. Go from the Indian villages of Bolivia and Peru to the capital of any of these countries and you will see a surprising number of people who resemble someone you know at home. Look at the telephone book and you notice names that show the presence of people from many different countries of Europe—Italians in Argentina and Uruguay, and Germans in southern Chile, as well as English, Scotch, Scandinavian, and Irish.

Chile, "where the land ends," as the Indians called it, stretches below Peru like a long piece of taut elastic growing narrower as it lengthens, and disappears at last in the icy waters off Cape Horn. Chile is many lands in one. Its central valley is often compared with California in climate and crops, and particularly in the fine fruits grown there. Northern Chile for hundreds of miles is an arid land with only here and there a scrubby, stunted tree or a tiny patch of coarse grass which has gained a roothold in crevices of rock. The somber grays and rusts and browns of the land are unrelieved by brighter color, for it rains only a few times each century. Yet from this desert come the nitrates which make fields fertile and green in other parts of the world. Southern Chile, by

"Little Leagues" flourish in Chile, as in all Spanish countries, where baseball is as popular as bullfighting or has replaced it entirely.

contrast, is a land of plentiful rainfall. The dense vegetation is mirrored in lovely lakes which give this part of Chile the name of "the Switzerland of America."

Argentina lies on the other side of the gigantic mountain wall which separates that country from Chile. "Silver land," the early discoverers called it. If you enter the country by way of Buenos Aires, the capital, you will make the acquaintance of South America's largest city and one not unlike other large cities of the world. If you are in the capital at the time of the annual stock fair, you will witness the meeting of two Argentinas —the rural and the urban. Once a year the cream of the capital's fashionable society turns out in furs and diamonds to see the well-kept, pampered cattle from which the Grand Champion will be picked. There is a stir of excitement in the stadium when colorful guards dressed in bright red and blue uniforms escort the President of the Republic to his box. Soon the long parade of fine animals begins. These are the product of the pampa, those vast, endless plains that stretch for hundreds of miles beyond the city. So far as the eye can see there are no hills and no valleys. The monotony of the level land is broken only in places by the squat, broad ombú tree.

Smart modern architecture, as seen in the new hospital of Montevideo, Uruguay, is rapidly changing the once colonial Spanish appearance of the progressive capital.

246

Earl Leaf—Kellick

Guaraní Indians of Paraguay, whose language is on a par with Spanish in the remote capital of Asunción, are famous for their delicate *ñandutí* or "spiderweb" lace.

This is the Argentina known as "the world's breadbasket," the land of golden grain fields, hardy green alfalfa, and countless herds of cattle —the land where the famous gaucho once rode the range. Though the gaucho has gone the way of our own cowboys, Argentineans of the pampa say that his spirit still remains.

Uruguay, the smallest country in South America, is also one of the most progressive. Its people are almost entirely of Spanish and Italian descent, and it has few of the startling contrasts found within the borders of many of the other South American nations. Uruguay has good schools, some of the best in the Western Hemisphere. The capital, Montevideo, is a beautiful modern city with a fine climate and an excellent location on the broad Río de la Plata.

Beyond the cities are the rolling countryside and fertile lands which are the real wealth of the country. Although there is beauty in this little land at any time of the year, you will be especially fortunate to visit it in the springtime. Then the *flor morada* lays a purple rug over the land, and once you have seen it, the name "Purple Land" will always bring back to you an unforgettable picture of this peaceful, orderly country.

Paraguay is included with the Spanish-speaking countries of South America, but many of its people also speak Guaraní, the Indian tongue.

In Asunción, the capital, both Spanish and Guaraní are heard, but beyond the city Guaraní is the chosen language. The people are mostly a mixture of Indian and Spanish, and are hard-working, intelligent, and easy to know. Like Bolivia, Paraguay is a landlocked country, but the Paraguay River gives it access to the ocean. For years Paraguay was shut away from its neighbors, torn by wars, and able to make little progress. It is still the most sparsely settled country on the continent, but it has rich possibilities in its fertile soil, magnificent forests, and good grazing lands.

From this brief survey of the different Spanish-speaking countries, you have noted that the vast South American continent extends through many different latitudes and climates. Nor are the contrasts limited to geography. They are also found in the people and in their way of life. In each country the people are as proud of their nationality as we are of ours, and like to be thought of as *colombianos, chilenos, peruanos,* or whatever their nationality may be, rather than to be lumped together as "South Americans." Each country has its own particular character, too, and in each one you find the specific things which help single it out in your memory and which lead you to say, "*This* is Venezuela ... or Bolivia ... or Uruguay."

Perhaps some day you will visit the South American countries and see at first-hand their friendly people and their fascinating panorama of natural wonders and developing resources.

DELIA GOETZ

MORE ABOUT SOUTH AMERICA

Alegría, Fernando: *Lautaro.*   Appleton-Century-Crofts.
   The thrilling story of Lautaro, the young hero of the Araucanian Indians of Chile.
Collier, John, Jr., and Buitrón, Aníbal: *The Awakening Valley.*   University of Chicago Press.
   The Indians of Otavalo, Ecuador, are presented here with superb photographs and poetic prose.
Goetz, Delia: *Other Young Americans.*   Morrow.
   A close-up of young people of Latin America at home, at school, at work, at play, and on dates.
Sanderson, I. T.: *John and Juan in the Jungle.*   Dodd, Mead.
   Lively story of the jungle animals of Central and South America beautifully illustrated with Covarrubias paintings in full color.
Shippen, Katherine B.: *New Found World.*   Viking.
   Dramatically told narrative history of the Americas.

Capítulo 17

El tiempo sigue su marcha

The early Spaniards founded most of their New World capitals in the rugged mountains to avoid the tropical heat and diseases of the coasts, and transportation has been a problem ever since. Some capitals still have no railroads coming up from their seaports, and nearly all of them were originally built with materials carried painfully over hair-raising mountain trails on donkey-back or in creaking oxcarts. Only the airplane could solve the problem of a relentless geography that had kept cities separated from each other culturally and economically for hundreds of years.

Colombia, about as perpendicular as a country can be, pioneered plane routes in self defense, and now nearly every little town has its airport, whether it be straddling a coastal sandspit, leaning against a mountain side, or hacked out of a matted jungle.

Here are some stories of flying in Latin America from the early days of the airplane till now.

«De burro a avión» es el nombre pintado en el paragolpes de un camión que se ve de vez en cuando en las calles de Bogotá, capital de Colombia.

Viéndolo, uno recuerda los problemas del transporte en los países sudamericanos, donde las cordilleras llegan a alturas increíbles,[1] y 5

---

[1] *alturas (from alto) increíbles (from creer).* Guess! One who has never flown over the towering ranges of the Andes has difficulty picturing that breath-taking pile of unfinished geography which rises twenty thousand feet and more into the sky. To reach Bogotá from the Caribbean coast requires a five-day trip by river boat and zig-zagging railroad, but by plane it is a matter of only about two hours. You can see why even heavy freight is often shipped by plane when time is important.

los ríos hondos y anchos, las selvas impenetrables,[1] los desiertos
secos, y la pampa sin fin (*endless*) hacen difícil o casi imposible el
construir ferrocarriles y carreteras.   Con la excepción de la Carretera Pan Americana, hay una falta de caminos buenos, y el trans-
10 porte más popular y más fácil es el avión, sobre todo en Colombia.

Aprovechando pronto la invención del avión, Colombia fué el
primer país hispanoamericano que inició (*started*) sus propias rutas
de aviación, y hoy sus aviones de pasajeros y de carga cruzan montañas y selvas para llegar a cualquier parte.   Debido al avión, se
15 pueden explotar (*work*) minas lejanas, usando maquinaria pesada
que los burros y las llamas nunca podrían llevar por las sendas
estrechas.   En el próximo viaje el avión se lleva de las minas oro,
plata, platino (*platinum*), y esmeraldas.

En los aeropuertos muchas veces se ven al lado de los aviones los
20 humildes burros, las llamas, o las carretas que traen la carga.   Y en
Tegucigalpa, Honduras, debido a la falta de tierra llana, ¡entre
vuelos (*flights*) los jóvenes usan el aeropuerto como campo de fútbol!

Lo que se lleva por avión rumbo al sur consiste en productos
norteamericanos como vitaminas, penicilina, pieles preciosas y
25 vestidos para las damas elegantes, pollitos acabaditos de salir del

---

[1] A jungle airport, seen from above, looks like a great empty box carved out of solid
greenery, for the tangled mass of trees and vines sometimes grows to the height of a
twenty-story building.

Mountainous   Colombia
pioneered airlines because
it had to, and now oper-
ates more local flights for
freight   and   passengers
than its neighbors.

"Morning Star Clipper" appropriately serves Aurora (Dawn) Airport at Guatemala City, where Boy Scouts hand out welcoming leaflets.

cascarón,[1] insecticidas, abejas (*bees*), huevos de pez y pececitos,[2] maquinaria yanqui, ganado (*livestock*) de toda clase, y periódicos diarios en inglés. Hasta los jóvenes de Venezuela deben mucho al avión aunque quizás nunca hayan volado, puesto que hace poco una carga de como 20.000 cuerdas (*strings*) de guitarra llegó a Caracas 30 de Miami para que los enamorados pudieran tocar su guitarra y cantar bajo el balcón de su preferida.

Rumbo al norte, el avión lleva una carga distinta. Frutas tropicales — papayas, mangos,[3] y cocos verdes — así como flores raras, como orquídeas y gardenias, llegan a los Estados Unidos frescas 35 como cuando salieron. Animales silvestres (*wild*) de la selva viajan vivos a los jardines zoológicos, y mariscos (*shellfish*) vivos llegan a los mejores restaurantes de Nueva York.

[1] *acabaditos de salir del cascarón, just hatched.*

[2] *Fish* as food is ***pescado*** (literally *fished* out of the water), but the live fish is ***pez.*** Can you explain ***pececito?***

[3] A papaya is a kind of yellow melon that grows on trees, and a mango is a sweet rusty-yellow fruit with a big flat seed and a flavor all its own.

Strange cargo carried by plane this time includes a shipment of penguins traveling, by way of Lima, Peru, from Antarctica to Hamburg, Germany, for the zoos of Europe.

Earl Leaf

En México cierta compañía de aviación ofrece al público un
40 servicio de Comisiones y Encargos [1] que compra en la capital y envía al cliente por avión cualquier cosita que no se pueda encontrar en su pueblo. En efecto, el avión hace un papel más importante en la vida diaria de los hispanoamericanos que en la nuestra, puesto que nosotros tenemos más servicio de autobuses, camiones y ferro-
45 carriles que es posible tener en tierras tan montañosas.

Hay unos cuentos divertidos acerca de los días tempranos de la aviación en la América del Sur. Por ejemplo, una vez una caja que contenía como una docena de víboras de cascabel (*rattlesnakes*) vivas que se llevaba en la cabina de un avión de pasajeros se rompió y se
50 abrió al aterrizar. Debido a este accidente, desde entonces se ha prohibido transportar cualquier animal en la cabina. Así fué que un naturalista que quería llevar consigo en el avión su boa [2] mansa (*tame*) de cinco pies no pudo conseguir permiso. Pero dió de comer a la boa, se la puso como cinturón (*belt*) debajo del abrigo, y subió al

---

[1] *Comisiones y Encargos* (*commissions and orders*), *Shopping Service.* Notice the handbill on page 469 describing the service. This Shopping Service delivers a daily loaf of special bread to a man who lives 620 miles from Mexico City!

[2] Boa constrictors are non-poisonous, make good pets, don't mind being handled, and always sleep soundly for a day or so after a meal. A five-foot one is pretty small. This is a true story, and the airline that carried the boa still doesn't know it!

avión sin decir nada.   La boa durmió sin moverse durante todo el 55
viaje, llegando a los Estados Unidos sin que el piloto supiera nada
de su pasajero extra.

Pero el cuento más divertido de los primeros días de la aviación
sudamericana es éste.   Un hidroavión [1] tuvo que amarar (*land*) por
primera vez en un río hondo y ancho cerca de una aldea de la selva 60
para hacer reparaciones (*repairs*).   Amarraron (*tied*) el avión en la
orilla del río y el piloto yanqui decidió pasar la noche dentro de él
mientras la tripulación (*crew*) fué a la aldea.   Se durmió el piloto,
pero a medianoche de pronto le despertaron gritos y el ruido de
tambores (*drums*).   Miró por las ventanillas y vió que en la orilla 65
cerca del avión había como veinte indios de la selva, dando golpes a la
tierra con sus armas primitivas y saltando locamente.

¡Qué hacer!   El pobre piloto decidió quedarse dentro, esperando
que los indios no supieran que estaba allí.   Toda la noche siguieron

[1] Early planes used on the East Coast of South America were seaplanes which could
land in sheltered bays, inlets, and jungle rivers because airports were still to be built.

This story of the Indians is used by permission of Pan American World Airways, from
the booklet *The Flying Clippers in the Southern Americas*.

Earl Leaf

Pilot   and   stewardess
check flight plans at beautiful Lima airport. Airline
personnel are trained to
handle planes efficiently
and to do everything pos-
sible for passenger com-
fort.

70 gritando y saltando los indios. Al amanecer regresaron los otros yanquis, acompañados de un habitante español de la aldea, y al verlos los indios dejaron de saltar y se sentaron en la orilla.

— ¡Válgame Dios! — exclamó el piloto, saliendo. — Creía que ustedes nunca regresarían. — Y les contó lo que había pasado du-
75 rante su noche de terror.

El habitante español empezó a platicar con los indios en su propia lengua. Al fin dijo, — No tengan ustedes cuidado, señores. Estos indios dicen que piensan iniciar una guerra contra sus enemigos, y viendo un avión por primera vez, decidieron que quisieran tener
80 uno de estos «pájaros grandes color de plata» para cruzar la selva. Así es que han pasado la noche con su magia (*magic*) negra, tratando de hacer este «pájaro» poner un huevo, pensando llévarselo para incubarlo (*hatch it*) para tener un avión suyo.

De veras, el medio de transporte ha cambiado desde los días del
85 burro paciente. ¡El tiempo sigue su marcha!

PREGUNTAS

I. ¿Entendió usted el cuento?

1. ¿Por qué ha sido difícil construir caminos y ferrocarriles por la América del Sur?
2. ¿Qué país tuvo las primeras rutas de aviación?
3. ¿Qué deben las minas lejanas al avión?
4. ¿Qué se lleva por avión rumbo al sur?
5. ¿En qué consiste la carga rumbo al norte?
6. Describa usted el servicio de compras para los clientes de México.
7. En efecto, ¿por qué hace el avión un papel tan importante en los países hispanoamericanos?
8. ¿Por qué dió de comer a su boa el naturalista?
9. ¿Por qué amaró (*landed*) el hidroavión en el río hondo y ancho de la selva lejana?
10. ¿Por qué saltaron locamente los indios hasta el amanecer?
11. ¿Qué querían los indios que hiciera el «pájaro»?
12. ¿Cómo querían cruzar la selva la próxima vez?

II. ¿Qué dice usted?

1. ¿Cómo se puede cruzar un río hondo y ancho sin puente (*bridge*)?
2. ¿Prefiere usted comer los peces de los ríos o los peces del mar?
3. ¿Quisiera usted vivir en una aldea lejana o aquí mismo?
4. ¿Se usa la maquinaria pesada para construir edificios?
5. ¿Sirve la maquinaria pesada para construir carreteras?

6. ¿Cuál es mejor para los camiones pesados, una senda estrecha o un camino ancho?

7. ¿Cual es el mejor medio de llegar dentro de poco a un lugar lejano?

8. ¿Debe ser llano o montañoso un buen aeropuerto?

9. ¿Aterrizan los aviones pesados en aeropuertos llanos y anchos o en sendas estrechas?

10. ¿En qué puede consistir la carga de un avión de carga?

11. ¿Dónde ha tenido lugar una guerra contra un enemigo?

12. ¿Debemos algo a los meseros cuando nos dan de comer?

13. En español se dice «No mate la gallina que pone los huevos de oro». ¿Qué quiere decir esto?

14. ¿Damos de comer a las gallinas o a los perros para que pongan huevos?

REPASO DE VERBOS

EJERCICIO 1. In section 90, page 517, you will find a list of verbs which take certain prepositions, either with an object or a following infinitive. *Looking up only those you need to, complete each of these sentences with the proper preposition, if any, and translate.*

1. La salud depende ____ la condición de la sangre. 2. Dejaron ____ empujar hace poco. 3. Fíjense ustedes ____ la firma. 4. Me alegro ____ que no haya sufrido demasiado tiempo. 5. Acaba ____ castigar a mi primo. 6. No hay que extrañar ____ que empezara ____ rezar. 7. Al amanecer se dirigirá ____ dondequiera que pueda. 8. Propuso ____ asombrar al indio humilde con un par de aviones. 9. El automovilista no se atrevió ____ empujar la carreta en vez de tirar ____ ella. 10. Este asiento se puede convertir ____ una cama estrecha. 11. El chófer trató ____ quitar la rueda pesada. 12. Ningún prisionero quisiera ____ sufrir en la cárcel hasta el año próximo. 13. ¡Ojalá que Elena se casara ____ mi primo! 14. Cualquier avión que se acerque ____ el aeropuerto quizás quiera aterrizar. 15. La carga rumbo al sur consiste ____ maquinaria pesada. 16. Si no damos ____ comer a las gallinas, no ponen huevos. 17. Quien no ayuda, no debe quejarse ____ todo.

EJERCICIO 2. *Using these expressions, make a list of sentences headed:* **Lo que yo quisiera que hiciera usted.** In what tense will each subordinate verb have to be?

1. escribir su firma	6. dar de comer a las gallinas
2. no asombrarme	7. no ir a la guerra
3. ir a la cárcel	8. saltar en el río
4. no castigar a su primo	9. no cruzar la calle sin mirar
5. no empujarme	10. recordar que «No hay enemigo chico».

Small local airlines furnish mixed freight and passenger service with no frills, at a rate anyone can afford.

34. How to Use *Por* and *Para*

By this time you have used *por* and *para* enough to realize that you are not always sure which is right. Until you can use them "by ear," these rules will help you choose.

HELPFUL HINT: The more times you say these expressions aloud, the less trouble you will have with *por* and *para* hereafter!

1. "For" is expressed by either por or para.

    a. *For* is expressed by *por* when it means:

> for a certain length of time: por tres años, *for three years* [1]
> in exchange for: dar uno por otro, *to give one for another*
> for the sake of: lo hizo por su país, *he did it for (the sake of) his country*
> after: voy por agua, *I am going for water*
> to take someone for: le tomé por profesor, *I took him for a teacher*

[1] But if the condition or action is still going on, use *hace tres años que.* (page 279, § 39)

b. *For* is expressed by *para* when it shows:

destination *or* **destined for:** salió para Chile, *he left for Chile*

es para ella, *it is for her*

purpose: una cuchara para sopa, *a soup spoon*

a "date": una cita para las tres, *an appointment (date) for three o'clock*

2. "By" is expressed by either **por** or **para.**

a. *By* is expressed by *por* when it shows:

manner: viaja por ferrocarril, *he travels by rail*

a person by whom something is done: fué vendido por Juan, *it wa^{s} sold by John*

b. *By* is expressed by *para* when it means:

with a time limit: prepárelo para el lunes, *prepare it by Monday*

para las dos, *by two o'clock*

3. Other meanings of **por**

in *or* **at:** por la mañana, *in the morning*

por la noche, *at night*

through: miró por la puerta, *he looked through the door*

times: tres por cuatro son doce, *three times four are twelve*

per: seis por ciento, *six per cent*

un dólar por hora, *one dollar per hour*

on account of, *or* **because (+ *inf*.):** por estar cansado, no salí, *I did not go out because I was tired (on account of being tired)*

along: andaba por la calle, *he was walking along the street*

4. Other meanings of **para**

in order to: estudia para aprender, *he studies in order to learn*

to: cuentos para contar, *stories to tell*

till: diez para las nueve, *ten till nine* (colloquial use)

about to (*with* estar): estoy para salir, *I am about to leave*

EJERCICIO 3. *Translate and explain why **por** or **para** is used in each of these examples. Then read each aloud several times so that your ear will become accustomed to the sound.*

1. Comemos para estar bien de salud. 2. Le doy éste por ése. 3. «Clavelitos para ti» (*Song title*) 4. una caja para sombreros 5. Un cinco por lo que piensas. 6. por falta de hielo 7. No ofrezco más de tres pesos por docena. 8. Industria esencial para la guerra. 9. Lo haré para las nueve. 10. Películas para niños. 11. Estoy loco por ti. 12. No lo deje usted para mañana. 13. Gracias por las flores. 14. ¡Vote usted por Fulano!

(*Continued on page 258*)

15. Cupón para subscripción. 16. Garantizado por un año. 17. Rece usted por él. 18. Cambio piano por automóvil. 19. cinco para las diez 20. Por la boca muere el pez. (*Proverb*) 21. Lo mandaron por avión de carga. 22. Servicio de Ford recomendado por la Compañía. 23. Programa prohibido para menores de doce años. 24. No se puede conseguir algo por nada. 25. Fotografías para el Día de la Madre. 26. Oportunidad para mejorar su posición. 27. ¡Contribuya usted sangre para la guerra! 28. El piloto consiguió permiso para aterrizar.

EJERCICIO 4.   Here are some useful types of sentences and phrases using **por** and **para**. *If you can't choose the proper word by the way it sounds to you, check the rules.*

1. Miró ____ las ventanas estrechas. 2. En efecto, siempre viaja ____ avión. 3. Llegamos al campo ____ turistas al amanecer. 4. Caminan ____ las sendas anchas. 5. Traen pieles ____ las damas elegantes. 6. Las empujaron ____ las calles llanas. 7. El coche fué tirado ____ media docena de caballos. 8. Salió ____ la frontera a setenta y nueve millas ____ hora. 9. Querían un avión ____ cruzar la selva. 10. Hay que llegar ____ las nueve. 11. Hay aldeas ____ la entera ruta. 12. ____ la noche, la viuda fué llevada ____ dos hombres. 13. Le falta dinero ____ pagar lo que debe. 14. Se quedó en la cárcel ____ dos años. 15. El chófer fué llamado ____ una dama. 16. Pasó ____ la calle estrecha. 17. Dos ____ dos son cuatro. 18. Cabían asientos ____ ocho personas. 19. El enemigo estaba listo ____ saltar. 20. ____ mañana, estudien ustedes la Guerra de las Rosas. 21. Voy ____ usted pasado mañana, si insiste. 22. Le damos más ____ su dinero. 23. El niño tiró la piedra ____ la ventana.

35. Se Used as Passive [1]

> ### Se ven burros al lado de los aviones.
> *Burros* <u>are seen</u> (see themselves) beside the planes.

> ### Se llevaba una caja en la cabina.
> *A box* <u>was carried</u> (carried itself) in the cabin.

> ### Se pueden explotar minas lejanas.
> *Distant mines* <u>can be worked</u> (can work themselves).

How do you say in Spanish *are seen, was carried, can be worked?* Actually, these verbs are grammatically reflexive, but this reflexive form is frequently preferred by Spanish-speaking people for expressing a passive idea.

---

[1] The subject of an "active" verb *acts:* The *boy* threw the stone. The subject of a "passive" verb *does nothing:* The *stone* was thrown by the boy. In other words, if you don't act, you're passive!

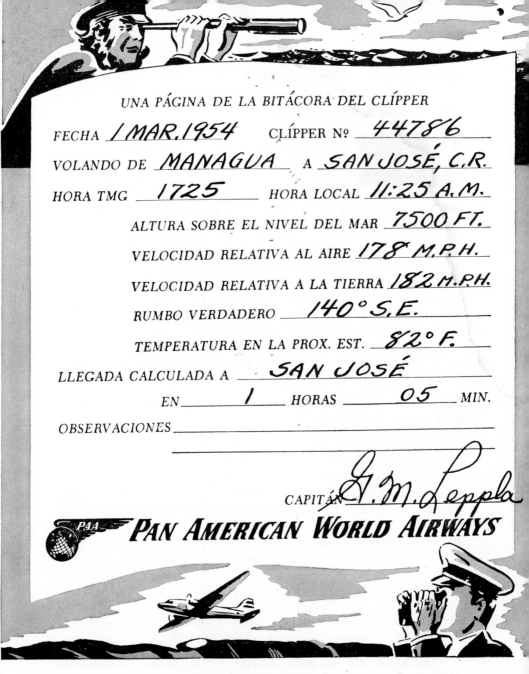

UNA PÁGINA DE LA BITÁCORA DEL CLÍPPER

FECHA *1 MAR. 1954*   CLÍPPER Nº *44786*

VOLANDO DE *MANAGUA* A *SAN JOSÉ, C.R.*

HORA TMG *1725*   HORA LOCAL *11:25 A.M.*

ALTURA SOBRE EL NIVEL DEL MAR *7500 FT.*

VELOCIDAD RELATIVA AL AIRE *178 M.P.H.*

VELOCIDAD RELATIVA A LA TIERRA *182 M.P.H.*

RUMBO VERDADERO *140° S.E.*

TEMPERATURA EN LA PROX. EST. *82° F.*

LLEGADA CALCULADA A *SAN JOSÉ*

EN *1* HORAS *05* MIN.

OBSERVACIONES

CAPITÁN *F. M. Leppla*

PAN AMERICAN WORLD AIRWAYS

"A Page from the Clipper's Log," sent back from the pilot now and then, gives interesting information to the passengers, including the "True Course," this time southeast.

259

This substitute for the passive is used especially in speaking of things, for then the meaning cannot be mistaken. For example, *se invitó* might be intended to mean *he was invited*, but could be understood as *he invited himself.*

Remember | Reflexive verb forms are often used in the third person to express a passive idea.

EJERCICIO 5. *Translate these sentences, first literally, as if reflexive; then naturally, as passive.* EXAMPLE: *Se dice,* it says itself, it is said.

1. Aquí se venden periódicos a los clientes. 2. Eso no se hace durante la paz. 3. Se hallan muchas esmeraldas en Colombia. 4. Se inventó la rueda por casualidad. 5. Se pintaron las palabras en el camión hace poco. 6. No era posible que se recogieran las nubes. 7. Se gastaron mil dólares durante la guerra. 8. Desde entonces jamás se oyen las campanillas. 9. El anuncio dice que se vende [1] casa de seis cuartos. 10. Se dió de comer a las gallinas hace poco. 11. Se debe mucho a los profesores. 12. En efecto, generalmente no se ve al enemigo durante una guerra moderna. 13. Se rompió el asiento. 14. Se vieron como diez peces vivos.

EJERCICIO 6. *Complete these sentences in Spanish, using the reflexive substitute for the passive.*

1. Esa maquinaria pesada *was sold* a nuestros clientes en Lima. 2. El aeropuerto lejano *was built* hace poco. 3. El río *was crossed* a medianoche. 4. La maquinaria *was sent* por avión de carga. 5. Peces distintos *are seen* en los ríos hondos de la selva. 6. La primera rueda jamás vista en América *was made* en México. 7. Al principio *were sent* de Europa muchos coches particulares. 8. Llamas vivas, así como burros humildes, *were seen* al lado de los aviones. 9. Quizás *may be found* esmeraldas en esas minas.

REPASITO

EJERCICIO 7. *Review the use of impersonal* **uno** *and* **se** *in section 22, page 152, and complete these sentences in Spanish.*

1. *One cannot* saltar una gran distancia. 2. *They say* que no hay enemigo chico. 3. *One is astonished* (*astonishes himself*) al principio. 4. Riendo, *one goes* [on] aprendiendo. 5. *One wonders* por qué no hay maquinaria para hacerlo. 6. *One doesn't see* bien a medianoche en la obscuridad de un bosque. 7. «*One suffers*, pero *one learns*.» [2] 8. Aquí *one eats* bien. 9. *One owes* mucho a su madre. 10. No cabe duda de que *one should* ir.

[1] *Se vende* has also come to mean *is for sale.*
[2] Sign on the bumper of a badly used truck!

EJERCICIO 8. *Answer these questions in the negative, using complete sentences in your replies. (See page 523, § 107.)*

1. ¿Tiene usted algo que decir? 2. ¿Dió usted un golpe a alguien? 3. ¿Jamás come usted carne cocida? 4. ¿Quiere usted buscarlo en alguna parte? 5. ¿Prefiere usted equivocarse o asustarse? (*Neither!*)

EJERCICIO 9. *Now answer these questions in the affirmative. (See page 523, § 107.)*

1. ¿No debe usted ningún dinero? 2. ¿No ha cruzado usted ningún desierto llano? 3. ¿No está asombrado nadie? 4. ¿No sabe usted lo difícil que es al principio? 5. ¿No tiene lugar ninguna fiesta?

PALABRAS PARA APRENDER

* el aeropuerto	airport		* estrecho, –a	narrow
* la aldea	village		* la guerra	war
* ancho, –a	wide		* hondo, –a	deep
* la carga	freight		* llano, –a	flat, level
* el cliente	customer		* la maquinaria	machinery
* como (*with a number*)	about (*new meaning*)		* pesado, –a	heavy [1]
* consistir (en)	to consist (of)		* el pez	fish
* deber	to owe (*new meaning*)		* por	for the sake of (*new meaning*)
* distinto, –a (de)	different (from)		* el río	river
* el enemigo	enemy		* saltar	to jump
			* la selva	jungle

NEW WORDS RELATED TO OTHERS YOU KNOW

* aterrizar (tierra)	to land		* lejano, –a (lejos de)	distant
* cruzar (cruz)	to cross		* vivo, –a (vivir)	alive, live

EXPRESIONES

* al amanecer, at dawn
* dar de comer (a), to feed
* en efecto, as a matter of fact, in fact
* hace poco, a little while ago

poner un huevo, to lay an egg
* rumbo al (sur), en route to (the south), (south)bound

PALABRAS PARA REPASAR

* a medianoche	at midnight		* ¡qué hacer!	what shall (should) I (he, etc.) do!
* próximo, –a	next			

[1] *Pesado* was originally a past participle, so it is used with *estar.*

FOR ADDITIONAL, OPTIONAL MATERIALS TURN TO **A ESCOGER,** PAGE 467.

Capítulo 18

Una aventura
en la buena vecindad[1]

Just suppose that you were invited to fly to South America — for free — to spend six weeks as a guest of several young folks your age in their typical South American homes!

That exciting adventure did happen to thirty-three young people not too long ago, but in reverse, for they were high school students of twenty other nations of the Western Hemisphere who had studied English and were invited to visit the United States.

The project was sponsored by the Metropolitan School Study Council of New York, the *New York Herald Tribune*, Pan American World Airways, and the Pan American-Grace Line. The lucky boys and girls were selected by their own Ministries of Education and the local United States Embassies.

The young visitors lived for one or two weeks at a time in communities around New York at the homes of students who were studying Spanish, sharing all the daily activities of their hosts. At the end of their six-weeks' study of our school and home life, the program was concluded with a Forum for High Schools at the Waldorf Astoria Hotel in New York, and a panel discussion by the visitors was broadcast and televised by four major national networks.

Miss Helen Hiett, *New York Herald Tribune* Forum Director, who had flown south to interview the boys and girls for the trip, had been worried. Had we turned out to be all that they had dreamed? What would they think of the American way of life, she wondered. This much-condensed excerpt from their panel discussion will tell you, and you will see that they were perfectly frank in expressing their opinions. On the whole, were their comments for or against us?

[1] *la buena vecindad*, from *vecino, good neighborliness.*

MISS HIETT: Primero, quisiéramos saber sus impresiones generales de los Estados Unidos. Luis, usted levantó la mano.

LUIS BELTRÁN (*Bolivia*): Hay cinco cosas. La sinceridad y el candor de la gente. Luego su honradez (*honesty*), su alegría, y su puntualidad. ¡Todo el mundo respeta el tiempo! Y cuando se 5 hacen preguntas, no hay que «escuchar de dos maneras», porque lo que dicen es sincero. ¡No saben ustedes mentir!

LUIS PÉREZ (*México*): Y aquí todo el mundo tiene ganas de aprender. Todos quieren saber todo lo que podamos decirles acerca de nuestros países.   10

ARMONÍA OSÉS (*Panamá*): ¡También hacen muchas preguntas tontas! ¡Parece que no saben nada acerca de nuestra historia y geografía!

RICHARD DE LIMA (*Estados Unidos*): Ustedes tienen razón. Siento decir que nuestras visitas saben mucho más acerca de nosotros que 15 nosotros de ellas.

Happy young Latin Americans arrived by plane for an exciting six-weeks' visit to this country, where they lived in typical American homes and studied our way of life.

New York Herald Tribune

MISS HIETT: Pues, si eso es cierto, ¿por qué será?

LUIS PÉREZ: Será porque ustedes no estudian nuestra historia y geografía después de la escuela primaria. Es que nosotros seguimos
20 estudiándolas durante todos los años del colegio por la cultura general, aunque no sean asignaturas necesarias para nuestra profesión.

JUAN RODRÍGUEZ NERY (*El Uruguay*): En sus colegios, ustedes pueden escoger entre varias asignaturas, pero así también pueden evitar las asignaturas difíciles y culturales que les hacen pensar.

25   LUIS SIRI (*La Argentina*): Pero su sistema de educación puede enseñarnos mucho. Entre nosotros, una escuela es sólo un edificio donde se aprende mucho, y salimos con bastantes conocimientos (*knowledge*). Pero es que nosotros no hemos aprendido nada de los problemas personales de la vida, y ustedes sí. Pero aquí, ¿por qué
30 no usan ustedes un poco del tiempo dedicado al deporte para estudiar algo acerca de nuestro hemisferio? ¿Y por qué no aprenden todos los alumnos a hablar español como nosotros el inglés? [1]

ARMONÍA OSÉS: ¡Al fin, no sirve platicar de mejores relaciones in-

---

[1] Of course, the discussion took place originally in the English that these bright young people had had to learn in the secondary school classes of their own countries.

New York Herald Tribune

Ecuador's friendly Susana Donoso had much to say about her impressions of this country during the panel discussion.

Argentina's Eduardo Braun Cantilo found the busy and modern United States more like his own country than did most of the other young visitors.

New York Herald Tribune

teramericanas si sus colegios no les enseñan nada acerca de nosotros!

SUSANA DONOSO (*El Ecuador*): Algo que nos gusta aquí es la 35 manera en que cada comunidad puede gobernar sus propias escuelas públicas, contribuyendo el dinero con el derecho (*right*) de escoger sus propios profesores en vez de conseguirlos del estado.

LUIS PÉREZ: Lo que me molesta en sus colegios es la falta de respeto hacia los profesores. En nuestras escuelas, los profesores 40 son respetados de todos y somos muy corteses para con (*toward*) ellos.

SUSANA DONOSO: ¡Oh, yo no estoy de acuerdo con eso! Me parece que no es falta de respeto, sino cosa de amistad (*friendship*). Es maravilloso que los alumnos y sus profesores aquí no sean tan formales. En el Ecuador, los profesores se interesan sólo en la en- 45 señanza (*teaching*). Aquí sus profesores se interesan en todos los problemas de la vida de sus alumnos.

LEONOR ESCUDERO (*La Argentina*): ¡Ojalá nosotros tuviéramos actividades extras [1] como ustedes! Esa vida social suya sí permite que alumnos y profesores se conozcan y que sean amigos. 50

[1] Our many extra-curricular social activities are not found in most Spanish American schools, where learning is a serious matter and not to be distracted by sports, clubs, assembly programs, and parties.

RICHARD DE LIMA: Me he fijado en que nuestras visitas son más serias en la escuela que nosotros y que hacen todo lo posible para aprender mucho. Al contrario, muchas veces nuestra única idea es salir con notas aprobadas (*passing*), haciendo lo menos po-
55 sible.

ARMONÍA OSÉS: Aquí también nos asombró saber que los jóvenes son más íntimos con sus padres que nosotros. Es que nosotros somos más formales en nuestras familias.

LUIS BELTRÁN: Es cierto. Un muchacho aquí puede discutir sus
60 problemas personales con su padre. No habíamos aprendido eso viendo las películas norteamericanas.[1]

LEONOR ESCUDERO: Nos ha interesado también la vida del hogar. La madre misma tiene que hacer el trabajo de la casa porque es difícil conseguir criadas. ¡Y el padre la ayuda, secando los platos!
65 ¡Nuestro padre nunca haría eso! Aquí la mujer es la persona más importante del hogar.

MISS HIETT: ¿Y le gusta eso, Leonor?

LEONOR ESCUDERO: ¡Ya lo creo!

LUIS PÉREZ: ¡Puesto que es usted mujer, Leonor! Pero a nosotros
70 los hombres no nos gusta.

SUSANA DONOSO: Es que aquí las mujeres tienen más libertad personal. Una chica bien educada (*brought-up*) hasta puede conseguir trabajo en una tienda o «fuente de sodas» después de las clases y todos creen que está bien. En mi país una muchacha bien
75 educada nunca podría hacer eso.

LEONOR ESCUDERO: Lo que dice Susana acerca del Ecuador no es cierto en la Argentina, porque ya tenemos clase media (*middle*) de mujeres que trabajan. Pero sí creo que estas chicas jóvenes tienen demasiada libertad. En la Argentina a una chica no se le permite
80 tener citas hasta que tenga diez y ocho años o más, y sólo cuando el joven es muy amigo[2] de la familia. ¡Pero una chica de catorce o quince años nunca debe tener citas!

LUIS PÉREZ: Eso depende del país. Nosotros tenemos la costumbre de la dueña (*chaperone*), y no nos molesta porque es costum-
85 bre.

•   •   •   •

[1] Movies are a large source of information everywhere about life in the United States, and since the films are created for our own entertainment, not instruction about us, they often give a faulty picture of our habits and ideals.
[2] *muy amigo de la familia*, *quite a (good) friend of the family.*

*(At this point the panel got into a discussion of what we
"Americans" should call ourselves, and Luis Pérez said that
ordinarily they called us "Yankees," and suggested that we
coin a new word as they had in «estadounidenses». Leonor
Escudero said that they themselves would rather be called
Argentineans or Chileans, etc., than "Latin Americans.")*

SUSANA DONOSO: Todos hemos llegado a ser tan buenos amigos
tan pronto que ahora me extraña que siempre hayamos creído que
éramos tan distintos el uno del otro.

ARMONÍA OSÉS: Las pequeñas diferencias, tales como la comida
distinta, y la costumbre de tomar leche en vez de vino,[1] y el clima, 90
no son importantes. Lo que más importa es tener los mismos ideales,
para poder trabajar juntos como países unidos. Debemos tener una
federación de estudiantes panamericanos, y cada uno de nosotros
debe hacer todo lo posible para que otro estudiante tenga esta misma
experiencia de conocer a sus vecinos para el beneficio (*good*) de todos. 95

RICHARD DE LIMA: Teniendo los mismos ideales, podremos unirnos
para llevar a cabo (*carry out*) cualquier fin por el bien (*welfare*) de
los países del Hemisferio Occidental (*Western*).[2]

ADAPTED FROM FORUM REPORT, COURTESY OF
New York Herald Tribune AND MISS HELEN HIETT

PREGUNTAS

I. ¿Entendió usted el cuento?

1. ¿Quiénes eran las visitas de los países lejanos?
2. ¿Cuánto tiempo pasaron visitando los colegios?
3. ¿Eran estudiantes serios o hacían lo menos posible para conseguir
   buenas notas?
4. Según Luis Beltrán, ¿quiénes no saben mentir?

[1] Table wines are served in Spanish American homes as casually as we serve water,
and the visitors were surprised to find that here they were supposed to drink milk!

[2] Then one of the girls spoke up bravely to praise the freedom of speech she had found
here, for her own country was ruled at the time by a dictator. Impulsively she said:
"You people just can't realize how much it means to some of us to come to a democratic
country and be able to say what we feel — feelings that have been kept back in our
hearts for a long time. You are so used to saying what you please that you don't know
what it's like when you can't! And it's really wonderful to be able to go to school
parties just to enjoy yourselves. In some of our countries, student meetings are only for
discussions and plans of how to fight to destroy dictatorship. Please do always remember that even if we speak different languages in North and South America, democracy
can be spoken in only one way, and the language of democracies is understood all over
the world."

5. ¿Cuáles sabían más acerca de los otros — las visitas o los yanquis?
6. ¿Qué asignaturas contribuyen mucho a la cultura general de un caballero, según las visitas?
7. ¿Quiénes, siendo muy serios, tienen más ganas de aprender todo lo posible?
8. ¿Quiénes respetan más a sus padres y a sus profesores?
9. ¿Qué otra cosa discutieron las visitas?
10. ¿Siempre estaban de acuerdo todos los estudiantes?
11. ¿Tendrían ganas los padres sudamericanos de secar los platos?
12. ¿Llegaron a ser amigos o enemigos todos los estudiantes?

II. ¿Qué dice usted?

1. ¿Qué le gusta discutir más: el clima, las notas, las citas, o los otros estudiantes?
2. ¿Se discute el clima en la asignatura de matemáticas o en la de geografía?
3. ¿Son serios los estudiantes de este colegio o tienen ganas de aprender lo menos posible?
4. ¿Hay estudiantes en esta clase cuyas notas siempre sean buenas?
5. ¿De qué dependen las buenas notas?
6. ¿Obtienen las mejores notas los estudiantes que hacen preguntas o los que insisten en que lo saben todo?
7. ¿Debe mentir un estudiante cuando no está de acuerdo con alguien en la clase?
8. ¿Cuáles son los únicos días en que un estudiante debe tener citas?
9. Para llegar a ser caballero, ¿es bastante aprender a respetar a las damas?
10. ¿Qué otra cosa se debe enseñar a los jóvenes que tienen ganas de hacerse caballeros?
11. ¿Tiene usted ganas de secar los platos esta noche, o preferiría usted lavarlos?
12. ¿Quién debe contribuir sangre al Banco de Sangre?

REPASO DE VERBOS

EJERCICIO 1.   *See how quickly you can give the infinitives of these verbs.*

1. doy	7. venderé	13. río	19. contribuyo
2. salga	8. quiso	14. devuelto	20. contuvo
3. hizo	9. sequé	15. conviniera	21. convendrá
4. vinieron	10. oyendo	16. miento	22. se despidió
5. vieron	11. dicho	17. descubierto	23. resuelto
6. vendré	12. iba	18. enseñaba	24. aterricé

EJERCICIO 2. *Give the meaning of each verb in Ejercicio 1.*

EJERCICIO 3. *Give in Spanish:*

1. I begin to eat.	5. I come to eat.	9. I have learned to eat.
2. I hope to eat.	6. I dare to eat.	10. I stop eating.
3. I am going to eat.	7. I prefer to eat.	11. I have just eaten.
4. I can't eat.	8. I want to eat.	12. I am eating again.

ALGO NUEVO

36. Names of Languages

Mientras estamos estudiando el español, hablamos español.
While we are studying Spanish, we speak Spanish.

Adjectives of nationality are used as nouns to indicate names of
languages. They require the definite article **el** except after **hablar,**
de, and **en.** All names of languages are masculine.

EJERCICIO 4. *Complete in Spanish.*

1. *Spanish* es más fácil que *English*. 2. Ya hemos aprendido *English*,
y ahora estamos estudiando *Spanish*. 3. Después de completar nuestro
estudio de *Spanish*, queremos aprender a hablar *French*. 4. En *French*
hay muchas letras que no se pronuncian, pero en *Spanish* se pronuncian
todas las letras menos la **h.** 5. *Spanish* es un poco más fácil que *French*.

37. Some Uses of the Definite Article

As you have learned, the definite article *the* is used in Spanish in
many cases where it is omitted in English.

1. With a modified expression of time:

    el año pasado, *last year* [1]

2. In telling time:

    Son las diez.   *It is ten o'clock.*

3. With a noun used in a general sense:

    Me gustan las manzanas.   *I like apples.*

4. With a title except in direct address:

    Es el señor Méndez.   *It is Mr. Méndez.*

[1] The last year of a series is **el último año.**

5. With articles of clothing and parts of the body:

Se puso el sombrero.   *He put on his hat.*

6. With names of languages except after **hablar, de,** and **en.** (All are masculine.)

Enseña el español.   *He teaches Spanish.*

7. Always with the names of certain countries:

Vive en el Perú.   *He lives in Peru.*[1]

EJERCICIO 5.   *Referring to the preceding examples, give the definite article where needed and tell why you used it.*

1. Aterrizamos a ____ cuatro. 2. Sí preferimos ____ oro a ____ plata. 3. — ¡Qué hacer! — exclamó ____ señorita Gómez. 4. ____ Panamá tiene un clima muy caliente. 5. ____ señor Méndez, ¿no quiere usted sentarse? 6. Es que iremos ____ semana próxima. 7. ¿Le gusta a usted discutir ____ notas? 8. ____ profesor Romero enseña esa asignatura. 9. Éste es el único libro de ____ español que tengo. 10. ____ vino es parte de la típica comida española. 11. Se puso ____ delantal (*apron, m.*) y secó los platos. 12. En ____ Ecuador los aviones vuelan sobre las selvas.

38. Some Omissions of the Indefinite Article

No tengo pluma.	*I haven't a (any) pen.*
sin reloj	*without a (any) watch.*
No hay chiste.	*There isn't a (any) joke.*

After a negative, the indefinite article **un** is often omitted in Spanish. Note that, in such cases, we often use *"any"* in English.

EJERCICIO 6.   *Translate the following sentences, telling where the English article has been omitted in Spanish.*

1. Un avión particular no lleva carga pesada a los clientes. 2. No hay río hondo cerca de esta aldea. 3. Es la única flor que crece sin agua. 4. No se puede llorar sin lágrimas. 5. No hay fiesta sin muerte. (*Proverb*) 6. ¿Por qué no puso huevo la gallina? 7. — Todavía no he conseguido nota. — Ni yo tampoco. 8. Estoy de acuerdo con usted: ¡no podemos aterrizar vivos sin aeropuerto!

---

[1] Those that always require the article are **el Perú, El Salvador, el Ecuador, la República Dominicana, la Argentina, el Paraguay, el Uruguay, el Brasil, el Canadá, las Guayanas** (*Guianas*), **los Estados Unidos.** (The last is often just *Estados Unidos* nowadays.)

REPASITO

EJERCICIO 7. Nouns that are used as adjectives in English have to be handled differently in Spanish. Sometimes they are preceded by *de,* sometimes by *para.* (You often need an extra article, too.) *Put these phrases into Spanish.* EXAMPLE: *the city streets,* **las calles de la ciudad;** *a wine bottle,* **una botella para vino.**

1. the village (*pl.*) war 2. a jungle highway 3. a freight plane 4. the silver fish 5. a butter dish 6. the mountain (*pl.*) airport 7. a gold wheel 8. a dessert plate 9. about a dozen accounts 10. my high school courses

EJERCICIO 8. Some Spanish adjectives are peculiar. *Complete these sentences in Spanish.*

1. Nos gustan *some* climas. 2. Los caballeros *French* respetan a las damas. 3. En *a certain* estado se prohiben visitas. 4. Al amanecer vimos *a hundred* aldeas, todas en paz. 5. No trate usted de enseñarme *half a* canción. 6. La *very* obscuridad los ayudó. 7. El clima *itself* es distinto. 8. ¡No hay que extrañar que *such a* carro no sirva! 9. ¡*The strange* [*thing*] es que de veras sucedió! 10. *Next time* no haremos lo menos posible. 11. *The only* [*thing*] que le debemos es el respeto.

PALABRAS PARA APRENDER

la asignatura	subject, course	* la nota	grade (*mark*)
* el caballero	gentleman	* respetar	to respect
* la cita	"date," appoint-	* el respeto	respect
	ment	* serio, –a	serious
* el clima	climate	* sí	certainly (*often*
* el colegio	high school		*used only for*
* contribuir	to contribute		*emphasis*)
(contribuyo)		* único, –a	only
* discutir	to discuss	* unir(se)	to unite
* enseñar (a)	to teach (to)	* el vino	wine
* mentir (ie, i)	to lie		

NEW WORDS RELATED TO OTHERS YOU KNOW

* el estudiante (estudiar) student * la visita (visitar) visitor (*f. form for both*
* secar (seco)   to dry   *men and women*)

EXPRESIONES

* es cierto, that's right, so; it is true * llegar a ser, to become
* es que, the fact is that   * tener ganas de, to feel like, be anx-
* estar de acuerdo con, to agree with   ious to
* hacer preguntas, to ask questions

FOR ADDITIONAL, OPTIONAL MATERIALS TURN TO **A ESCOGER**, PAGE 470.

Capítulo 19

Conociendo
al buen vecino

No matter what we may say in general about the people of any country, there are always exceptions and variations. And, when we try to interpret the people of all the Americas, we run into the obvious fact that in some ways a Mexican is as different from an Argentinean, for instance, as a *norteamericano* is from a Britisher.

Still, there do exist certain general Spanish American characteristics unlike ours which we should try to understand when we deal with our southern neighbors. So, hoping that any Spanish American who happens upon this chapter won't feel that we're stuffing him into too tight a pigeonhole, let's read about some of the ways, aside from those already mentioned, in which we "Yankees" will find our Spanish-speaking friends different from us.

Remember — they're just as surprised at many of our customs and ideas as we are at theirs!

1. *El hispanoamericano no se apresura.* «Salud, pesetas,[1] y amor, y tiempo para gozarlos» brinda (*"toasts"*) éste a sus compañeros. Bien sabe que no valen nada estas tres cosas importantes sin una cosa más — el tiempo.

5 — ¿Por qué no gozan los yanquis de la vida en vez de pasarla como esclavos (*slaves*) del reloj? — suele preguntar el hispanoamericano. En su tierra, una cita social para cierta hora no es cosa inalterable. Camino del centro, si se encuentra algo interesante que hacer, ¿por qué no hacerlo? A nadie le molesta esperar; en efecto,
10 nadie espera, porque tampoco suele llegar a la hora exacta.

[1] *pesetas,* coins worth a fifth of a Spanish *duro,* used here to mean wealth in general.

Sin embargo, hay dos ocasiones en que hasta el hispanoamericano obedece (*obeys*) el reloj: cuando asiste a la ópera o a un concierto, o cuando va a la Plaza de Toros (*Bull Ring*) para ver una corrida (*bullfight*). Son cosas muy importantes, éstas, sabe usted.

Menos importante es el horario (*timetable*). Cuando un pasajero 15 llega tarde a tomar el autobús o el tranvía, el amable conductor, viéndole venir, espera con paciencia. Además, pasando el autobús cerca de una casa particular, espera mientras una señora se pone el abrigo, busca la bolsa, y besa a los niños, y los otros pasajeros no se quejan mientras esperan.   20

Esto recuerda lo que sucedió una vez en una estación. Un señor llegó para tomar el tren, pero el conductor no le permitió subir. — ¿Por qué no? — insistió el señor. — Aquí tengo mi boleto para el tren de hoy.

Uruguayan society girl rides daily one of the fine horses raised on her *estancia,* and takes several with her when she visits a summer resort.

Ilse — Pix

25   — Ah, señor, — explicó el conductor con mucha calma, — poco a
poco. Es que éste es el tren de ayer, y su boleto es válido para el
tren de hoy, que no llegará hasta mañana.
   ¿Para qué apresurarse?   ¡El tiempo no es de oro!

   2. *El caballero hispanoamericano se porta con mucha dignidad.*
30 Le gusta la ceremonia, y tiene mucha aversión [1] a las bromas. Esta
dignidad prohibe que lleve su equipaje (*luggage*), ni siquiera un
paquete pequeño, y en los mercados abundan (*abound*) muchachos
que ofrecen llevarle las compras. Hoy día las señoras llevan bolsa
de estilo muy grande, y esto les parece muy feo a los muchachos.
35 Andan siguiendo a las damas, preguntando seriamente, — ¿Le
llevo la valija (*valise*), señora?
   Sin embargo, hay ocasiones en que el hispanoamericano olvida su
dignidad. Esto sucede cuando asiste a un emocionante partido de
béisbol o fútbol. Para él, no existen los empates (*ties*), y si el
40 «escor» [2] no indica quién gana, los aficionados enfadados pueden
volverse (*go*) completamente locos y destruir los *bleachers* en su
frenesí (*frenzy*).
   Lo mismo pasa a veces en el cine. Si no les agrada a los clientes
la película o la estrella, empiezan a encender fósforos y a hacer
45 mucho ruido, hasta que el pobre gerente (*manager*) del teatro pone
mejor película. (¡Ojalá pudiéramos nosotros hacer lo mismo!) Ya
ve usted que las diversiones pueden ser algo muy serio entre los
excitables hispanoamericanos, a pesar de su dignidad.

   3. *El hispanoamericano es muy cortés,* como hemos dicho muchas
50 veces. Pero es una cortesía distinta de la nuestra. Tratando de
agradarnos, suele decirnos lo que quisiéramos oír. Además, para
complacernos (*please us*), quizás prometa hacernos «mañana» toda
clase de favores, y no miente, pero puede olvidarlo en seguida. El
mero hecho (*mere fact*) de haber pensado en una acción amable le
55 basta, y el hacerla no importa. En efecto, entre gente que entiende
esto, el pensamiento admirable también le basta. Se le da las
gracias y se olvida también. El viajero siempre debe recordar esto.
   Basta un ejemplo divertido de la cortesía. En cierto camino de

[1] *tiene mucha aversión a, dislikes very much.* The Spanish American has a keen sense
of humor as far as witticisms are concerned, but because of his natural formality, he
usually draws the line at slapstick and practical jokes that involve personal indignities.
[2] *el escor, the score,* of course. Many sports words are derived from English because
there are no equivalents in Spanish.

Young people as well as their parents are members of the exclusive Country Club of Lima, Peru, which provides tennis, golf, swimming, and other recreational activities.

México en el año de 1947, varios automovilistas fueron robados por un grupo de «bandidos».[1]   A cada víctima dijeron los bandidos 60 seriamente, — Sentimos mucho robarles,[2] señores.   Pero es que nos falta trabajo para ganar dinero, y mejor es robar que morir de hambre.   Les pedimos mil perdones por la molestia (*trouble*).

4. *El hispanoamericano no se preocupa.*   «No tenga cuidado» parece ser el lema (*motto*) al sur de la frontera.   No siendo perfec- 65 cionista, no le molesta si no funciona (*works*) bien un aparato

---

[1] Bandits are now as extinct in Mexico as they are here, and these were not professionals, as you see.

[2] *To steal from* is **robar a,** so the direct object pronoun has the indirect form.   More about this in Chapter 20.

(*gadget*) o si no se cierra bien una puerta. Si sirve, lo usa; si ya no
sirve, ¿quién se preocupa? Siendo optimista, puede salir en su coche
para hacer un viaje largo sin quinta llanta (*tire*) y sin gato (*jack*); a
70 veces, casi sin frenos (*brakes*). No se pone nervioso; siendo fatalista,
piensa, encogiéndose de hombros (*shrugging his shoulders*), — Si
Dios quiere, se llega; si no, ¿y pues (*so what?*)? — Cuando le pasa
algo desagradable, dice con mucha calma, — Fortuna de guerra,
— o — Son cosas de la vida . . .
75   Esta característica de no preocuparse por todo le prohibe que se
vuelva (*go*) loco como tantos yanquis impacientes; así es que nuestro
bien conocido «*nervous breakdown*» casi no se conoce.

5. *Al hispanoamericano le gusta más la poesía* (poetry) *que la
maquinaria.* Si el hombre de negocios tiene ganas de escribir un
80 poema durante sus horas de oficina, lo escribe, y las citas pueden
esperar. Hasta los niñitos aprenden largos poemas en sus clases y
también se les enseña a escribir sus propios versos.
Un señor, sentado en la plaza haciendo apuntes (*notes*) en su
cuadernito (*notebook*), oirá decir a alguien, — Ese caballero será
85 poeta. ¿Qué cosa podría estar escribiendo en esta plaza tan linda si
no un poema? — Y hasta los niños, jugando de cerca, dirán con
mucho respeto, — ¡Chis! (*Sh!*) ¡No molesten al señor! ¡Es poeta!
— Y todos se irán para no estorbar.
Sube a un autobús un viejecito a quien no le cobran pasaje (*fare*)
90 porque es poeta,[1] y durante el viaje divierte a los otros pasajeros con
sus recitaciones, y todos le pagan un poco. Hasta hay compañías de
actores que viajan de pueblo en pueblo cuyos programas consisten
en puros (*only*) poemas.

6. *El hispanoamericano es romántico.* Cree que lo más im-
95 portante de la vida es el amor. El empleado descuidado (*careless*)
que olvida algo porque tiene la cabeza llena de pensamientos de su
querida novia se defiende diciendo, — Yo no tengo la culpa. ¡Es que
estoy enamorado! — Y cree que le deben perdonar a causa de
esto, y en efecto, el público sí le perdona. En Venezuela, o así se
100 dice, hasta el gobierno reconoce la importancia de lo romántico, y
las cartas de amor se aceptan en el correo por medio porte (*postage*),
¡con tal de que sean color de rosa los sobres! «¡Viva el amor!» pinta
el indio en un utensilio de cocina de barro (*clay*), y para el romántico

---

[1] A recent law in Mexico forbids this practice, but the bus conductors are inclined to
overlook their poetic passenger just the same!

hispanoamericano, «Viva el amor» es un pensamiento muy práctico.

Así, más o menos, son nuestros vecinos. Quizás debamos nosotros 105 aprovechar algunas de sus ideas, como ellos algunas de las nuestras. Usted, ¿qué piensa?

PREGUNTAS

I. ¿Entendió usted el cuento?

1. ¿Qué suele hacer un hombre de negocios si tiene ganas?
2. ¿Qué hace el amable conductor por el pasajero que no se apresura?
3. ¿Por qué no pudo subir al tren el señor que ya tenía su boleto?
4. ¿Cuándo no se preocupa ni se apresura el hispanoamericano?
5. ¿Por qué no miente cuando promete hacernos un favor y no lo hace?
6. ¿Cuándo encienden fósforos los hispanoamericanos en el teatro del cine?
7. ¿Qué puede suceder en un emocionante partido a pesar de la dignidad hispanoamericana?
8. ¿Cómo es que a veces parece que miente un caballero?
9. ¿Quién suele pensar en una acción amable sin hacerla a pesar de su cortesía?
10. ¿Cuándo dice un empleado que no tiene la culpa?
11. ¿Para qué sirven los sobres de color de rosa en Venezuela?
12. ¿Quiénes no quieren estorbar cuando ven a un poeta?

II. ¿Qué dice usted?

1. ¿Le agrada a usted llevar un paquete pesado?
2. ¿Lleva bolsa o bolsillos el hombre de negocios?
3. ¿Quién tiene la culpa cuando un hombre de negocios no es amable con un cliente?
4. ¿Solemos usar sobres de color de rosa o sobres blancos para nuestras cartas?
5. ¿Qué partido de fútbol es el más emocionante de los que usted puede recordar?
6. ¿Por qué es que algunos jóvenes quieren destruir los *bleachers* después de un partido emocionante?
7. ¿Qué quiere decir «Quien no estorba, ayuda»?
8. Sin embargo, ¿está usted de acuerdo con que sea agradable hablar con los amigos amables si ayudan o no?
9. ¿Se preocupa usted cuando, a pesar de estudiar, tiene un examen distinto de lo que esperaba?
10. ¿Por qué se preocupa usted cuando los niños encienden fósforos?
11. ¿Qué pensamiento nuevo le sorprendió a usted más en este capítulo?

Earl Leaf

Calle Florida, Buenos Aires' favorite but narrow shopping
street, gives window-shoppers a break by barring vehicular
traffic so they can wander back and forth at will.

REPASO DE VERBOS

EJERCICIO 1. *Make these verbs plural (if possible), and translate.*

1. se preocupará	6. bese	11. hace poco
2. indiqué	7. ¡apresúrese usted!	12. no miento
3. destruyo	8. yo lo recordara	13. sequé
4. me basta	9. yo encendiera	14. estoy de acuerdo
5. ¿estorbó?	10. cobraría	15. unirá

ALGO NUEVO

39. Hace Meaning "For"

Le ví hace poco.
I saw him a little while ago.

Here, when the action is already completed, **hace** means *ago*. But **hace** can also mean *for*:

Hace un mes que no le veo.
I have not seen him for a month.
(It makes a month that I do not see him.)

Hace mucho tiempo que estudiamos el español.
We have been studying Spanish for a long time.
(It makes a long time that we are studying Spanish.)

For is expressed by **hace** when an action or state has begun in the past and *is still continuing in the present*. Then the other verb in the sentence must be in the present tense (**veo, estudiamos**). What tense do we use in English?

EJERCICIO 2. *Translate these sentences, first, exactly as they are written, then as we say them in everyday English.*

1. Hace dos años que aprendemos a hablar español.
2. Hace dos años que la profesora nos lo enseña.
3. Hace dos días que estudiamos este capítulo.
4. Hace treinta minutos que estamos en esta clase.
5. Hace cinco minutos que hacemos preguntas.
6. Hace dos minutos que miro esta frase (*sentence*).

EJERCICIO 3. *Complete these sentences in Spanish, being sure not to use the exact translation of the verbs.* (Why not?)

1. En efecto, hace diez minutos que ese viejecito *has been lighting* fósforos. 2. Hace dos meses que *I haven't attended* a un cine emocionante. 3. Hace un año que ese bandido *has been* en la cárcel por robar a su víctima. 4. Sin embargo, hace mucho tiempo que los yanquis *have been hurrying*.

(*Continued on page 280*)

279

Dignified and formal Peruvians still keep the old-time Palace Guard to escort new ambassadors to the presidential palace.

5. Hace ocho días que *he hasn't kissed* a su madre. 6. Hace doce meses que ella *has had* una cuenta en un banco distinto. 7. Hace muchos años que el señor Pérez *has been* hombre de negocios. 8. Hace una semana que *he has worried* porque no le han cobrado el paquete.

40. "Can" versus "May"

1. *Meanings of "can"*

Spanish is very careful about the two meanings of *can* which distinguish between the ideas of *being physically able to* (**poder**) and *knowing how to* (**saber**).

BEING PHYSICALLY ABLE TO: ***¿Puede usted nadar con la pierna rota?***
Can you (are you able to) swim with your leg broken?

KNOWING HOW TO: ***¿Sabe usted nadar?***
Can you (do you know how to) swim?

2. Meanings of "may"

Either *may* or *can*, referring to a *possibility*, is expressed by **poder** in Spanish. When *may* asks *permission*, however, the verb **permitir** is preferable.

POSSIBILITY: **Un partido puede ser cosa muy seria.**

A game may (or can) be a very serious matter.

PERMISSION: **¿Me permite usted hacer una pregunta?**

May I (do you permit me to) ask a question?

Remember that *may* is often the sign of the subjunctive, as well.

SUBJUNCTIVE USE: **Trabajo para que comamos.**

I work so that we may eat.

EJERCICIO 4. *Keeping the different meanings of "can" and "may" in mind, complete the following sentences.*

1. *¿Can you dance* ese tango? 2. No, *I can't* bailarlo porque nunca he aprendido. 3. Roberto *can* bailarlo, pero está enfermo esta noche y por eso *he can't*. 4. *¿May I* secar los platos para ayudarle? 5. Sí, para que *we may finish* pronto. 6. Sin embargo, *one can't* llegar a ser profesor sin estudiar mucho. 7. Puesto que *I can't* cocinar (*from* **cocina**), mamá va a enseñarme. 8. Ni yo tampoco, y *I can't* aprender porque vivimos en un hotel, no en una casa particular. 9. Le debo tanto dinero que *I can't* pagarle a pesar de ganar mucho. 10. *I can't* escribir poemas como ese viejecito. 11. *¿Can't you* meter la bolsa en el bolsillo para que *they may not steal it?* 12. ¡No hay que extrañar que el niñito *can't* empujarlo!

REPASITO

EJERCICIO 5. *Choose between* **por** *and* **para** *for each of these phrases or sentences. If you cannot decide in some cases, see page 256.* (Guess any new words that aren't translated.)

1. «Suyo es el mundo ____ Clípper» (*Airways advertisement*) 2. Recomendamos que haga usted uso de este servicio ____ ser el más rápido y confortable. (*Bus line ad, Cuba*) 3. ¡Hay una Singer ____ usted! Portátil (*portable*), de pedal, o con motor y lámpara eléctrica. (*Sewing machine ad, Nicaragua*) 4. Tiene usted diez y ocho meses ____ pagar. 5. Concurso (*contest*) organizado ____ el Instituto de Defensa (*Protection*) del Café. (6.) Voto ____ la señorita ... (*Beauty contest vote, Costa Rica*) 7. Garantizada ____ toda la vida. (*Fountain pen ad, El Salvador*) 8. Gastó medio

millón ____ una mujer. (*Newspaper headline, Cuba*) 9. Tengo una cita ____ las ocho. 10. «Sufro ____ ti.» (*Painted on truck, Mexico*) 11. Lo dejaremos ____ mañana (12.) ____ estar cansados. 13. Boleto válido ____ un año. (*Bus ticket, Havana*) 14. «Más baratos ____ docena.»

PALABRAS PARA APRENDER

* amable	kind, amiable	* el paquete	package
* apresurarse (a)	to hurry (to)	* el partido	game
* besar	to kiss	* preocuparse	to worry (about)
* el boleto	ticket (*travel or theater*)	(por)	
		* recordar (ue)	to recall (*new meaning*)
* cobrar	to charge		
* destruir (des- truyo) [1]	to destroy	* robar (a)	to steal (from), to rob
* emocionante	thrilling	* el sobre	envelope
* estorbar	to be in the way	* soler (ue) [3]	to be accustomed to, in the habit of
* el fósforo [2]	match		
* los negocios	business		
* indicar	to indicate	* el teatro	theater

NEW WORDS RELATED TO OTHERS YOU KNOW

* agradar (agradable)	to please	* la bolsa (bolsillo)	handbag, pocket- book
* bastar (bastante)	to be enough (*used like* gus- tar)	* el pensamiento (pensar)	thought
		* querido, –a (querer a)	dear, beloved

EXPRESIONES

* a pesar de, in spite of
* (de) color de rosa, pink

* no tengo la culpa (de que), it isn't my fault (that)
* sin embargo, nevertheless

PALABRAS PARA REPASAR

* con (mucha) calma	(very) calmly	* la estrella	star
* encender (ie)	to light	* el viejecito	little old man
		viva(n)	hurrah for

[1] *Destruir* is conjugated like **huir**. (page 516, § 86)

[2] *Fósforos* are wooden matches. Those you usually find are called **cerillos,** which are little wax matches.

[3] *Soler* is a "defective verb" used only in the present and imperfect tenses and always followed by an infinitive.

FOR ADDITIONAL, OPTIONAL MATERIALS TURN TO **A ESCOGER,** PAGE 473.

Capítulo 20

El álbum
de recortes

On his trip south of the border our Jimmie bought a stack of magazines and newspapers printed in various Spanish American countries to
make a scrapbook — EL ÁLBUM DE RECORTES — for his Spanish class.
He wanted to show his classmates as many different phases of Spanish
American life as possible. Some of the clippings (*recortes*) he chose
illustrate how much life in those countries resembles ours, while others
show quite the opposite. Jimmie included some pictures and wrote an
original caption in Spanish commenting on each article and giving the
country of origin.

To read Jimmie's scrapbook, you'll have to guess many new words, so
read each item through at least twice to give yourself all possible clues.
The new words that you are not expected to learn but may have trouble
guessing are included at the bottom of each page.

When you have read all the articles, make a list — just for fun — of
those things you would never see in this country, and another of those
showing American influence. Then decide which two clippings you think
are the most interesting of all.

Kid Chihuahua, el nuevo ídolo boxístico, pudo noquear pronto a Babe Azteca

La última función boxística que ha de tener lugar en la Arena Nacional resultó en una emocionante exhibición. La causa fué un muchacho que vino de Chihuahua, que por su buen comeback se ha convertido en el ídolo de los aficionados.

Durante el segundo raund Babe envió a la lona a su rival en dos ocasiones, pero éste se levantó para tirar cinco veces a Babe, siendo la última para la cuenta de los diez segundos en el cuarto raund.

El Kid Chihuahua primero le dió un derecho al solar plexus, luego un gancho izquierdo en la boca. Para el cuarto raund, le entregó un ó퍼cut, y la cosa estaba perdida para Babe, aunque peleó como los hombres. La quinta vez que fué a la lona ya no hubo remedio, y pasaron muchos minutos para que se repusiera después del nócaut.

Al terminar, el público echó al ring una buena cantidad de dinero para el campeón.

↳ México: Se usan muchas expresiones nuestras para describir los deportes porque no existen las palabras equivalentes en español. Chihuahua es uno de los estados de México.

¡Admirable torera!

Conchita Cintrón

Aquí tiene usted la bella Conchita Cintrón, admirable torera de la tierra de los incas, cuyos triunfos no olvidarán los aficionados a toros. En su última corrida, fué aclamada locamente por la multitud con una ovación que debe haberse escuchado en el Perú. Ya ha abandonado la arena para casarse con don Francisco Castelo Brancos, hombre de negocios portugués.

↳ España: En el deporte español más popular, esta bella torera era una de los mejores del mundo.

función, event; lona, canvas; tirar, to knock down; la cuenta, the count; gancho, hook; peleó, fought; para que se repusiera, for him to "come to"; torera, bullfighter; toros, bulls (bullfights); corrida, bullfight

FUTBOLISTA DE LA SEMANA

Nació en Córdoba. Desde chiquito le tiraban el fútbol. Aprendió a decir «gol» antes que «mamá». Los Jefes le vieron jugar y se lo llevaron al Club Central. Pero Los Azules de la Liga Profesional también saben algo de fútbol y consiguieron su firma en un contrato. Por supuesto, no lo sintieron. ¡Este jugador es un futbolista que sí sabe jugar!

↰ **Argentina:** Una estrella popular goza de mucha admiración entre sus aficionados.

ARTISTAS DEL RADIO, DEL CINE, Y DEL TEATRO

¡Llega Cantinflas!

El cómico mexicano, adorado de todos los hispanoamericanos, llegó a esta capital por avión hace pocos días en su viaje de «*personal appearance*» por las Américas. En efecto, debido a su amable corazón, llegó dos veces, puesto que tan grande era la multitud que le rodeó en el aeropuerto para darle la bienvenida cuando bajó del avión por primera vez, que después de un rato regresó al aeropuerto para volver a «llegar», no contrariando así a sus muchos aficionados. No extrañamos su popularidad con su público.

A Mario Moreno, alias Cantinflas, parece no importarle el llevar dos zapatos izquierdos a una fiesta.

↰ **Perú:** El gran cómico mexicano del cine es famoso en todas partes.

---

jugador (from **jugar**), guess!; **cómico**, comedian; **darle la bienvenida**, to welcome him; **contrariando** (from **contrariar**), disappointing

EL NOTABLE ARTISTA de radio y televisión, Raúl Macías Valdés, ofrece esta tarde en su programa de radio y televisión «PARA TI» un grupo de canciones mexicanas para sus aficionadas femeninas. En el programa habrá «Tu nombre», «Desde lejos», «Mujer», y «Bésame mucho», con acompañamiento de su guitarra mágica.

↶ **México:** Este artista recibe miles de cartas de sus aficionadas, que le escuchan cada semana.

DIRECTOR:

Carlos Chávez

Orquesta sinfónica de México

Tercer concierto de la temporada
Programa de Bach, de Falla, Chávez, y Strauss
Viernes 16 de julio a las veintiuna horas

PALACIO DE BELLAS ARTES

BOLETOS EN LAS TAQUILLAS DEL TEATRO

↶ **México:** Carlos Chávez es uno de los directores de orquesta más famosos del mundo.

temporada, season; Bellas Artes, Fine Arts; taquillas, box offices

Las uñas bien manicuradas

¡Sencillo! Esperar con mucha calma hasta que el esmalte se haya secado completamente sobre las uñas. No trate de leer, ni de coser un botón, ni de peinarse entretanto. ¡Paciencia! Eso es lo que necesita la belleza. El esmalte bien secado brilla más y dura más.

El maquillaje de verano

Los hombres admiran un cutis suave y bello. Cada día hay que limpiar la cara con agua tibia y jabón puro. Después úsese una crema buena, la cual sirve como base para los polvos.

Use usted colorete color de rosa, obscuro, o brillante, al gusto individual. El lápiz de labios debe ser de un color que agrade a los hombres. (Este secreto lo conocen las mujeres atractivas, por supuesto.)

Un champú de huevo una vez por semana hace brillar el cabello, y hace durar más su permanente.

Sólo con todo este cuidado, puede una dama acercarse más al corazón de él. ¡Sea cada día más bella para él!

Chile: ¡Parece que las chicas tratan de hacerse bellas para agradarnos a nosotros los caballeros! ¿No es cierto?

Consejos para todos

Cuba: Estos consejos deben agradar a los jóvenes así como a las chicas. ¡Fíjense bien!

El sol ya quema fuerte. Es necesario, pues, protegerse. Si toman ustedes baños de sol, usen en seguida algún aceite bronceador, suave, fino, que ayude a los rayos solares a tostarlos sin ponerlos como un camarón.

esmalte, nail polish; **coser,** to sew (on); **maquillaje,** makeup; **el cutis,** skin; **bronceador (bronce = bronze),** sun-tan; **sin ponerlos como un camarón,** without turning you into a shrimp (We say "red as a lobster"!)

FIESTA DE QUINCE AÑOS

La encantadora señorita Elena Monterde, al cumplir sus quince años, fué presentada en sociedad durante un animado baile que le ofrecieron sus padres recientemente en el Club de la Playa. Vemos en la fotografía a la festejada, un momento antes de apagar las velitas del pastel tradicional.

ʇCuba: La fiesta de quince años es el suceso social más importante de la vida de una chica, con una comida formal y un baile. Sólo la bolsa de la familia limita el costo de esta fiesta.

¡AY, QUÉ DELICIOSOS!

Exquisitos Súpercakes de dos pisos
para fiestas de quince años
y todas las fiestas elegantes

* Pasteles *

Pan * Donas

PANADERÍA LA ESMERALDA

Avenida Colón 245

ʇMéxico: Al fin las «donas» yanquis se pueden conseguir en México.

Invitado de honor

Tuvo lugar en la Embajada de España en Wáshington la semana pasada una recepción a la que asistió, como invitado de honor, el Excelentísimo Sr. Cristóbal Colón, descendiente en línea directa del Gran Almirante, y quien lleva el título de Duque de Veragua.

ʇCuba: Aunque usted no lo crea, ¡todavía existe el gran Cristóbal Colón!

festejada (from fiesta), guest of honor; donas, doughnuts; Excelentísimo Sr. Cristóbal Colón, His Excellency, Mr. Christopher Columbus; Almirante, Admiral; Duque, Duke

Sebastián Méndez Ortega
Carlota Solera de Méndez

Participan por este medio el
matrimonio de su hija

CARMEN

con el señor

Jorge Chávez Serrano

Alfredo Chávez González
Ana Serrano de Chávez

Participan por este medio el
matrimonio de su hijo

JORGE

con la señorita

Carmen Méndez Solera

La ceremonia se efectuará hoy sábado 6 de julio
en la Iglesia de Santa Teresita.
San Fernando

←Costa Rica: La noticia de un matrimonio se publica
en forma de invitación en vez de mandar una
a cada amigo.

JOSÉ MORÚA LAVALLE

Ha muerto

Sus hijos, Carlos La-
valle, Rosalina Lavalle,
Victor Lavalle, y Marta de
Lavalle; sus hermanos,
Juan y Rosa, nietos, so-
brinos, y demás familia,
tienen la pena de comunicarlo así
a sus amistades y los invitan a los
funerales que tendrán lugar hoy a
las diez y media de la mañana, en
la Iglesia de San Cayetano, y a
acompañar sus restos al cementerio general.

San José, 6 de julio

←Costa Rica: La noticia de
una muerte también se publica
en los periódicos en forma
de invitación

NACIMIENTOS

Al hogar del doctor Roberto
Rodríguez y de su señora,
doña María García de Ro-
dríguez, acaba de llegar una
preciosa niña, para la cual
deseamos toda clase de felicidad.

←Costa Rica: El nacimiento de
una niña trae felicidades.

participan, announce; matrimonio, wedding; se efectuará = tendrá lugar; pena, sorrow; restos,
remains; nacimiento, birth

Nuevas becas para el estudio
de mecánica de aviación

La Administración de Aeronáutica Civil de la Secretaría de Comercio de los Estados Unidos de América se complace en ofrecer a los costarricenses la oportunidad de obtener instrucción y experiencia práctica en materia de aviación.

Los candidatos deberán tener
los siguientes requisitos:

EDAD: Tener 21 años y no haber llegado a los 29 años el día primero de enero.

CIUDADANÍA: Ser ciudadanos de Costa Rica.

IDIOMAS: Tener conocimiento práctico del inglés, para pasar un examen especial de aptitud para idiomas.

EDUCACIÓN: Haber terminado satisfactoriamente seis años de estudios y haber tenido experiencia en la aplicación de las matemáticas y de la mecánica.

Todos los detalles pueden obtenerse en la Embajada Americana, junto con las fórmulas que deben llenarse, desde las 9 A.M. hasta las 11:30 A.M.

Las fórmulas serán recibidas en la Embajada Americana hasta el día 18 de noviembre.

**JUNTA INTERAMERICANA DE SELECCIÓN
DE CANDIDATOS
EMBAJADA DE LOS ESTADOS UNIDOS**

Costa Rica: ¡Miren ustedes lo que ofreció nuestro país a los jóvenes de Costa Rica, como buen vecino!

becas, scholarships; se complace en, is pleased to; costarricenses, Costa Ricans; ciudadanía, citizenship; ciudadano, citizen; idioma = lengua; conocimiento (from conocer), knowledge; junta, council

Entrega de premios en el Colegio Militar

El martes en una solemne ceremonia que tuvo lugar en el Colegio Militar, se les entregaron sus diplomas y pistolas a los cinquenta y nueve cadetes que acaban de ser graduados como nuevos oficiales del Ejército Nacional. Presidió la ceremonia el Presidente de la República, con el Secretario de la Defensa Nacional, y asistieron prominentes militares de varios países de América.

↳ *México:* ¡Lo que reciben los cadetes mexicanos al graduarse!

CONSEJOS PRÁCTICOS PARA EL HOGAR

MEDIOS PARA ECONOMIZAR ELECTRICIDAD

1. Apague invariablemente toda luz que no necesite estar encendida.

2. No deje el radio conectado cuando no haya nadie escuchándolo.

3. Abra lo menos posible el refrigerador, y deshiélelo todas las semanas.

4. Evite toda pérdida de agua para reducir al mínimo el trabajo del motor de la bomba.

5. Ponga la lámpara donde dos o más lectores puedan aprovechar su luz.

6. Desconecte invariablemente la plancha cuando tenga que interrumpir su labor, si, por ejemplo, suena el teléfono o llaman a la puerta. Si su plancha es automática, basta con ponerla en «*off*».

NO ME HAGA TRABAJAR EN VANO.

↳ *Cuba:* Es que la electricidad cuesta mucho al sur de la frontera.

---

entrega (from entregar), presentation; se les entregaron, were presented; oficiales, officers; deshiélelo (from deshelar), defrost it; pérdida (from perder), loss; la bomba, pump; la plancha, iron

Argentina: El pobre don Cacahuate aprende que ser «jefe indio» no basta. (Se llama «don Cacahuate» a cualquier hombre que se equivoque muchas veces.)

tira, strip

PREGUNTAS

I. ¿Entendió usted lo que leyó? [1]

Deportes y deportistas

1. ¿Quién ganó la emocionante exhibición en la Arena Nacional?
2. ¿Qué sienten los aficionados de la bella Conchita Cintrón?
3. ¿Qué puede usted decirnos del futbolista de la semana?

Artistas del radio, del cine, y del teatro

4. ¿Dónde trabaja Cantinflas, en el teatro o en el cine?
5. ¿Por qué llegó Cantinflas dos veces al aeropuerto?
6. ¿Para quiénes ofrece Raúl Macías Valdés un grupo de canciones mexicanas?
7. ¿Qué clase de orquesta es la del director famoso Carlos Chávez?

Secretos de belleza

8. ¿Con qué es sencillo limpiar la cara antes de ponerse el colorete y los polvos?
9. ¿De qué color debe ser el lápiz de labios?
10. ¿Qué hace durar más el permanente de su cabello?
11. ¿Por qué hay que protegerse con un aceite en la playa?

Notas sociales

12. ¿Cuándo fué presentada en sociedad la señorita Elena Monterde?
13. ¿Qué hizo el Excelentísimo señor Cristóbal Colón?
14. ¿Cómo invitaron las familias Méndez y Chávez a sus amigos al matrimonio de sus hijos?
15. ¿Cómo saben sus amistades que ha muerto el señor José Morúa Lavalle?
16. ¿Por qué deseamos toda clase de felicidad a los señores de Rodríguez?

Las escuelas

17. ¿Quién ofrece las becas (scholarships) a los costarricenses?
18. ¿Dónde pueden obtener los detalles los candidatos?
19. ¿Qué recibieron los cadetes del Ejército Nacional?

Consejos prácticos para el hogar

20. ¿Cómo se debe economizar electricidad?
21. ¿Cuándo se debe apagar una lámpara?
22. ¿Cuándo no se debe dejar conectado el radio?

Una tira cómica

23. ¿Por qué quiere don Cacahuate jugar a los indios?
24. ¿Quién es el jefe indio?

[1] Questions in Part I follow the order of the items.

II. ¿Qué dice usted?

1. Cuando las chicas de este país cumplen quince años, ¿tienen un baile?
2. ¿Quiénes son los lectores de los secretos de belleza?
3. ¿Prefiere usted para las chicas los polvos blancos o los de color de rosa?
4. ¿Sirven el agua tibia y el jabón para lavar el cabello?
5. ¿Jamás ha quemado usted la ropa con una plancha (*iron*) tibia cuando alguien llamó a la puerta?
6. ¿Cuándo encendemos y apagamos las lámparas?
7. ¿Pasa usted más tiempo en el teatro, en la playa, o en casa?
8. ¿Brilla más el sol en el teatro o en la playa?
9. ¿Es sencillo o difícil obtener la felicidad?
10. ¿Cree usted que sea necesaria para la felicidad una amistad que dura?
11. ¿Le gustaría a usted llegar a ser jefe de un ejército?
12. ¿Para qué sirven: el jabón, los cacahuates, el lápiz de labios, una lámpara?

REPASO DE VERBOS

EJERCICIO 1. *Using the new verbs in the vocabulary on page 296 and some from Chapters 18 and 19, complete these sentences.*

1. *Comb your hair*, por favor. 2. *I put out* la lámpara, por supuesto. 3. *¿Was shining* la luna en la playa? 4. Jamás *fulfills (complies with)* Pablo sus obligaciones. 5. Un buen sobre *lasts* más. 6. *¿Did you burn yourself* en la playa? 7. Alguien *knocked* a la puerta de la Embajada. 8. *We kissed* a nuestros nietos. 9. *He charged me* demasiado por ese boleto de teatro. 10. Sin embargo, quien *is not in the way* ayuda. 11. Por supuesto *I combed my hair* antes de ir al teatro. 12. *¿Do you recall* ese pensamiento? 13. *¡It isn't my fault* que se quemó en la playa, querido! 14. *Ask me another* [*question*].

ALGO NUEVO

41. Verbs of Separation with an Indirect Object

> *Robaron el abrigo a la estrella del cine.*
> *They stole the coat f̱rom the movie star.*

When a verb contains the idea of separating something from a person, *from* is expressed by *a* in Spanish.

Note the common verbs used in this way:

robar a, to steal from
comprar a, to buy from
pedir . . . a, to ask for . . . from
sacar a, to take (out) from

quitar a, to take away from
pedir prestado . . . a, to borrow . . . from

Permitir, preguntar, and **decir** also take *a* when referring to persons or animals, as in *¿Le permitió a Pancho destruirlo?* *Did he let Frank destroy it?*

EJERCICIO 2. *Put these sentences into everyday English and explain the use of* **a** *in each one.*

1. Su nieto, Chefito, compró unos cacahuates al viejecito.   2. María quitó a su sobrinito la cajita de polvos y el lápiz de labios.   3. La encantadora chica compró al dependiente colorete, polvos, y un lápiz de labios. 4. El dentista va a sacar el diente al[1] caballero pasado mañana.   5. Pedimos al empleado aceite para la maquinaria.   6. Robó la bolsa a mi sobrino con mucha calma.   7. No es sencillo robar una bolsa a alguien en un tranvía.   8. Se permite a los sudamericanos tomar vino con las comidas. 9. Ha robado a Elena la felicidad.   10. Preguntó a su nieto si quería ir a la playa.   11. ¿Por qué no compramos unas hamburguesas a ese vendedor? 12. La chica bella pidió prestado el lápiz de labios a su amiga.

REPASITO

EJERCICIO 3. *Complete these tricky sentences in Spanish.*

1. ¿Ha apagado usted *your* lámpara?   2. No, *mine* no estaba encendida. 3. Creía que ví *yours* brillar en su cuarto.   4. Quitó *his* a Margarita, su sobrinita, porque ella estaba jugando con *it.*   5. Temía que ella se quemara *her* manos.   6. ¿Es *yours* esta bolsa pesada?   7. No, ésa no es *mine;* es *hers.*   8. *Mine* está en la sala, así como *Margaret's.*   9. ¿Es Margarita una amiga *of yours?*   10. Sí, es una amiga *of mine,* en efecto, *the best one* que tengo.

EJERCICIO 4.   Ten of these words or expressions never take a subjunctive. *Tell why or when the others do.*

1. pedir	9. sé	17. mientras	25. sin
2. temer	10. es mayor	18. hablar	26. sin que
3. tomar	11. sentar	19. ojalá	27. es preciso
4. es posible	12. ¿creer?	20. lo que	28. hasta
5. para que	13. porque	21. querer	29. hasta que
6. quizás	14. es mejor	22. cuando	30. tal vez
7. antes de	15. creer	23. como si	31. dondequiera
8. donde	16. alegrarse de	24. aunque	

[1] But you can say *Sacó el dinero del bolsillo* because *bolsillo* is not a person.

PALABRAS PARA APRENDER

* el aceite	oil	* el labio	lip
* apagar	to put out (*extinguish*)	* llamar (a)	to knock (at) (*new meaning*)
* la belleza	beauty	* el nieto	grandson
* bello, –a	beautiful	* obtener (obtengo)	to obtain
* brillar	to shine	* peinarse	to comb one's hair
* el cabello	hair	* la playa	beach
* el cacahuate	peanut (*Mex.*)	* los polvos [2]	powder
* el (la) cual [1]	who, which	* quemar	to burn
Chefito	Bobby	* sencillo, –a	simple
* el ejército	army	* el sobrino	nephew
* la embajada	embassy	* tibio, –a	warm
* el jabón	soap	la uña	fingernail
* el jefe	chief		

NEW WORDS RELATED TO OTHERS YOU KNOW

* la amistad (amigo)	friendship; (*pl.*) friends	* cumplir (con) (cumpleaños)	to fulfill, comply (with)
* el baile (bailar)	dance	* la felicidad (feliz)	happiness; (*pl.*) congratulations
el colorete (color)	rouge	* el lector (leer)	reader (*a person*)

EXPRESIONES

* durar (más), to last (longer)
el lápiz de labios, lipstick

* por supuesto, of course

PALABRAS PARA REPASAR

* encantador, –a charming

* la lámpara lamp

---

[1] Since it shows gender, this relative pronoun may be used instead of **que** to make a meaning clear.

[2] In the singular, the meaning is usually *dust:* **hay polvo,** *it is dusty* (*there is dust*).

FOR ADDITIONAL, OPTIONAL MATERIALS TURN TO **A ESCOGER,** PAGE 477.

Capítulo 21

¿Cuánto sabe usted?

When sixteen-year-old Jimmie went to Mexico for the summer, he wasn't surprised to find a dark-eyed *chica* the same age who was about as cute as anyone could wish. This story of Jimmie, Susie, and Pedro is more or less true, and all the young people were quite amused later on to find themselves written up in a play.

Susie eventually learned her Spanish so well that she landed a job in the American Embassy in Madrid. Jimmie was one of the top Spanish interpreters at West Point while he was there, and was often called upon to escort some visiting non-English-speaking Bolivian or Peruvian officer around the post. After Pedro finished his course at the University of Guanajuato he moved to another city.

As for the bootblack, the flower vendor, and the gay *ranchero*, they're probably still in sleepy old Guanajuato, where there's always the sound of a guitar to be heard somewhere, day or night.

Read the play for enjoyment and then see if you can answer the questions at the end. New words used more than once are listed at the bottom of the next page.

Serenata de Guanajuato

PERSONAJES

JIMMIE, *joven norteamericano que está pasando el verano en Guanajuato, México.*

PEDRO, *joven mexicano de Guanajuato.*

SUSIE, *chica morena, a quien* JIMMIE *ve en Guanajuato.*

BELLE, *hermana mayor de* SUSIE.

BOLERO, *que trabaja en el Jardín de la Unión.*

RANCHERO, *que está celebrando el día de su santo con el* MARIACHI.

Acto primero

Escena primera

El Jardín de la Unión de Guanajuato, México. Árboles y flores. Hay dos bancos en la banqueta (sidewalk) a la sombra de unos árboles. Son las tres de la tarde. Al levantarse el telón (curtain), PEDRO está sentado en uno de los bancos, leyendo un libro. Sale JIMMIE por la derecha y se sienta en el otro banco. Le ha seguido el BOLERO.

BOLERO [1] — "Chine," meester? (*Indica los zapatos de* JIMMIE.)

JIMMIE — (*Mirándolos.*) Pues, parece que sí lo necesito. ¿Cuánto me cobra usted?

BOLERO — ¡Ah! ¡Usted habla español! Veinte y cinco centavos,
5 joven.

JIMMIE — Bueno. (EL BOLERO *se sienta en su cajita y empieza a limpiar los zapatos de* JIMMIE.)

PEDRO — (*Que ha escuchado la conversación desde su banco, se levanta y se acerca a* JIMMIE. *Indicando el banco.*) ¿Con permiso?

10   JIMMIE — Siéntese usted.

PEDRO — (*Hablando despacio y con mucha dificultad.*) You have [2] joost arrive een Guanajuato?

JIMMIE — Yes, I came yesterday. So you speak English!

PEDRO — I estudy [3] eet een my eschool, but eet ees very difícil.
15 You practice eet weeth me?

JIMMIE — I'll be glad to. I've been studying Spanish in school, so I know just what you mean. And you can help me practice, too.

PEDRO — Con todo gusto. We shood maybe present ourselves the wan to the other, no? (*Se levanta.*) Pedro Flores, a sus órdenes.

20   JIMMIE — (*Levantándose.*) James Fansler, de Fillmore, California, servidor de usted. (*Se dan la mano y después se sientan.*)

PEDRO — ¡Ah, California! There ees where Hollywood, no?

---

[1] The bootblack (*bolero*) wears bib overalls, a cap with a visor, a cotton work shirt, and a tight leather belt on top of the overalls.

[2] Pedro pronounces all his *a*'s as *ah*.

[3] Spanish-speaking people find it difficult to pronounce words beginning with an *s* followed by a consonant, so they put an *e* in front of it.

aparte, aside	la reja, bars (on window)	la serenata, serenade
el bolero, bootblack (Mex.)	la risa, laughter	servidor de usted, at
la escena, scene	sale, enter	your service
(la) morena, brunette		vase (vanse), exit
murmurar, to whisper		

JIMMIE — Sí; vivo a unas cincuento millas de Hollywood.

PEDRO — ¡Qué bonito!   Usted habla muy bien el español.

JIMMIE — Favor que usted me hace. 25

BOLERO — (*Terminando.*)   Ya,[1] joven.

JIMMIE — (*Sacando dinero del bolsillo.*)   Aquí tiene usted su peseta.[2]

BOLERO — Gracias. Listo, señor. (*A* PEDRO, *indicando los zapatos de éste.*) 30

PEDRO — Gracias.[3] Más tarde, quizás. (*Vase el* BOLERO.)

---

[1] *Ya* is a handy word indicating that something is finished.

[2] The new twenty-five cent coins of Mexico are often called *pesetas*.

[3] *Gracias* in response to an invitation or suggestion means *no, thank you.*   Pedro would wag a forefinger to emphasize the negative.

Afternoon in the plaza is much the same in any small town, with the old cast-iron lace benches occupied by people who take time to rest and chat and watch the passers-by.

Bernard G. Silberstein

Escena II [1]

Sale el MARIACHI [2] *por la derecha, tocando y cantando, siguiendo a un*
RANCHERO [3] *muy contento. Vanse por la izquierda.*

JIMMIE — (*Mirándolos con mucho interés.*) ¡Mire usted! ¿Qué
piensa de eso? ¿Por qué van siguiendo los músicos a aquel señor?

PEDRO — Es sin duda el santo del señor, y paga al mariachi para
35 que le siga todo el día para hacerle una fiesta.

JIMMIE — ¡Cuánto nos divertiría eso en mi país! Allí no tenemos
la costumbre de hacer tal cosa.

PEDRO — ¡No me diga! ¡Qué país tan curioso es el de usted!

Escena III

Salen SUSIE *y* BELLE *por la izquierda, paseándose. Pasan despacio por
la plaza, viendo a los jóvenes sin mirarlos. Vanse por la derecha.*

PEDRO — (*Al pasar de cerca las chicas, mirándolas con admiración.*)
40 ¡Ay, qué preciosas chicas! ¡Más encantadoras no hay!

JIMMIE — (*Con reproche* [reproachfully], *después de pasar las
muchachas.*) ¡Por Dios! ¡Apuesto a (*I'll bet*) que esas chicas le
oyeron a usted!

PEDRO — Sí, por supuesto.

45   JIMMIE — Usted no dice que quería que oyeran, ¿verdad?

PEDRO — ¿Cómo no? Es costumbre. Las chicas se enfadan si los
jóvenes no les echan flores.

JIMMIE — ¿Echan flores? Usted no echó ningunas flores.

PEDRO — Es una expresión que tenemos. Quiere decir que al
50 verlas pasar, decimos una cosita halagüeña (*flattering*) a las muchachas. Les gusta, pero no contestan. Eso no se hace.

JIMMIE — Hm . . . Voy a hacer uso de esa costumbre. Esas chicas
me agradan. Sobre todo la chiquita. (*Silba quedito* [he whistles
softly].) ¡Fuí, fuíu! ¡Quisiera volver a verla a ella! Esta Política de
55 Buena Vecindad (*Good Neighbor Policy*) me parece muy buena.
¿Cómo consigo conocerla? Me gustaría llevarla al cine un día de
éstos.

---

[1] Spanish plays are divided into "scenes," not on the basis of a change of scenery or a
break in the play, but at each entrance or exit of any of the principal players.

[2] A *mariachi* is a group of at least three wandering musicians, usually playing violin,
guitar, and cello. They often wear *charro* costumes.

[3] The *ranchero* wears tight trousers, a big hat, and a tan cotton jacket with a design
embroidered on the back.

Wandering mariachi plays — for a price — anything you may wish to hear, from popular movie theme songs to rollicking country ditties or story-telling ballads.

PEDRO — (*Con horror.*) ¡Ah, pero es imposible llevar a una muchacha al cine! ¡No es costumbre! Pero si quiere usted, es muy sencillo ir de noche a su balcón para cantar y quizás platicar con ella 60 después.

JIMMIE — ¡Yo, cantar! ¡Huy! ¡Yo no puedo cantar! ¡Sobre todo debajo de un balcón!

PEDRO — Pues no tenga cuidado. Es costumbre también pedir a un mariachi que le acompañe al balcón para tocar y cantar. 65

JIMMIE — (*Pensando.*) Al fin, podría ser divertido. Mire. Creo que debo pasearme por el Jardín. A ver si vuelvo a encontrar a esas chicas. ¿Quiere usted acompañarme?

PEDRO — Gracias. Tengo que estudiar esta lección.

JIMMIE — Pues, con permiso. 70

PEDRO — Usted lo tiene. (*Vase* JIMMIE *por la derecha.*)

Pix, Inc.

Three generations of charros wear typical riding costume
that is somewhat dressier than the *ranchero* outfit.

Escena IV

Salen el MARIACHI *y el* RANCHERO *por la derecha y vanse por la izquierda,
aquél cantando como antes.* PEDRO *los mira y vuelve a leer.*

Escena V

Sale JIMMIE *por la derecha y vuelve a sentarse cerca de Pedro.*

JIMMIE — Mire, Pedro. Ví a esas chicas a la vuelta (*around the
corner*) y me acerqué y traté de platicar con ellas.

PEDRO — ¡Qué barbaridad! ¡No debía usted haber hecho eso!

302

JIMMIE — Pero usted dijo cosas acerca de ellas que sin duda 75
oyeron, y parece que les agradaron. ¿Por qué no puedo yo acercarme
a platicar?

PEDRO — Pero eso es otro cantar.[1]   No es costumbre platicar
con las muchachas excepto en la reja. ¿Qué contestaron?

JIMMIE — (*Con mucho disgusto.*) No contestaron nada. Se rieron 80
como locas. Pareció que no entendieron lo que les dije. Será muy
malo mi "high-school Spanish." ¿Sabe usted dónde viven?

PEDRO — Sí. Acaban de llegar a Guanajuato. Son hermanas,
sobrinas de una señora que vive cerquita, en la Calle de Sopeña.

JIMMIE — A ver, Pedro. Si usted me cita (*engage*) al mariachi para 85
esta noche, llevo una serenata a esa chica. ¿Le gustaría acompañarme?

PEDRO — Con todo gusto. Entonces aquí nos encontramos como
a las diez, ¿eh?[2]

JIMMIE — Sí, con el mariachi, por supuesto.   90

PEDRO — (*Mirando el reloj.*) Pues, tengo clases esta tarde y no
debo quedarme aquí demasiado tiempo. Con permiso. (*Se levanta.*)
Hasta las diez.

JIMMIE — Usted lo tiene. Hasta luego. (*Vase* PEDRO *por la
izquierda.*)   95

Acto segundo

Escena primera

Es de noche. La casa de SUSIE *y* BELLE, *con una puerta grande y balcón
o ventana con reja. Salen* JIMMIE *y* PEDRO, *seguidos del* MARIACHI.

JIMMIE — Ésta es la casa. Aquella ventana será la de ella. ¿Qué
hago ahora?

PEDRO — Bueno, puesto que usted no la conoce todavía y no
piensa platicar con ella esta noche, esperamos al otro lado de la calle
mientras toca el mariachi.   100

JIMMIE — (*Al mariachi.*) ¡Bueno, muchachos! Por acá (*this way*).
Canten ustedes. Y canten bonito. ¡No gasto todas las noches veinte
pesos por música para una chica! (JIMMIE *y* PEDRO *cruzan la calle y el*
MARIACHI *se estaciona* [stands] *cerca de la ventana y canta una canción
de amor. No pasa nada dentro de la casa.*)   105

---

[1] *otro cantar,* "*a horse of another color.*"
[2] It's perfectly correct for Jimmie to take a friend or so along when he serenades a
girl. Most serenades take place after midnight or (for birthdays) even at four or five
o'clock in the morning!

PEDRO — (*Al terminar el* MARIACHI.) Parece que la señorita no oye la música. Debe encender la luz un momentito.

JIMMIE — ¿Para qué?

PEDRO — Para indicar que oye y le agrada la serenata.

110 JIMMIE — ¡Por Dios! ¡Espero que esté en casa! ¡No me gustaría perder toda esta música!

PEDRO — (*Al* MARIACHI. Toquen otra, muchachos. (*El* MARIACHI *vuelve a tocar y cantar. Al terminar el* MARIACHI, *se abren las puerta-ventanas* [shutters] *y salen al balcón* SUSIE *y* BELLE, *murmurando y*
115 *riéndose.*)

Escena II

PEDRO — ¡Qué barbaridad! Una señorita nunca debe salir al balcón durante una serenata.

JIMMIE — ¿No? ¿Qué debe hacer?

PEDRO — Es costumbre quedarse en su cuarto sin decir nada.

120 JIMMIE — ¡Qué curioso! Esas chicas deben saber la costumbre.

PEDRO — Por supuesto. Platicar y reír durante una serenata . . . ¡eso no se hace!

JIMMIE — Están mirándonos. Quizás deba yo acercarme a platicar con la morenita. Quizás tenga mejor suerte con mi español esta
125 vez. Espéreme un momentito. Con permiso. (*Se acerca a la reja, hace una reverencia profunda* [deep bow] *y habla con mucha dignidad.*) Buenas noches, señoritas. Espero que les agrade la música que les he traído. ¿Qué otra canción quieren ustedes? (*Las chicas siguen riendo y murmurando y no le contestan nada.*)

130 JIMMIE — El mariachi puede tocar la canción que les guste.

SUSIE — (*Después de mucha risa, y pronunciando las palabras con mucho cuidado.*) No . . . entiendo.

JIMMIE — (*Aparte.*) Dawggone it! My accent certainly must be awful. (*Tratando una vez más, pronunciando las palabras con cuidado*
135 *exagerado.*) Espero . . . que . . . les . . . guste . . . la . . . música . . . ¿Quieren . . . ustedes . . . que . . . los . . . músicos . . . les . . . canten . . . otra? (*Las dos muchachas murmuran y ríen.*)

SUSIE — No . . . entiendo. (*A su hermana, en voz alta.*) Oh, Sis, isn't he just too dreamy! If he could only speak English, wouldn't it
140 be fun to date him!

BELLE — You're telling me! Well, I told you to study your Spanish.

SUSIE — Oh, I'll get acquainted with him somehow. Don't you worry!

JIMMIE — Hey! You don't sound like any señorita! Don't tell 145 me you're an American!

SUSIE — (*Chillando* [squealing].) Oh! Why, of course I am!

BELLE — (*A* JIMMIE.) And f'goodness' sake, you don't sound much like a Mexican yourself!

JIMMIE — Who said I was? 150

SUSIE — But you were talking Spanish to us in the park today! Or anyway, we thought it was Spanish.

JIMMIE — It was my most reasonable facsimile. And I thought you couldn't understand me because of my accent! Do you live here? 155

SUSIE — No, Sis and I just came down to spend the summer with our aunt. We haven't met anyone who can speak English and all we do is sit around. Will you be here long?

JIMMIE — Couple of months. Dad's a mining engineer, and he brought me along when he came to work over a mine for one of the 160 companies here.

SUSIE — Isn't that just too dreamy! I mean, — well — Auntie's still up, and it's only ten-thirty, and wouldn't you and your friend like to come in for a little while?

JIMMIE — No kiddin'. Come on, Pedro! The girls want us to 165 come in.

PEDRO — (*Acercándose a la reja.*) But wan cannot go een to veeseet the señoritas! ¡Eso no se hace!

JIMMIE — That's what you think! This may be Mexico, but the girls and I are Americans. Come on, muchachos! Let's have some 170 music inside.

Las muchachas van a abrir la puerta. Los jóvenes entran en la casa, seguidos del mariachi. Se oyen risas, y exclamaciones alegres, y música.

Se baja despacio el telón (curtain).

¿Entendió usted el cuento?

1. ¿Por qué se presentó Pedro a Jimmie? 2. ¿Qué hizo Pedro que sorprendió a Jimmie? 3. ¿Qué hizo Jimmie que sorprendió a Pedro? 4. ¿Por qué paga el ranchero al mariachi para que le siga todo el día? 5. ¿Qué puede hacer un muchacho mexicano por una chica en vez de invitarla a ir al cine con él? 6. ¿Quién le dijo a Jimmie en dónde vivían las chicas? 7. ¿Qué hace una chica cuando oye una serenata debajo de su balcón de noche? 8. ¿Por qué no entendieron Susie y Belle a Jimmie cuando las saludó en la plaza? 9. ¿Por qué creía Pedro que los muchachos no debían visitar a las muchachas?

REPASO DE PALABRAS

EJERCICIO 1. In the RODEO DE PALABRAS on pages 307 and 308 you will find the most important words and expressions from Chapters 15 through 20. The Spanish list is numbered to correspond with the English. *Check yourself by giving each item in the other language. Use* **el** *or* **la** *with each Spanish noun, and give both the masculine and the feminine form of each adjective. Make a list of any words you do not remember, and then use each one in a sentence.*

EJERCICIO 2. *What Spanish adjectives in the list on page 307 would complete these sentences appropriately?* (*Use each one only once.*)

1. El Río Amazonas es ____ y ____. 2. El pobre hombre era ____ cuando murió su sobrino. 3. El partido era ____. 4. El agua en la playa estaba ____. 5. Es el ____ hombre aquí; todas las demás son mujeres. 6. La broma era muy ____. 7. Los campos ____ estaban ____ porque no había caído lluvia. 8. La carta con el sobre color de rosa empezaba: ____ Alberto. 9. Aquí solemos cobrar un precio ____ por cada paquete. 10. La maquinaria estaba muy ____. 11. Esas bolsas no son iguales, sino ____. 12. El viejecito no vive en un hotel, sino en una casa ____. 13. ¡No haga usted tantas preguntas ____! 14. En un camino muy ____ no pueden pasar dos camiones. 15. Hay animales ____ en el bosque.

EJERCICIO 3. *Dé usted lo contrario de cada una de estas palabras o expresiones.*

1. el cliente	7. por primera vez	13. feliz	19. apagar
2. la paz	8. la obscuridad	14. bello	20. descansar
3. la muerte	9. decir la verdad	15. iguales	21. destruir
4. el valle	10. al principio	16. menos	22. empujar
5. ancho	11. de buena presencia	17. público	23. enseñar
6. muerto	12. hacer preguntas	18. tibio	24. recordar

EJERCICIO 4. *Give an English word which is related to each of these Spanish words.* POR EJEMPLO: **encontrar** (*to find*), encounter.

1. durar	8. los negocios	15. deber (*owe*)
2. brillar	9. el colegio	16. la falta
3. cumplir	10. la nota	17. el coche
4. encender	11. único	18. castigar
5. los fósforos	12. menos	19. la obscuridad
6. emocionante	13. la carga	20. divertido
7. amable	14. el cliente	21. útil

Nouns

1. el aceite	17. la carga	33. la falta	49. los negocios	65. la rueda
2. el aeropuerto	18. la carrera	34. la felicidad	50. el nieto	66. la ruta
3. la aldea	19. la carreta	35. el fin	51. la nota	67. la sangre
4. la amistad	20. la cita	36. la firma	52. la nube	68. la selva
5. el asiento	21. el cliente	37. el fósforo	53. la obscuridad	69. el sobre
6. el baile	22. el clima	38. el golpe	54. el paquete	70. el sobrino
7. la belleza	23. el coche*	39. la guerra	55. el par	71. la suegra
8. el boleto	24. el colegio	40. el hielo	56. el partido	72. el teatro
9. la bolsa	25. la cuenta	41. el jabón	57. el pasajero	73. el transporte
10. la broma	26. la docena	42. el jefe	58. el pensamiento	74. el tranvía
11. el caballero	27. el ejército	43. el labio	59. el pez	75. el valle
12. el cabello	28. la embajada	44. la lámpara+	60. la playa	76. el viejecito+
13. el cacahuate	29. el enemigo	45. el lector	61. los polvos	77. el vino
14. el camión*	30. la espalda	46. la maquinaria	62. el primo	78. la visita
15. el campo*	31. la estrella+	47. el medio	63. el respeto	79. la viuda
16. la cárcel	32. el estudiante	48. la muerte	64. el río	

Adjectives

1. amable	6. divertido	11. fijo	16. loco	20. próximo+	24. serio
2. ancho	7. emocionante	12. hondo	17. llano	21. querido	25. tibio
3. asombrado	8. encantador+	13. humilde	18. particular	22. seco	26. único
4. bello	9. estrecho	14. infeliz	19. pesado	23. sencillo	27. vivo
5. distinto	10. extraño	15. lejano			

Verbs

1. agradar	14. contribuir	27. enseñar (a)	40. recoger
2. apagar	15. cruzar	28. estorbar	41. recordar*
3. apresurarse a	16. cumplir (con)	29. extrañar	42. respetar
4. aprovechar	17. deber*	30. indicar	43. rezar
5. asombrar	18. depender (de)	31. llamar (a)*	44. robar (a)
6. aterrizar	19. descansar	32. mentir	45. saltar
7. bastar	20. destruir	33. obtener	46. secar
8. besar	21. dirigirse a	34. parar(se)	47. soler
9. brillar	22. discutir	35. peinarse	48. suceder
10. caber	23. durar	36. preocuparse (por)	49. sufrir
11. castigar	24. emplear	37. proponer	50. tirar de*
12. cobrar	25. empujar	38. quemar	51. unir(se)
13. consistir (en)	26. encender+	39. quisiera	

Pronouns	Adverbs	Prepositions	Conjunctions
1. (a) quien* 3. cuyo	1. como* 3. quizás	1. por*	1. puesto que
2. el (la) cual	2. jamás 4. sí*		

Expressions

1. al amanecer	12. es cierto	22. no tengo la culpa (de que)
2. al principio	13. es que	23. ojalá (que)
3. a medianoche+	14. estar de acuerdo con	24. por casualidad
4. a pesar de	15. hace poco	25. por primera vez
5. (de) color de rosa	16. hacer efectivo	26. por supuesto
6. con (mucha) calma+	17. hacer preguntas	27. ¡qué hacer!+
7. dar de comer a	18. lo (extraño)	28. rumbo al (sur)
8. debido a	19. llegar a ser	29. sin embargo
9. de buena presencia	20. no hay que extrañar	30. tener ganas de
10. en alguna parte	21. no poder menos de	31. tener lugar
11. en efecto		

* New meaning   + Introduced but not basic in Book I

Nouns

1. oil	17. freight	33. lack	49. business	65. wheel
2. airport	18. race	34. happiness	50. grandson	66. route
3. village	19. oxcart	35. end	51. grade	67. blood
4. friendship	20. "date"	36. signature	52. cloud	68. jungle
5. seat	21. customer	37. match	53. darkness	69. envelope
6. dance	22. climate	38. blow	54. package	70. nephew
7. beauty	23. carriage	39. war	55. pair	71. mother-in-law
8. ticket	24. high school	40. ice	56. game	72. theater
9. pocketbook	25. account	41. soap	57. passenger	73. transportation
10. joke	26. dozen	42. chief	58. thought	74. street car
11. gentleman	27. army	43. lip	59. fish	75. valley
12. hair	28. embassy	44. lamp	60. beach	76. little old man
13. peanut	29. enemy	45. reader	61. powder	77. wine
14. truck	30. shoulder	46. machinery	62. cousin	78. visitor
15. field	31. star	47. means	63. respect	79. widow
16. jail	32. student	48. death	64. river	

Adjectives

1. kind	6. funny	11. fixed	16. crazy	20. next	24. serious
2. wide	7. thrilling	12. deep	17. flat	21. dear	25. warm
3. surprised	8. charming	13. humble	18. private	22. dry	26. only
4. beautiful	9. narrow	14. unhappy	19. heavy	23. simple	27. alive
5. different	10. strange	15. distant			

Verbs

1. to please	14. to contribute	27. to teach (to)	40. to gather up
2. to put out	15. to cross	28. to be in the way	41. to recall
3. to hurry to	16. to fulfill	29. to wonder	42. to respect
4. to take advantage of	17. to owe	30. to indicate	43. to pray
5. to astonish	18. to depend (on)	31. to knock (at)	44. to rob
6. to land	19. to rest	32. to lie	45. to jump
7. to be enough	20. to destroy	33. to obtain	46. to dry
8. to kiss	21. to go to	34. to stop	47. to be accustomed to
9. to shine	22. to discuss	35. to comb one's hair	48. to happen
10. to be room for	23. to last	36. to worry (about)	49. to suffer
11. to punish	24. to employ	37. to propose	50. to pull
12. to charge	25. to push	38. to burn	51. to unite
13. to consist (of)	26. to light	39. I would like to	

Pronouns | Adverbs | Prepositions | Conjunctions

Pronouns	Adverbs	Prepositions	Conjunctions
1. he (him) who 3. whose	1. about 3. perhaps	1. for the sake of	1. since
2. who, which	2. never 4. certainly		

Expressions

1. at dawn	12. it is true	22. it isn't my fault (that)
2. at first	13. the fact is that	23. if only
3. at midnight	14. to agree with	24. by chance
4. in spite of	15. a little while ago	25. for the first time
5. pink	16. to cash	26. of course
6. (very) calmly	17. to ask questions	27. what shall I do!
7. to feed	18. the (strange) thing	28. en route to (the south)
8. due to	19. to become	29. nevertheless
9. good-looking	20. no wonder	30. to feel like
10. anywhere	21. not to be able to help	31. to take place
11. as a matter of fact		

EJERCICIO 5. *Dé usted otra palabra que quiere decir, más o menos, lo mismo que cada una de éstas.*

1. jamás
2. quizás
3. llegar a ser
4. por supuesto
5. obtener
6. bello
7. la aldea
8. el estudiante
9. las amistades

REPASO DE VERBOS

EJERCICIO 6. *Complete the verb form in the following questions and ask them of someone to see if he can answer you correctly.*

1. *¿Did you comb your hair* esta mañana? 2. *¿Do you recall* en qué país se usan sobres color de rosa? 3. ¿Qué hace *shine* el cabello? 4. ¿Cuánto *will they charge* en el teatro por los boletos? 5. *¿Did you get burned*[1] al sol en la playa? 6. *¿Is enough* el dinero para obtener la felicidad? 7. ¿Quién *knocked* a su puerta al amanecer? 8. *¿Were you discussing* la guerra con sus visitas? 9. ¿Quiénes *are accustomed to* dar los paquetes a los clientes? 10. ¿Le permite su padre *you to go* a dondequiera *you wish?* 11. *¿Was all gone* el aceite de su autómovil sin que usted lo *knew (without your knowing it)*? 12. ¿Teme usted que *is not enough* el aceite? 13. ¿Cree usted que *will please him* lo menos posible? 14. *¿Would you contribute* un millón de pesos por la paz? 15. *¿Were you worrying* por el baile? 16. *¿Would you prefer* la belleza a la felicidad? 17. *¿Do you wash* el cabello con jabón y agua tibia?

EJERCICIO 7. *Give the following expressions three times in Spanish, using the proper forms of first* **obtener,**[2] *then* **secar,** *and then* **dirigirse.**

1. he ____s 2. he ____ yesterday 3. I used to ____ 4. he will ____ 5. they would ____ 6. she has ____ 7. we had ____ 8. I want you to ____ 9. I wanted you to ____ 10. if you ____ (*contrary to fact*) 11. until you ____ tomorrow 12. it is possible that we ____ 13. let us ____ 14. upon ____ing 15. we were ____ (*prog.*)

EJERCICIO 8. *Give the formal and familiar commands of these verbs, first in the affirmative ("Do!") and then in the negative ("Don't!").* POR EJEMPLO: **tenga usted, ten (tú); no tenga usted, no tengas.**

1. apagar
2. proteger
3. besar
4. destruir
5. cruzar
6. proponer
7. apresurarse
8. peinarse
9. preocuparse
10. unir
11. mentir
12. pararse

---

[1] You can say *get* with many verbs merely by making them reflexive: if you burned yourself, you "got burned."

[2] Any compound of an irregular verb (**ob** + **tener**) is conjugated with the same changes as the original verb. What verb will **proponer** be like?

REPASO DE COSAS NUEVAS

These tricky sentences will show how well you can use your rules. If they stump you, look up the section references and complete the statements to help you remember. (**¡Cuidado!** You may have to change word order in some of the Spanish sentences.)

1. Pregunte usted a algún muchacho que *drives* un camión.
When an adjective clause describes something ----, *the verb* ---- *the clause must be in the subjunctive.* (*page 214, § 32, 1*)

2. No hay nada que *isn't* posible, con tal de que uno trabaje.
When an adjective clause is preceded by a ----, *the verb in the clause must be in the subjunctive.* (*page 216, § 32, 2*)

3. — ¿Cuánto le debo? — *Whatever you wish.*
Words meaning "whatever," "wherever," "whoever," "whenever," and "however" take the ---- *when they express any doubt.* (*page 216, § 32, 3; footnote 1*)

4. ¡Ojalá *he weren't in the way!*
Ojalá *always takes the subjunctive because it implies* ---- *as to whether or not the speaker gets his wish.* (*page 230, § 33, 1*)

5. *I should not like to* ir al baile con ese caballero.
Quisiera *is more polite than* ----. (*page 231, § 33, 2*)

6. Quizás *you're right*, querida.
The subjunctive is used after any word meaning ---- *when future time or doubt is implied.* (*page 231, § 33, 3*)

7. un sobre *for* boletos; bueno *for* treinta días; *for the sake of* el jefe; jabón *for* diez centavos; *for* su cumpleaños; una cita *for* las ocho de la noche; dos cajitas *for* fósforos
"For" can be expressed by either ---- *or* ----, *depending upon the meaning.* (*page 256, § 34, 1*)

8. Esta carretera nueva fué construida *by* el ejército. Si viajo *by* ella, llegaré *by* las diez.
"By" is expressed by **por** *when it means* ---- *or* ----, *and by* **para** *when it means a* ----. (*page 257, § 34, 2*)

9. *In* la mañana fué *through* el teatro *in order to* buscar la bolsa *along* los pasillos (*aisles*).
Por *also means* ----. **Para** *also means* ----. (*page 257, § 34, 3 and 4*)

10. Una bolsa nuevecita *was lost* en alguna parte, en un teatro cerca de la Embajada.
Reflexive verb forms are often used in the third person to express a ---- *idea.* (*page 258, § 35*)

11. — *Mrs.* López está aquí. — Buenos días, *Mrs.* López. ¿Ha oído usted la noticia? ¡*Mr.* Moreno está en el ejército!
The ____ *article is used in Spanish with a title except in* ____ ____. (*page 269,* § *37, 4*)

12. *Oil* — en su maquinaria — vale más que *emeralds.*
Nouns used in a ____ *sense must have the* ____ *article.* (*page 269,* § *37, 3*)

13. *Last year* dijimos que no iríamos, pero ahora quizás vayamos *next month.*
An expression of time, when modified, requires the ____ *article.* (*page 269,* § *37, 1*)

14. Sí, era bonita, pero nunca se ponía *her hat* y al principio ni siquiera limpiaba *her fingernails.*
With articles of clothing and parts of the body, use the ____ *article instead of the* ____. (*page 270,* § *37, 5*)

15. Enseño *Spanish,* y puedo hablar *French,* pero quiero aprender a leer libros en *German* (**alemán**).
Names of languages always take **el** *except after* ____, ____, *and* ____. (*page 269,* § *36*)

16. Ella no puede lavarse las manos sin *any soap,* y *she hasn't any* lápiz de labios.
The indefinite article is often omitted after a ____. (*page 270,* § *38*)

17. *He hasn't seen* a su nieto en ninguna parte *for a month.*
When **hace** *means "for," the other verb in the sentence must be in the* ____ *tense.* (*page 279,* § *39*)

18. *I can* cortar (*cut*) el cabello, pero *I can't* cortar el mío porque *I can't* verlo bien.
When "can" means being physically able to, use ____; *when "can" means knowing how to, use* ____. (*page 280,* § *40, 1*)

19. ¿*May I* llamar a la puerta ahora? — Sí, pero es posible que *he may not recall* la cita.
When "may" asks permission, use ____; *when it indicates doubt, use a* ____ *verb.* (*page 281,* § *40, 2*)

20. Vamos a comprar un paquete de lápices *from* aquel viejecito.
With a verb which contains the idea of separating something from a person, "from" is expressed by ____. (*page 294,* § *41*)

21. — Pregunte usted *Helen* si su nieta quisiera este lápiz de labios.
— No, ella no permite *her granddaughter* que lo use.
Permitir, preguntar, *and* **decir** *require* ____ *when the object is a person.* (*page 295,* § *41*)

FOR ADDITIONAL, OPTIONAL MATERIALS TURN TO **A ESCOGER,** PAGE 479.

Capítulo 22

El manso
caballo negro

When a great black horse considers a boy his best friend, other people will do well not to try to come between them. This is a thriller of a story, but they say it really happened on a ranch somewhere on the vast pampa of Argentina many years ago, where a horse was — and often still is — a man's most prized possession.

De la estrella blanca en la frente a la cola (*tail*) larga, el caballo negro era un magnífico animal. El padre de Lorenzo se lo había dado cuando el potrillo (*colt*) nació en la estancia y se había muerto la yegua (*mare*). Lorenzo, aunque entonces tenía sólo diez años de
5 edad, había cuidado al animal chico de piernas largas y débiles, dándole leche de una botella. Le llamó Negrito, y pronto aprendió el chico Negrito a seguir al niño como un perro grande y manso. ¡Lo único que nunca pudo entender Negrito era por qué su compañero nunca le permitió entrar en la casa!
10 Cuando había crecido bastante el manso animal, Lorenzo le enseñó a llevarle, y después el joven de trece años y el caballo de tres pasaban días enteros paseándose juntos por la estancia.

Durante estos tres años de la vida del caballo, un estanciero vecino, llamado Pérez, también le había visto crecer. Un día este
15 vecino, encontrando a Lorenzo a caballo en el camino real, le preguntó, — ¿Cuánto quieres por ese caballo negro? Quisiera comprarlo.

— No se vende, — contestó Lorenzo pronto. — Hace tres años que somos amigos, y un amigo no se vende.

— ¡Vaya! Ningún caballo es amigo. Un caballo sólo sirve para montar o para trabajar. A ver. Te doy cien pesos por él. 20

— No se vende, — repitió Lorenzo, y pasando la mano por [1] la cabeza del magnífico caballo, murmuró, — Vámonos, Negrito, — y al instante el caballo manso y obediente empezó a correr como el viento. 25

Sin embargo, siempre que el vecino Pérez encontraba después a Lorenzo, seguía preguntándole, — ¿Cuánto quieres por el caballo?

Y cada vez Lorenzo, sintiendo una ola de miedo en el corazón, siempre contestaba, — No se vende.

Así era la cosa cuando una noche desapareció de su corral el caballo 30 negro. Lorenzo estaba desconsolado (*grief-stricken*). Llorando como si tuviera roto el corazón, seguía repitiendo, — ¡Ese Pérez me lo ha robado, lo sé!

— Dudo (*I doubt*) que haya sido robado, — dijo su padre. — Pérez no se atrevería a hacer eso. Aunque tenga caballos negros, 35 entre todos los suyos todo el mundo podría reconocer a Negrito por esa estrella blanca en la frente.

Pero Lorenzo, sin decir nada a su padre, fué solo a pie a la estancia de Pérez. El estanciero le vió al momento en que llegó el chico. 40

---

[1] *pasando la mano por, stroking.*

Vast plains of Argentina, where you can plow a furrow from the Andes to the sea without striking a stone, still require many horses on unpaved roads.

Rapho-Guillumette

Pride and joy of the Argentine *estancias* are the thorough-
bred riding horses, often of imported racing stock.

— ¿Qué haces aquí, muchacho? — le preguntó Pérez, de mal
humor.

— Pues, mi caballo negro — Se ha escapado del corral — Tal vez
esté aquí con los suyos . . .

45 — ¡Vaya! No sirve buscarlo aquí. Es cierto que hay varios
negros, pero ninguno tiene estrella blanca en la frente como tu
Negrito. Búscalo en otra parte, muchacho. Y no vuelvas a pisar
(*set foot on*) mi estancia. Por aquí se prohibe pasar. ¿Entiendes?
¡Vete ahora, vete!

50 Lorenzo volvió a casa, más triste que nunca. Pero a medianoche
volvió a la estancia de Pérez, solo, llevando una reata. Cuando a la
luz de las estrellas vió el corral de caballos, llamó quedito (*softly*),
y al instante uno de ellos corrió hacia él, relinchando (*whinnying*).

¿Era Negrito? Pero no. Cuando llegó el caballo negro a su lado,
55 Lorenzo pudo ver, hasta en la obscuridad, que no tenía estrella

blanca en la frente. Pero — cosa curiosa — el caballo, sin miedo, frotó (*rubbed*) la cabeza contra el brazo del niño como siempre lo hacía Negrito cuando pedía un pedacito de azúcar.

— ¡Negrito, mi Negrito! — murmuró Lorenzo. Éste era su caballo — con la estrella blanca teñida (*dyed*) de negro.   60

— Te llevo a casa, Negrito, — murmuró Lorenzo. Pasando la reata alrededor del pescuezo [1] del animal, montó sobre él. Para salir del corral, los dos tendrían que pasar por la puerta (*gate*) grande cerca de la casa de Pérez.

Al llegar a la puerta, Lorenzo la abrió con mucho cuidado, pero 65 apenas volvió a montar al caballo, cuando apareció en la obscuridad la forma de un hombre.

— ¡Deja ese caballo, tonto! — gritó éste, y Lorenzo reconoció al estanciero Pérez, con un látigo en la mano.

[1] *el pescuezo, neck,* but always an animal's neck. A person's neck is *cuello.*

Casa grande, as the owner's home is called, nestles among trees of an Argentine *estancia* in the foothills.

Rapho-Guillumette

70   — Estoy seguro de que este caballo es mío, — contestó el niño humildemente.

Pérez corrió a su lado y cogió la reata del caballo. — ¡Bájate! — gritó, furioso. — ¡Bájate o te mato! — Y el hombre, fuera de sí,[1] golpeó con furia a Lorenzo con el látigo. Negrito, encabritándose
75   (rearing), trató de librarse.

— ¡Ay, ay! — lloró Lorenzo, mientras le corría la sangre por las espaldas. — ¡Vámonos, Negrito, por Dios!

El caballo le entendió. Con un gran esfuerzo consiguió librarse de Pérez. Pero, en vez de huir de los golpes del látigo, Negrito se
80   echó contra el hombre. Con las patas delanteras (fore) le echó abajo; con las patas le aplastó (crushed), golpeando furiosamente una y otra vez (time after time) la forma caída del hombre, cuyos gritos de terror al fin cesaron. . . .

Luego el caballo negro se volvió, y con el paso (step) humilde de un
85   animal completamente manso y obediente, llevó al niño hacia su hogar.

[1] *fuera de sí,* *beside himself.*

Barbecued mutton, favorite dish of the Argentine pampa, roasts slowly around an outdoor fire in preparation for a big feast.

Monkmeyer

I. ¿Entendió usted el cuento?

1. ¿Cómo consiguió Lorenzo a Negrito?
2. Describa usted el caballo.
3. ¿Quién quería comprar el caballo?
4. ¿Por qué decía siempre Lorenzo — No se vende?
5. ¿Por qué fué a la estancia de Pérez por primera vez?
6. ¿Cómo supo Lorenzo a medianoche que el caballo negro del corral era suyo?
7. ¿Por qué llevaba una reata?
8. ¿Qué llevaba Pérez en la mano cuando apareció en la obscuridad?
9. ¿Por qué golpeó Pérez a Lorenzo con el látigo?
10. ¿Cómo se libró de Pérez el manso caballo?
11. ¿Cómo murió el hombre cuyos gritos al fin cesaron?

II. ¿Qué dice usted?

1. ¿Qué animal a veces tiene una estrella en la frente?
2. ¿Es hermoso o feo un caballo negro con patas y frente blancas?
3. ¿Sabe usted montar a caballo bastante bien para hacerlo sin miedo?
4. ¿Prefiere usted montar a caballo o ir en cucaracha cuando tiene que apresurarse?
5. ¿Prefiere usted montar a caballo o ir en cucaracha cuando tiene una cita para un baile?
6. ¿Es posible golpear a alguien en la espalda con un látigo sin que se enfade?
7. ¿Es más débil o más fuerte el que ha perdido mucha sangre?
8. ¿Es más amable dejar en paz a los vecinos o molestarlos?
9. Cuando se vuelven los estudiantes para murmurar, ¿es para contar chistes o para hablar de los sucesos del día?
10. ¿Reciben buenas o malas notas los estudiantes que nunca cesan de murmurar en la clase?
11. ¿Prefieren los niños asistir a la escuela o ir a la playa cuando viven en un clima muy caliente?

REPASO DE VERBOS

EJERCICIO 1. *Give the first person singular present subjunctive of each of these verbs.*

1. cumplir	6. volverse	11. mentir
2. tirar	7. golpear	12. cruzar
3. recordar	8. obtener	13. castigar
4. proponer	9. coger	14. dirigirse
5. crecer	10. destruir	15. reconocer

EJERCICIO 2. *Give the first person plural past subjunctive of each of these verbs.*

1. murmurar	6. contribuir	11. morir
2. decir	7. temblar	12. traer
3. saber	8. oír	13. ir
4. hacer	9. ser	14. dar
5. caer	10. venir	15. cumplir

EJERCICIO 3. *What preposition is often used with each of these verbs? If you aren't sure of some, check by the list on page 517, then say them aloud with the verb several times to learn them "by ear."*

1. robar	6. quitar	11. alegrarse
2. consistir	7. enseñar	12. comprar
3. tirar	8. dirigirse	13. rodear
4. dejar	9. llenar	14. pasar
5. depender	10. fijarse	15. convertirse

ALGO NUEVO

42. The True Passive

Rutas fijas fueron establecidas por los mexicanos.
Fixed routes were established by the Mexicans.

Dudo que haya sido robado.
I doubt that it has been stolen.

The passive voice [1] is formed in Spanish by some form of the verb *ser* plus the past participle, which must agree with the subject like any adjective. The tenses most often used passively are the present and preterite.

This true passive is generally avoided in Spanish, however, since the reflexive *se* with a third person verb is usually substituted for it (page 258, § 35). The passive is often used (1) when the "agent" (by whom the action is done) is expressed or (2) when the subject is a person. Note that *by* is most often expressed by *por*.

Remember	Use the reflexive substitute instead of the true passive whenever you can.

[1] See page 258, footnote 1.

Simple harness of milk-wagon horses of the Argentine pampa indicates the flatness of the dirt roads.

Ser plus the past participle is used only for a happening or action, never for description, which takes *estar.*

PASSIVE VERB: *La puerta fué abierta por Beto.*
The door <u>was opened</u> by Bob.

DESCRIPTION: *Miré la puerta; estaba abierta.*
I looked at the door; <u>it was open.</u>

EJERCICIO 4. *Translate these sentences and name each passive verb and each "agent."*

1. El coche fué tirado por media docena de caballos. 2. El paquete pronto fué recibido por el lector. 3. El chófer fué llamado por una dama vestida de negro. 4. El suceso ha sido comentado por los lectores. 5. Trate (*treat*) a los demás como quisiera ser tratado. 6. Los teatros de cine serán cerrados por el gobierno. 7. Por su belleza, la viuda fué llevada por dos hombres a quienes no conocía. 8. El billete que ganó el premio gordo fué vendido por mi primo. 9. Un programa para controlar los

JOVEN ENAMORADO

— ¿Y desde cuándo está usted enamorado de mi hija?
— Desde que la ví por primera vez en su magnífico automóvil.

precios es estudiado por el presidente. 10. Todos los domingos los charros montan a caballo en el Bosque de Chapultepec para ver y ser vistos. 11. El prisionero trató de librarse, pero fué golpeado por el soldado. 12. El joven fué obligado a invitar a su suegra. 13. La primera carreta fué construida por un carpintero español. 14. Los caminos fueron construidos al principio del siglo. 15. El niño fué besado por su madre.

EJERCICIO 5. *Complete these sentences in Spanish, using the true passive wherever possible. Be sure to make the past participles agree with the nouns to which they refer.*

1. El niño débil *was struck by* el mal estanciero. 2. El magnífico caballo *was not sold by* Lorenzo. 3. El caballo apenas *was freed by* sus esfuerzos. 4. La estrella *was painted* de negro *by* el hombre que robó el caballo a Lorenzo. 5. Como mil dólares *were contributed by* la gente de aquella aldea. 6. El magnífico jefe indio *was seen* por primera vez *by* el conquistador. 7. Los juguetes *were brought by* sus nietos. 8. Las casas *had been burned by* el ejército durante la última guerra. 9. El agua tibia y el jabón deben *to be used* más por los jóvenes, según las chicas. 10. La cuenta *was closed* cuando murió la dama. 11. Un esfuerzo magnífico *was made by* los jóvenes para ganar el partido. 12. Los polvos y el colorete *are used by* las chicas encantadoras.

EJERCICIO 6. *Review the use of* **estar** + *past participle to show description (page 36, § 2, 3), and then complete these sentences with the proper form of* **ser** *or* **estar.** HELPFUL HINTS: (1) **Por** shows that something was done *by* someone. Since this denotes an *action*, will **ser** be preterite or imperfect? (2) Since **estar** + past participle is used for description, what tense will **estar** have to be in the past?

1. El caballo manso *was* vendido por el jefe después de la carrera.
2. Miré la estrella; *it was* pintada de blanco.
3. La estrella *was* pintada por el hombre.
4. El ejército apenas *was* rodeado por el enemigo.
5. El ejército *was* rodeado de ¹ las montañas.
6. La historia *was* contada por el lector.
7. La historia *was* escrita en papel blanco.
8. El joven *was* pagado por el Club de Béisbol hace poco.
9. El joven *was not* cansado antes del partido, por supuesto.

REPASITO

EJERCICIO 7. *Answer these questions, using pronouns in your answers instead of the italicized nouns.*

1. ¿Hay que meter aceite en *su carro* antes que se acabe? 2. ¿Usan *las señoritas* polvos en *los labios?* 3. ¿Se vuelve usted para murmurar *la noticia a sus vecinas?* 4. ¿Deja usted a *sus vecinos* por miedo de molestarlos? 5. ¿Apagó usted *la luz* porque brillaba demasiado? 6. ¿Tiene usted ganas de discutir *el clima* con *Rosita?* 7. ¿Debe usted mil pesos a *su sobrino?* 8. ¿Murmura *un novio* palabras dulces a *su querida novia?* 9. ¿Roba el conductor del autobús *su dinero* al *pasajero?* (¡**Cuidado!**) 10. ¿Le cobra el conductor de tranvía por *un boleto?*

EJERCICIO 8. All the italicized infinitives in this true story should be in the imperfect or preterite tenses. *As you read the story, put each verb in the proper tense, then just to be sure you understood the story while you struggled with verbs, answer the questions after it.*²

Domitilo, criado de once años, (1) *vivir* y (2) *trabajar* en casa de la señora Alvarado en Bogotá, Colombia.

En la misma casa (3) *visitar* una señorita norteamericana que (4) *tratar* de aprender a hablar español. Muchas veces la señorita (5) *platicar* con Domitilo, pero en vez de tutearle (*using* **tú**), como (6) *deber*, le (7) *decir* «usted». Ella (8) *saber* bien que no (9) *deber* platicar así con un niño, es-

¹ Some verbs, such as **rodear, acompañar,** and **seguir,** take **de** instead of **por** when they show a condition instead of an action.
² Remember that the imperfect is used for the stage setting, "used to" or "was —ing," and the preterite for the actions that take place.

pecialmente cuando éste (10) *ser* criado, pero le (11) *molestar* aprender la segunda persona de los verbos.

Pues, un día la señorita (12) *estar* en su cuarto, y (13) *llamar* a Domitilo.

— Tráigame usted un cuchillo (*knife*), por favor, — le (14) *decir*. — Quiero comerme esta piña (*pineapple*).

Domitilo la (15) *mirar* y (16) *pensar*, —Si ella me dice «usted», eso quiere decir que los dos somos iguales (*equal*). Si somos iguales, no conviene que yo la sirva a ella. — Y le (17) *contestar*, —Usted puede conseguir un cuchillo en el comedor, — y (18) *irse* sin traerle uno.

La señorita (19) *ir* a enojarse (*get angry*) mucho, cuando lo (20) *entender* todo. Así es que no (21) *decir* nada, y ella misma (22) *ir* al comedor a conseguir el cuchillo.

Al día siguiente, habiendo aprendido bien su lección, la señorita (23) *llamar* a Domitilo y le (24) *decir* otra vez, — Tráeme tú un cuchillo, por favor.

Y ¿qué (25) *hacer* Domitilo? Pues (26) *contestar* en seguida y con mucho respeto, — Sí, señorita, con mucho gusto. — ¡Y le (27) *traer* el cuchillo!

1. Why did the visitor use **usted** to Domitilo at first? 2. Why didn't he bring her the knife the first time? 3. Why was he so polite the second time?

PALABRAS PARA APRENDER

¡ay!	ouch! (*new meaning*)	* librarse (de)	to free oneself, get away (from)
* cesar (de)	to cease		
el corral	corral, pen for livestock	Lorenzo	Laurence
		* magnífico, –a	magnificent
* débil	weak	* manso, –a	gentle
* dejar	to let alone (*new meaning*)	* el miedo	fear
		* montar	to mount; ride
* el esfuerzo	effort	* murmurar	to whisper
la estancia	farm (*Arg.*)	Negrito	Blackie
el estanciero	farmer (*Arg.*)	* la pata	foot, paw (*animal's*)
* la frente	forehead	la reata	rope ("lariat")
* golpear	to strike, beat	* volverse	to turn around (*new meaning*)
* el látigo	whip		

PALABRAS PARA REPASAR

* apenas	hardly	* ¡vaya!	go on!, come, now!
* sentirse (ie, i)	to feel (like)		

EXPRESIONES

* echar abajo, to knock down

* (estar) de buen (mal) humor, (to be) in a good (bad) humor

montar a caballo, to ride horseback

* (no) se vende, (not) for sale

FOR ADDITIONAL, OPTIONAL MATERIALS TURN TO **A ESCOGER**, PAGE 483.

Capítulo 23

La cadena de oro
del Titicaca[1]

It is impossible to read about the Andes or visit the countries that straddle that stupendous mountain chain without running into stories of the Incas and their Empire, although not a living person bears that name now.

People who trimmed buildings with gold because they thought it a thing of beauty instead of something to spend were bound to be hunted out by the Spaniards. One rumor that nearly drove the conquerors wild was the one about the missing golden chain of the Incas, which was said to have weighed thousands of pounds. Even our matter-of-fact histories tell how it was supposed to have been thrown into a lake near Cuzco at the time of the conquest, and how forty Spaniards and two hundred Indians worked three months draining the lake and searching for it — but never found it.

This story, by a modern Peruvian, tells why they didn't succeed, and why no one ever will.

1

Todos sabían en la hacienda que Paucar, el viejo capataz (*overseer*), había oído de los labios de sus padres cuentos maravillosos del tiempo del Imperio (*Empire*). No era raro ver sentarse a los indios alrededor de él cuando cesaban sus labores, para escuchar las palabras que salían de su boca en su lengua nativa, el quechua.[2] Pero 5

---

[1] Lake Titicaca is one of the highest lakes in the world — a cold blue sea over 12,000 feet high in the Andes, with cozy little lake steamers puffing across it daily.

[2] *Quechua* (sometimes spelled *quichua*) was the language of the Incas and is still spoken by the Indians of Peru.

Light balsas skip across wind-blown Titicaca like autumn
leaves, but are strong enough to carry a horse or cow.

bastaba que uno de nosotros se acercara un poco, para que cesara el
cuento y sólo se viera el mascar de la coca.[1]

Era a (*for*) mí, el hijo menor del patrón, al que Paucar tenía más
cariño.

10 — Paucar, — había preguntado yo al viejo, — ¿qué es lo que
cuentas a los peones (*laborers*)?

— Cosas viejas, niño.

— Y ¿por qué callas cuando yo me acerco?

— No callo, niño; es que se acaba el cuento.

15 La respuesta no me satisfacía. — Paucar, cuéntame a mí también
esas cosas viejas.

Y después de hacerme rogar un rato, varias veces Paucar me
dejaba oír, en la monótona (*monotonous*) lengua quechua, episodios
de una vida que la llegada de los españoles había destruido.[2]

---

[1] In the highlands of Peru and Bolivia the Indians chew coca leaves, containing cocaine, to deaden the feeling of cold and hunger.

[2] Ancient Incan life was set in an amazingly efficient pattern, with strong habits of
decency and honesty and strict punishments for offenders. To lie was the greatest sin,
and convicted gossips had their careless tongues nailed to a board!

2

Yo era ya un hombre cuando los diarios que llegaban de Lima 20
trajeron a la hacienda una feliz noticia.   Hablaban de unos papeles
recién (*recently*) encontrados que habían pertenecido a uno de los
primeros conquistadores.   En ellos el español contaba que había
oído una conversación entre dos indios que dijeron que en el Lago
Titicaca, situado a poca distancia de nosotros, había sido escon- 25
dido un gran tesoro: la famosa cadena de oro puro de los Incas,
en la que cada eslabón (*link*) estaba formado de la mano de un
hombre. — ¿Quién sería el afortunado que conseguiría hallar el
tesoro? — era la pregunta con que terminaba la gran noticia.

Como bandada (*band*) de pájaros emigrantes, vino de Lima un 30
gran número de personas que hacían preguntas a cualquier indio que
se pusiera a su paso (*in their way*).   Yo mismo, al oír la noticia,
pensé que podía ser mío el tesoro.   ¿Quién mejor que Paucar podía
darme la clave (*key*) de aquel misterio?

Mas en vano le hacía yo preguntas, porque su única respuesta era, 35
— No puedes hallar el tesoro, niño.   Paucar no puede dártelo.

En mi cabeza nació una idea.   Bien recordaba que hacía muchos
años, cuando murió la mujer de Paucar, su pena (*sorrow*) fué tan

Lake **Titicaca,** a cold blue sea high in the Andes, makes use of cozy little steamships to carry traffic between Peru and Bolivia.

grande que bebió mucha chicha,[1] pidió prestada una quena (*Indian*
40 *flute*), cantó canciones tristes, y habló de cosas que yo jamás había
oído. Tal vez una promesa (*promise*) cerraba la boca de Paucar,
pero yo lo haría hablar de la cadena.

3

El techo (*ceiling*) de la habitación era bajo. Llovía afuera, y
dentro cuatro o cinco parroquianos (*customers*) bebían su chicha en
45 silencio.

Al entrar, mi compañero y yo vimos, casi perdido en la sombra, al
indio viejo.

— Por fin le encontramos, — murmuré al oído de mi amigo.

Teníamos que andar con cuidado si queríamos arrancar (*draw out*)
50 al indio su secreto. — Vamos (*come on*), Paucar, ¿quieres tomar
una copa (*glass*) de vino conmigo?

— Con gusto, niño. — Y nos sentamos a su lado.

Después de la primera, bebimos otra a la salud de mi compañero,
e inevitablemente la tercera a la salud de Paucar, y luego otra y
55 otra. — Es el momento, — pensé yo, y le pregunté, — Paucar,
cuéntame del tesoro del Titicaca . . . ¿Cómo fué aquello?

Volviéndose rápidamente, me miró . . .

— No lo encontrarán, — murmuró, — y por lo tanto, no podrán
llevárselo. Fué en los últimos tiempos del Imperio, cuando Huayna
60 Capac era Emperador. Cuando nació su hijo, los guerreros que
habían combatido con el Emperador y que le amaban formaron la
gran cadena de oro puro que fué echada al lago sagrado en con-
memoración del día del nacimiento.

— Pero, ¿en qué lugar la echaron? — pregunté.

65 — No la encontrarán nunca, porque los hombres blancos sólo
llaman oro al rubio metal,[2] y la cadena era de algo más que oro.

— ¿De qué era, entonces?

Como si no hubiera oído mi pregunta, continuó. — Me parece
como si oyera aún el cuento que me contó mi padre, como a él el
70 suyo.[3] Al amanecer todos los guerreros salieron al lago sagrado,
formando con sus balsas [4] una cadena de orilla a orilla. Y quemaron

---

[1] *Chicha* is a primitive Indian drink made from slightly fermented corn and sometimes flavored with fruit juices.

[2] *sólo llaman oro al rubio metal,* they call only the blond metal gold.

[3] *como a él el suyo,* as his (told it) to him.

[4] *Balsas* are light boats made of dried rushes tied in bundles, with flimsy sails.

Burden-bearing llama of the high Andes looks haughty and
spits on strangers, but is fond of his Indian owner.

todas las balsas a la vez, mientras fué echada al Lago Sagrado la
cadena de oro purísimo que ofrecieron los guerreros al Padre Sol: oro
de corazones que se echaron al agua [1] para darle las gracias por el
nacimiento del nuevo soberano (*sovereign*).   75

— Es ésta la leyenda del Lago Titicaca, que guarda el secreto de su
inmenso tesoro: una cadena de oro purísimo en que cada eslabón
(*link*) fué un hombre, y que nunca le podrá ser arrebatada (*taken
away*).[2]

Y su voz se apagó (*died out*) suavemente, como la luz se extingue 80
cuando muere el día . . .

ADAPTED FROM LUISA FONSECA RECAVARREN
(*La Crónica, Lima, Perú*)

[1] To throw oneself into the middle of icy Lake Titicaca is almost certain death, for the
air is so rare at 12,000 feet that swimming is very difficult.

[2] The "golden chain," you see, was not of gold at all, but one of human sacrifices —
warriors who drowned themselves as an offering to their sun god.

PREGUNTAS

I. ¿Entendió usted el cuento?

1. ¿Quién cuenta este cuento y dónde vive?
2. ¿A (*for*) quién tenía Paucar más cariño?
3. ¿Qué respuesta no le satisfacía al niño, y por qué?
4. ¿Qué había sido destruida por la llegada de los españoles?
5. ¿Qué había pertenecido a uno de los conquistadores?
6. Según la leyenda, ¿qué había sido escondido en el Lago Titicaca?
7. ¿Por qué pidió prestada Paucar una quena (*flute*)?
8. ¿Dónde encontraron los jóvenes a Paucar cuando querían hacerle hablar?
9. ¿Cuántas copas (*glasses*) de vino bebieron los tres?
10. ¿Qué formaron los guerreros que habían combatido con el Emperador?
11. ¿A dónde la echaron?
12. ¿De qué era la cadena sagrada?
13. ¿Por qué no podrá ser encontrada nunca la cadena de oro purísimo?

II. ¿Qué dice usted?

1. Cuando hace calor, ¿duerme usted en una habitación o afuera?
2. ¿Prefiere usted una habitación baja con muebles modernos, o una habitación alta con muebles antiguos?
3. ¿Le satisfaría más ser el patrón o un empleado en una hacienda?
4. ¿Quisiera usted ser un guerrero débil o fuerte para combatir en una guerra?

Rapho-Guillumette

Quechua Indian of Peru, proud descendant of the Incan civilization, wears heavy hand-woven woolen clothing of bright colors and smart design.

5. ¿Debemos amar a nuestros vecinos o combatir con ellos?

6. ¿Hablamos en voz dulce o en voz desagradable para indicar nuestro cariño para una persona a quien amamos?

7. ¿Se ha celebrado todavía el nacimiento de un nieto en su familia?

8. ¿Saludamos la llegada de un amigo diciendo, «Feliz viaje» o «Bienvenido»?

9. Cuando otro estudiante pregunta si puede pedirle prestado a usted un lápiz, ¿qué respuesta le da?

10. ¿Le pertenece a usted ese lápiz que tiene o lo ha pedido prestado?

11. ¿Es agradable o desagradable mascar chicle?

12. ¿Cuál es más sencillo: hacer la pregunta o dar la respuesta?

13. ¿Qué otra palabra quiere decir *mas?*

14. ¿Pertenece la expresión «por lo tanto» a la clase de historia o la de geometría?

REPASO DE VERBOS

EJERCICIO 1. *Give the past participle of each of these verbs.* (The irregular ones are found in section 89, page 517.)

1. mascar
2. satisfacer [1]
3. pertenecer
4. amar
5. combatir
6. caer
7. poner
8. abrir
9. morir
10. romper
11. resolver
12. decir
13. volver
14. ir
15. reír

EJERCICIO 2. *Translate these compound verbs and tell the tense of each.*

1. hemos pertenecido
2. había golpeado
3. habían cesado
4. habrían dejado
5. se ha vuelto
6. habíamos saltado
7. han estorbado
8. habría propuesto
9. había mentido
10. yo había rezado
11. te has parado
12. habías cobrado
13. yo habría devuelto
14. he empujado
15. usted ha cubierto

EJERCICIO 3. *Using the verbs found in the first two exercises, give these compound forms.*

1. I had chewed
2. you have satisfied
3. she has ceased
4. it had belonged
5. he would have fought
6. they had died
7. have you jumped?
8. we had put
9. we would have gone
10. I have laughed
11. he had fallen
12. they have broken
13. we would have said
14. you have let alone
15. I have turned around
16. I would have put

[1] See footnote 2, page 322.

ALGO NUEVO

43. The Infinitive after Ver and Oír

Los vimos sentarse alrededor de él.
We saw them sit (sitting) down around him.

Le oí contar cosas viejas.
I heard him tell (telling) old things.

The infinitive is used after **ver** and **oír** just as after **hacer; me hizo estudiar,** *he made me [to] study.*

The present participle is also used as in English: **le ví comprando flores,** *I saw him buying flowers.*

EJERCICIO 4. *Write these sentences in Spanish.*

1. We saw them knock outside. 2. I saw him chewing gum in class!
3. They saw the girl comb her hair. 4. He heard them fighting in the room. 5. I didn't hear the chief turn around. 6. Have you seen her ride horseback? 7. Did you see the reader burn the letter? 8. They heard us whispering.

REPASITO

EJERCICIO 5. Here are some expressions you should review. *Find the correct ones to complete each sentence, using each idiom only once.* (Several expressions will be needed for some sentences, and you will have some left over!)

en vano	¿cuántos años tiene?	dar las seis
por fin	montar a caballo	por supuesto
al contrario	no hay que extrañar	no es cierto
se acabó	tener ganas de	poner huevos
a tiempo	por primera vez	por lo tanto
allá voy	no tengo la culpa	al amanecer
no sirve	pedir prestado	al principio
¡qué hacer!	hace ocho días	dice que sí
sin embargo	en alguna parte	de todos modos
librarse de	demasiado tiempo	¡no me diga!
no se vende	con mucha calma	feliz viaje

1. *¡It's no use* poner el colorete en esta habitación obscura! 2. *¡What shall we do* ahora! 3. *At first* teníamos que esperar *too long* cuando *we felt like* comer. 4. *A week ago,* los guerreros empezaron a combatir *at dawn.*
5. — *Pleasant journey,* querido, — le dije *for the first time.* 6. *Nevertheless,* aunque *he says so, it isn't true.* 7. *Of course* no quiero *to borrow* sus polvos.
8. Mas esa gallina *has laid* como mil *eggs,* y *therefore* ella *is not for sale.*
9. *Anyway,* mi docena de huevos *is all gone.* 10. *He got away from* el

330

Quechua Indian dancers use ocelot — "American tiger" — skins for traditional festivities on an island of Lake Titicaca, whose annual celebration brings visitors from far away.

patrón *very calmly.* 11. *On the contrary,* yo le pregunté, — *¿How old are you?* 12. *At last* ella me dió esta respuesta: — Usted me pregunta *in vain.* 13. *It isn't my fault* si combaten aún los guerreros *anywhere.* 14. *¡You don't say!* ¡Ya *it has struck six!* 15. Por casualidad, ¿llegó *on time?*

EJERCICIO 6. Here are some signs and advertisements from various Spanish-speaking countries, which show how common the subjunctive is. *Translate them, guessing new cognates.*

1. Ciudadano (*citizen*): Este parque es tuyo. Cuídalo y haz que los demás lo cuiden. (*Park in Matanzas, Cuba*)

2. No permitan que sus niños destruyan este jardín. (*Park in Oaxaca, Mexico*)

3. Rogamos a los señores pasajeros (*guests*) que depositen en la caja (*safe*) que tenemos en la Oficina, su dinero y sus joyas. (*Hotel, Santa Clara, Cuba*)

4. Si desea usted que le quiera su novia, cómprele chocolates «Gloria». (*Candy store ad, Mexico*)

5. ¿Le gustan las flores? No permita usted que las tomen. (*Santa Lucía Hill, Santiago de Chile*)

6. El Hotel San Marcos recomienda a todos que hagan uso de este servicio. (*Lima, Perú*)

7. Le invitamos cordialmente a que visite nuestro Salón de Exhibición. (*Córdoba, Argentina*)

8. Recomendamos a todos los votantes (*voters*) que voten «no».

9. Queremos que nuestro servicio dé gusto a nuestra clientela. (*Hotel in Mexico*)

10. Le rogamos que envíe el pago (*payment*) de su subscripción. (*Mexican newspaper*)

PALABRAS PARA APRENDER

* aún	yet, still	* mascar	to chew
* beber	to drink	* el patrón	boss
* la cadena	chain	* pertenecer	to belong
* el cariño	affection	(pertenezco)	
* combatir	to fight	* puro, –a	pure
el emperador	emperor	* sagrado, –a	sacred
la hacienda	estate	* satisfacer [2]	to satisfy
* mas	but [1]	(satisfago)	

NEW WORDS RELATED TO OTHERS YOU KNOW

* afuera (fuera de)	outside	* la llegada (llegar)	arrival
* amar (amor)	to love	el nacimiento	birth (*new*
* bajo, –a (debajo de)	low	(nacer)	*meaning*)
el guerrero (guerra)	warrior	el oído (oír)	ear (*inner*)
* la habitación	room	* la respuesta	answer
(habitante)		(responder)	

EXPRESIONES

* en vano, in vain	* por fin, at last
* pedir prestado, –a (a), to borrow [3]	por lo tanto, therefore
(from)	

[1] This is a more literary word than *pero*.

[2] This verb is irregular and conjugated exactly like *hacer:* present, **satisfago,** past participle, **satisfecho,** etc.

[3] Be sure to make *prestado* agree with what you borrow!

FOR ADDITIONAL, OPTIONAL MATERIALS TURN TO **A ESCOGER**, PAGE 486.

Capítulo 24

La camisa
de Margarita

Lima, in Spanish colonial days, was practically owned by the viceroys sent over from Spain, who brought with them their wealthy and more adventurous friends. The New World capital thus became a court in itself, with nearly as much pomp and splendor as Madrid.

In style and fashion there was a great deal of rivalry among the aristocratic *limeñas* (women of Lima), and in trying to outdo each other, they managed to dress more richly than the colonial dames of any other Latin American city. People who visited Lima were astounded when they saw the ladies' gold-embroidered gowns, trimmed with fine imported laces. Even the slaves wore silk, and the men dressed in gay and elaborate outfits topped with colorful long capes.

Ricardo Palma, a nineteenth-century writer of Peru, became so interested in the life, customs, and traditions of those romantic early days that he found out all he could and wrote stories about them — partly true and partly imaginary — which are enjoyed by people all over Spanish America. He liked to find the origin of quaint sayings, and in this story he tells why the people of Lima still say, "as expensive as Margaret's camisa." [1]

Probable es que algunos de mis lectores hayan oído decir a las viejas de Lima, cuando quieren exagerar el valor de un artículo,
— ¡Qué! ¡Si [2] esto es más caro que la camisa de Margarita Pareja!

Pues, esta Margarita Pareja era la hija favorita del acomodado (*wealthy*) don Ramón Pareja. La encantadora muchacha tenía un 5

---

[1] Today *camisa* means a *shirt*, but in the olden days it was also a *chemise*, a kind of "slip" that even had little puffed sleeves and a wide neck with a drawstring. With a belt, the old-fashioned chemise is today a peasant dress instead of an undergarment!

[2] *Sí, why (exclamation).*

333

par de ojos como dos torpedos cargados de dinamita, y que hacían explosión sobre el alma de los jóvenes de la capital.

En Lima vivía también un guapo joven, llamado don Luis Alcázar. Éste vivía con un tío rico, don Honorato, que era tan altivo (*proud*) 10 como era rico. Mientras esperaba nuestro don Luis la ocasión de heredar la fortuna de su tío, vivía tan pelado [1] como un ratón, teniendo que comprarlo todo al fiado para pagar cuando mejorara la fortuna.

En la procesión de Santa Rosa [2] conoció don Luis a la linda Mar-15 garita. La muchacha le llenó el ojo y le flechó (*pierced*) el corazón. El joven le echó flores, y aunque ella no le contestó ni sí ni no, dió a entender con sonrisas y demás armas del arsenal femenino que él era plato muy de (*very much to*) su gusto.

Como los novios olvidan que existe la aritmética, don Luis creyó 20 que su pobreza no sería obstáculo. Fué a ver al padre de Margarita y le pidió la mano de su hija.[3]

A don Ramón no le gustó la petición, y le dijo al joven que Margarita era aún muy niña para tomar marido, a pesar de sus diez y ocho mayos. Pero no era esto la verdad. Era que don Ramón no 25 quería ser suegro de un pobretón (*very poor person*), y se lo dijo en confianza a uno de sus amigos, que fué con el chisme (*gossip*) a don Honorato. Éste, con lo altivo que era,[4] se enfadó muchísimo.

— ¡Qué barbaridad! ¡Decir que no a mi sobrino! ¡Tal insolencia no la he visto en mi vida! — gritó el tío Honorato.

30 Entretanto, Margarita lloró, y si no amenazó con envenenarse (*poison herself*), fué porque todavía no se habían inventado los fósforos.[5] Perdía colores y carnes (*weight*), hablaba de hacerse monja (*nun*), y gritaba, — ¡O de Luis o de Dios! [6]

Alarmóse [7] su padre, llamó a los médicos, y todos declararon que 35 la única medicina que podía salvarla no se vendía en la botica. O casarla con el joven de su gusto, o llevarla al cementerio, decidieron los médicos.

---

[1] *tan pelado como un ratón,* as penniless (hairless) as a mouse, a pun on the two meanings of *pelado.* We say "*poor as a church mouse.*"

[2] Santa Rosa is the patron saint of Lima, and on her day there is a great procession attended by everyone, rich and poor.

[3] The old Spanish custom, still followed in some Spanish-speaking countries, is for the suitor to ask the girl's father, not the girl, for her hand.

[4] *con lo altivo que era,* proud as he was.

[5] Since early matches were made of phosphorus, which is very poisonous, they were often used for murder and suicide until the non-poisonous kind was perfected.

[6] *I belong either to Louis or to God!*

[7] *Alarmóse = se alarmó,* became alarmed. In literary style an object pronoun is often attached to a conjugated verb, especially at the beginning of a sentence.

Margarita's trousseau, if she'd had one, would probably
have included a traditional gypsy-type dress from Spain, for
such styles were popular in Lima.

Don Ramón (¡al fin padre!) salió como loco para la casa de don Honorato, y le dijo,

40   — Vengo para que consienta usted en que se case su sobrino con Margarita, porque si no, la muchacha se nos muere.[1]

— Mas no puede ser, — contestó con desdén el tío. — Mi sobrino es muy pobre, y lo que usted debe buscar para su hija es un hombre que tenga mucha plata.

45   Todo fué en vano. Cuanto más rogaba don Ramón, más se subía el tío a la parra,[2] y el padre ya iba a declararse vencido (*give up*) cuando dijo el sobrino enamorado, — Pero, tío, no somos cristianos si matamos a quien no tiene la culpa.

— ¿Tú estás satisfecho?

50   — De todo corazón, tío.

— Pues bien, muchacho. Consiento en darte gusto, pero con tal

[1] *se nos muere, will die (on us).* **Nos** shows our interest in the matter, but need not be translated into English.

[2] *cuanto más . . . más se subía el tío a la parra, the more . . . the higher the uncle climbed up the grapevine* (that is, *the angrier he got*).

"Queen Dora I," in regal cape and crown, reigns over *carnaval* at Mazatlán, Mexico, just as a festival queen reigns at the procession of Santa Rosa in Lima.

Old Spanish balconies screened with delicately carved dark wood still decorate early colonial homes and public buildings of Lima, just as they did in Margarita's day.

de que me jure don Ramón que no regalará un ochavo (*brass coin*) a su hija ni la dejará heredar un real.

— Pero, hombre, — insistió don Ramón. — Mi hija tiene veinte mil duros (*dollars*) de dote (*dowry*). 55

— No aceptamos nada. La niña vendrá a casa de su marido sin nada más que lo que lleve puesto.

— Permítame entonces darle los muebles y la ropa de novia.

— Ni un alfiler (*pin*). Si no le gusta, déjelo y que (*let*) se muera la chica. 60

— Sea usted razonable, don Honorato. ¡Mi hija necesita tener siquiera (*at least*) una camisa para cambiar la que lleva puesta!

— Bien. Consiento en que le regale la camisa de novia.

Al día siguiente don Ramón y don Honorato se dirigieron muy temprano a la iglesia, y dijo el padre de Margarita ante el altar, 65

— Juro no dar a mi hija más que la camisa de novia.

Y don Ramón Pareja cumplió con su promesa, porque ni en vida ni en muerte dió después a su hija cosa que valiera un real. Pero los

encajes (*laces*) de Flandes (*Belgium*) que adornaban la camisa de la
70 novia costaron dos mil setecientos duros, y el cordoncillo (*cord*) que
ajustaba (*drew up*) el cuello (*neck*) era una cadena de brillantes, de
valor de treinta mil.

Convengamos (*let us agree*) en que fué muy merecida (*deserved*) la
fama que tiene la camisa de Margarita Pareja.

ADAPTED FROM RICARDO PALMA (*Peru*)

PREGUNTAS

I. ¿Entendió usted el cuento?

1. ¿Cómo exageran las viejas de Lima cuando algo es muy caro?
2. ¿Qué hacía explosión sobre el alma de los jóvenes de Lima?
3. ¿Qué esperaba heredar el pobre don Luis?
4. ¿Cuándo iba a pagar don Luis lo que compraba al fiado?
5. ¿Cómo dió Margarita a entender que el joven era un plato muy de (*very much to*) su gusto?
6. ¿Por qué creyó don Luis que no importaba su pobreza?
7. ¿Dijo don Ramón la verdad, cuando contestó que Margarita era aún muy niña para tomar marido?
8. ¿Qué dijo don Ramón en confianza a un amigo?
9. ¿Por qué se enfadó el tío altivo (*proud*)?
10. ¿Podía Margarita amenazar con matarse con fósforos?
11. ¿Qué declararon los médicos?
12. ¿Por qué no consintió al principio el tío en dar su permiso?
13. Por fin, ¿por qué consintió con tal de que la novia no heredara nada?
14. ¿Cómo llegaría la novia a casa de su marido?
15. ¿Dónde juró don Ramón que su hija no heredaría nada?
16. ¿Por qué era muy cara la camisa que le regaló don Ramón a la novia?

II. ¿Qué dice usted?

1. ¿Dónde se vende la medicina recomendada por el médico para hacer mejorar a un enfermo?
2. ¿Tiene usted confianza en las medicinas de la botica?
3. ¿Puede mejorar un enfermo muy débil sin médico ni botica?
4. En caso de pobreza, ¿es más fácil comprar al fiado una cosa cara o pagar en seguida?
5. ¿Son más caros los brillantes o las esmeraldas?

6. ¿Lleva usted puesto el sombrero afuera o dentro de la casa?

7. ¿Qué plato es muy de (*very much to*) su gusto?

8. ¿Por qué están satisfechas las chicas cuando los jóvenes les echan flores?

9. ¿Qué produce (*produces*) una sonrisa. la confianza o el miedo?

10. ¿Tenemos más confianza en el hombre que siempre miente, o en el que ni siquiera exagera?

11. ¿Tiene usted el alma altiva (*proud*) o humilde?

12. ¿Es muy de su gusto un patrón amable con una sonrisa dulce?

13. ¿Siempre hace usted un esfuerzo para mejorar su trabajo?

14. ¿Amenaza a los automovilistas un camión cargado de dinamita?

REPASO DE VERBOS

EJERCICIO 1. *Tell what familiar verb will guide you in the conjugation of each of these newer verbs.*

1. consentir	3. proponer	5. convenir	7. reconocer
2. satisfacer	4. obtener	6. recoger	8. conseguir

ALUMNO INTELIGENTE

— A ver, Carlitos. Dime los días de la semana.

— Son siete. Antes de anteayer, anteayer, ayer, hoy, mañana, pasado mañana, y el otro.

EJERCICIO 2. *Give these forms of the verbs in Ejercicio 1.*

1. he has proposed	6. I gather up	11. it will be fitting
2. I recognized	7. he obtained	12. I recognize
3. he consented	8. they consented	13. they succeeded in
4. they will satisfy	9. I have gathered	14. they will obtain
5. I get	10. you satisfied	15. he would propose

EJERCICIO 3. *Give the infinitive and translate each of the following verb forms carefully.*

1. exageraríamos	6. juraba	11. montó
2. heredaron	7. pidió prestado	12. se librarán
3. mejoraré	8. masqué	13. ¡déjame!
4. amenacé	9. bebían	14. crezco
5. consintiendo	10. amará	15. se acabó

ALGO NUEVO

44. Definite Article Used as Demonstrative

La leyenda es la de la Isla del Coco.
The legend is that of Cocos Island.

No le gustan los que están aquí.
He doesn't like those that are here.

Ése and *aquél* are not ordinarily used before *de* or *que*. Instead, *that* or *those* may be expressed by the definite article. You have already seen this use in certain expressions:

SINGULAR	PLURAL
el[1] (la) de, that of	los (las) de, those of
el[1] (la) que, he (she) who, that which, the one that	los (las) que, those which, the ones which, those who
lo que, that which, what (*neuter*)	

EJERCICIO 4. *Since combinations of little words are often confusing, practice them by translating these sentences carefully.*

1. Los que juran decir la verdad ante un juez (*judge*) ni siquiera deben exagerar. 2. Sí tenemos vestidos buenos, pero cuando va a llover, siempre es mejor llevar puestos los que no son caros. 3. El que tiene el alma pura nos da confianza. 4. Los médicos dijeron que lo que podía hacerla mejorar no se vendía en la botica. 5. No buscaba fortuna, porque esperaba heredar la de su tío. 6. El que tiene boca se equivoca. (*Proverb*) 7. La leyenda más al gusto es la de la Isla del Coco. 8. El que da primero da dos

---
[1] Note that *el* has no accent.

Coffee festival queen is elected by ballots paid for by her
friends. Patron of the contest is the Institute for the Protection
of Coffee.

veces. (*Proverb*) 9. Es cierto que las mejores frutas son las del sur.
10. No les dió más que las de poco valor. 11. Esa chica es la que estaba
pidiendo prestados unos sobres. 12. Lo que teme no es más que la pobreza.

45. The Perfect (Compound) Infinitive

A pesar de haber exagerado, juró que todo era cierto.
In spite of having exaggerated, he swore that it was all true.

Es preciso haberlo visto para creerlo.
It is necessary to have seen it to believe it.

Just as **he visto** is a compound (two-part) tense, **haber visto** is a
compound infinitive. It is called the perfect infinitive. Like any
other infinitive, it may be used after a preposition, and any object
pronoun must be attached to **haber.**

EJERCICIO 5. *Translate these sentences carefully, after locating the
perfect infinitive in each.*

1. Antes de haber bebido la medicina, había hecho un esfuerzo para
evitarla. 2. A pesar de haber heredado una fortuna, no quería comprar
cosas caras. 3. Siente mucho haber combatido en vano contra el patrón.
4. Ella temía haber perdido el cariño y la confianza de su marido. 5. Sin
habérselo dicho, el médico sabía qué hacer. 6. Me alegro mucho de haber
sabido que heredó un millón. 7. Al haber perdido su confianza, el enfermo
dejó de mejorar. 8. Para haber mejorado, el enfermo habría tenido que
comprar medicina en la botica.

341

REPASITO

EJERCICIO 6. Here are some tricky expressions which second-year students have wanted to use in their conversations but have used incorrectly. *If you can find the catch in each one, you should be able to get them all right.*

1. another soul
2. yesterday afternoon
3. He swore not to forget.
4. before (*in front of*) Mrs. García
5. after drinking it
6. I saw them go.
7. at Raymond's
8. I took a walk.
9. We went swimming.
10. The water was cold.
11. I was cold.
12. I had on a hat.
13. We didn't drink any milk.
14. He worked all morning.
15. We were very tired.
16. She was there.
17. It rained hard.
18. We went riding.

PALABRAS PARA APRENDER

* el alma (*f.*) — soul
* amenazar (con) — to threaten (to), menace
* la botica — drugstore
  la camisa — old-fashioned slip or undergarment (*new meaning*)
* caro, –a — expensive, dear
* la confianza — confidence
* consentir (ie, i) (en) — to consent (to)
* exagerar — to exaggerate
* el gusto — taste (*new meaning*)
* heredar — to inherit
* jurar — to swear
  Luis — Louis
* el marido — husband
* el médico — doctor
* la novia — bride (*new meaning*)
* puesto, –a — on (*used with articles of clothing*)
  el real — real, a silver coin of small value

NEW WORDS RELATED TO OTHERS YOU KNOW

* ante (antes de) — before (in front of)
* el brillante (brillar) — diamond
* cargado, –a (de) (carga) — loaded (with)
* mejorar (mejor) — to get better, improve
* la pobreza (pobre) — poverty
* la sonrisa (sonreír) — smile

EXPRESIONES

* al fiado, on credit
  echar flores, to pay an audible compliment to a girl as she passes
* llevar puesto, to have (keep) on, wear
* no . . . más que, only
  la ropa de novia, trousseau

FOR ADDITIONAL, OPTIONAL MATERIALS TURN TO A ESCOGER, PAGE 489.

A Cultural
Heritage

Juglar

The man walking behind his team of white oxen sings as he plows long, straight furrows in his field. The woman stitching bright figures into a tapestry hums to herself as she sews. The deep, moving notes of a funeral Mass swell from the open church door. Snatches of song and the click of castanets drift from the crowded café. For this is Spain, a land whose people have the gift of song and where feet move effortlessly to the rhythm of a lively tune. It is a land of poetry, where the graceful phrase falls unconsciously from the lips of the merchant who invites you to buy his fruits and flowers. It is a land of art, where the farmer hangs ears of ripe yellow corn in pleasing patterns, and his wife's shawl falls from her shoulders in graceful folds.

Previous page: Museo de Bellas Artes, Caracas, Venezuela

Strolling musicians in northwestern Spain still entertain passers-by with bagpipes and drums as their forefathers did before them.

Monkmeyer

Spaniard Andrés Segovia makes his guitar speak when he plays for audiences all over the world. He has often appeared in concerts in this country.

Music appeared early in Spain's long story. Composers of the early centuries turned their talents to religious compositions, and on Sundays and feast days their music filled the great cathedrals. Pilgrims trudging along the hot, dusty roads that led to the shrine of Spain's patron saint at Compostela eased their weariness by singing sacred hymns. And at dawn, after long nights spent in prayer, they sang and danced to welcome the new day.

Other singers with other songs soon appeared along Spain's roads, in the villages, and even in the households of the noblemen. This was the age of the *juglar*, the wandering minstrel, who sang to eager audiences ballads that recounted the deeds of their heroes and their joys and sorrows and loves and hopes. And in far-off villages and along lonely roads, these songs can still be heard in Spain.

The many peoples who made Spain a crossroads left strains of their own music.

Don Quijote and Sancho Panza

345

In Andalucía, the haunting notes of the *cante hondo,* deep song, echo the sorrowing chants of the Hebrew synagogue. And here in the land they loved so well, the Moors left distinctive rhythms as reminders of their stay. Here too, the gypsies brought something of the music and the dances of the lands through which they had wandered.

For the Spaniard it is as natural to dance as it is to sing. Though the dances of the gypsies with their frenzied motion, their snapping of fingers, and the clapping of the audience are usually thought of as typical of Spain, there are many other dances which reflect the character and spirit of the country's varied regions. Perhaps best known to us are the dazzling *bolero* and the rapid *fandango.*

Spain has also given the world many outstanding dancers. One of the best known and loved was La Argentina, whose very name brings back the sound of the castanets she played with such skill. Although she died in 1936, other dancers from Spain still continue to delight the world. Audiences in many countries eagerly await return appearances of Vicente Escudero and José Greco, and many *aficionados* of gypsy dances prefer to see them performed by Carmen Amaya rather than by the gypsies themselves in Granada's whitewashed caves.

Many of Spain's modern composers worked closely with dancers and poets. In the flower-filled gardens of Granada, Manuel de Falla, one of Spain's greatest modern composers, set to music the words of gifted poets, and from the folk lore of his people drew inspiration for his well-known ballets, *El amor brujo* and *El sombrero de tres picos.* The throbbing, dramatic *Ritual Fire Dance* from *El amor brujo,* in which the heroine dances at midnight to drive off the evil spirits, has become a favorite with American concert goers. His *Noches en los jardines de España,* a composition for piano and orchestra, suggests with its haunting beauty the romantic setting in which it was written. Another outstanding composer and a famous pianist was Isaac Albéniz, who left his impressions of Spain's various regions in a collection called *Iberia.*

Today other well-known musicians of Spain play for the world. Among them are Andrés Segovia, master of the guitar; José Iturbi, pianist, composer, and conductor; and Pablo Casals, one of the world's foremost cellists and conductors.

Spain has also given the world a literature which is as much loved as its music and dances. An unknown author of the twelfth century left a great epic poem, *El cantar de mío Cid.* Here in a work that has lived through

Fifteenth-century key from Aragon, Spain

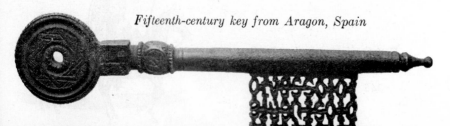

346

Infanta Margarita
BY VELÁZQUEZ

Infanta Margarita, the "beloved princess" of Spain, as a child was one of Velázquez' favorite subjects. This painting, which hangs in the Museo del Prado, Madrid, is considered the best and the most colorful of his many portraits of the princess.

"Zapatistas," painted "with slashing brush" by José Clemente Orozco, one of Mexico's best-known artists, reveals the grim story of a leader of the Mexican Revolution and his humble followers. (*Collection Museum of Modern Art*)

Modern Bolivian painter, Cecilio Guzmán de Rojas, portrays his country's Indian life in symbolic style. In the background is Potosí, where Rojas is Director of the School of Fine Arts.

the centuries are related the deeds of Rodrigo Díaz de Vivar, Spain's national hero, known as *El Cid* (the master) by the Moors against whom he fought. A picturesque character of great courage and loyalty with an insatiable thirst for adventure, he crusaded for the Christian faith, fought to avenge slights to his honor, and helped recapture Toledo and Valencia from the Moors.

The literary works for which Spain is best known were written between 1550 and 1650, Spain's "Golden Age of Literature" (*El Siglo de Oro*). During these years a distinctly Spanish literary form, the picaresque novel, was created. This kind of story always follows the same pattern, being told by the main character, the *pícaro*, a vagabond who lives by his wits, serves many different masters, and is badly treated by all of them. In telling his story the *pícaro* ridicules Spain's society, criticizes the government, and expresses things the author would not dare to say himself.

In the midst of the Golden Age, Miguel de Cervantes Saavedra wrote *Don Quijote de la Mancha,* Spain's greatest literary work and one of the world's masterpieces. No other book except the Bible has been translated into more languages. This is the story of Don Quijote, an idealistic dreamer who, inspired by the old tales of chivalry, imagines himself a knight, and finally decides to go forth to right the world's wrongs. With him he takes his plump and practical squire, Sancho Panza. Following the adventures of this strangely matched pair, the reader meets the people of Spain whom Cervantes himself knew so well — knights and ladies of the court, people of the village inns, shepherds in the fields. Before their adventures are ended by Don Quijote's death, the sad knight has become a little more realistic, and Sancho Panza, less concerned with filling his stomach, has at last learned to appreciate his master's ideals.

Of the many dramatists that Spain has produced, two of the best belong to the Golden Age. Lope de Vega, the founder of the Spanish national theater, wrote more plays than some whole nations have contributed to the world's literature. During his lifetime the common saying *"Es de Lope"* was all that was needed to indicate that the play was a good one. In the latter part of the Golden Age, Pedro Calderón de la Barca, last important playwright of the period, wrote one of the world's great philosophical dramas, *La vida es sueño* (Life Is a Dream).

For nearly two hundred years following the Golden Age, the high standard that had been set in Spanish literature declined. During the late 1800's, however, Spanish writers were again starting to produce works of merit. Benito Pérez Galdós, called the Cervantes of the nineteenth century, wrote a series of historical novels in an interesting, spirited style. Gustavo Adolfo Bécquer's romantic poetry delighted Spanish readers with its delicacy, subtlety, and beautiful style. And many of the books of Vicente Blasco Ibáñez became well known in this country, particularly

349

The Four Horsemen of the Apocalypse and *Blood and Sand,* which were made into movies.

During the twentieth century, Spain has produced many important writers. Jacinto Benavente, who was awarded the Nobel Prize in 1922, is Spain's leading dramatist of modern times. This versatile and original writer wrote everything from penetrating social and psychological dramas to charming children's plays. Pío Baroja, one of Spain's outstanding contemporary novelists, writes on many subjects but is at his best when describing his own beloved Basque country.

In addition to music and literature Spain has also produced some of the world's great art. Like artists and composers of other lands, Spain's early artists were attracted to religious subjects — to painting *retablos,* or altar pieces, to decorating churches and monasteries with frescoes and murals, and to spending endless hours patiently bent over manuscripts which they illustrated in magnificent colors and with marvelous skill.

Spain's greatest art, like its greatest literature, was produced in the Golden Age. Some of the finest of the works of art painted at that time are now assembled in El Prado museum in Madrid. There you will see

"View of Toledo," showing the ancient Spanish city on its rocky hill, is one of the two landscapes painted by El Greco, and one of the very few paintings he ever signed.

The Metropolitan Museum, N.Y.

"Immaculate Conception" is a typical example of Murillo's fondness for religious paintings with mischievous cherubs in the background.

Prado Museum, Madrid

many of the paintings which made Diego Rodríguez de Silva y Velázquez known as Spain's greatest artist. Velázquez' outstanding historical work, *The Surrender of Breda,* is generally accepted as his masterpiece, although some say *The Maids of Honor* is superior to it. In *The Maids of Honor,* the Infanta Margarita, whose appealing portrait is on page 347, is shown in the foreground. All of Velázquez' works appear strikingly true-to-life, and are painted with a masterly use of light and shade.

In another part of the museum are many of the works of El Greco. Although he was born on an island off Greece, Spain is proud to claim him as one of her own great artists. Many of his paintings show great intensity of religious feeling and mysticism, and are characterized by long, thin figures and dark, moody coloring. The painting said to be his best — *The Burial of Count Orgaz* — along with many others is in Toledo, where El Greco lived. The original of his famous *View of Toledo* is in New York's Metropolitan Museum. In this magnificent painting the ancient city, a grim fortress behind its thick walls, stands atop a high hill, with dark, foreboding clouds hanging heavily over it.

Another of Spain's artists, Bartolomé Esteban Murillo, is best known for his paintings of the Virgin and plump little cherubs (for which he used the children of his neighborhood as models). He has put both subjects in the *Immaculate Conception,* which hangs in El Prado. There, too, are the pic-

Library of University of Mexico, designed by Juan O'Gor man, is covered with a mosaic of colored native stones set in a dramatic design that tells the history of Mexico.

tures of Spanish life which Francisco de Goya painted in strong, bright colors — bullfighters and warriors and beautiful women. And elsewhere in Spain and in our own country you will see works of present-day Spanish painters, among them Pablo Picasso, one of the greatest of modern artists, and Salvador Dali, who now lives in the United States.

It was during Spain's Golden Age, when she was strongest politically and achieved most culturally, that the New World was being colonized. These lands today still bear the imprint of the rich cultural heritage brought there by conqueror and colonist, and still show the influence of the land whose language they speak.

In parts of the Americas, the Spaniards found Indians with highly developed civilizations. Although much of this culture was destroyed in the conquest, some of it merged with the Spanish to develop new forms, and some of it still remains little changed throughout the centuries. A third cultural element was added later by the Negroes, who brought to the New World their music and dances, their oft-told tales, and their own talent for art.

The earliest writings of Spanish America were the chronicles, letters, and reports sent back to Spain by the *conquistadores,* for even the Spanish soldier liked to write and boasted that he could handle the pen as well as the sword. Later, during colonial days, writers stressed religious themes and many imitated the literary style of Spain and other European countries.

352

But early in the nineteenth century the movement for liberation from Spain introduced a new note as poets and pamphleteers wrote with vigor and realism about a common enemy.

The best-known literature of Spanish America was written after independence had been won. Among these works is the well-known poem published in two parts: *Martín Fierro* and *The Return of Martín Fierro*. The author, José Hernández, was born and reared on the Argentine pampa and knew well the life and philosophy of the gauchos. From this deep knowledge and from his own anger at the injustices they suffered, he wrote a work that caught the gauchos' spirit and language so well that it has been called the "true expression of the gaucho soul."

Perhaps Spanish America's most important literary date is 1888, the year that Rubén Darío, a young Nicaraguan, published a collection of stories and poems entitled *Azul*. This book attracted immediate attention throughout Latin America and Europe, for it showed a boldness in using poetic forms and a beauty of style which marked the beginning of a new movement in Spanish literature. His rare skill and feeling for the music of words have made him remembered as one of the greatest lyric poets in the Spanish language.

Latin America has added many other important names to modern Spanish literature. Amado Nervo of Mexico was an outstanding mystic poet and a follower of Darío. Ricardo Palma's *Tradiciones Peruanas*, describing life and customs of Lima, are still amusing reading. (Two of Palma's

Rubén Darío of Nicaragua wrote such powerfully beautiful poems and stories that his influence was felt all over the Spanish literary world.

353

stories are given in Chapters 24 and 26.) And José Eustasio Rivera, a Colombian poet and novelist who died in 1928, makes us feel and smell and fear the jungle in *La Vorágine* (The Vortex), which describes the horrible existence of the rubber workers.

Today throughout Latin America writers are giving us stories of their races and regions. Ciro Alegría shows life in the Peruvian highlands he knows so well. Gregorio López y Fuentes writes of the Indians of Mexico, Fernando Ortiz tells us of the Negroes of Cuba, and Rómulo Gallegos writes of life on the vast plains of Venezuela.

But it is Chile that has given us one of the outstanding and most popular contemporary writers. In 1922, publication of her first book of poems lifted Gabriela Mistral out of obscurity as a school teacher in Chile and made her name known throughout the Americas and in Spain. Since then she has continued to write and teach, and has also acted as a personal representative of Chile in many countries, including the United States. Something of her feeling for life and its suffering is shown in the compassion and tenderness with which she writes of women and children. In her poems also is reflected a deeply religious nature. In 1946 this well-loved author was awarded the Nobel prize for literature.

Though Latin American art received a rich heritage from both the Indian and the Spaniard, it wasn't until the latter part of the nineteenth century that an effort was made to develop popular art that was not dominated by Europe. And with the exception of Mexico and Peru, it is only in the last quarter of a century that Indian art has received recognition in the art world. But today such artists as Rufino Tamayo of Mexico and Carlos

The Museum of Modern Art, N.Y.

Modernist Amelia Peláez paints in a brilliant poster-like style that allows a fish to become merely a symbol of a fish rather than its portrait.

Sawders, from Cushing

Diego Rivera's murals, like this one showing work in the sugar cane fields, often tell stories of colonial times in a smooth modern style now adopted by many other artists.

Mérida of Guatemala are making effective use of native themes in their work. In Cuba, the originality of a group of modern painters such as Mario Carreño, Martínez Pedro, Amelia Peláez, and others have won them recognition beyond their own country.

The Latin American artists best known in the United States are two Mexicans, Diego Rivera and José Clemente Orozco. Diego Rivera studied in Europe and upon his return began to paint the vigorous frescoes seen throughout his own country as well as in San Francisco, Detroit, and New

York City. José Orozco, who had had training as an engineer, understood the problems of mural painting better than most. Many of his powerful and imaginative murals are in Mexico, but his largest is on the walls of the library at Dartmouth College, and others are at Pomona College in California.

Although music and dancing were important in the religious and social life of the Maya, Inca, and Aztec Indians, none of their music was written down and preserved. Only the instruments which they played and the songs of some present-day Indians give a hint of what the music must have sounded like.

The Spaniards were quick to recognize the Indians' love for music, and in schools founded by the colonists, they were taught to sing and play for church services. Yet church music was not the only kind being played, for people of all classes danced and sang, and colonial society enjoyed the pieces then popular in the European courts. After independence, various societies and academies of music were established, opera companies and concert artists from Europe toured the New World, and study in Europe was the ambition of Latin American musicians.

By the close of the nineteenth century, however, composers began to break away from European influence and to create national music. In Latin America as in Spain, composers turned to folk themes and brought to

Art in Mexico is not something for museums alone but is part of the everyday life of the people. This mural by Orozco decorates the entrance to the Normal School in Mexico City.

John Gutman — Pix

356

the concert hall music which the people had long been singing. Julián Aguirre of Peru, Alberto Williams of Argentina, and Ignacio Cervantes of Cuba were among many who used national sources for their compositions.

But it is the music of Mexico that is most familiar to us in the United States, and her composer-conductor Carlos Chávez is well known to audiences of this country. Gilberto Valdés of Cuba, Carlos Isamitt of Chile, and dozens of other modern composers of Spanish-speaking America are giving us music in which we hear the sad, plaintive strains of the Indian, the marked beat of Negro rhythms, and the spirited music of Spain. And though Manuel M. Ponce may not be a familiar name, *Estrellita*, the song he composed, is known and sung the world over.

Along with music, the Spaniard carried to his home in the Americas his natural love for dancing, and today, as in Spain, Spanish American dances vary with region and race. Many of the rhythms and steps — the Argentine *tango*, the Cuban *conga*, and others — have been adapted for modern dancing everywhere.

Literature, art, and music are the truest expressions of a people's hopes and dreams, their fears, pride, joys and sorrows. The artists, authors, and composers mentioned here are only a few of the many who have contributed to the rich heritage of the Spanish-speaking world. These riches of song, story, and inspiration are open to all whose knowledge of the language of Cervantes enables them to make this cultural heritage a part of their own inheritance.

DELIA GOETZ

MORE ABOUT ART, MUSIC, AND LITERATURE

Adams, Nicholson B.: *The Heritage of Spain.* Holt.
> A good over-all picture of Spain's art, music, and literature with introductory chapters on the land and the people, and a helpful bibliography for each chapter.

Brenan, Gerald: *The Literature of the Spanish People.* Meridian.
> A helpful survey of the most characteristic literature of Spain from Roman times down to the present.

Pan American Union.
> *Art in Latin America.* Sixteen articles on different aspects of Latin American art. Illustrations and bibliography.
> *The Music of Latin America.* A survey with illustrations and excerpts of typical compositions.
> *Some Latin American Festivals and Folk Dances.* Photographs, music, and text.
> *Literature in Latin America.* Anthology of prose and verse of the Latin American nations. Bibliography.

Capítulo **25**

El abanico

This story of how a wise Marquis made his choice of a bride from among many beautiful girls is one that might have been told about the aristocrats of Spain in almost any age. The same thing could have happened in Mexico or South America during colonial days when almost all important people had titles of nobility.

But what interests us about the story is that the same system of choosing a wife would work today, here as well as in a Spanish-speaking country, and with or without the titles! Let's see, then, what it was that helped one handsome young man make his choice.

El Marqués había decidido casarse, y había dado esta noticia a sus amigos. La noticia corrió por toda la alta sociedad, porque el Marqués era un gran partido (*catch*). Tenía treinta y cinco años, un gran título (*title*), y mucho dinero. Era muy guapo y estaba cansado de
5 correr el mundo (*running around*).

Con la noticia de aquella resolución, no le faltaban atenciones, mas pasaban los días y las semanas y los meses, y el Marqués no había escogido a la dama de su corazón.

— Pero, hombre, — le decían sus amigos, — ¿cuándo vas a
10 decidir?

— Es que no encuentro todavía la mujer que busco.

— Será porque tienes pocas ganas de casarte, pues (*since*) no faltan muchachas. ¿No es muy guapa la Condesa del Iris?

— Piensa demasiado en sus brillantes y en sus trajes; cuidará más
15 de un collar de perlas que de su marido.

— ¿Y la Duquesa (*Duchess*) de Luz Clara?

—Mucha belleza; pero sólo piensa en divertirse. Me dejaría moribundo (*dying*) en la casa por no perder una función del Teatro Real,[1] y abandonaría a un hijo enfermo para asistir al baile de una embajada. 20

—Y la Marquesa (*Marchioness*) de Nevada, ¿no es guapísima y un modelo de virtud?

—Ciertamente; pero es más religiosa de lo que (*than*) un marido necesita. Ningún cuidado, ninguna pena (*trouble*), ninguna enfermedad grave de la familia le impediría pasar toda la mañana en 25 la iglesia.

—Vamos, tú quieres una mujer imposible.

—No, nada de imposible. Sé que para formar juicio acerca de las mujeres, se deben observar sus acciones insignificantes. Como dice el antiguo refrán, «para muestra (*sample*) basta un botón». Ya 30

[1] The **Teatro Real** indicates that the story is probably about Spain, for there is a theater with this name in Madrid.

Daily paseo of Sevilla's aristocrats during fiesta week takes place past *casetas* decorated by each owner. Water stand at right displays old-time two-spout jugs.

Monkmeyer

veréis [1] cómo la encuentro, porque el que quiere casarse no busca
belleza completa.

Una noche se daba un gran baile en la Embajada de Inglaterra.
Los salones estaban llenos de hermosas damas y gallardos (*gallant*)
35 caballeros de las clases más aristocráticas de la sociedad. El Marqués estaba en el comedor, adonde había llevado a la joven Condesa
de Valle de Oro, una muchacha de veinte años, inteligente y simpática, pero que no llamaba la atención por su belleza.

La joven Condesa vivía sola con su padre, noble caballero, esti-
40 mado por todos los que le conocían.

La Condesa, después de tomar una taza de té, platicaba con algunas amigas antes de volver al salón de baile.

— Pero, ¿no estuviste anoche en el Real? Cantaron admirable-
mente el Tannhäuser, [2] — le decía una de ellas.

45   — Pues, mira; me quedé (*I was*) vestida, porque tenía muchas
ganas de oír la ópera. Ya tenía el abrigo puesto, cuando la criada me
dijo que Leonor estaba muy grave. Entré a verla, y ya no me atreví
a separarme (*leave*) de su lado.

— Y esa Leonor, — dijo el Marqués, — ¿es alguna señora de la
50 familia de usted?

— Casi, Marqués. Es el aya (*governess*) que tuvo mi mamá, y
como nunca se ha separado de (*parted from*) nosotros y me ha amado
tanto, yo la veo como de mi familia.

—¡Qué abanico tan precioso traes!— dijo a la Condesa una de
55 las jóvenes que hablaban con ella.

— Ah, sí. Estoy encantada con él y lo cuido como a [3] mi tesoro
más precioso. Es un regalo que me hizo mi padre el día de mi santo.
Me lo compró en París.

— ¡A ver, a ver!— dijeron todas, y se acercaron a la Condesa, que,
60 con enorme satisfacción, les mostró el abanico.

En este momento, uno de los criados que cruzaba entre los señores
llevando en las manos una enorme bandeja con helados, chocó sin
querer (*without meaning to*) con el abanico abierto, haciéndolo pedazos, y poco faltó [4] para que los fragmentos hirieran la mano de la
65 Condesa.

---

[1] *veréis,* second person plural, also indicates that the story is one of Spain, because in
Spanish America **ustedes** is the customary plural *you,* either formal or familiar.
[2] *Tannhäuser* is a famous opera by the German composer Wagner (vahg′ner).
[3] *lo cuido como a mi tesoro más precioso, I care for it like my most precious treasure.*
[4] *poco faltó para que los fragmentos hirieran* (from **herir**), *it lacked little in order that
the fragments might wound,* that is, *the fragments almost wounded.*

Rapho-Guillumette

Sevilla's beauties often wear the frilly old-time dress that may have as many as sixty yards of ruffles. The gentleman at right wears the typical Cordovan hat.

— ¡Qué bruto (*dumb*)! — dijo una señora mayor.

— ¡Qué hombre tan animal! — exclamó un caballero.

— Parece que no tiene ojos, — dijo una chica.

Y el pobre criado, la cara roja, tenía tanta vergüenza que apenas
70 podía pedirle el perdón.

— No tenga usted cuidado, — dijo la Condesa con una sonrisa,
— no tiene usted la culpa, sino nosotros, que estamos aquí estorbando.

Y reuniendo con la mano izquierda los pedazos del abanico, tomó
75 con la derecha el brazo del Marqués, diciéndole con la mayor
naturalidad (*naturalness*), — Están tocando un vals, y he prometido
bailarlo con usted. ¿Me lleva usted al salón de baile?

— Encantado, Condesa, pero no bailaré con usted este vals.

— ¿Por qué no?

80 — Porque en este momento voy a buscar a su padre para decirle
que mañana iré a pedirle a usted por esposa, y dentro de ocho días,
iré a saber la decisión.

Tres meses después, se celebraron aquellas bodas (*wedding*), y en
uno de los salones del palacio de los recién casados (*newlyweds*) se
85 mostraba en un rico marco (*frame*) el abanico roto.

ADAPTED FROM VICENTE RIVA PALACIO (*Mexico*)

Rapho-Guillumette

Young Andalusian aristocrat wears proper riding costume in the land where horses are still an important part of leisurely social life.

Puerta del Sol, business center of Madrid, is not a gate at all, but a traffic circle with a subway terminal.

PREGUNTAS

I. ¿Entendió usted el cuento?

1. ¿Qué noticia había dado el Marqués a sus amigos?
2. ¿Por qué querían muchas damas casarse con él?
3. ¿Quién pensaría más en sus brillantes y su collar de perlas que en su marido?
4. ¿A quién no le impediría una enfermedad grave pasar toda la mañana en la iglesia?
5. ¿Qué quiere decir el refrán «Para muestra (*sample*) basta un botón»?
6. ¿Por qué no había asistido la Condesa al Teatro Real?
7. ¿Por qué estaba la Condesa encantada con su abanico?
8. ¿Quién chocó con el abanico, haciéndolo pedazos?
9. ¿Hirieron los pedazos la mano de la Condesa?
10. ¿Por qué se puso rojo el criado?
11. Según la Condesa, ¿quiénes tenían la culpa?
12. ¿Qué hizo la Condesa con los pedazos del abanico?
13. ¿Por qué quería ir al salón de baile?
14. Tres meses después, ¿qué se mostraba en uno de los salones del palacio?

II. ¿Qué dice usted?

1. Si tuviera usted un collar de esmeraldas y brillantes, ¿dónde lo llevaría?
2. ¿Ha bailado usted un vals en un enorme salón de baile?
3. ¿Jamás ha asistido usted a una función en el salón de una embajada?
4. ¿Qué le impediría asistir a una función en el Teatro Real?
5. ¿Qué dice el antiguo refrán acerca del botón?
6. ¿Muestra buen o mal juicio el chófer de una cucaracha que choca con un camión cargado de cosas pesadas?
7. ¿Estaría usted encantado o triste si sus amigos le abandonaran?
8. ¿Trataría usted de impedir que un pariente hiciera algo bueno?
9. ¿Debe el dueño de una botica o un médico cuidar una persona que tenga una enfermedad grave?
10. ¿Prefiere un patrón emplear una persona que siempre lleve una sonrisa, o una que siempre parezca desagradable?
11. ¿Tendría usted vergüenza si hiciera pedazos una enorme bandeja de tazas en un restaurante?
12. ¿Es fácil herirse con los pedazos de una taza rota al reunirlos?
13. ¿Sería buen o mal juicio comprar al fiado un collar de brillantes si no tuviera más que dos dólares?

REPASO DE VERBOS

EJERCICIO 1. *What tense or verb form do these endings show?*

1. –ía	5. –aba	9. –ó	13. –(r)é	17. –(r)án
2. –ió	6. –aron	10. –(r)ían	14. –ido	18. –(r)ía
3. –é	7. –iese	11. –yendo	15. –aran	19. –ieran
4. –yó	8. –o	12. –ído	16. –ando	20. –(r)íamos

EJERCICIO 2. *Give the first person singular present subjunctive and preterite indicative of each of these verbs. What changes are needed in spelling? Why?*

1. chocar	4. secar	7. cruzar	10. rogar
2. mascar	5. amenazar	8. rezar	11. castigar
3. indicar	6. aterrizar	9. colgar	12. entregar

EJERCICIO 3. *Give the first person singular present indicative and present subjunctive of these –cer verbs. What spelling change occurs when the ending is –o or –a?*

1. nacer	3. pertenecer	5. desaparecer	7. aparecer
2. crecer	4. conocer	6. ofrecer	8. reconocer

EJERCICIO 4.   *Give the third person plural preterite and the present participle for each of these verbs.*   What happens to the *i* in the endings for all but one?

1. caer	4. leer	7. creer
2. destruir	5. construir	8. oír
3. contribuir	6. huir	9. traer (*¡Cuidado!*)

ALGO NUEVO

46. Augmentatives and Diminutives [1]

1. *Diminutives*

la mujercita, *the little woman*

igualitos, *just alike*

nuevecito, *"brand-new"*

la ventanilla, *the car window, ticket window*

el viejecillo, *the little old man*

los ojillos, *the little eyes*

You have learned to recognize the diminutive endings *–ito* and *–cito* (*–ecito*), which decrease the size of or add a flattering or affectionate idea to a word, and sometimes even change the meaning.[2] Other diminutive endings are *–illo* and *–cillo* (*–ecillo*), which may signify dislike or contempt, or at least a lack of importance.

There is no rule to tell you when to use *–ito* instead of *–cito,* or *–illo* instead of *–cillo.*   It is just one of those things you pick up from hearing and reading the language.   There are many other diminutive endings in Spanish, but these are the most common.

2. *Augmentatives*

el hombrón, *the big man*

un pobretón, *a very poor person*

el grandote, *the very big one*

las palabrotas, *the harsh words*

The Spanish endings *–ón* (*–ona*) and *–ote* (*–ota*) usually increase the size of the thing or person referred to,[3] at the same time often adding an idea of clumsiness or disrespect.

Both augmentatives and diminutives add a great deal of color to everyday speech and give character when used in stories or plays. Women, children, and older people especially like to use them.

---

[1] *Augmentative* comes from *augment,* meaning *to make* or *become larger.*   *Diminutive* comes from *diminish,* meaning *to make* or *become smaller.*

[2] Sometimes *–ito* is even repeated for emphasis, as in **chiquititito!**

[3] There are exceptions! *Rata* is *rat,* but *ratón* is *mouse; florón* is only a *paper flower,* and *cascarón* (from *cáscara, eggshell*) is in some countries an eggshell filled with confetti, to be crushed on a friend's head at a fiesta.

EJERCICIO 5. *See if you can give very free translations for these examples, to show that you understand the feeling for augmentative and diminutive endings in Spanish. Tell what the original word was, and don't let spelling changes fool you!*

1. Espérame un momentito, corazoncito. 2. ¡Poco a poquito, chiquito!
3. — ¡Hasta lueguito, Juanito!— ¡Adiosito, mamacita! 4. ¡Ay, qué
grandote! 5. ¡Toditito se acabó! 6. «Sabroso (*tasty*) hasta el último
traguito (**trago,** *swallow*).» (*Coffee advertisement*) 7. ¡A mí no me diga
palabrotas! 8. Cuando uno no escribe bien, se dice en español que hace
«patitas de mosca (*fly*)». 9. En algunas procesiones de fiesta se lleva una
cabeza falsa, llamada «cabezota». 10. «El Soldadito Flit» sirve para matar
moscas (*flies*) y mosquitos. (*You see where we get our word!*) 11. ¡Apeniti-
tas se sintió ese golpecito! 12. Ese viejecillo desagradable tiene los ojillos
feos. 13. El Ratón Miguelito es muy popular entre los hispanoameri-
canitos. 14. «El pañuelito (**pañuelo,** *handkerchief*)» es el nombre de un
bailecito de la Argentina. 15. Paso (*step*) a (*by*) pasito llegaremos al
Salón de Té. 16. El botellón está en el cajón.   17. Ese hombrón pescó
(*caught*) como cinco pececitos. 18. Los chiquitos pidieron en Navidad un
trajecillo ranchero, un cochecito para muñecas, un trenecillo mecánico, y
un camioncito, así como un automovilito de pedales.

REPASITO

EJERCICIO 6. Each of these nouns and adjectives has a verb which
is related to it. *Can you name all the verbs?*

1. el choque	8. agradable	15. el sacrificio
2. la reunión	9. seco	16. el consejo
3. mejor	10. la cruz	17. el oído
4. el cumpleaños	11. el nacimiento	18. el regalo
5. el amor	12. extraño	19. el rodeo
6. el golpe	13. divertido	20. la llegada
7. la sonrisa	14. bajo	21. la muerte

EJERCICIO 7. *Complete each of these sentences in three ways, using the
proper form of the verbs suggested and anything else you would like to
add, including* **no.**

1. ¡Vamos! Su padre no consiente en que usted (mascar, beber, pedir
prestado). 2. Quisiera un collar que (ser, tener, llevar puesto). 3. No
volveré a hacer pedazos una taza con tal que usted (impedir, chocar con,
estorbar). 4. Quiero asistir a una función que (ser, tener lugar en, satisfacer). 5. ¡Ojalá que usted no (herir, mostrar, tener vergüenza)!

PALABRAS PARA APRENDER

* abandonar	to desert, abandon	* el juicio	judgment
* el abanico	fan	el Marqués	Marquis (*title of nobility*)
la bandeja	tray		
* el botón	button	* mostrar (ue)	to show, display
* el collar	necklace	* real	royal
la Condesa	Countess	* el refrán	proverb
* enorme	enormous, huge	* la taza	cup
* la función	performance	* el vals	waltz
* grave	serious (ill)	* ¡vamos!	come, come! come, now!
* herir (ie, i)	to wound		
* impedir ¹ (i, i)	to prevent (from), keep from	* la vergüenza	shame, embarrassment

NEW WORDS RELATED TO OTHERS YOU KNOW

* chocar con (el choque)	to collide with, run into	* la enfermedad (enfermo)	illness
* encantado, –a (encantador)	charmed, delighted (*new meaning*)	* reunir (la reunión)	to gather (up)
		el salón (sala)	hall, large room

EXPRESIONES

* hacer pedazos, to break in pieces
el salón de baile, ballroom

* tener vergüenza (de), to be ashamed (to), to be embarrassed

¹ *Impedir* takes a subjunctive if the subject of the subordinate verb is a noun instead of a pronoun: *Le impido salir; impido que la Condesa salga.*

FOR ADDITIONAL, OPTIONAL MATERIALS TURN TO **A ESCOGER**, PAGE 491.

Capítulo 26

Con días — y ollas

— venceremos

Beside Simón Bolívar, the George Washington of South American history, stands another great general, José de San Martín. San Martín accomplished as much as the Liberator, for he freed the southern part of the continent from Spain while Bolívar was freeing the north. After San Martín had liberated Argentina, he crossed the trackless Andes with his army to free Chile. That heartbreaking feat is commemorated now by an astounding group of life-sized bronze figures of struggling horses and men, all piled on top of the "Hill of Glory" in Mendoza, Argentina, at the foot of the Andes. Above that monument today silver passenger planes spiral up and up to make the great jump to cross the mountains over that very same route.

This is not the only monument to San Martín, for every place you go in South America, if it isn't Bolívar you see riding a bronze horse in the plaza, it's San Martín. But his name has not been given to so many places, since he left the glory to Bolívar.

Here is the story, told by Ricardo Palma, of how San Martín outwitted the Spanish royalists near Lima and helped give Peru her independence. In it you will learn how a great general could see a joke even in the midst of an historic struggle.

En el mes de junio de 1821,[1] cuando empezaron las famosas negociaciones entre el virrey [2] en Lima y el general San Martín, recibieron las tropas (*troops*) revolucionarias, mientras esperaban en Huaura, una frase como santo y seña: «Con días — y ollas — venceremos.»

[1] San Martín had crossed the Andes from Argentina, freed Chile, and was putting the finishing touches on freeing Peru, the last royalist stronghold in South America.

[2] *el virrey, viceroy,* the colonial governor appointed by the King of Spain to rule over Spanish possessions in South America.

Para todos excepto unos pocos, el santo y seña era una frase 5
estúpida, y hasta los amigos de San Martín murmuraban, —¡Ton-
terías (*foolishness*) del general!

Sin embargo, el santo y seña era importante, puesto que hizo su
papel en un gran incidente histórico. Y de eso me propongo hablar
hoy.   10

San Martín no quería ocupar a Lima por medio de una batalla,
porque lo que le importaba más era salvar la vida a sus soldados.

Estaba en correspondencia secreta y constante con los patriotas
leales [1] de la capital, pero con frecuencia, los españoles conseguían
interceptar las comunicaciones entre San Martín y sus amigos. 15
Además, los españoles siempre fusilaban (*shot*) a quienes sorprendían
con cartas en cifra (*code*). Era preciso encontrar inmediatamente
un medio seguro de comunicación.

Preocupado (*worried*) con este pensamiento, una tarde el general
San Martín pasaba por la única calle de Huaura, cuando, cerca del 20
puente, se fijó en una casa vieja que en el patio tenía un horno para
alfarería (*pottery making*). En aquel tiempo, los utensilios de cocina
eran de barro cocido.[2]

Al ver el horno, San Martín tuvo una misteriosa inspiración y

[1] *patriotas leales,* those loyal to the revolution against the Spaniards.
[2] Clay pots and kettles are still used in many homes of Spanish America, and food
cooked in them has a really good flavor.

Robert C. Lautman

**Statues of patient San
Martín,** "Saint of the
Sword," are now seen in
many countries, although
he died in exile and in
poverty, forgotten at the
time.

25 exclamó para sí, — ¡Eureka! [1] ¡Ya está resuelta la X (equis) del problema!

El dueño de la casa era un indio viejo, inteligente, y leal a los insurgentes (*rebels*). Después de una conversación larga, el alfarero prometió hacer para el general unas ollas con doble fondo, tan bien 30 preparadas que el ojo más experto no pudiera descubrirlo.

El indio hacía cada semana un viajecito a Lima con sus dos mulas cargadas de platos y ollas de barro. Entre estas últimas iba la «olla revolucionaria», con importantísimas cartas en su doble fondo.

Camino de Lima, el indio se dejaba registrar (*be searched*) por los 35 españoles, respondía con una sonrisa a sus preguntas, se quitaba el sombrero cuando el oficial pronunciaba el nombre de Fernando VII,[2] y los españoles le dejaban seguir su viaje. ¿Quién iba a imaginar que ese pobre indio hacía un papel tan importante en cosas revolucionarias?

40   A las ocho de la mañana pasaba por las calles de Lima, gritando

---

[1] *¡Eureka!* is a Greek word meaning *I have found it.*
[2] Fernando VII (*séptimo*), King of Spain at that time, was a tyrannical ruler.

Heartbreaking monument to San Martín on the Hill of Glory is topped by "Freedom breaking her chains."

Earl Leaf

San Martín's route across the high Andes from Mendoza to Chacabuco lies beneath that now followed by passenger planes several times a day.

a cada paso (*step*), — ¡Ollas y platos! ¡Baratos, baratos! — Apenas terminaba su pregón (*cry*) en cada esquina, cuando salían a la puerta todos los vecinos que querían comprar utensilios de cocina.

Vivía en Lima el señor don Francisco Javier de Luna Pizarro, y él fué el patriota nombrado por San Martín para tratar con el al- 45 farero. El criado de este señor, Pedro Manzanares, era muy leal a su amo (*master*). Al oír pasar al alfarero, no dejaba Pedro nunca de salir y comprar una olla de barro. Pero todas las semanas volvía a presentarse en la puerta, utensilio en mano, gritando al alfarero, que le entendía perfectamente, — Oiga usted, cholo [1] ladrón, con sus ollas 50 que se rompen toditas ... Ya puede usted cambiarme ésta que le compré la semana pasada antes que se la rompa en la cabeza para enseñarle a no engañarme a mí.

Y tanto se repitió la escena de cambios (*exchanges*) de ollas y palabrotas, contestadas siempre con paciencia por el indio, que el 55 barbero de la esquina le dijo al criado una mañana, — ¡Caramba! ¡Yo, que soy pobre, no hago tanto ruido por un miserable real! ¡Vamos! Las ollas de barro no se pueden devolver, y el que se lleva chasco (*gets cheated*) debe callarse y no molestar a los vecinos con gritos y lamentaciones.   60

— Y usted, ¿quién le dió vela [2] en este entierro? — contestó Pedro.

[1] *Cholo* means a *lower-class person* and is quite an insulting word in some countries.
[2] *¿quién le dió vela en este entierro?*, *who gave you a candle [to carry] in this funeral?* In other words, *what business is it of yours?*

— Vaya usted a desollar [1] barbas, y no se meta en lo que no le va ni le viene.

Al oír esto, se puso enfadado el barbero, y echando (*laying*) mano
65 a la navaja (*razor*), estaba para atacar (*attack*) a Pedro, que, sin esperar, huyó a su casa.

¡Quién sabe si la riña entre el barbero y el criado habría servido para despertar sospechas (*suspicion*) sobre las ollas, pues (*since*) de pequeñas causas han salido grandes efectos! Afortunadamente, la
70 riña tuvo lugar en el último viaje que hizo el alfarero con la «olla revolucionaria». Al día siguiente abandonó el virrey [2] la ciudad, de la cual tomaron posesión los patriotas en la noche del nueve de julio.

La victoria fué ganada sin perderse un soldado. «Con días — y ollas» vencieron los patriotas, y gracias a las ollas que llevaban en el
75 fondo doble unas ideas [3] más formidables que los cañones (*cannon*) modernos, el 28 de julio se declaró en Lima la independencia del Perú.

ADAPTED FROM RICARDO PALMA (*Peru*)

PREGUNTAS

I. ¿Entendió usted el cuento?

1. ¿Quién era San Martín?
2. ¿Por qué quería ocupar a Lima sin batalla?
3. ¿Dónde vivía el alfarero leal con su horno?
4. ¿Por qué mandó hacer San Martín las ollas de barro de doble fondo?
5. ¿Quién fué nombrado por San Martín para tratar con el indio de las ollas de doble fondo?
6. ¿Cómo fué seguro enviar cartas al patriota de Lima?
7. ¿Cómo engañó el indio a los españoles, camino de Lima con sus ollas?
8. ¿Dónde se usan todavía utensilios hechos de barro cocido?
9. ¿Qué llamaba el criado Pedro al indio cada semana?
10. ¿Creía el barbero que ésta era una verdadera riña entre el criado y el indio?
11. ¿Cómo sabe usted que no era muy cortés el criado al tratar con el barbero?
12. ¿Por qué estaba el barbero para atacar (*attack*) a Pedro?
13. ¿Ocuparon los patriotas a Lima sin batalla?
14. ¿Qué frase usaron los patriotas como santo y seña?

[1] *Vaya usted a desollar barbas, y no se meta en lo que no le va ni le viene,* *go on and skin chins and don't meddle in what doesn't concern you.*

[2] This was exactly what San Martín had been advising the viceroy to do, in his messages sent secretly through the patriot don Francisco and his servant Pedro.

[3] The ideas of independence and liberty from Spain.

Rapho-Guillumette

Peruvian Palace Guards in their colorful costumes carry **on** the tradition of colonial times as they ride past Plaza San Martín.

II. ¿Qué dice usted?

1. ¿Para qué sirve un puente?
2. ¿Sería seguro andar sobre un puente de ferrocarril si estuviera para pasar un tren?
3. ¿Es mejor usar cemento o barro para construir un puente enorme?
4. ¿Para qué sirve un horno?
5. ¿Se usan ollas de barro cocido en este país?
6. ¿Tendría usted vergüenza de devolver una olla rota al vendedor?
7. ¿Es seguro tratar con ladrones que quieran engañarnos?
8. Cuando un ladrón está para robar algo, ¿tiene pensamientos santos en el alma?
9. ¿A veces habla una persona para sí durante una enfermedad grave?
10. ¿Jamás ha hecho usted un esfuerzo para impedir una riña grave?
11. ¿Es fácil o difícil engañar al enemigo y ocupar su tierra sin batalla?
12. ¿Es cosa cómica o seria ver dos personas gordas tratar en vano de ocupar un asiento estrecho?
13. ¿Cuándo se usa esta frase: «Botón, botón, ¿quién tiene el botón?»

REPASO DE VERBOS

EJERCICIO 1. *Using the verbs* **satisfacer, chocar, herir, impedir, mostrar** *and* **reunir,** *give the following forms.*

1. I prevented
2. we might show
3. he might gather
4. he satisfied
5. I collided
6. they wounded
7. we will satisfy
8. you would collide
9. he may wound
10. she had shown
11. they will prevent
12. we were showing
13. you (*pl.*) will gather
14. he may collide
15. they might wound

EJERCICIO 2. *What is the proper translation of each of the following?*

1. trate con él
2. traté con él
3. nombráramos
4. ocuparemos
5. hubiera vencido
6. hayan engañado
7. ¡Vamos!
8. lo pidió prestado
9. ¡Vaya usted!
10. no lleva puesto
11. no la abandonaría
12. choqué con él

ALGO VIEJO Y ALGO NUEVO

47. How to Say "Get"

Our overworked verb *to get* has so many meanings that often we haven't the faintest idea of how to say it in Spanish. The key is this: If you can think of a synonym for what you want to say, often you will give yourself a valuable clue as to how to say it. For example, *to get away* means *to escape,* or *to free oneself,* and you know **escaparse** and **librarse.**

Even slang can be translated this way: "Now I get it!" means "Now I understand," so **Ya entiendo** will do.

EJERCICIO 3. *Here are some English sentences with "get" which you can easily handle in Spanish if you remember to translate the idea. You'll have to think of another way to say some of them, so whatever you do, don't try to translate them word for word.*

1. I hope to get better. 2. Don't get in the way! 3. They got married. 4. I want to get it out. 5. We can't get in. 6. She got to town early. 7. Don't get angry. 8. Get off that horse! 9. Get out [of here]! 10. Get up, lazy! 11. What did you get for Christmas? 12. Get home, quickly! 13. It's easy! Don't you get it? 14. I can't get it clean. 15. He didn't get a prize. 16. I'd like to get a picture with my camera. 17. Did you get it cheap? 18. "Get a move on you!" 19. He couldn't get it open. 20. How do you get downtown?[1]

[1] *¿Por dónde se va al centro?* (Better learn this one!)

EJERCICIO 4. *To get (have) something done* is **hacer** with an infinitive: *Lo hice lavar,* I *got (had) it washed. Try these sentences.*

1. I'll get it cleaned.
2. I want to get it washed.
3. Will you get it moved?

4. Get it filled!
5. I don't want to get them broken.
6. Get it signed by your father.

EJERCICIO 5. *Get* is often expressed by reflexive verbs, or by making a non-reflexive verb reflexive. This is especially common in speaking of things, although it is also used for people when they perform the act themselves. For example: *to lose,* **perder;** *I got lost,* **me perdí.** *How do you say these sentences?*

1. He got dressed a little while ago.
2. I got cut (**cortar**) on the broken cup.
3. It soon got broken.

4. Did he get his face burned?
5. Don't get lost, little boy!
6. They got frightened.

EJERCICIO 6. There are several ways of saying "get" in the sense of "become":

(1) Use **ponerse** with an adjective when it means *to get* or *become* unintentionally: **se puso débil,** *he got weak.*

(2) Use **hacerse** with a noun or adjective when it means *to get to be* or *become* "on purpose," with an effort: **se hizo médico,** *he got to be a doctor.*

(3) Use **llegar a ser** with a noun, meaning *to get to be* or *become* more or less as routine: **llegó a ser hombre,** *he got to be a man.*

Which verb do you use in these sentences?

1. They got very red.
2. I don't want to get sick.
3. They want to get rich.
4. He finally got to be a captain.
5. He gets weak from fear.
6. The road gets narrow there.

7. Will he get to be a barber?
8. I can't get comfortable here.
9. Their hands get soft without working.
10. Ours get strong and brown.
11. I don't want to get fat.[1]
12. The barber got mad.[2]

48. A New Way to Say "–ly"

con frecuencia, frequently   con (mucha) calma, (very) calmly

Often a noun is used with **con** to form an adverbial phrase instead of adding –**mente** to the adjective. It is possible to say **frecuentemente,** but **con frecuencia** is preferred.

[1] *To get fat* is also **engordar,** from **gordo.**
[2] Compare Ejercicio 3, No. 7, page 374. Either is correct.

EJERCICIO 7. *Using nouns you already know, give these adverbial phrases in Spanish.*

1. very carefully   2. courteously   3. hastily (hurriedly)   4. fearfully
5. gladly   6. affectionately   7. shamefully   8. respectfully

REPASITO

EJERCICIO 8. Let's review the true passive (*ser* + the past participle, page 318, § 42), and *estar* + a past participle (page 36, § 2, 3). Which one is used for a happening and which for description of a condition?

Complete the sentences in Spanish.

1. Las ollas de barro *were made* en un horno.   2. Los españoles *were conquered* sin batalla.   3. Las ollas que vende *are made* de barro.   4. El fondo *was made* doble por el alfarero para que los papeles fueran seguros. 5. Miró la olla; el fondo *was made* doble.   6. ¿Quién *was appointed* por el general San Martín?   7. ¡Pobrecito! *¡He is wounded* en el brazo!   8. Los españoles *were deceived* por el indio leal.   9. El camión que vimos *was loaded with* hielo seco.   10. La capital *was occupied* por los patriotas. 11. La riña *was started* (*iniciar*) por el ladrón.   12. Ese hombre leal *is loved by* (de) todos.   13. El collar *was bought* en el centro.

PALABRAS PARA APRENDER

el alfarero	pottery maker	* la olla	kettle, pot
* el barbero	barber	* el patriota	patriot
* el barro	clay	Pedro	Peter
* la batalla	battle	* el puente	bridge
¡caramba!	good gracious!	quitarse	to take off
* doble	double		(clothing, etc.)
* engañar	to deceive		(new meaning)
* el fondo	bottom	* la riña	quarrel
* la frase	sentence, phrase	* seguro, –a	safe (new meaning)
* el horno	oven		(used with ser)
* el ladrón	thief	* tratar (con)	to deal (with) (new
* leal	loyal		meaning)
* nombrar	to appoint, name	vencer (venzo)	to conquer
* ocupar	to occupy		

EXPRESIONES

* con (frecuencia), (frequent)ly
* estar para, to be about to
* hacer + *inf.*, to get (have) (something done)

para sí, to himself (herself, yourself, themselves)
el santo y seña, password

FOR ADDITIONAL, OPTIONAL MATERIALS TURN TO **A ESCOGER**, PAGE 495.

Capítulo 27

Por una docena
de huevos duros

In the northern part of long, narrow Chile lies a stretch of desert that has known practically no rain for a thousand years. This is the area that, due mostly to its nitrate, makes Chile the chief mining country of South America. But, since water is extremely scarce, the towns that have grown up around the various mining activities live a dreary and artificial existence.

Although nitrate has always been the most important mineral, gold, silver, and copper are also found, and during the past century, Chile was for a time one of the most important silver-producing countries. Now the silver is nearly gone, but people still like to tell stories of the good old mining days, when hardy souls could make their fortunes if they could stand the climate.

Ernesto Montenegro, who has written some of the most interesting stories of South American life, is a Chilean. However, he is a favorite writer here also, for he lived for many years in New York and worked on American newspapers. His story of a Chilean miner and what a dozen hard-boiled eggs have to do with his success is supposed to have taken place during the silver-mining boom, although as far as human nature is concerned, it could have happened only yesterday.

Un hombre que era muy pobre decidió irse a las minas para probar su suerte, dejando lo poquito que le quedaba en la casa para su mujer y los niños. Después de caminar largo tiempo, pasó por un pueblo donde tuvo que pedir que le dieran algo que comer para no caerse muerto de hambre. Se detuvo y llamó a la puerta de una 5 casa, donde había una señora solita junto a un brasero[1] con su gato y sus gallinas.

[1] A **brasero**, *charcoal-burner*, serves as a simple stove.

377

— Por la mucha necesidad que tengo, patroncita, le pido que me
dé unos cuantos huevitos, que cuando vuelva de las minas se los
10 pagaré bien.

En ese tiempo los huevos costaban tan poco que muchas veces ni
siquiera valía la pena de ir a recogerlos, y como la señora tenía el
agua hirviendo para tomar mate,[1] tomó una docena de huevos de la
cesta y los echó en la olla a cocer.

15   El hombre se fué muy agradecido con su docena de huevos duros.
Le bastaron para llegar hasta la Descubridora,[2] donde decían que se
estaba ganando mucha plata.

Diez años más tarde el minero, viéndose ya rico, pensó que lo
mejor era volver a su tierra. Pero no se olvidó de pasar por el
20 pueblo a cumplirle la palabra a la señora que tenía las gallinas. Así
pues se detuvo junto a su casa con su tropilla (herd) de burros cargados de plata.

Ta, ta, ta (knock, knock). — ¿Qué, ya no me conoce, abuelita?
¿No se acuerda de lo que le prometió aquel pobre que pasó por aquí
25 sin nada que comer para su viaje y que usted le dió una docena de
huevos duros? Bueno, una de estas cargas de plata es para usted.
Escoja la que más le guste.

Y echó unas cuantas al suelo.

Mas la vieja estaba muy sorda y le pasaba lo mismo que a otros,
30 que con la edad se hacen avarientos (greedy).

— ¿Y dice usted, joven, que es plata todo lo que llevan esos
burros? ¿Y usted fué a ganar toda esa plata después que me pidió
al fiado los huevos a mí?

— Claro, abuelita.

35   La abuela pensó un momento. No quería que le diera a ella sólo
una carga, ¡cuando los burros eran tantos! Si ella no hubiera sido
de buen corazón, ¿qué minita habría encontrado el minero?

— ¿Cuánto tiempo hace que le dí esos huevos?

— Diez años, por lo menos.

40   — Entonces, caballerito, ¡toda esa plata es mía! ¿Cree usted que
yo quede satisfecha con una carguita? ¡Vaya usted! Si yo hubiera
guardado los huevos y se los hubiera dado a mis gallinas, ¿cuántos
miles de docenas de huevos y pollos cree que tendría yo ahora? No,
señor, no venga a engañarme a mí. Porque me ve vestida de lana,[3]

---

[1] **Mate,** often called **yerba mate,** is South America's most popular "tea."
[2] **la Descubridora,** the Discoverer, is the name of a silver mine.
[3] **Porque me ve vestida de lana . . . ,** an adaptation of a proverb: because you see me
dressed in wool, . . . We say, "You can't pull the wool over my eyes!"

Nitrate plant of the dry Chilean desert processes the rich deposit and ships it all over the world to fertilize orchards and fields.

45 no ha de tomarme por oveja. Ayúdeme a meter esos burros en el corral, le digo.

E hizo entrar a los burros y cerró la puerta (*gate*) con llave.

El minero, que era un alma de Dios,[1] no sabía qué hacer con aquella vieja loca. Echarle la puerta abajo, cuando en aquel pueblo no le 50 conocían ni siquiera los perros, sería tanto peor, es lo que pensó.

Por lo tanto se iba otra vez para el centro, pasito a pasito (*very slowly*) y con la cabeza baja, cuando oyó que alguien le decía, — ¿No me dirá, amigo, qué es lo que ha perdido?

Era un hombrecito de buen humor, con la nariz bien colorada, que

---

[1] *un alma de Dios,* a *kind-hearted fellow.*

Viña del Mar, seaside resort popular with Chileans of Santiago, fills up its wide berth with *casetas* for the convenience of ocean-loving bathers and picnickers.

andaba con el sombrero al ojo (*over one eye*) y un poco como con 55 vino.[1]

El minero le contó lo que le había pasado.

— No tenga cuidado, amigo. Mire, yo soy abogado, y le prometo que mañana ganamos el pleito (*lawsuit*). Haga usted que le manden una citación (*summons*) a la vieja para las dos de la tarde, y espéreme 60 en el juzgado (*court*). — Y le pidió al minero el último peso que le quedaba para «curar su enfermedad».

Al día siguiente estaba la vieja muy tiesa (*stubborn*) ante el juez, y el abogado no llegaba.

— ¿Qué hace su abogado que no viene? — le preguntó de muy mal 65 humor el juez al pobre minero. — Le digo que si no llega a tiempo, le condeno (*sentence*) a usted con costas.

Estaban dando las dos cuando entró el abogado con la nariz como un tomate.

— Su Señoría me perdonará el atraso (*delay*), — le dijo al juez, 70 — pero estaba muy ocupado cociendo unas cuantas semillas para plantarlas.

— ¡Vaya a contarle eso a su abuela![2] — le gritó el juez, dando un golpe en la mesa. — ¡El caballerito nos tiene esperándole, y luego viene a burlarse de nosotros! ¿Dónde se ha visto cocer la semilla 75 antes de plantarla?

— Me sorprende que se enfade conmigo Su Señoría cuando le digo que estaba cociendo unas semillas para plantarlas. ¿No ha venido esta señora a contarle que podía haber ganado miles de pesos en huevos y pollos de una docena de huevos duros que le dió a este buen 80 hombre hace como diez años?

— ¡Cómo! ¿Estaban cocidos los huevos, señora? ¡Jure usted decir la verdad! — le gritó el juez.

— Así fué, Su Señoría. Se los dí duritos, — contestó la vieja.

— Entonces, joven, — le dijo el juez al minero, — páguele su real 85 y medio a esta vieja sinvergüenza y llévese su plata, que bastante le ha costado ganarla.

El minero le dió una carga de plata al abogado por haberle ayudado a ganar el pleito (*lawsuit*), y se fué con sus burritos para su casa, contento como unas Pascuas.[3]   90

ADAPTED FROM ERNESTO MONTENEGRO (*Chile*)

---

[1] *como con vino,* as if he had had some wine.
[2] "*Tell that to your grandmother*" is as old Spanish slang as it is English.
[3] *contento como unas Pascuas,* happy as Easter. We say "*happy as a lark.*"

PREGUNTAS

I. **¿Entendió usted el cuento?**

1. ¿Dónde decidió probar su suerte el hombre pobre?
2. ¿Dónde estaba la señora solita con su gato y sus gallinas?
3. ¿Por qué no valía la pena de ir a recoger unos cuantos huevos?
4. ¿Por qué coció la señora los huevos en la olla?
5. ¿Cómo se fué el hombre con los huevos duros?
6. Diez años después, ¿por qué se detuvo junto a la misma casa?
7. ¿Por qué le dijo a la «abuelita» que escogiera una carga de plata?
8. ¿Cuántas cargas quería ella guardar?
9. ¿Qué puerta (*gate*) cerró con llave la vieja?
10. ¿Por qué no echó abajo la puerta el minero?
11. Describa usted al abogado.
12. ¿Qué hora estaba dando al día siguiente cuando apareció el abogado ante el juez?
13. ¿Por qué pidió perdón el abogado?
14. ¿Qué hizo el juez de mal humor cuando creía que el abogado estaba burlándose de ellos?
15. ¿Quién era la sinvergüenza?

LOS INVITADOS

—No me lo preguntes más, hijo... yo no sé. Si ellos quieren que nos quedemos a comer, estoy segura que nos invitarán.

II. ¿Qué dice usted?

1. ¿Quisiera usted ser abogado, minero, juez, o abuela?
2. ¿Por qué no es seguro un ladrón cuando está ante un juez?
3. ¿Por qué hay que cerrar la puerta con llave?
4. ¿Vale la pena de echar abajo una puerta cerrada cuando uno tiene la llave?
5. ¿Qué haría usted si sorprendiera a un sinvergüenza robando su bolsa?
6. ¿Está usted muy agradecido o enfadado cuando un sinvergüenza se burla de usted?
7. ¿Es amable o malo burlarse de un sordo?
8. ¿Puede un sordo oír fácilmente el ruido que hace un gato al andar?
9. ¿Está de buen o mal humor una persona cuando le da a otra un golpe?
10. Si tuviera usted una carga de plata, ¿qué compraría?
11. ¿Cómo cocemos duros los huevos?
12. ¿Siempre se acuerda usted de guardar bien su libro?
13. ¿Es cierto que unas cuantas semillas crezcan más si las cocemos antes de plantarlas?
14. ¿Por qué debe usted acordarse de detenerse antes de cruzar una calle con muchos automóviles?
15. ¿Debe estar colorada la nariz?

REPASO DE VERBOS

EJERCICIO 1. Here are some irregular verb stems of various tenses. *Can you identify the infinitive and a tense each represents?*

1. sup–	4. dir–	7. har–	10. vin–	13. estuv–
2. mur–	5. hic–	8. pud–	11. impid–	14. tendr–
3. dij–	6. pus–	9. quis–	12. detuv–	15. traj–

EJERCICIO 2. *Complete these sentences with the proper verb or expression.*

1. ¡Vamos! No valdría la pena *to try* eso. 2. No trate de *cook them* sin que estén limpios. 3. ¡No se olvide usted de *lock* su puerta! 4. ¿Trató de *knock down* a ese enorme ladrón? 5. Temería que *he would strike* al niño porque estaba de mal humor. 6. *Don't forget to* plantar por lo menos unas cuantas semillas. 7. ¡Sinvergüenza! ¡*Don't make fun of* su abuelita! 8. ¡*Stop* antes que cruce el puente! 9. Yo estaría muy agradecido si usted *would remember* eso. 10. *I will lock* las puertas de afuera. 11. *Wear* puesto el sombrero, pero no al ojo (*over one eye*). 12. *You can't boil* los huevos en un horno. 13. ¿Quisiera usted *keep* el collar?

49. How to Say "Take"

Take is an English word with so many meanings that it fills more than a column in an English-Spanish dictionary! As with *get*, the smart way to help yourself translate it to Spanish is to think of other words that express the same idea. For instance, "I'll take this one," meaning "I choose this one," is *escojo,* but if you mean "I'll carry this one," it's *llevo.*

EJERCICIO 3. *These uses of "take" can all be said with the familiar verbs and expressions listed. (There are some extras.) Watch prepositions and extra words for clues. If you think of the idea, you should get them all right.*

coger	llevar	quitarse
cuidar	llevarse	sacar
despedirse de	pasearse	sacar fotografías
escoger	poco a poco	tener lugar
hacer un papel	quitar	tomar

1. Take the cat out of the box.
2. Don't take that away from him!
3. I have to take care of the baby (*el bebé*).
4. He took leave of his grandmother a little while ago.
5. Take hold of the tray.
6. Do you take tea, coffee, or wine with supper?
7. I took her a gift.
8. Take off your hat!
9. Take it easy, pal!
10. He takes an important part in the comedy (*la comedia*).
11. Do you like to take pictures during a drive?
12. The battle took place close to the bridge.

EJERCICIO 4. These different ways of saying *take* also use familiar words, but you may not have thought of them with that meaning before. *Consult the list to help you translate the sentences.*

to take along	**llevarse**	to take (carry)	**llevar**
to take up	**subir**	to take (carry away)	**llevarse**
to take down	**bajar**	to take (choose)	**escoger**
to take someone for	**tomarle por**	to take (a streetcar, etc.)	**tomar**
to take (in a store)	**llevar**	to take (internally)	**tomar**

1. I took him for a thief. 2. "Take it all or don't take anything!" 3. Take the bus on the corner. 4. I can't take that painting. 5. Take it down for me. 6. Take this package up for me. 7. I'll take this one.

8. Why don't you take it along? 9. Which one will you take? 10. Take
your medicine (*medicina*).   11. You can't take it with you (*consigo*).
12. He took the train.

REPASITO

EJERCICIO 5. Verbs that are reflexive and need prepositions too are
often hard to handle. *Use the following verbs to express the sentences
in Spanish.*

acercarse a	burlarse de	fijarse en
acordarse de	casarse con	librarse de
alegrarse de	dirigirse a	olvidarse de
atreverse a		

1. Remember your package!
2. He'll forget about this.
3. He's making fun of me.
4. The horse got away from him.
5. They went toward the estate.
6. Notice the poverty here.
7. Are you glad she can cook?
8. We don't dare try it.
9. Don't get close to the oven!
10. Why don't you marry her?

EJERCICIO 6. *The verbs in these sentences need prepositions to complete
their meanings correctly. Do you know what all of them are?*

1. ¿Tratará usted *with him?* 2. Consentí *to go.* 3. ¿Estará de acuerdo
with me? 4. La carga consiste *of silver.* 5. El caballo tiró *the load.* 6. No
vale la pena *to do it.* 7. Depende *on* la brisa. 8. ¿Asistirá usted *the dance?*
9. Tengo que *reach home* para las diez. 10. Trate usted *to find* unos cuantos
botones. 11. Háganos el favor de llenarlo *with water.* 12. ¡No lo *lock!*

EJERCICIO 7. Here are some easy expressions that you should be able
to give without hesitating. *How fast can you say them all?*

1. a few cats
2. some wine
3. next year
4 a good waltz
5. Ouch!
6. That's right!
7. It struck ten.
8. to the left
9. to say good-by to
10. the next day
11. Please stop here.
12. It is hot (weather).
13. He asks questions.
14. a week ago
15. This one is mine.
16. therefore
17. Go on!
18. only a proverb
19. Delighted!
20. he said to himself
21. because of

EJERCICIO 8. *Make these commands negative and translate them.
Where will the object pronouns go?*

1. Acuérdese usted de esto. 2. Ciérrelo usted con llave. 3. Pruébelo
usted. 4. Hiérvalos usted en la olla. 5. Guárdemelo usted, por favor.
6. Cuézalas usted en seguida. 7. ¡Échalo abajo! 8. ¡Dale un golpe!
9. Plántenlas ustedes. 10. Vénzanlos ustedes.

EJERCICIO 9. The following diminutive forms are used in this chapter. *Translate them and give the original word.*

1. poquito
2. solita
3. huevitos
4. abuelita
5. minita
6. caballerito
7. carguita
8. hombrecito
9. duritos
10. burritos

PALABRAS PARA APRENDER

* el abogado	lawyer	* el juez	judge
* la abuela	grandmother	* la llave	key
* burlarse de	to make fun of	el minero	miner
* detenerse (me detengo)	to stop (oneself)	* la nariz	nose
* duro, –a	hard; hard-boiled	* la pena	trouble
* el gato	cat	* plantar	to plant
* guardar	to keep	* probar (ue)	to try (out), test
* hervir (ie, i)	to boil	la semilla	seed
		* sordo, –a	deaf

NEW WORDS RELATED TO OTHERS YOU KNOW

* acordarse (ue) (de) (recordar)	to remember (about)	* colorado, –a (color)	red
* agradecido, –a (agradar)	grateful	* junto a (juntos)	close to
* la carga (cargado de)	load (*new meaning*)	* olvidarse (de) (olvidar)	to forget (about)
* cocer (ue) (cuezo) (cocina)	to cook, boil [1]	* el (la) sinvergüenza [2] (vergüenza) ¡sinvergüenza!	shameless one; (*exclamation*) shame on you!

EXPRESIONES

* cerrar (ie) con llave, to lock
* dar un golpe (a), to strike
  por lo menos, at least
  Su Señoría, Your Honor

* unos (–as) cuantos (–as), a few
* (no) valer la pena (de), (not) to be
  worth while (to), worth the trouble (to)

[1] *Cocer* is to cook something in general or to boil; *hervir* is just to boil something.

[2] You'd better smile if you call someone this. In some countries it's practically a fighting word.

FOR ADDITIONAL, OPTIONAL MATERIALS TURN TO A ESCOGER, PAGE 497.

¿Cuánto sabe usted?

What would you like to see? Dusty deserts or high-piled mountains or steaming jungles? Smoking volcanoes or grassy lowlands or deep, brown rivers? Latin America has them all, and with them an infinite variety of products that man has found and taken for his use.

Where the climate is like that of North America, you will find the crops we know and use; where tropical heat lifts rank vegetation from the damp soil almost overnight, you will find trees and plants and animals strange to us. From jungle trees alone Latin America sends us many curious woods. There is the wild *quebracho* — literally axe-breaker — which furnishes tannic acid for tanning leather; a wood so heavy that it sinks in water, and so hard that wood-boring insects pass it by. There is the wild balsa, so light and spongy that you could carry a huge log on your shoulder, and which comes to this country for you to cut up with a razor blade for your airplane models. Tropical trees furnish our precious hardwoods and some of our medicines, drinks, and fruits. And one tree of Ecuador buttons our clothes [1] and another provides our "Panama" hats! [2]

In addition to jungle products, South America provides us and the world with minerals and jewels, the precious "black gold" that oozes from the ground, and beef, grains, hides, and wool.

In this story of the wealth of our neighbors, you will read about some of the more interesting things they export.

[1] The tagua palm, which bears nuts that look like Brazil nuts turned to ivory. Until plastics became common, most of our ordinary utility buttons were of tagua.

[2] A palm tree with leaves of a fine fiber which is woven into hats, not in Panama, but in Ecuador.

Las riquezas de nuestros vecinos

1. BEBIDAS

El cacao

¡Imagínese una bebida (*drink*) antigua tan preciosa que se servía en tazas de oro, y que no se les permitía beberla más que a los nobles! Esta bebida se hacía de las pepitas (*seeds*) de un árbol, tan estimadas que servían de (*as*) dinero para ricos y pobres. Pero si un pobre
5 usaba unas pocas pepitas para hacerse una taza de esta bebida magnífica, corría el riesgo (*risk*) de ser castigado hasta con la muerte.

Cuando los conquistadores probaron esta bebida hace más de cuatrocientos años, les gustó tanto que la introdujeron en España, donde los nobles pronto empezaron a tomarla, y donde hoy día es
10 casi la bebida nacional del país.

¿No le gustaría a usted probar una bebida tan preciosa? Pues, la ha tomado usted muchas veces, y sin pensar en lo que valía entre los aztecas de México y los incas del Perú cuando llegaron los españoles. Es el chocolate, hecho de las pepitas del cacao, y que hoy día se
15 produce en todos los países tropicales.[1]

[1] Now you know where we got the English word "cocoa." The large brown seeds grow in dark red pods that cluster on the cacao trees, and must be cleaned, dried, roasted, and ground fine in order to make commercial cocoa. Aztecs and Incans made the drink with water because they had no cows or goats; the Spaniards improved it by using milk.

Ewing Galloway

Large brown cacao seeds fill heavy melon-like fruit that sprouts from mottled tree trunks without benefit of leaf or stem.

"Pause that refreshes" in most American countries means a gourd of hot *yerba mate* taken with a silver sipper with a perforated bulb at the end.

Monkmeyer

El mate

Imagínese otra bebida, popular entre los indios antes de la llegada de los españoles, que hoy día es la favorita de la mayor parte de los sudamericanos, pero que nosotros los norteamericanos apenas conocemos. Esta bebida es el mate, una clase de té verde hecho de las hojas de un arbolito que se parece a (*resembles*) un naranjo (*or-* 20 *ange tree*). Como toman té los ingleses, así toman mate los sudameri- canos. Todas las tardes, a las cuatro o las cinco en muchos países, toda la gente, hasta en las oficinas de los rascacielos (*skyscrapers*) de Buenos Aires, deja su trabajo un rato para tomar una taza de este té.

Muchos, sobre todo en el Paraguay, lo toman en una calabaza 25 (*gourd*) usando una bombilla (*sipper*), como los gauchos de la pampa.[1] Una cosa curiosa es que se puede preparar este mate hasta con agua fría, aunque generalmente se prefiere hervirla antes de hacer el mate.

Nuestros vecinos del sur dicen que esta bebida da más energía que el té negro o el café, y que el mate contiene muchas vitaminas. 30 Tratan de interesarnos en este producto sudamericano, así como a los mexicanos, quienes tampoco usan el mate. Quizás nosotros perdamos mucho no usándolo.

---

[1] *gauchos de la pampa, cowboys of the plains.* The gourd is usually silver mounted, and the sipper is an elaborately decorated silver tube.

Coffee beans ride small canals from one processing step to another, losing the soft hull and later drying in great sunny patios, where they must be turned frequently.

El café

La tercera bebida sudamericana es el café, que no es preciso
35 describir. Éste se produce en el Brasil, así como en Centro América, aunque no es natural (*native*) de estos países, habiendo sido introducido allí hace como cien años.

Los cafetos (*coffee trees*) crecen en los países tropicales, generalmente a la sombra de árboles grandes. Tienen florecitas blancas y
40 muy fragantes, y después, bonitos racimos (*clusters*) de frutas rojas que se parecen a las cerezas (*cherries*). Los granos (*seeds*) de estas frutas, después de secarse, se tuestan (*roast*), de donde viene su color obscuro.

¿Qué podríamos servir en el desayuno (*breakfast*) si no tuviéramos
45 este producto sudamericano? ¡Quizás aprenderíamos a tomar mate!

390

2. Drogas

El yodo (Iodine)

Además de las bebidas, la América Latina nos da unas drogas (*drugs*) importantísimas, sin las cuales podríamos sufrir mucho. Por ejemplo, no pasa un solo día sin que se use una gran cantidad del yodo, la droga antiséptica que es uno de los productos de las salitreras (*nitrate mines*) de los desiertos chilenos. Chile nos da la 50 mayor parte del yodo que usamos.

La quinina

¿Y qué haríamos sin la quinina preciosa que les salva la vida a tantos que sufren del paludismo (*malaria*)? Durante muchos siglos esta droga, sacada de la corteza (*bark*) de un árbol tropical, era la única que combatía esta enfermedad diseminada (*spread*) por los 55 mosquitos.[1] No podía entrar ningún explorador en la selva sin su

[1] When atabrine, a chemical substitute for quinine, was developed a few years ago, the natural drug became less important, although it is still widely used.

Waxy white coffee blossoms sweeten the tropical air before they become bright red berry clusters to be picked by laughing crews of young people.

quinina, y hay miles de personas de países tropicales que todavía la
toman todos los días para evitar la enfermedad. Así es que este
producto sudamericano es muy importante.

La cocaína

60   La cocaína, sin la cual sufriríamos mucho a veces en el hospital,
se hace de la coca del Perú [1] y de Bolivia. Los indios la usan para
evitar el hambre y la sed en los viajes largos a pie por los Andes o los
desiertos, y nosotros la usamos como anestésico (*anesthetic*). Las
hojas de la coca son de un arbusto que crece en los Andes, y se ex-
65 portan a todas partes del mundo para hacer la cocaína. El sabor
(*flavor*) de la coca, sin los efectos medicinales, sirve para hacer varios
refrescos muy populares de sabor «*cola*».

   [1] Note that it's correct to say *del Perú,* but when *El,* with a capital, is really part of the
name (as in *El Salvador*), it cannot be combined with *de.* (page 270, § 37, 6)

Strong, tough fiber something like hemp comes from the
great maguey or century plant leaves after they have been
crushed and soaked to remove the pulp.

Pix

Petróleo
Café
Cacao
VENEZUELA
OCÉANO
ATLÁNTICO
Petróleo
COLOMBIA
Esmeraldas
ECUADOR
Sombreros
de jipijapa
Cacao
Petróleo
PERÚ
Algodón
Cobre
Estaño
Oro
BOLIVIA
Cobre
Plata
Quebracho
Salitre
PARAGUAY
Ganado
Grano
Yerba mate
Cobre
Ganado
Ganado
Ganado
Ovejas
URUGUAY
CHILE
Lana
Ovejas
ARGENTINA
Nueces
Frutas
Tropicales
BRASIL
Café
OCÉANO
PACÍFICO
OCÉANO
ATLÁNTICO

PRODUCTOS
PRINCIPALES
LA AMÉRICA DEL SUR

El «bálsamo del Perú»

Lo curioso del «bálsamo del Perú» es que no nos viene del Perú sino de El Salvador. Recibió su nombre en los tiempos coloniales 70 cuando todos los productos del Nuevo Mundo se llevaban a Panamá para cargarlos (*load them*) en los galeones (*galleons*) españoles, y al llegar a España los tesoros del Perú, se creía que este tesoro también era del país de oro.

Se produce de la savia (*sap*) aromática que sale de un árbol de la 75 selva. Se usa en varias medicinas importantes para curar heridas (*wounds*), porque es un antiséptico natural.

El chicle

En esta lista de productos sudamericanos que llenan nuestras boticas, se debe mencionar, aunque no es medicina, el chicle, del cual se hacen nuestros populares «chicles». México y Guatemala nos 80 envían todos los años millones de libras (*pounds*) de chicle, que es una savia (*sap*) que se saca del zapote (*zapote tree*) de la selva. ¡Cómo podríamos vivir sin nuestros chicles!

Hay muchas otras drogas y productos medicinales que obtenemos de nuestros buenos vecinos, pero éstos son los principales.

3. Lo que produce la América Latina

Centro América

Costa Rica	café, plátanos (*bananas*), oro, cacao
El Salvador	café, «bálsamo del Perú», oro, plata, azúcar
Guatemala	café, plátanos, chicle
Honduras	plátanos, café, tabaco
Nicaragua	plátanos, azúcar, café
Panamá	plátanos, cacao, cocos (*coconuts*)

Sud América

Argentina	carne, trigo (*wheat*), cueros (*hides*), lana (*wool*)
Bolivia	estaño (*tin*), oro, plata, cobre (*copper*), coca
Brasil	café, brillantes, caucho (*rubber*), mandioca (*tapioca*), cacao
Chile	cobre, salitre (*nitrate*), oro, yodo
Colombia	café, oro, petróleo, esmeraldas, cacao
Ecuador	cacao, petróleo, tagua (*vegetable ivory*), sombreros de jipijapa (*Panama hats*)
Paraguay	quebracho (*ironwood*), carne, cueros, mate

(*Continued on page 396*)

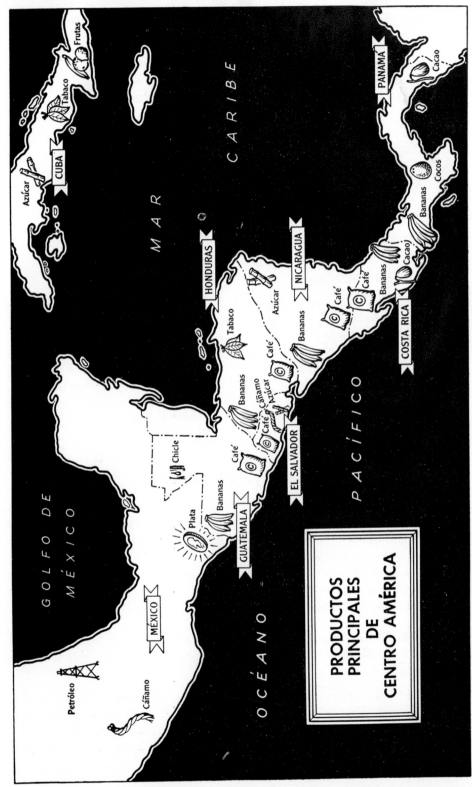

PRODUCTOS
PRINCIPALES
DE
CENTRO AMÉRICA

Perú	cobre, plata, petróleo, algodón (*cotton*), quinina, coca
Uruguay	carne, trigo, cueros, lana
Venezuela	petróleo, cacao, café

México y las Antillas

Cuba	azúcar, tabaco
Haití	café, plátanos, azúcar, cacao
México	petróleo, plata, chicle, productos artísticos indígenas (*native*)
Puerto Rico	azúcar, tabaco
República Dominicana	azúcar, tabaco, cacao

¿Entendió usted el cuento?

1. ¿Por qué fueron castigados los indios hasta con la muerte por tomar cierta bebida?   2. ¿Cuál es la bebida más popular en las comidas de España?   3. ¿Cuál es la bebida caliente más popular en la Argentina?   4. ¿Qué bebida de Centro América fué introducida después de la llegada de los españoles?   5. ¿Qué árboles útiles tienen que crecer a la sombra de árboles más grandes?   6. ¿De dónde viene el yodo?   7. ¿De qué viene la quinina, y qué enfermedad puede curar?   8. ¿Qué hoja produce una droga que se usa para hacer cesar el dolor?   9. ¿De dónde viene «el bálsamo del Perú», y para qué sirve?   10. ¿De qué se hacen nuestros chicles?

REPASO DE PALABRAS

EJERCICIO 1.   In the RODEO DE PALABRAS on pages 397 and 398 you will find the most important words and expressions from Chapters 22 through 27.   The Spanish list is numbered to correspond with the English.   *Check yourself by giving each item in the opposite language. Use el or la with each Spanish noun, and give both the masculine and the feminine form of each adjective.   Make a list of any words you do not remember, and then use each one in a sentence.*

EJERCICIO 2.   *What Spanish adjectives in the list on page 397 would complete these sentences intelligently?*   (Some will have more than one correct answer.)

1. Entre los indios, el Emperador siempre llevaba en la mano un pájaro _____.   2. Cuando hablamos en voz _____, con frecuencia los que son _____ no pueden oírnos sin que hablemos al oído.   3. Un gato que vive afuera y

(*Continued on page 399*)

Nouns

1. el abanico	14. el collar	27. el juicio	40. el patrón
2. el abogado	15. la confianza	28. el ladrón	41. la pena
3. la abuela	16. la enfermedad	29. el látigo	42. la pobreza
4. el alma	17. el esfuerzo	30. la llave	43. el puente
5. el barbero	18. el fondo	31. la llegada	44. el refrán
6. el barro	19. la frase	32. el marido	45. la respuesta
7. la batalla	20. la frente	33. el médico	46. la riña
8. la botica	21. la función	34. el miedo	47. el or la sinvergüenza
9. el botón	22. el gato	35. la nariz	48. la sonrisa
10. el brillante	23. el gusto*	36. la novia*	49. la taza
11. la cadena	24. la habitación	37. la olla	50. el vals
12. la carga*	25. el horno	38. la pata	51. la vergüenza
13. el cariño	26. el juez	39. el patriota	

Adjectives

1. agradecido	5. colorado	9. encantado*	13. magnífico	17. real
2. bajo	6. débil	10. enorme	14. manso	18. sagrado
3. cargado (de)	7. doble	11. grave	15. puesto	19. seguro*
4. caro	8. duro	12. leal	16. puro	20. sordo

Verbs

1. abandonar	11. chocar con	21. impedir	31. olvidarse (de)
2. acordarse (de)	12. dejar*	22. jurar	32. pertenecer
3. amar	13. detenerse	23. librarse	33. plantar
4. amenazar (con)	14. engañar	24. mascar	34. probar
5. beber	15. exagerar	25. mejorar	35. reunir
6. burlarse de	16. golpear	26. montar	36. satisfacer
7. cesar (de)	17. guardar	27. mostrar	37. sentirse+
8. cocer	18. heredar	28. murmurar	38. tratar (con)*
9. combatir	19. herir	29. nombrar	39. vencer
10. consentir (en)	20. hervir	30. ocupar	40. volverse*

Adverbs

1. afuera	3. aún
2. apenas+	4. con (frecuencia)

Prepositions

1. ante   2. junto a

Conjunctions

1. mas

Expressions

1. al fiado	7. estar para	14. por fin
2. cerrar con llave	8. hacer + inf.	15. tener vergüenza (de)
3. dar un golpe a	9. hacer pedazos	16. unos cuantos
4. echar abajo	10. llevar puesto	17. (no) valer la pena (de)
5. en vano	11. no — más que	18. ¡vamos!
6. (estar) de buen (mal) humor	12. (no) se vende	19. ¡vaya!+
	13. pedir prestado (a)	

*New meaning   + Introduced but not basic in Book I

397

Nouns

1. fan
2. lawyer
3. grandmother
4. soul
5. barber
6. clay
7. battle
8. drugstore
9. button
10. diamond
11. chain
12. load
13. affection
14. necklace
15. confidence
16. illness
17. effort
18. bottom
19. sentence
20. forehead
21. performance
22. cat
23. taste
24. room
25. oven
26. judge
27. judgment
28. thief
29. whip
30. key
31. arrival
32. husband
33. doctor
34. fear
35. nose
36. bride
37. kettle
38. paw
39. patriot
40. boss
41. trouble
42. poverty
43. bridge
44. proverb
45. answer
46. quarrel
47. shameless one
48. smile
49. cup
50. waltz
51. shame

Adjectives

1. grateful
2. low
3. loaded (with)
4. expensive
5. red
6. weak
7. double
8. hard
9. charmed
10. enormous
11. serious (ill)
12. loyal
13. magnificent
14. gentle
15. "on"
16. pure
17. royal
18. sacred
19. safe
20. deaf

Verbs

1. to desert
2. to remember (about)
3. to love
4. to threaten (to)
5. to drink
6. to make fun of
7. to cease
8. to cook
9. to fight
10. to consent (to)
11. to collide with
12. to let alone
13. to stop
14. to deceive
15. to exaggerate
16. to strike
17. to keep
18. to inherit
19. to wound
20. to boil
21. to prevent
22. to swear
23. to free oneself
24. to chew
25. to get better
26. to mount, ride
27. to show
28. to whisper
29. to appoint
30. to occupy
31. to forget (about)
32. to belong
33. to plant
34. to try (out)
35. to gather (up)
36. to satisfy
37. to feel
38. to deal (with)
39. to conquer
40. to turn around

Adverbs

1. outside
2. hardly
3. still
4. (frequent)ly

Prepositions

1. before
2. close to

Conjunctions

1. but

Expressions

1. on credit
2. to lock
3. to strike
4. to knock down
5. in vain
6. (to) be in a good (bad) humor
7. to be about to
8. to get something done
9. to break in pieces
10. to have on
11. only
12. (not) for sale
13. to borrow (from)
14. at last
15. to be ashamed (to)
16. a few
17. (not) to be worth while (to)
18. come, come!
19. go on!

que no es ____ combate con las patas. 4. Una olla de color ____ con fondo ____ se rompe fácilmente porque el barro no es muy ____. 5. Una abuela con una enfermedad ____ está muy ____ cuando la cuidamos con cariño. 6. Estamos ____ cuando podemos ocupar una hacienda en alguna parte unos cuantos días durante el verano. 7. Un empleado ____ debe hacer un gran esfuerzo para portarse con buen juicio. 8. En la botica compramos medicinas muy ____. 9. No es ____ llevar una bandeja pesada, ____ ____ helados, por una habitación llena de gente.

EJERCICIO 3. *List these words or expressions in two groups, one headed* **Agradable** *and the other* **Desagradable.** If you are pleased with your report card, the two lists will be the same length!

1. una riña
2. el miedo
3. un vals
4. con cariño
5. ¡Sinvergüenza!
6. ¡Bienvenido!
7. ser sordo
8. dar un golpe a
9. ¡Feliz viaje!
10. una bandeja de helados
11. un partido emocionante
12. la pobreza
13. la belleza
14. las lágrimas
15. las notas
16. preocuparse
17. una función divertida
18. en vano
19. una sonrisa
20. destruir algo
21. un ladrón
22. ¡Encantado!
23. las amistades
24. una enfermedad grave
25. estar de mal humor
26. la felicidad
27. una buena cena
28. un pensamiento triste

EJERCICIO 4. *Which word or expression does not belong in each list and why not?*

1. la nariz, el oído, la uña, la pata, la espalda, la frente
2. la luna, las estrellas, el juicio, el sol, la luz
3. el botón, el brillante, la esmeralda, la joya, la perla
4. hervir, probar, ocupar, ¡vamos!, extrañar, unirse
5. sagrado, real, leal, sordo, brisa, encantado
6. agradecido, seguro, guardo, humilde, infeliz
7. colorado, morado, moreno, colorete, color de rosa
8. nacimiento, emperador, jefe, patrón, capitán
9. agradecido, bajo, mas, bienvenido, grave
10. partido, refrán, oído, uña, aún

EJERCICIO 5. *Give the approximate opposites of these words and expressions as fast as you can.*

1. olvidarse de
2. en alguna parte
3. hacer una pregunta
4. muerto
5. la pobreza
6. caro
7. bajo (*adj.*)
8. el nacimiento
9. junto a
10. débil
11. afuera
12. la guerra
13. encender
14. duro
15. por fin

EJERCICIO 6. *Give approximate synonyms for each of these.*

1. la pata	5. el cual	9. hervir	13. cesar de
2. junto a	6. no . . . más que	10. librarse de	14. beber
3. mas	7. colorado	11. vencer	15. amar
4. aún	8. acordarse de	12. por fin	16. el cuarto

EJERCICIO 7. *Complete each sentence with the proper expression.*

1. ¡Vaya! *¿Aren't you ashamed* de olvidarse de eso? 2. Estoy muy agradecido; *therefore* guardaré para siempre este regalito. 3. *Wherever* que vaya usted, siempre *it is worth while to* evitar una riña. 4. Estoy muy agradecido porque *at last* no he trabajado *in vain.* 5. *Come! ¡Don't forget about* la llegada de esa estrella del cine! 6. *En route to* la hacienda hablaron de su llegada. 7. *I want only* aprender el vals. 8. *He struck* la puerta con la espalda sin que le oyeran. 9. Mas *it's no wonder that* los niños *ask so many questions.* 10. *She was wearing (had on)* un traje colorado con botones de oro que valían *at least* una fortuna real. 11. *A week ago* los viajeros pidieron en vano permiso para entrar en el templo sagrado. 12. — ¡Caramba! — dijo *to himself* en voz baja cuando se dió cuenta de que estaba sordo aún. 13. Todas las frases de la lista son refranes, y *therefore* no debemos olvidarnos de ellas. 14. Lo compró *on credit.*

REPASO DE VERBOS

EJERCICIO 8. *For possibly the last time this year, let's conjugate a few useful but tricky verbs to show that we have our fundamental forms well in mind.*

1. PRESENT: decir	6. PRESENT PERFECT: oír
2. IMPERFECT: ser	7. PAST PERFECT: volver
3. PRETERITE: leer	8. PRESENT SUBJUNCTIVE: buscar
4. FUTURE: hacer	9. PAST SUBJUNCTIVE: ir
5. CONDITIONAL: poner	10. PRESENT AND PAST PARTICIPLES: creer, romper

EJERCICIO 9. *Now, to show that you know what a Spanish verb says when you see or hear it, tell what these mean.* Can you get them all right?

1. prueba	8. plantáramos	15. herirían
2. hirviendo	9. vencieron	16. había consentido
3. cuezo	10. ustedes ocupen	17. hubiese jurado
4. ¡deténgase usted!	11. engañé	18. haya exagerado
5. se acordaba	12. usted trató con	19. habría satisfecho
6. guardarán	13. impidieran	20. ha pedido prestado
7. se burló de	14. choquemos	21. pertenezco

EJERCICIO 10. *This one is harder, but since you can't form a sentence without a verb, you should know how to use any tense by now.*

1. they satisfied
2. I borrow
3. he will fight
4. she whispers
5. let me alone! (*fam.*)
6. don't turn around! (*fam.*)
7. he got away
8. he used to love
9. they may chew
10. I will threaten
11. he has inherited
12. it wounded
13. it might show
14. he would abandon
15. I have appointed
16. he had deceived
17. you would have boiled
18. he stopped
19. try it! (*formal*)
20. did you forget?
21. you made fun of
22. cook!

REPASO DE PRONUNCIACIÓN

EJERCICIO 11. Here are some Spanish cognates that are spelled exactly like English words except for the accent marks. *If you can pronounce them quickly in Spanish without being confused by their familiar appearance, you know the rules of pronunciation.*

medicinal, chocolate, tropical, federal, musical, social, club, coral, gratis, notable, final, doctor, unión, vigor, inspector, interminable, error, hospital, fatal, brutal, visión, cruel, superior, formidable, miserable, humor, perfume, natural, división, metal, canal, puma, horror, ópera, proverbial, arsenal, probable, explosión, torpedo, noble, plan, original

REPASO DE COSAS NUEVAS[1]

Here again you should be able to apply the grammar rules you have learned, as you must use them — without thinking — when you speak any language. If you have trouble, look up the section references, study the rules again, and complete the statements to help you remember.

1. ¡Espero que *hasn't been broken* la nariz!
   The true passive is formed by **ser** + *the* ____ ____. (*page 318,* § 42)

2. Leí los refranes que *were written* sobre el papel.
   For description, use ____ + *the* ____ ____. (*page 319,* § 42)

---

[1] NOTE TO THE TEACHER: For a complete review of the year's grammar, use again this section from Chapter 7, page 101; Chapter 14, page 204; and Chapter 21, page 310. If you have time for only one final review, you may prefer to take, instead of this one which covers only Chapters 22 to 27, the GRAN RODEO (page 403), which covers briefly the salient points of the entire year's work, but not the optional readings of pages 411 to 424.

3. Los refranes fueron escritos *by* el abogado.
   Use ____ *when something is done by someone.* (*page 321, Ejercicio 6*)

4. ¡Le vimos *strike* ese pobre gatito!
   The ____ *is used after* **ver** *and* **oír**. (*page 330, § 43*)

5. ¿Los oyó usted *playing* el vals?
   The ____ ____ *is also used after* **ver** *and* **oír**. (*page 330, § 43*)

6. a. *Those who* celebran el día del nacimiento pueden hacer una fiesta.
   b. El cuento es *that of* un hombre que por fin gana.
   Ese *and* **aquel** *are not ordinarily used before* ____ *and* ____; *instead, the* ____ ____ *may be used.* (*page 340, § 44*)

7. A pesar de *having asked*, el lector no sabía mucho.
   The "perfect infinitive" is a ____ *infinitive.* (*page 341, § 45*)

8. Ese *big man* tomará a *little cup* de té, por lo menos.
   The ending ____ *increases the size of a person or thing, and the ending* ____ *decreases it.* (*page 365, § 46*)

9. a. No se puede *get lost* camino de la frontera sin que uno trate.
   b. Por fin, *he'll get invited*, cuando *he gets to be* capitán.
   c. Cuando *you get* al centro, *get me* unos pocos botones y *get fixed* (**componer**) los zapatos.
   To say "get," you often make a verb ____. *Otherwise, think of the exact* ____. (*page 374, § 47*)

10. *Courteously*, pero *hastily*, nos llevó a un asiento.
    Often a noun is used with ____ *to form an adverbial phrase instead of adding* –**mente** *to the adjective.* (*page 375, § 48*)

11. *Take down* la cajita, *take ou!* la botella, *take care* no dejarla caer, y *take* la medicina.
    To say "take," think of what the exact ____ *is.* (*page 384, § 49*)

FOR ADDITIONAL, OPTIONAL MATERIALS TURN TO A ESCOGER, PAGE 499.

Gran rodeo

RODEO DE VERBOS

If you can give the forms indicated for each of these verbs (the most difficult ones in the book, of course), you really know your Spanish. Remember that a compound of any irregular verb (*componer*) has the same irregularities as the original verb.

I. *Give the present participles:*

1. devolver	3. romper	5. descubrir	7. poder
2. resolver	4. exagerar	6. mentir	8. satisfacer

II. *Give the first person singular present indicative and subjunctive:*

1. proteger	4. fingir	7. rodear
2. desaparecer	5. colgar	8. sacrificar
3. amenazar	6. huir	9. recoger

III. *Give the third person plural preterite:*

1. conseguir	4. acabarse	7. caber
2. construir	5. satisfacer	8. proponer
3. convenir	6. apagar	9. fingir

IV. *Give the first person singular future and conditional:*

1. nombrar	4. obtener	7. recoger
2. convenir	5. rezar	8. dirigirse
3. caber	6. proponer	9. cocer

V. *Give the first person plural imperfect:*

1. ser	4. mostrar	7. obtener
2. ir	5. vencer	8. hervir
3. ver	6. reunir	9. golpear

[1] NOTE TO THE TEACHER: This brief review of the entire course covers only Chapters 1–28, and does not include the optional additional stories or their vocabularies.

VI. *Give the first person singular present perfect, past perfect, and conditional perfect:*

1. proponer	3. aconsejar	5. leer
2. romper	4. cubrir	6. satisfacer

VII. *If you can translate these forms correctly, you can't be easily fooled by a Spanish verb.*

1. colgué	11. atreviéndose	21. íbamos
2. cuelgue	12. hemos volado	22. habían crecido
3. he abierto	13. satisficiera	23. no mientas
4. protejamos	14. ¡piérdete!	24. habríamos propuesto
5. nieva	15. propuse	25. nos falta
6. construyendo	16. usted había devuelto	26. apagué
7. rezo	17. consiga usted	27. usted habría evitado
8. mentían	18. harán	28. apague
9. no finjas	19. fueran	29. diremos
10. nombraríamos	20. huiríamos	30. estábamos

VIII. *If you can put all these verbs into Spanish quickly, it will be something to brag about!*

1. she combed her hair	16. has he proposed?
2. I ought to	17. he would dry
3. there isn't room for them	18. they may contribute
4. stop! (*fam.*)	19. chew it! (*fam.*)
5. he gets in the way	20. I had turned around
6. we were accustomed to	21. I have burned myself
7. they were suffering	22. I may light
8. you had jumped	23. would he pray?
9. it would have indicated	24. he wounded
10. he might punish	25. I will keep
11. I crossed	26. it might happen
12. they don't fit	27. you would have fought
13. they will gather up	28. don't whisper! (*fam.*)
14. don't push! (*fam.*)	29. borrow it! (*formal*)
15. it will please him	30. we may belong

IX. *See if you can distinguish between these different meanings of familiar verbs, so that you won't be embarrassed by using the wrong one when you are speaking Spanish to a native.* Remember to think of exactly what the verb means, or of another way to say it in English. Words in parentheses are merely explanations; the others are included in the verb or are to be translated.

1. to ask

(a) a question
(b) for
(c) (*beg, coax*)
(d) (*query*)

2. to give

(a) (*as a gift*)
(b) (*hand over*)
(c) back

3. to look

(a) at
(b) for
(c) out

4. to be

(a) (*location*)
(b) (*showing temporary condition*)
(c) (*referring to health*)
(d) (*telling time*)
(e) (*telling origin, ownership, or material*)
(f) mistaken
(g) in the habit of
(h) about to
(i) enough
(j) all gone
(k) quiet
(l) room for
(m) worth
(n) sorry
(o) born
(p) fitting
(q) in the way
(r) important
(s) in a hurry
(t) one's fault
(u) worth while

5. to get

(a) away from
(b) (*obtain*)
(c) (*receive*)
(d) in
(e) out (*leave*)
(f) out (*of a car, etc.*)
(g) off (*a horse*)
(h) down
(i) up (*arise*)
(j) up (*a tree*)
(k) lost
(l) (*something done*)

6. to go

(a) (*in general*)
(b) (*to a destination*)
(c) away
(d) toward
(e) near, approach

7. to feel

(a) like
(b) sorry

8. to play

(a) (*a game*)
(b) (*an instrument*)
(c) a part

9. to put

(a) in
(b) on (*clothing*)
(c) out (*a light*)

10. to return

(a) (*to a place*)
  (*two ways*)
(b) (*an object*)

11. to stop

(a) (*moving along*)
  (*two ways*)
(b) (*doing something*)
(c) (*cease*)

12. to take

(a) (*carry*)
(b) (*internally*)
(c) out of
(d) care of
(e) pictures
(f) (*a bus*)
(g) off (*clothing*)
(h) away (*from a person*)
(i) away (*from a place*)
(j) hold of (*a thing*)
(k) care (*be careful*)
(l) advantage of

X. *As fast as you can, give the preposition which often accompanies each of these verbs and tell the combined meanings.*

1. acabar	11. convertirse	21. librarse
2. acordarse	12. cumplir	22. llamar
3. asistir	13. chocar	23. olvidarse
4. alegrarse	14. dejar	24. pasar
5. apresurarse	15. depender	25. preocuparse
6. atreverse	16. dirigirse	26. quitar
7. burlarse	17. enseñar	27. robar
8. cesar	18. fijarse	28. tirar
9. comenzar	19. haber	29. tratar
10. consistir	20. insistir	30. volver

REPASO DE PALABRAS

I. *What single Spanish verb translates each of these English ideas?*

1. to let alone
2. to turn around
3. to comb one's hair
4. to seem strange
5. to gather up
6. to run away
7. to succeed in
8. to take hold of
9. to have a good time
10. to try out

II. *What groups of Spanish words are needed to translate each of these single English verbs?*

1. to borrow
2. to lock
3. to strike (*the hour*)
4. to wear
5. to become (*a doctor, etc.*)
6. to feed
7. to cash
8. to drop
9. to mean
10. to realize
11. to strike (*a person*)
12. to thank

III. *What are the approximate opposites of these words or expressions?*

1. beber
2. cesar de
3. hacer una pregunta
4. echar abajo
5. montar
6. vencer
7. caro
8. débil
9. enorme
10. duro
11. afuera
12. alto
13. la pobreza
14. el marido
15. la muerte
16. ¡déjame!

IV. *What are other words or expressions meaning approximately the same as these?*

1. la habitación
2. el patrón
3. grandísimo
4. serio
5. golpear
6. abandonar
7. hervir
8. detenerse
9. reunir
10. rojo
11. todavía
12. cerca de

V. *Which word does not belong in each of these lists?*

1. la carta, el sobre, la plumafuente, el bolsillo, el papel
2. la enfermedad, el cerdo, el médico, la botica, débil
3. el valle, la nariz, la montaña, el campo, el río
4. la confianza, el cariño, la vergüenza, el respeto, el amor, el gusto
5. el avión, el camión, el tren, el ferrocarril, el tranvía, la rueda
6. ¡vamos!, combatimos, golpeamos, echamos abajo, damos un golpe a
7. el médico, el juez, el hielo, el mesero, el abogado
8. el puente, la esquina, la carretera, el tránsito, el aeropuerto
9. el caballero, el viajero, el pasajero, el turista, la frase, el peatón
10. el sobrino, el primo, el marido, la suegra, el nieto, la nariz
11. anteayer, pasado mañana, hoy, demasiado, anoche
    These will test your knowledge of parts of speech.
12. aún, no — más que, sin que, apenas, afuera
13. o — o, mas, sin que, el cual, puesto que, como si
14. ante, junto a, sordo, a pesar de, rumbo a, de parte de, según
15. la que, la cual, la cárcel, cuyo, quien
16. antes que, aunque, ante, hasta que, mientras, sin que

VI. *¿Cuándo usa usted cada una de estas expresiones?*

1. ¡Feliz viaje!   3. Allá voy. 5. ¡Vaya usted! 7. Adiós. 9. Bienvenido.
2. ¡Sinvergüenza! 4. ¡Vamos! 6. ¡Encantado! 8. Hola. 10. ¡Caramba!

VII. *Conteste usted, por favor, en frases completas.*

1. ¡Qué hacer! (*Dé usted un buen consejo.*)
2. ¿Cuándo hace usted muchas preguntas?
3. ¿Habla usted para sí en voz baja a veces?
4. ¿Cuándo hay que gritar al oído de alguien?
5. ¿Cuándo tiene usted vergüenza?
6. ¿Cuándo tiene usted ganas de comer?
7. ¿Cuándo está usted de mal humor?
8. ¿Cuándo celebra usted el día del nacimiento?
9. ¿Quiénes usan colorete en la cara?
10. ¿De qué color es el esmalte (*polish*) que se pone en las uñas?
11. ¿Cuándo besa usted a sus parientes?
12. ¿Qué está usted para hacer ahora?

VIII. *Tell what each of these words or expressions means. If your teacher asks you to, use each one in a Spanish sentence.*

1. estar colorado
2. estar bienvenido
3. estar de mal humor
4. estar de acuerdo con
5. sordo
6. hacer el amor
7. portarse con mucha calma
8. con miedo
9. con vergüenza
10. dar de comer al perro

(*Continued on page 408*)

11. sagrado
12. real
13. leal
14. tener vergüenza
15. tener la nariz colorada
16. tener la culpa
17. hacer pedazos una olla
18. hacer efectivo un cheque

19. dar un golpe a un ladrón
20. dar las nueve
21. valer la pena de
22. echar abajo
23. hacia
24. buenas noches
25. ni yo tampoco

RODEO GENERAL

For a hidden grammar review, see if you can put these sentences and phrases correctly into Spanish "by ear," that is, without thinking of rules, just as you speak English. Look up the sections indicated only if you need to. There is a catch in every sentence, so look out!

If you do well with these, it won't be impossible for you to take the family to a little Spanish American town where no one speaks English.

1. Go away, little boy (*fam.*)! (page 115, § 9)
2. Don't go away yet (*fam.*). (page 124, § 11)
3. Bring it to me (*fam.*) day after tomorrow. (page 124, § 12)
4. Don't bring it to him (*fam.*). (page 124, § 12)
5. It's a paper fan. (page 126, § 16)
6. The necklace is Mary's. (page 35, § 2)
7. I wanted to go but I couldn't. (page 71, § 3)
8. Put on (*formal pl.*) your hats. (page 521, § 101)
9. Here is mine; where is yours? (page 522, § 103)
10. I never saw the bride! (page 71, § 2)
11. Don't you see anyone? (page 523, § 107)
12. He who complains is probably ill. (page 84, § 7)
13. One can't live without eating. (page 152, § 22)
14. Let's buy the silver flowers. (page 125, § 13)
15. Spanish is easier than French! (page 269, § 36)
16. I see her; I will give it to her; I will go with her. (pages 519–521, § 95 ff.)
17. He tells us to go; he told them to come. (page 187, § 30)
18. He permitted her to sing during the performance. (page 152, § 3)
19. They are glad it has lasted. (page 161, § 23)
20. I don't believe they have gone. (page 162, § 24)
21. If you only knew the answer! (page 230, § 33)
22. Is it necessary for the barber to leave? (page 176, § 29)
23. He will wait until you try it. (page 188, § 31)
24. Although he may want it, he can't buy it. (page 189, § 31)

25. I wouldn't appoint him if I were you. (page 190, § 31)
26. You talk as if you were afraid of quarrels. (page 191, § 31)
27. He wants a friend who is loyal. (page 214, § 32)
28. He doesn't want one who is weak. (page 216, § 32)
29. I should like to give this wine to you. (page 231, § 33)
30. for three years, for me, for ten cents (page 256, § 34)
31. by Wednesday, by train, by six o'clock (page 257, § 34)
32. along the drive, twenty per cent, two times three (page 257, § 34)
33. How are you, Mrs. García? May I speak with Dr. López? (page 269, § 37)
34. Silver is worth more than bread. (page 269, § 37)
35. Last week is not next week. (page 269, § 37)
36. Haven't you any oil? (page 270, § 38)
37. We have been studying for a week. (page 279, § 39)
38. He bought it from Carmen. (page 294, § 41)
39. The Aztecs were conquered by Cortés. (page 318, § 42)
40. The little box is made of gold. (page 35, § 2)
41. They heard me give the answer calmly. (page 330, § 43)
42. The letter was written on white paper. (page 36, § 2)
43. Those who do not go to the performance, stay home. (page 340, § 44)
44. I hope to have learned it by Monday. (page 257, § 34)

RODEO DE CONVERSACIÓN

I. *Answer these questions in complete sentences, using object pronouns wherever they sound better, just as you do in English.*

1. ¿Por qué asisten los aficionados a los partidos emocionantes?

2. ¿Vamos al teatro para ver películas o para comer dulces, helados, y palomitas de maíz (*popcorn*)?

3. ¿Cuándo brillan en el cielo la luna y las estrellas?

4. ¿Se puede ver bien de noche en la obscuridad?

5. Si trabajamos en el campo, ¿tenemos las manos suaves y blancas o fuertes y morenas?

6. ¿Se rompen las olas del mar en la orilla de la playa o contra los edificios de la ciudad?

7. ¿Para qué se publican periódicos diarios y revistas?

8. ¿Dónde preferiría usted perderse: en la selva o en el desierto? ¿Por qué?

9. ¿Por qué vuelven la cabeza los jóvenes al ver pasar un automóvil inglés?

10. Si deja usted caer una taza y la hace pedazos, ¿qué debiera usted hacer en seguida?

11. Si un hispanoamericano ofrece regalarnos su plumafuente porque la hemos admirado, ¿qué debemos hacer?

12. ¿A quiénes les gusta llevar abrigos de piel cuando hace frío?

13. ¿Por qué van muchas personas a las islas tropicales para buscar tesoros?

14. Para bailar en las fiestas de Navidad, ¿le gusta tocar discos o prefiere una orquesta famosa?

15. ¿Se lava usted las manos y la cara con agua tibia y jabón o con aceite y gasolina?

16. ¿Estamos contentos o somos infelices si tenemos que empujar el coche cuando se ha acabado la gasolina?

17. ¿Cuáles son algunos medios de transporte?

18. ¿Cómo se hacen bellas las chicas para conseguir un novio?

19. ¿Ante quién es costumbre jurar decir la verdad?

20. Si nos herimos la mano en un choque de automóviles, ¿corre sangre o aceite?

21. ¿Tiene usted vergüenza de murmurar a los vecinos en esta clase?

22. Durante un examen, ¿por qué trata usted de usar buen juicio en sus respuestas?

23. ¿Es mejor juicio comprar algo que dure o algo que se haga pedazos fácilmente?

24. ¿Dura más una carga de cacahuates o una de brillantes?

25. ¿Usan buen juicio los patriotas valientes en unirse para la paz?

26. ¿Es manso, llano, o sagrado un caballo?

27. ¿Cuándo y por qué decimos «Paz en la tierra»?

28. Cuando una madre besa a su niño, ¿es por amistad o por amor?

29. Cuando dura una amistad, ¿es por casualidad o por cariño y confianza?

30. ¿Será más emocionante una cena, una función de teatro, o una carrera de caballos?

31. ¿Puede usted explicar cómo hacer manso a un caballo?

32. ¿Cuál no tenemos: la frente, las patas, las uñas, o el cabello?

33. ¿Tendría usted miedo si temblara la tierra? ¿Por qué?

II. *For your last test in listening practice, write* **sí** *or* **no** *for the true-false statements your teacher will read to you.*

(Material for this exercise is found in the teacher's manual.)

III. *For your last original conversation in this class (we hope you'll have many others in real life), go back to the conversation topics suggested in Chapters 7 (page 440), 14 (page 458), and 21 (page 479), choose one that you and your partner think you can do well, and then see how much better you can handle it now than you did before.*

Have the class members vote on the dialogue they consider best for fluency, completeness, accuracy, and interest.

Si quiere usted leer más . . .

Empampado

"Lost on the pampa" sounds like an Argentine story, for we usually think of Argentina as the country of pampas. In this story, though, the plains referred to are in northern Chile. Here the Andes swoop down into coastal mountains that fade into a rolling sandy desert so dry that even cactus almost gives up the struggle. This is the copper and nitrate country that made Chile wealthy until a scientist discovered how to make artificial nitrates. Here the nitrate workers still live in bleak towns unbelievably dry, yet no one wants it to rain, for rain would ruin the valuable nitrate beds.

There is not a great deal of action in this story, but it gives a clear picture of what it means to be lost in the terrible rainless Chilean desert.

Tuvo sus palabras con el jefe, por no sé qué disputa del trabajo, y, como era un roto [1] fuerte y nada perezoso, decidió ir a otra oficina. ¡Él no iba a ser el perro de nadie! Tenía sus dos brazos buenos, y en la pampa no hay quien se muera por falta de trabajo.

5   Así pensaba Hipólito Pizarro, mientras se daba un baño al fin del día. Se dirigió a su cuarto, se puso su traje de domingo, hizo un lío (*bundle*) pequeño con su vicuña,[2] y al anochecer (*at nightfall*), sin decir a nadie una palabra, se fué de allí. Ya se podían ver las luces de todos los establecimientos salitreros (*nitrate*), pero Hipólito pensó, con

---

[1] A *roto*, literally *ragged one*, is the day-laborer of Chile, who before the days of social reforms led a miserable existence.

[2] A *vicuña* is a small wild animal of the camel family that lives in the high Andes. Its tawny fur is so valuable that an American man's overcoat made of thread spun from it is worth a thousand dollars. People who live in and near the Andes use coverlets made of the skins, as Hipólito did, without realizing their value.

razón, que sería inútil ir a buscar trabajo en ellos, pues (*since*) per- 10
tenecían todos a la misma compañía.   Entonces se dirigió hacia el
norte, hacia la pampa libre (*open*), con la esperanza de encontrar
una oficina donde no le conocieran.

Llevaba para el viaje una botella de agua, otra de coñac, dos
sandwiches y un puñado (*handful*) de coca y ceniza.[1] Cantando una 15
canción de su tierra del sur, tomó el camino, y pronto su figura se
perdió en la sombra de la noche.

Hacía frío, un frío duro, traído por el viento de los Andes.   No tuvo
más guía (*guide*) que la luz de las estrellas en un cielo sin nubes.   El
alba (*dawn*) le sorprendió en medio (*middle*) del desierto, sin camino, 20
sin senda por delante (*ahead*); y el sol, que recibió al principio como
un calor confortante, pronto empezó a quemarle como si estuviera
dentro de un horno.

Anduvo, anduvo . . . No quería tocar su ración de agua, y decidió
echarse en la boca unas hojas secas de coca.   Pronto se produjeron 25
los efectos de la droga (*drug*); no sentía hambre ni sed.

Anduvo, anduvo . . . Sonreía ante los espejismos (*mirages*), acos-
tumbrado a tales visiones de los desiertos.   Sobre las tierras lejanas
aparecían soldados en combate, trenes, ciudades mágicas y visiones
de lagos transparentes rodeados de árboles.								30

Sonreía, pensando en los viajeros que se habrían dejado engañar
por tales ilusiones.   Siguió andando, hora tras hora, hasta que
sintió las primeras sensaciones de la sed.   Mezcló (*mixed*) un poco de
coñac con agua y lo tomó.   Como empezaba a sentir el peso (*weight*)
de la vicuña, la puso en el suelo y la convirtió en asiento para des- 35
cansar un rato.

No había más que soledad (*solitude*) y silencio.   Ni una senda, ni
una huella de hombre o de animal. Nada más que el desierto seco
bajo la ardiente (*burning*) luz del cielo.

Anduvo así el día entero, tomando de vez en cuando líquido o 40
coca, y por la tarde, sintió alegría al descubrir huellas humanas.
Pensó que no debía hallarse muy distante de alguna oficina; pero
mayor que su alegría fué su desilusión (*disappointment*) cuando se
dió cuenta de que caminaba sobre sus propias huellas; que después
de diez horas de caminar, se hallaba en el mismo lugar donde se había 45
detenido a descansar.

No quiso andar más aquella noche, ni tampoco habría podido.
Sus zapatos estaban rotos y sentía cada paso como si anduviera sobre

---

[1] *coca y ceniza*, *coca and ashes.* The Indians of the Andes are not the only ones who
chew coca leaves, since any native traveler of desert or mountain knows that they may
save his life. They are usually chewed with ashes or unslaked lime.

agujas (*needles*). Para el hambre y la sed no le quedaba más que un
50 poquito de agua con coñac. Tendió (*unfolded*) la vicuña, se cubrió,
y, de cara al cielo, se durmió. Sólo le despertó la luz del sol. Hipólito, lleno ya del terrible miedo de los empampados, tuvo que decidir a seguir su marcha. Débil ahora, ya no pudo sonreír ante los
espejismos (*mirages*), y andaba con los ojos cerrados.
55   A mediodía, quemado por el fuego del sol, acabada su ración de
coca y de agua, habría deseado caerse allí a esperar la muerte, que
veía ahora como una liberación. Por todas partes, no veía más que
la eterna pampa, extendiéndose hasta el infinito . . . Sabía que en el
desierto, caer es morir. ¡Había oído tantos cuentos de empampados
60 que habían muerto por no haber dado (*taken*) unos cuantos pasos
más . . . !
   Siguió andando . . . No sabía ya si soñaba (*was dreaming*) o estaba
despierto (*awake*) . . . De pronto sintió un golpe brutal, y, sin poder
mantenerse (*keep himself*) en pie, cayó al suelo y perdió el sentido.
65   Cuando volvió en sí (*he came to*), un líquido tibio y salado (*salty*) le
llenaba la boca. Abrió los ojos y se encontró junto a un poste tele-
fónico, con el cual había chocado sin saber. Aquel líquido era su
propia sangre . . . La desesperación le inspiró entonces una idea:
romper los alambres, cortar la comunicación y quedarse esperando.
70 Pero, ¿cómo? ¿Cómo hacer el esfuerzo para echar el poste abajo?
   De pronto, como si algo misterioso le hubiera dado la idea, sacó su
cuchillo. Cayó de rodillas junto al poste y comenzó a cavar (*dig*)
violentamente . . . Se hubiera dicho que un perro acababa de descubrir una ardilla (*squirrel*). Aquello no duró más que unos cuantos
75 minutos. Luego dejó caer su cuchillo y se echó sobre el poste, que
cayó al suelo.[1] Rompió en seguida los alambres a cuchillazos,[2] y
volvió a perder el sentido . . .
   Hipólito Pizarro fué llevado al hospital del puerto,[3] como reo
(*criminal*). Los trabajadores de la Compañía de Teléfonos le habían
80 encontrado junto al poste. En la presencia del juez, lo confesó todo.
Estaba listo a sufrir la condena (*sentence*) que le diera, pero él creía
que todo hombre en su caso tenía derecho a hacer lo mismo.
   — Yo no quisiera ver a Su Señoría en la situación en que yo me
encontraba, — dijo, dirigiéndose (*addressing*) al juez. — Pero me

---

[1] Rural telephone posts in many countries often aren't the big things we see here, but
small, crooked tree trunks that it would be easy to knock down, especially in a sandy
desert.

[2] *a cuchillazos,* by blows with the knife. The ending *–azo* signifies a blow or stroke with
whatever the word means. What would a *zapatazo* be?

[3] The port could be Antofagasta, seaport of the nitrate country.

parece que Su Señoría no se dejaría morir por no echar un poste 85
abajo o no romper un alambre . . .

La historia interesó a los periódicos, y fué publicada con muchos
detalles. Hubo sensación. Un joven abogado tomó su defensa, y la
justicia le perdonó.

Al salir Hipólito de la cárcel, un periodista (*reporter*) se acercó 90
a él y le preguntó, — Y ahora, hombre, ¿qué vas a hacer? ¿A dónde
te vas a ir?

Y el roto, con una sonrisa fatalista de hombre que ha aceptado
valientemente esta vida de miserias, le respondió, — ¿Y a onde [1] hey
d'ir, patrón? A la pampa . . .   95

ADAPTED FROM VÍCTOR DOMINGO SILVA (*Chile*)

PALABRAS NUEVAS [2]

el alambre	wire	empampado, –a	lost on the plains
a mediodía	at noon	la esperanza	hope
el combate	battle	la huella	footprint
el coñac	brandy	inútil	useless
cortar	to cut	el paso	step
el cuchillo	knife	el sentido	consciousness

PREGUNTAS

1. ¿Por qué decidió Hipólito Pizarro ir a otra oficina? 2. ¿Cómo llevó
consigo su ropa? 3. ¿Por qué sería inútil buscar trabajo en otro estableci-
miento? 4. ¿Qué llevaba Hipólito para el viaje? 5. ¿Cuándo hace frío en
el desierto chileno? 6. ¿Hay muchos caminos y sendas en este desierto?
7. Después de diez horas de caminar, ¿a dónde llegó? 8. ¿Qué
pasó con sus zapatos? 9. ¿Dónde durmió? 10. ¿Cómo estaba Hipólito a
mediodía? 11. ¿Por qué perdió el sentido de pronto? 12. ¿Por qué
rompió los alambres con su cuchillo? 13. ¿Tenía derecho a hacer esto?
14. ¿Qué iba a hacer después de salir de la cárcel?

[1] —¿Y a onde hey d'ir? = — ¿Y a dónde he de ir? — *Where do you suppose I am going?* Haber de can often be translated quite freely.

[2] These new words are not listed in the dictionary at the end of the book, but are repeated in the vocabulary if used in later stories.

La yegua mora[1]

The *campesinos* of the Argentine plains or *campo* lead lives quite different from those of the *porteños*, or people of the port, as the city dwellers in Buenos Aires are called. In the "camp" — as the British say — the horse is still important. Travel by car across the unpaved, dusty roads of the flat country is easy enough in the dry season, but when it rains, even today everyone must go horseback because of the mud. As they say, "Distances are still great in Argentina."

Since everyone has a horse, racing is one of the chief amusements among the country people, as you will see from this clever little story by Hugo Wast, one of Argentina's popular writers. When two country neighbors put on an amateur horse race just because some gossip has been going around, almost anything can happen. The question now is, "Who won?"

A la orilla del arroyo (*creek*) vivía sola ña Audelina, en un rancho de paja[2] con un corral. Era dueña de tres vaquitas, cuya leche vendía a los veraneantes.[3] Era dueña, además, de una yegua mora, que uno de ellos le regaló al volver a la ciudad, y que pasaba por ser
5 yegua de carrera. En el campo, poseer un animal de carrera, aunque

---

[1] The meaning of *moro*, as applied to horses, varies in different countries. In Argentina it is a black horse with white spots.

[2] *un rancho de paja*, a thatched hut.

[3] The smart set from Buenos Aires often goes to the foothills of the Andes, where there are many expensive summer resorts. You know *verano*; guess what *veraneantes* are.

416

no se le haga correr, es una distinción que da fama a su dueño.

Pero es el caso que en el pueblo había otro caballo de carrera, el malacara,[1] de don Nicandro Bustos. Éste era un campesino viudo que vivía en otro rancho, junto al camino real, sin otra ocupación que cuidar al malacara.   10

En los pueblitos vecinos no faltaban carreras, a las cuales asistía don Nicandro con su caballo. Pero siempre volvía como había ido, sin haber corrido. Lo cual no hacía ningún daño (*harm*) a la fama del malacara; al contrario, los campesinos decían, — El día que el malacara corra . . . ¡hum!   15

Cierto día, sin saberse cómo, empezó a correr una calumnia (*slander*) de rancho en rancho, haciéndose pronto motivo de muchas disputas. Se decía que la yegua mora era más ligera que el malacara, y que le había ganado una carrera.

Como la gente estaba ya un poco cansada de su ídolo, empezó a 20 creer que la yegua mora, aunque estaba muy flaca, tenía, en efecto, mejor sangre que el malacara.

Don Nicandro lo supo. ¡Eso sí que no podía tolerarse (*tolerate*)! Montó en su caballo y llegó hasta el rancho de ña Audelina.

— Vengo a proponerle una carrera con mi malacara.   25

— ¡Jesús, con lo que sale![2] ¿Y quién va a correr a su malacara, que es más ligero que un relámpago (*lightning*)?

— ¡Su yegua mora, por supuesto! ¿No andan diciendo que me ha ganado una carrera? ¡Para que vuelva a ganar!

Ña Audelina miró a don Nicandro, que encendía un cigarrillo 30 (*cigarette*) con cara de satisfacción.

— ¿Y para cuándo será la carrera?

— Para de aquí a dos domingos,[3] si le gusta.

— ¿Y por cuánto la apuesta?

— ¡Por diez pesos!   35

— ¡Santa suerte! ¡Qué dineral (*fortune*)! ¡Y mi yegua mora va a perder! ¡Como si lo viera! Está más flaca que la sopa de los prisioneros . . . Pero, puesto que insiste usted, don Nicandro.

— ¡Así me gusta la mujercita! — respondió el otro, dándole la mano; y, cuando ya se iba, se volvió, titubeando (*stammering*), — 40 Después de la carrera he de hablarle, ña Audelina . . . Porque tengo una cosa . . . que decirle . . .

---

[1] A *malacara* (Argentine word) is a horse with a white stripe on its face.
[2] — *¡Jesús, con lo que sale!* "*My goodness, what an idea he comes out with!*"
[3] *de aquí a dos domingos*, two weeks from Sunday.

Y ña Audelina, bajando los ojos, — Lo que guste, don Nicandro.

Ña Audelina fué a buscar a su yegua mora, y, al pasar por la tienda,
45 compró veinte centavos de maíz para darle ese día la primera ración.
Pero viéndola tan flaca, pensó que sería imposible que ganara una
carrera en dos semanas, y decidió cocer la mitad del maíz, echando
la otra mitad a las gallinas.

— ¡De todos modos, la yegua mora va a perder, porque eso de
50 que tiene sangre de carrera son cuentos de no sé quién! — exclamó
para sí.

A la mañana siguiente buscó quien le vendiera al fiado un cerdo
gordo, lo carneó (*butchered*) ella sola, y empezó a hacer chorizos.

La noticia de la carrera corrió como por radiotelefonía de rancho
55 en rancho, y el domingo convenido (*agreed upon*) asistió más gente
a la iglesia que nunca.

La pista de trescientos metros [1] fué preparada en el camino real,
que el malacara conocía como su propio corral. La gente se estacionó,
a eso de (*about*) las dos de la tarde, en los dos lados del camino.
60 Hombres, mujeres, niños, todos se interesaban por la carrera, y
todos apostaban (*bet*) al uno o al otro animal.

Desde temprano ña Audelina se había instalado cerca de la pista
con dos grandes bandejas llenas de empanadas y de chorizos crudos
(*uncooked*), y había hecho un buen fuego, donde hervía una olla de
65 grasa. Ella parecía ser la única a quien no le interesaba la emocionante carrera.

Se le acercó un soldado, echó una mirada hambrienta [2] sobre los
chorizos y empanadas, y ña Audelina la vió. — Las empanadas son
a real; los chorizos, a medio. ¿De cuáles quiere?
70   — De ninguno. Todavía no nos han pagado.

— Al fiado, entonces.

— Si me vende al fiado, bueno ... Déme un par de chorizos y una
empanada.

Ña Audelina tomó media docena de empanadas y las dejó caer
75 en la grasa caliente, saliendo de ésta un aroma delicioso.

Gente de a caballo y de a pie rodeó a ña Audelina y empezó a
comprar.

— ¡A real las empanadas! ¡A medio los chorizos! ¿De cuáles

---

[1] *metros, meters.* The metric system is used for measurements in many countries.
A meter is about 39 inches.
[2] *echó una mirada hambrienta, cast a hungry look.*

quieren? — Con un tenedor ofrecía las empanadas calientes, y con un cuchillo separaba los chorizos dos o cuatro o seis, según la compra. 80

Al fin de una hora se oyó un grito, — ¡Ahí (*there*) viene el mala-cara! — La yegua mora se hizo esperar todavía un buen rato, que ña Audelina aprovechó para vender más empanadas y llenarse de plata el bolsillo.

Nombraron al juez (*justice*) de paz, juez de la carrera, y el soldado 85 hambriento fué a ponerse al final de la pista para servir también de (*as*) juez. Montaron los dos jockeys, el juez dió la señal, y los dos caballos salieron entre los gritos de la gente. A cien metros eran una sombra entre una nube de polvo; a los doscientos metros no eran más que una nube de polvo; un momento después desaparecieron, y hubo 90 un momento de silencio, hasta que, al final de la pista, se oyeron los vítores (*cheers*) al (*for the*) malacara, ganador.

Empezaron a pagar las apuestas. Don Nicandro se acercó a ña Audelina a pedirle los diez pesos, y ella, dejando caer el tenedor, metió la mano en el bolsillo y sacó un gran puñado (*handful*) de plata 95 y pagó sin quejarse.

— ¡Caramba! — dijo el dueño del malacara, sorprendido. — No la creía tan rica.

— ¡Qué quiere, don! He ganado bastante con las empanadas y los chorizos.   100

Don Nicandro se quedó pensando. Él había ganado diez pesos en la apuesta, pero había gastado para preparar a su caballo cuarenta o cincuenta pesos en maíz. Verdaderamente, aquella mujercita valía un Potosí.[1] — ¡Ña Audelina!

— Sí, don Nicandro.   105

— Voy a decirle una cosa que estoy pensando.

Ña Audelina bajó los ojos y respondió, — Diga lo que guste, don . . .

Al domingo siguiente, en la iglesia se publicaron las amonesta-ciones,[2] y tres semanas después, la yegua mora comía su ración de 110 maíz en el corral del malacara.

Ña Audelina había perdido la carrera, pero en ese caso salió cierto aquello de que «quien pierde gana».

ADAPTED FROM HUGO WAST (*Argentina*)

---

[1] Potosí, in Bolivia, was one of the richest silver mining towns in the world, and **un Potosí** has come to mean something like our "*a mint of money.*"

[2] *las amonestaciones, the banns.* The notice of a coming marriage is read in a Catholic church for three Sundays before the wedding.

PALABRAS NUEVAS [1]

la apuesta	bet	ligero, –a	fast
el campesino	country person	ña Audelina	"Sister" Adeline
el cuchillo	knife	la pista	race track
el chorizo	sausage	el polvo	dust
la empanada	small fried meat pie or	poseer	to possess
	"turnover"	el rancho	hut (*new meaning*)
flaco, –a	thin	el tenedor	fork
la grasa	grease	la yegua	mare

PREGUNTAS

1. ¿De qué era dueña ña Audelina?   2. ¿Dónde había conseguido la yegua de carrera?   3. ¿Asistía don Nicandro a las carreras en los pueblitos vecinos para hacer correr su caballo?   4. ¿Qué calumnia (*slander*) empezó a correr de rancho en rancho?   5. ¿Cuál estaba más flaco, el malacara o la yegua mora?   6. ¿Por qué fué don Nicandro al rancho de ña Audelina? 7. ¿Cuánto quería apostar (*to bet*) don Nicandro en la carrera entre su caballo y la yegua?   8. ¿Para qué compró ña Audelina veinte centavos de maíz y qué hizo con él?   9. ¿Qué otra cosa compró al fiado y qué hizo entonces?   10. ¿Dónde fué preparada la pista?   11. ¿A quién nombraron juez de la carrera?   12. ¿Por qué hizo ña Audelina un buen fuego antes de la carrera?   13. ¿Qué hizo la gente de a caballo y de a pie?   14. ¿Para qué llegó tarde la yegua mora?   15. ¿Por qué pagó ña Audelina su apuesta sin quejarse?   16. ¿Qué valía aquella mujercita?   17. Tres semanas después, ¿por qué comía la yegua su maíz en el corral del malacara?

---

[1] The new words used in this chapter are not listed in the general Spanish-English dictionary.

La nochebuena
de los vagabundos

Most of the stories by Spanish American authors which you have read
in this book were chosen for their plot interest, which is something that
short stories in Spanish do not always have. Many are really only short
sketches or scenes from life, instead of actual stories, and many of them
are pathetic or even tragic, since the Latin realizes even better than we
do that in real life one does not always find a happy ending.

This last story or sketch, by a Chilean author, is an example of this
Latin tendency toward pathos, and the reader, as he finishes, is supposed
to wipe away a tear in sympathy for the unhappy wanderer who is
homeless and unloved on Christmas eve.

Vestía una chaqueta (*jacket*) roja y un sombrero adornado de
plumas, bajo el cual se veían las delicadas orejas (*ears*). Así danzaba
sobre el organillo. Vivía feliz, se llamaba Bibí, y era — como lo
habréis comprendido — un mono.

Pétersen, su dueño, era un hombre joven, aunque de aspecto triste. 5
Vestía un traje roto; sus ojos azules parecían estar cansados, y andaba con el paso de aquél cuyo camino no tiene fin.

El hombre y el mono se entendían perfectamente. Iban por todos
los caminos, el hombre llevando el organillo y Bibí encima de sus
hombros o saltando a su lado. Dormían al lado del camino, entre los 10
árboles o cerca de un río. Bibí exploraba el campo con cuidado,
porque conocía los peligros de la civilización, tanto como los de la
selva.

Llegaron una tarde a un pueblo muy pequeño, con una sola calle y
algunas casitas entre los árboles. Al descargar su organillo, Péter- 15

sen pronto estaba rodeado de niños. Cuando sonó la música, Bibí empezó su danza.

Oyendo la música, algunas personas mayores se acercaban también. Un viejo miraba con simpatía (*sympathy*) el espectáculo de
20 Bibí saltando sobre el organillo. Cuando terminó la segunda pieza, se acercó a Pétersen. — Tengo un nietecito enfermo, — dijo. — ¿Podría usted ir a tocar cerca de su cama para que pueda ver al mono?

Pétersen consintió con la cabeza, y, con el organillo sobre los
25 hombros, siguió al viejo. Entre los árboles hallaron una hermosa casa, rodeada de un enorme jardín. El viejo abrió la verja[1] y siguieron por una senda entre las flores. Apenas pasaron por la puerta de la casa, cuando Pétersen se detuvo asombrado. Se hallaba en un hall grande y elegante, en cuyo centro estaba un hermoso árbol
30 de Navidad, un pino sobre cuyas ramas (*branches*) la nieve estaba figurada (*represented*) por pequeños copos (*tufts*) de algodón.

Pétersen quedó inmóvil, mirando el árbol. El pino del norte, con su nieve de algodón, estaba tan perfumado de recuerdos para el vagabundo como si estuviera bailando en los vientos de los *fiords*[2]
35 de su tierra. El vagabundo de los caminos quedó inmóvil.

— Pase usted.

La voz era de una vieja amable de cabello blanco. — Pase usted . . . por aquí . . .

Pétersen la siguió. La puerta de una habitación estaba abierta,
40 y por ella pudo ver una cama blanca sobre la cual descansaba un niño pálido (*pale*).

El vagabundo descargó el organillo y la música empezó a sonar; la misma música, el viejo vals mecánico. Sin embargo, al vagabundo le parecía que el organillo respondía esta vez a su emoción como un
45 instrumento tocado por su mano.

Entretanto, Bibí saltaba alegremente, y el niño enfermo aplaudía con sus débiles manos. Al fin la música terminó, y Pétersen cargó el instrumento sobre sus hombros.

Pero en ese instante, por encima de (*over*) la cabeza de la vieja, dos
50 ojos azules le miraron, dos ojos que iluminaban una cara de tranquila belleza. Era una mujer alta, elegante. Se le acercó y tendió (*held out*) la mano hacia Bibí. El mono, de pronto quieto, recibió la caricia (*caress*).

[1] The **verja** is the gate of the beautiful wrought-iron fence which nearly always surrounds the front yard when there is one. Front yards are most often seen in the more spacious suburbs and country homes. Other homes usually have patios instead.

[2] What country is Petersen from, judging from his name and this word?

Pétersen fué invitado a tocar a medianoche, y entretanto alguien le llevó a las habitaciones de los criados. Se fué sin atreverse a 55 mirar otra vez los ojos azules.

Cuando volvió a aparecer en el hall, donde platicaba nueva gente, las velas del árbol, con su nieve de algodón, brillaban como el cielo de verano. Pétersen dejó su organillo en un rincón y esperó hasta que se le mandara tocar. 60

Por un instante vió los ojos azules sonriendo en un grupo de gente. La alegre atmósfera rodeaba a Pétersen como un anillo (*ring*), en cuyo centro él estaba sin ser tocado.

Por fin se le indicó que empezara la música. Sonó el organillo y Bibí se despertó asustado. La gente empezó a bailar al son (*sound*) 65 de los viejos valses que salían de la vieja caja.

La alegría de los bailarines (*dancers*) apagaba la voz del instrumento, y pronto el organillo fué olvidado. Música distinta lo substituyó (*replaced*), y Pétersen quedó en su rincón sin saber cómo salir de la casa. 70

El viejo volvió a acercársele y le depositó unas monedas (*coins*) en la mano. Pétersen le dió las gracias, se echó sobre los hombros el instrumento y cogió en sus brazos a Bibí, que se había dormido. Se encontraba ya cerca de la puerta cuando volvió a ver los ojos azules. 75

Le sonreían desde lejos. Toda la cara de la dama le sonreía dulcemente. Pétersen se detuvo un instante en la puerta. Él, que en tantos años no tuvo hogar, él, sin más compañero que un mono, comprendió de pronto que sólo ahora, al no ver más aquellos ojos azules, iba a conocer la verdadera soledad (*loneliness*). 80

Pétersen hizo una reverencia (*bow*) que sólo vió la dama de los ojos azules. Afuera, encontró la noche, con sus grandes estrellas. Los perros ladraban (*barked*) a lo lejos ... Le parecía que por primera vez se encontraba solo en un mundo en que nadie le esperaba.

Dió (*took*) un paso hacia el camino, pero se detuvo. La puerta 85 acababa de abrirse. Se volvió y vió a la dama de los ojos azules.

— Dispense usted, — dijo ella, — he visto ... ¿En qué puedo ayudarle?

Pétersen se quedó un segundo inmóvil. Luego, cogió la mano blanca que se tendía (*was held out*) hacia él, la tocó con los labios [1] y 90 se volvió. La figura blanca continuaba inmóvil en la puerta, iluminada por la luz de la casa, mientras Pétersen echó a (*started to*) andar hacia el camino ...

[1] Kissing a lady's hand is a respectful gesture quite common among Latins.

Se oyó el ruido de la puerta al cerrarse.   Pétersen apresuró el paso,
95 y Bibí, asustado, le echó los brazos al cuello (*neck*).

Entretanto, las campanitas de la iglesia llamaban a la misa (*Mass*)
de Navidad . . .

ADAPTED FROM SALVADOR REYES (*Chile*)

PALABRAS NUEVAS[1]

el algodón	cotton	la nieve	snow
cargar	to load	el organillo	hand organ
descargar	to unload	el paso	step
el hombro	shoulder	el pino	pine tree
inmóvil	motionless	el rincón	corner
el mono	monkey	el vagabundo	wanderer

PREGUNTAS

1. ¿Es alegre o triste este cuento?   2. ¿Por qué andaba Pétersen como
si no tuviera fin su camino?   3. ¿Dónde dormían Pétersen y su mono?
4. ¿Cuándo bailaba Bibí?   5. ¿Por qué quería el viejo que Pétersen
le acompañara?   6. ¿Era rico o pobre el viejo?   7. ¿Qué cosa extraña
vió el vagabundo en el hall elegante?   8. ¿Por qué miró Pétersen tanto
tiempo el árbol?   9. ¿Qué clase de piezas tocaba el organillo?   10. ¿Quién
tenía los ojos azules?   11. ¿Dónde esperó Pétersen la hora de volver a
tocar?   12. ¿Qué hizo la gente al oír los viejos valses?   13. ¿Por qué dejó
de tocar Pétersen?   14. ¿Por qué se detuvo el hombre en la puerta al salir?
15. ¿Por qué salió la dama?   16. ¿Qué hizo Pétersen al despedirse de ella?
17. ¿Estaba triste o alegre el vagabundo al salir de la casa?

[1] New words used in this chapter are not included in the general Spanish-English
dictionary.

A escoger

CAPÍTULO 1 *Así somos todos*

¡OJO! ¡PROFESORES! ¡OJO! The A ESCOGER (*Your Choice*) section for each chapter is extra material from which you may choose what you like best or need most. Since this is optional, you do not have to use any of it, or you may select as much or as little as you want for extra practice in speaking, in listening, or in writing. Sometimes there is also an amusement section with songs, games, realia, or fun with words.

Since each A ESCOGER is complete in itself, you may use any part or parts at any time, regardless of your choice in previous chapters. But remember, since no one class can be expected to cover all of the material regularly, **you must choose!**

1. PANCHO Y SUS CUATES

The *Círculo Español* (Spanish Club) of the high school seems to revolve around Pancho and his pals. Plump Pancho is popular with everyone, and good-naturedly takes a lot of kidding from them all. Alfred is the practical joker whose ideas sometimes backfire. Robert is the President and the proud owner of an ancient jalopy, and Helen is his girl friend. Susie, Pancho's occasional date, is the tactless one, and Mary Ann is the peacemaker. There are many other members, but these are the ones you hear of most.

As the Courtesy Committee meets, it looks as if President Robert is in trouble. What does the Committee do about it? (Try to guess the meanings of any unfamiliar words before you look for them at the end of the play.)

El Comité del Círculo Español y el choque

ELENA, SUSITA, *y* ANA MARÍA *están esperando
a los otros socios del Comité de Cortesía.*

ELENA (*Presidenta del comité*) — ¿Han oído ustedes la noticia? ¡Roberto está en el hospital!

ANA MARÍA — ¡Ay! ¿Está enfermo?

ELENA — No. ¡Ayer su cucaracha chocó con otro automóvil!

SUSITA — No me sorprende. Mamá dice que Roberto siempre maneja de prisa.

ANA MARÍA (*A* SUSITA) — ¡Chis, Susita! ¡Sabes que Roberto es el novio de Elena! (*A* ELENA) ¿Le enviamos flores? Es nuestro presidente.

Pancho

Susita

Alfredo

Elena

Roberto

Ana María

SUSITA — Claro. ¿Qué clase de flores le enviamos? ¿Rosas, o violetas, o flores de primavera?

ANA MARÍA — Rosas rojas, digo yo.

ELENA — No, creo que le gustan más las rosas amarillas.

Entran Pancho y Alfredo de prisa.

PANCHO — ¡Qué tal, chicas! Se dice que Roberto está en el hospital.

ALFREDO — ¡Y su pobre cucaracha! También está en el hospital — digo, en el garage.

SUSITA — «Pobre Roberto», debes decir. El Comité de Cortesía va a enviarle flores, pero no podemos decidir si debemos comprar rosas amarillas, rosas rojas, o flores de primavera.

PANCHO — (*Ríe*) ¡Ja! ¡Ja! ¿Flores para nuestro cuate Roberto? ¡Qué cosa! Ese joven es más aficionado a las historietas cómicas que a las flores.

ALFREDO — ¡Ya lo creo! Le compramos unas ediciones de *La avispa verde.* ¡Ése sí maneja de prisa!

PANCHO — ¡Ya lo creo! O de *Súperhombre.* Pero después de ese choque, ¡nuestro cuate Roberto ya no va a creerse un Súperhombre con su cucaracha!

PALABRAS NUEVAS

la avispa	hornet	chocó con	ran into	sí	certainly (*new meaning*)
¡ay!	oh, dear!	digo	I mean	el socio	member
el comité	committee	¡Qué tal!	How's everything?	¡Ya lo creo!	I should say so!
¡Chis!	Sh!	se dice	"they" say	ya no	no longer

427

PARA PLATICAR[1]

EJERCICIO 1. Tell a friend the news about someone's being in the hospital after a collision in his jalopy. Explain that he was driving very fast.

EJERCICIO 2. Discuss what you will take (*llevar*) to this acquaintance when you go to see him in the hospital. You might consider giving him flowers, fruit, candy, books, magazines, comics, or newspapers.

2. VAMOS A ESCRIBIR

Write these sentences in Spanish.

1. There are many newspapers and magazines in the Spanish-speaking countries. 2. The daily newspapers publish (the) current events and "comics" in colors. 3. Most of the magazines are published (publish themselves) in four countries. 4. The girls read love stories and the young fellows read adventure stories. 5. There are home magazines and movie magazines. 6. The entire family reads others with a little of everything. 7. The February issues (*ediciones*) publish advertisements of bathing suits. 8. We forget that there (the) winter comes in June, July, and August. 9. The children read the comic books, if Dad doesn't see them first! 10. The girls read articles about (on) (the) styles for cool days. 11. The boys may find articles on how to care for their dogs. 12. And all read how the price of sugar keeps on (continues) rising!

3. VAMOS A DIVERTIRNOS

Advertisements in comic books from Spanish America offer tempting prizes to be won by drawings. Many business firms give a coupon with each purchase or installment payment and have regular drawings for prizes. Sometimes the winner has all the remaining payments cancelled on his installment purchase.

Read the advertisement on page 429, looking for the answers to these questions. The pictures will tell you the meanings of some unfamiliar words, but those you may not be able to guess or remember are **bases,** *rules;* **dibujantes,** *cartoonists;* **figuras,** *funny faces;* **hogar,** *home;* **sí,** *certainly;* **sorteo,** *drawing.*

1. Does the magazine contain mostly photographs?
2. How often does it come out?
3. When is the drawing held?
4. Which prize would the boys like to win?
5. Which prize would the girls like to win?
6. Where can you find the rules for the drawing?

[1] NOTE TO THE TEACHER: In addition to the suggestions and exercises for speaking given following the ten playlets about PANCHO AND HIS PALS, the conversations may be used in various other ways: for pronunciation practice, listening practice, vocabulary and idiom drill, plateau reading for amusement, and presentation before class or club.

2 *Poco a poco*

1. VAMOS A PLATICAR

EJERCICIO 1. Plan to use around school or at home as many of the expressions of courtesy on pages 543 and 544 as you can during the next three school days, even if it does baffle your friends! On the fourth day, give yourself a tally and a pat on the back for each one you managed to use.

EJERCICIO 2. With a partner, plan this dialogue between a borrower and a lender and then give it before the class.

Una visita para pedir un libro

YOU	HE

1. You knock at the door and greet your friend informally as he opens it.

2. You thank him and say you haven't time to sit down, and you are sorry to bother him.

3. You ask if you may read his comic books tonight (***esta noche***) if he isn't using them.

4. You reply that you've already studied all your lessons.

5. You thank him, excuse yourself, and say good-by.

1. He replies and asks you to come in and make yourself at home.

2. He asks what he can do for you.

3. He gives an exclamation of surprise and asks if you haven't anything to study.

4. He can hardly believe it, and gives you the comic books.

5. He replies.

EJERCICIO 3. Choose someone to walk around the classroom acting out everything he can think of that will require him or the rest of the class to use the expressions of courtesy on pages 543 and 544. For instance, he may sneeze, pretend to be eating candy, pass in front of someone, step on someone's foot and apologize, ask for a book, act ill, and so on. How many expressions of courtesy did he use or get you to use?

2. VAMOS A ESCUCHAR

Listen while your teacher reads these statements based on the story, and write **sí** *or* **no** *for each one.*

1. Los meseros de México son tan perezosos que es imposible conseguir una comida pronto. 2. Aquí nos sorprende saber que los hispanoameri-

canos pasan dos horas en la comida. 3. Los viajeros yanquis deben llevar saco en un buen restaurante. 4. Los niños de escuela algunas veces hacen mucho ruido en la clase. 5. Los turistas que se portan bien no hablan en voz demasiado alta. 6. Se venden sarapes en los restaurantes de México. 7. Debemos tratar de portarnos como los habitantes del país que visitamos. 8. Los aficionados a la cámara cándida deben pedir permiso para retratar a la gente. 9. A los mexicanos les gusta oír a un viajero tratar de hablar español. 10. Los extranjeros molestan a los habitantes al retratarlos. 11. Somos muy populares entre nuestros vecinos a causa de nuestra manera informal de portarnos. 12. Los hispanoamericanos hablan despacio con la boca llena de chicle. 13. Los viajeros tienen la costumbre de servir las comidas a los meseros. 14. Necesitamos llevar saco y sombrero para poder portarnos bien aquí. 15. Es lástima divertirnos viajando por otro país. 16. Los habitantes de México hablan la lengua inglesa con la boca llena de chicle. 17. Tratamos de pedir un consejo cuando no sabemos qué hacer. 18. Un yanqui es un viajero norteamericano que está al sur de la frontera. 19. Los extranjeros algunas veces retratan a los habitantes en las calles porque tienen prisa. 20. Damos el saco al mesero para molestarle cuando entramos en un buen restaurante.

3. VAMOS A ESCRIBIR

1. We ought to learn the motto (*el lema*) of the good traveler: "Take it easy!" 2. The inhabitants of the countries south of the border are never in a hurry. 3. At the table, the waiters serve them very slowly. 4. It surprises them when the tourists eat in half an hour. 5. Girls who wear slacks and sweaters sometimes enter a good restaurant (*restaurante, m.*). 6. (The) "Yankees" sometimes do not wear their coats [1] in (the) restaurants. 7. This (*Esto*) bothers the owner of the restaurant. 8. Some try to speak Spanish with their mouths [1] full of gum. 9. A child who makes much noise is called "tourist." 10. (The) candid (*cándida*) camera fans need to ask permission (*permiso*) to (*para*) photograph the inhabitants. 11. Behave yourself, be courteous, don't be in a hurry, and remember, "Take it easy!"

[1] One apiece, remember. See page 521, section 101.

3 Cómo nos ven en México

1. VAMOS A PLATICAR

EJERCICIO 1. Tell the class about your daily activities, using each of these words or expressions in a sentence in the present tense.

1. ser alumno	6. comer el *lunch*
2. tener . . . años	7. después de la escuela
3. vivir en	8. jugar a
4. todos los días	9. ver una película
5. asistir a	10. por la noche (*evening*)

EJERCICIO 2. Tell the class as fully as you can five things you have done after school this week, using the present perfect tense in each sentence. (I have studied, played, etc.)

2. VAMOS A ESCRIBIR

1. Have you delivered papers on your bicycle early in the morning? 2. No, but I have cleaned the sidewalks (**banquetas**) later in (**por**) the afternoon, for fifty cents an hour. 3. Are you (*use* **estar**) ready to (**para**) commence the new lesson now? 4. Yes, and I am in a hurry because [the clock] has already struck four. 5. Let (**dejar**) me give you some (**un**) advice: Take it easy! 6. After all, what's the matter with you? 7. Our hands are not soft and white, but strong and brown. 8. When the bell rings, they see each other in (the) class. 9. We attend a good school which has many movies in the classes. 10. So much the better. With a good daily film we do not need to study so much. 11. We throw our books into the air when we say good-by to each other on Fridays. 12. We have not seen each other since Friday.

3. VAMOS A DIVERTIRNOS

In Mexico, whenever a player makes a home run, or a speaker makes a good speech, or a bullfighter gets his bull neatly, or anyone does anything praiseworthy at a public gathering, along with the applause you're sure to hear a band or orchestra burst out with these few quick bars of the national "hat dance," the *Jarabe tapatío*. This bit of music, called *La diana*, comes at the end of the dance and signifies triumph. Sometimes you even hear it whistled or hummed as applause.

Since everyone knows it and you're bound to hear it at any Spanish-style fiesta or on the radio sometime, why not learn the melody so you'll recognize it? Get one of your trumpet or clarinet players or violinists to show you how it goes — double time, furiously fast — and then try to whistle it, imagining as you do the quick tapping of flying feet when it is used as the climax of the hat dance. Then be sure to add it to your applause for solo program numbers afterward. It's quite the thing to do!

La diana

Double time

CAPÍTULO

4 El misterio del norte

---

1. PANCHO Y SUS CUATES

El Círculo Español hace una caminata

PANCHO, SUSITA, ROBERTO, *y* ELENA *van caminando por el camino. Cada uno lleva consigo una cesta de* lunch *y un traje de baño.*

PANCHO — (*El gordo, muy cansado, sentándose al lado del camino y quitándose el suéter.*) ¡Ay! ¡Mis pobres piernas! ¿Por qué vamos a pie en este calor? En bicicleta o en mi cucaracha sería mucho más fácil llegar al parque.

ROBERTO — Ir en bicicleta o en cucaracha no sería hacer una caminata.

ELENA — Y el Círculo Español votó hacer una caminata, ¿recuerda, Pancho?

PANCHO — Yo no. ¡Ay, tengo mucha hambre! Oiga, Roberto, déme algo que comer. Usted tiene la cesta de sandwiches.

ELENA — ¡Huy, no, Roberto! ¡No le dé usted nada! Si Pancho anda comiéndose el *lunch* toda la mañana, ¡pronto no tendremos nada para el pícnic!

ROBERTO — Y éste no es un buen lugar para comer.

SUSITA — Poco a poco, Panchito. No tenga cuidado. Pronto llegaremos, si hacemos lo que hacían los conquistadores.

PANCHO — Pues, dígame pronto, entonces, lo que hacían los conquistadores. Me gustaría hacer eso.

SUSITA — Pues, claro que seguían adelante, siempre adelante, ¿recuerda, precioso?

Todos ríen menos Pancho.

ROBERTO — ¡Ja, ja! ¡Qué chiste, Pancho! ¿Listos, todos? Vámonos.

Pancho se levanta tristemente y todos siguen caminando.

ELENA — ¿Podremos bailar en el parque donde vamos a comer?

ROBERTO — Ya lo creo. Hay un tragadieces que toca buenos discos bailables.

PANCHO — ¡Yo bailar! ¡Ay! Después de esta caminata, yo tendré que bailar sentado.

ROBERTO — Estilo ruso, ¿eh?

Todos ríen menos Pancho.

SUSITA — ¡Ay, miren ustedes el cielo! ¡Parece que va a llover!

PANCHO — No tenga cuidado, Susita. Si llueve, podemos hacer lo que hacían los conquistadores cuando llovía.

SUSITA — Pues, ¿qué hacían los conquistadores cuando llovía?

PANCHO — Le digo si promete usted no decirlo a nadie. Es un secreto entre nosotros.

SUSITA — (*Levantando la mano derecha.*) Prometo no decirlo a nadie. ¿Qué hacían?

PANCHO — Se dice que dejaban llover, preciosa. ¡Ja, ja!

Todos ríen menos Susita.

PALABRAS NUEVAS

la cesta	basket	quitarse	to take off
discos bailables	dance records	sería	it would be
estilo ruso	Russian style	tragadieces	"jukebox" (traga, it
hacer una caminata	to take a hike		swallows, dieces,
el parque	the park		ten-cent pieces)

PARA PLATICAR

Choose a committee of three to plan a picnic for the Spanish Club and carry on all the discussion in simple Spanish. Your committee must decide:

1. Where to go, giving reasons for the choice.

    IDEAS: al parque, al río (*river*), a la playa (*beach*), a la montaña, al bosque (*woods*)

2. How to go, and why the way chosen is best.

    IDEAS: a pie, a caballo, en bicicleta, en tranvía (*street car*), en camión, por tren, en cucaracha, en automóvil, hacer una caminata

3. What each will take and why.

    IDEAS: Una cesta de *lunch*, el traje de baño, el suéter o el saco, la cámara y películas, unas historietas cómicas, las raquetas (*tennis rackets*)

4. What there will be to do at the place chosen.

    IDEAS: nadar (*to swim*), bailar, comer, leer, hacer una caminata, pescar (*to fish*), jugar al tenis

2. VAMOS A ESCRIBIR

1. The conquerors kept sending (*prog.*) gold and silver to Spain. 2. The Captain had never seen the seven golden cities. 3. The soldiers did not wear red feathers on their arms and legs. 4. Coronado sent Fray Marcos on ahead on horseback and followed him. 5. A large cross meant that there were many riches in that land. 6. The Indians amused Estebanico with music and bells all day. 7. The Moor pretended to be king, and he made love to the Indian girls. 8. The things of most value were the furs and the corn. 9. All the buildings were not covered with silver and turquoises. 10. Go away (**vete**), my son. You (*fam.*) bother me.

1. VAMOS A JUGAR CON PALABRAS

To increase your vocabulary on an important topic, here is a roundup of familiar words along with a few new ones you should know. Study the word lists and then play the games to help yourself remember them.

Las partes del cuerpo [1]

PALABRAS CONOCIDAS

el brazo	la mano
la cabeza	el pie
la cara	la pierna
el corazón	

PALABRAS NUEVAS [2]

el cuello	neck [3]
el cuerpo	body
el dedo (de la mano)	finger
el dedo (del pie)	toe
la uña	fingernail, toenail

Las partes de la cara

PALABRAS CONOCIDAS

la boca	
el diente	
el ojo	

PALABRAS NUEVAS

la barba	chin [4]
la frente	forehead
el labio	lip
la lengua	tongue [5]
la mejilla	cheek
la nariz	nose
la oreja	ear [6]
el pelo	hair

JUEGO 1. Watching the picture of EL HOMBRE MECÁNICO on page 437, see who can name each part first as someone calls the numbers in Spanish.

JUEGO 2. Do the same with the picture of LA MÁSCARA (*mask*) INDIA.

2. VAMOS A ESCUCHAR

Your teacher will read to you some completion sentences in Spanish, saying **equis** *for each missing word. Listen carefully and write the word that best completes each sentence.*

(Sentences for listening practice are given in the teacher's manual.)

---

[1] *cuerpo,* body.

[2] NOTE TO THE TEACHER: Since this is an optional exercise, these new words will be introduced again in chapter vocabularies if and when they are needed.

[3] *Cuello* also means *collar.* But look out! *El collar* means *necklace!*

[4] *Barba* also means *beard.* Then what is a *barbero?*

[5] What else does *lengua* mean?

[6] This is only the outer part of the ear. *El oído* is the part that hears.

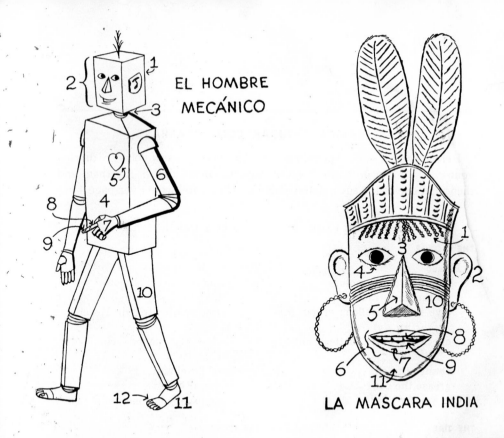

EL HOMBRE MECÁNICO

LA MÁSCARA INDIA

3. VAMOS A ESCRIBIR

1. Half an hour ago, at eleven o'clock at night, Raymond disappeared. 2. There was a full moon, and the waves were breaking (themselves) at the foot of the cliff. 3. The disagreeable gardener dared to say, "Good evening, darling." 4. The two servants wanted to see behind the bushes. 5. They were not afraid at night until they turned their heads. 6. Hearing scream after (*tras*) scream in the distance, they realized that the gardener had fallen. 7. They did not try to save him when he fell. 8. "Heaven help me!" exclaimed Carmen at once. "Do we dare to run?" 9. "I hope so," answered Mary, very [much] frightened, "because I am afraid." 10. Raymond was the one who married Carmen that very day. 11. It's no use to explain, because I can't help you.

6 *Feliz viaje*

1. VAMOS A JUGAR CON PALABRAS

Here are some of the expressions you might need to use if you were driving your car in Mexico or any Spanish American country. Study them and then plan one of the suggested dialogues. (For hotel words, see page 446.)

En la estación de servicio (La gasolinera)

THE MOTOR	EL MOTOR
Please	Favor de
stop (start) the motor	parar (arrancar) el motor
fill the tank (radiator)	llenar el tanque (el radiador)
give me five gallons of gas (*ap-proximately*)	darme veinte litros de Mexolina [1]
check the water (battery, oil)	revisar el agua (el acumulador, el aceite)
change the oil	cambiar el aceite
grease the car	engrasar el coche
Can you fix this?	¿Puede usted componer esto?

THE TIRES	LAS LLANTAS
Please	Favor de
check the tires	revisar las llantas
put some air in the spare tire (thirty-two pounds)	poner aire en la quinta llanta (treinta y dos libras)
lend me a jack	prestarme un gato
change this tire	cambiar esta llanta
I have a flat tire.	Tengo una llanta desinflada.

THE CAR	EL COCHE
Please	Favor de
clean the windshield	limpiar el parabrisas
wash the car	lavar el coche
close the door (windows)	cerrar la portezuela (las ventanillas)
don't sound the horn	no tocar la bocina [2]
don't race	no hacer competencias
don't be a back-seat driver	no ser automovilista del asiento posterior

[1] Ordinary *gasolina*, in Mexico, is so low-octane that it's advisable to use the better grades called *Mexolina* or *Super-Mexolina*.

[2] *El claxon* in Mexico: from an old-fashioned auto horn called a *claxon*.

EJERCICIO 1. One student will be the service station attendant (*empleado*), and the other will drive his jalopy in and ask for one gallon (*un galón*) of gas and all the service he can think of that doesn't cost anything. Meanwhile the attendant keeps trying to sell the jalopy owner something else. Does he succeed?

EJERCICIO 2. Mr. Smith is starting out on a long auto trip [1] with Mrs. Smith, who is the worrying type. She keeps asking Mr. Smith if he put some air in the spare tire, etc., etc., before they left.

He keeps trying to convince her that he has thought of everything, and even names a few items she has forgotten to inquire about.

Then she wants him to close or open windows, and every time she sees another car, warns him not to race and to sound the horn, and so on.

Finally Mr. Smith gets out and asks her to change places (*cambiar de lugar*) with him, so *he* can be the back-seat driver!

2. VAMOS A ESCRIBIR

1. Last night I gave [as a gift] [2] a fountain pen to my father for (*en*) his birthday. 2. Now he can sign checks when I ask him for money. 3. If my [report] card is not good, Dad won't have to sign any check for me! 4. Robert had a party, but my pal and I got lost on the way to his house. 5. I dropped a piece (*pedazo*) of cake with [a] candle [on it]. 6. Tomorrow I am going to get my driver's license, because I have just learned to drive well. 7. I realize that it is forbidden to drive without understanding the traffic signs. 8. "Have you learned them?" "I hope so." 9. "You [3] can't park there too long, young fellow!" a policeman told me yesterday. 10. Then I was ready to (*para*) leave, much (very) embarrassed.

3. VAMOS A DIVERTIRNOS

On each liter of gasoline purchased, Mexican car owners pay a tax which is spent for road-building. National Highway No. 1, from Laredo, Texas, to Mexico City (760 miles) is the original route from the United States. The Central Highway, another good route to the capital, now enters at El Paso, Texas.

[1] If you plan to visit a Spanish-speaking country, take along a handy phrase book. Two good ones are *Así se dice* (This is the Way to Say it) by Gladys King (Houghton Mifflin Company), and *Spoken Spanish for Travelers and Students* by Charles E. Kany (D. C. Heath & Company). When you drive to Mexico, you may purchase an inexpensive pamphlet, *Motoring to Mexico*, from the Travel Division, Pan American Union, Washington 6, D.C. It will give you up-to-date touring information.

[2] Brackets [ ] mean [leave it out].

[3] "You" often means "one" (*se*).

There are other highways from Mexico City to Guadalajara (422 miles), to Vera Cruz (205 miles) and to Acapulco on the West Coast (285 miles). The Mexico section of the projected International Highway from Alaska to Buenos Aires, along the West Coast from Nogales, Arizona, to Guadalajara, is passable, and all completed roads are well marked and maintained.

These traffic and road signs have been learned by many thousands of Americans who have driven their cars to Mexico. How many can you guess before looking at the English meanings?

Alto (*on red light*)	Stop (Halt)
¡Alto, vea, oiga!	Stop, look, listen!
Camino (in)transitable	(Im)passable road

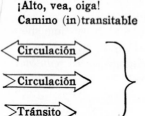

Direction of traffic

Desviación	Detour
Empalme	Junction
Grava suelta	Loose gravel
Guarde usted su distancia	Keep your distance (on bus)
Modere velocidad	Slow down (Reduce speed)
No hay paso	Closed to traffic
Parada obligatoria	Boulevard (Arterial) stop
Peligro	Danger
Prohibida la vuelta a la izquierda	Left turn prohibited (no left turn)
Seguridad ante todo	Safety first
Siga (*on green light*)	Go

CAPÍTULO 7 *¿Cuánto sabe usted?*

1. VAMOS A PLATICAR[1]

EJERCICIO 1. Give a brief talk before the class about one of these subjects. Keep your sentences short and simple!

1. Some popular magazines of Spanish-speaking countries and who reads them. (*Chapter 1*)

[1] NOTE TO THE TEACHER: Ejercicio 1 reviews basic material. Ejercicios 2 and 3 are based upon the VAMOS A PLATICAR material of Chapters 1, 4, and 6, and should not be assigned unless those sections have been covered.

2. How North American tourists often behave when traveling in Latin America. (*Chapter 2*)

3. Your day, including classes at school and your activities before and after school. (*Chapter 3*)

4. A report on Coronado's search for the seven mysterious cities. (*Chapter 4*)

5. The story of how the "ghost legend" saved Carmen from the wicked gardener. (*Chapter 5*)

6. Some of the adventures of Jimmie and his family in Mexico. (*Chapter 6*)

EJERCICIO 2. Choose a classmate to discuss one of these topics with you in Spanish. The first three are based on the PANCHO Y SUS CUATES plays of Chapters 1 and 4; topic four is based on the word list on page 438 of Chapter 6.

1. Why there are so many automobile accidents nowadays.

2. What you should take to a friend who is ill at home and can't come to school.

3. Plans for a Sunday picnic (**un picnic**) in some interesting place.

4. What you need to have done to your jalopy or jeep at a service station.

EJERCICIO 3. Choose a partner to play the part of your father (or mother) and plan to act out this situation, based on the "Pancho" story on page 433.

1. You ask your "father" (or "mother") for a car to take some friends to the park tonight. He wants to know what you are going to do there.

2. You say you are going to play dance records on the jukebox and dance. He says there are many accidents nowadays and that most of the drivers (**chóferes**) are young people.

3. You say you will promise to drive carefully if he will let you use the car this time. He says, well, okay if you get (arrive) home earlier than before.

4. You thank him and say it will be easy to do that because the others have to go home early, too.

2. VAMOS A ESCUCHAR

Listen to the statements your teacher will read you and write *sí* or *no,* depending on whether they are true or false.

Or for a quickie listening game, listen with closed eyes (so you can't see what the rest of the class is doing), and raise your right hand when a statement is true, your left hand when it is false. Then give yourself a tally for each one that you get right.

(*Sentences for listening practice are given in the teacher's manual.*)

3. VAMOS A ESCRIBIR

1. Do you see many blond boys and girls in Mexico? 2. Tell (*pl.*) each other everything! 3. The large one (*store*) is near my house, but it isn't a good store. 4. Where is Paul from? Is he Robert's brother? 5. My checks are [made] of blue and white paper. 6. His are probably brown; I haven't seen yours. 7. Were you writing (*prog.*) letters then? 8. I never wrote any when I had nothing to say. 9. Before going to school, we had to deliver papers. 10. Are your hands softer and whiter than those of an Indian?

4. VAMOS A DIVERTIRNOS

El leñador

"The Woodcutter" is a whimsical little song about Joe, the hard-working little Indian, who is so anxious to see his Mary that he can't even stop to say hello on his way to town.[1] Is he right or wrong, according to the song?

MARIO BOLAÑOS GARCÍA

ARR. BY ALICE MOORE MILTON

En el ca - mi - ni-to, ¡ay Dios! . . en-con-tré a Jo-

sé, ¡sí se-ñor! . . . ca-mi-nan-do al pue-blo ahí no más . . . . a lle-var su

[1] New words used in the song: **ahí no más**, *right over there;* **la leña**, *firewood;* **el patrón**, *boss;* **catrín y pollón**, *elegant and dressed up;* **calzón rayado**, *striped pants;* **adiós**, *hello* (used as a passing greeting); **el muy bendito**, *bless him.*

442

le - ña al pa - trón. I - ba muy ca - trín y po - llón . . . . . con ves - ti - do

nue - vo de a - zul . . . y cal - zón ra - ya - do, pe - ro ¡ay! . . . . no me di - jo ni a -

1.

2.

diós.   En el ca - mi - diós.   Tie - ne ra - zón,   tie - ne ra -

zón   el Jo - se - ci - to . . . .   tie - ne ra - zón,   tie - ne ra -

zón   el muy ben - di - to . . . .   Pues pa - ra es - tar   pues pa - ra es-

tar con su Ma - rí - a.... hay que en - tre - gar, an - tes que

na - da, la le - ña al pa - trón. Tie - ne ra - trón.

1. PANCHO Y SUS CUATES

El programa del Círculo Español

Los socios del club están listos para el programa después de terminar la sesión de negocios (business meeting).

ROBERTO (*Presidente*) — Como ya saben ustedes, dos de nuestros socios, Pancho y Alfredo, sirven de policías de tránsito en la esquina delante de la escuela cada mañana. Anteayer estaban en guardia allí, protegiendo a los alumnos que cruzaban (*were crossing*) la avenida, cuando otro socio oyó una conversación entre ellos. Ramón y Tomás, haciendo los papeles de Pancho y Alfredo, van a presentar lo que pasó.

PANCHO (*Levantándose con alarma.*) — ¡Señor presidente! ¿Qué es esto? ¡No sabemos nada de esto!

ALFREDO — ¡Será una broma (*joke*)!

TODOS — ¡Chis! ¡Cállate, Alfredo! ¡Siéntate, Pancho! (PANCHO *se sienta.*)

> RAMÓN *y* TOMÁS, *cada uno con una faja en el brazo con la palabra «Policía», se levantan y pasan al escenario.* RAMÓN *hace el papel de* PANCHO, *y* TOMÁS *el de* ALFREDO.

«ALFREDO» — ¡Ay, Panchito, cuántos choques de tránsito hay, hoy día!

«PANCHO» — ¡Ya lo creo, Alfredo! Todos porque los automovilistas manejan sus coches demasiado de prisa.

«ALFREDO» — Eso es, Pancho. Para proteger a los alumnos, debemos informar el número del coche si vemos a alguien manejando demasiado de prisa en esta avenida.

«PANCHO» — Perfectamente, Alfredo.

«ALFREDO» — ¡Ah, mira, Pancho! ¡Allá viene un convertible! ¡Vendrá a setenta millas por hora!

«PANCHO» — ¡Pronto! ¡Mira las placas para saber el número! *Pasa el convertible muy de prisa y los dos «policías» lo miran con cuidado.*

«ALFREDO» — ¿Pudiste ver el número de las placas, Pancho?

«PANCHO» — No, Alfredo, fué imposible. El coche iba demasiado de prisa y no pude leerlo.

«ALFREDO» — Ni yo tampoco, Pancho. Pero, ¡qué bonita chica la que iba manejando! (*Silba y besa los dedos de la mano, estilo francés, en dirección del coche.*)

«PANCHO» — ¡Huy, huy! ¡Ya lo creo! ¡Siempre me gusta una rubia con ojos azules!

> RAMÓN *y* TOMÁS *se sientan, mientras los otros socios aplauden y se ríen de* PANCHO *y* ALFREDO, *quienes gritan,* «Fake! Fake!»

PALABRAS NUEVAS

besa los dedos	kisses his fingers	hacer el papel de	to play the part of
¡Chis!	Sh!	informar	to report
el escenario	stage	servir de	to serve as
el estilo	style	silbar	to whistle
la faja	armband		

PARA PLATICAR

With two other people, act out a situation like this:

1. You and a friend are driving near the school in your car. Your friend says there is a police car following you, and you look quickly at the speedometer and exclaim that you are driving twenty miles per hour in a fifteen-mile zone (**zona**).

2. You wonder what to do, and your friend says that the policeman won't give you a ticket (**una citación**) if you can explain everything.

3. You ask what to tell the policeman, but before you can make any plans the police car drives up and the officer stops you and gets out.

4. Before he can say anything, you both try frantically to explain how you weren't driving too fast, because the speed limit (*la velocidad máxima*) in the school zone is fifteen miles per hour and you were only driving (at) twenty, which is generally permitted (*se permite*), and besides, you had to drive fast to reach your Spanish class on time, and so on and on — any excuses you both can think up.

5. Finally the policeman manages to get in a word, and laughing, hands you a sweater, explaining that it fell from your car on the corner and he only wanted to return it to you.

6. You thank him in much embarrassment and collapse with relief as he drives off.

2. VAMOS A JUGAR CON PALABRAS

Here are some hotel terms you will find useful when you visit any Spanish-speaking country. Study them and then plan one of the dialogues suggested in Ejercicios 1 and 2.

En el hotel

I should like	Quisiera
a double (single) room	un cuarto doble (sencillo)
an inside (outside) room	un cuarto interior (exterior)
with bath and telephone	con baño y teléfono
running water	agua corriente
towels; (a cake of) soap	toallas; (un pan de) jabón (*m.*)
more blankets	más mantas (frazadas)
another pillow	otra almohada
a pillowcase	una funda de almohada
clean sheets	sábanas limpias
the key	la llave
to see the maid	ver a la recamarera (*Mex.*)
a bellboy	un botones (*buttons!*)
Tip the boy.	Dé usted una propina al botones.
Is there any mail for Mr. —?	¿Hay cartas para el señor —?
Bring me some ice water.	Tráigame agua helada.
Lock the door.	Cierre usted la puerta con llave.
Please bring up (down) my luggage.	Favor de subir (bajar) mi equipaje.

EJERCICIO 1. One student will be a meek hotel clerk and another will be a fussy Señor Rico who enters pompously, accompanied by a bellboy with his luggage, and demands a room of a certain type, asking all kinds of questions about it. Finally the clerk becomes quite annoyed, looks at the

(*Continued on page 448*)

list of reservations (*lista de reservaciones*) and tells Señor Rico that there aren't any rooms after all. Señor Rico then tells the bellboy to bring his luggage and stalks out in a huff.

EJERCICIO 2. Or plan a later scene in the hotel room between the bellboy and Señor Rico. Señor Rico critically examines the room and asks for everything he can think of, while the boy points out the various articles to assure him that they are all there or promises to bring them at once. Finally Señor Rico tips the boy a nickel and tells him to bring him some ice water quickly and lock the door when he goes.

3. VAMOS A ESCRIBIR

1. Day before yesterday we went for a ride with the rest (*los demás*). 2. Tell me (*fam.*) what you saw in the afternoon. 3. Everyone was dressed in Sunday best, and all the cars were clean. 4. On the drive through the forest we passed by a lake. 5. Carnations and daisies were growing there, but we chose pumpkin flowers. 6. Sis said, "Buy me (*fam.*) a bouquet, Dad." 7. We were followed a while by (*de*) an orchestra that was floating in a canoe upon the lake. 8. The rest were buying bouquets as well as corsages of orchids, but I bought a soft drink. 9. The "jukeboxes" were playing records like those of our country (land). 10. On the way to the corner, we parked our car and bought [some] candy (*pl.*).

4. VAMOS A DIVERTIRNOS

When you get off a train, plane, or boat in many countries, hotel employees are likely to rush up and hand you small cards advertising their hotels, to drum up trade. *Check the samples on page 447 to see which hotels have certain features, and then answer these questions.* (New words are *piscina,* swimming pool, and *frente a,* facing.)

1. Which hotels have baths and telephones with all rooms? 2. Which hotel has a dance every Sunday evening? 3. Which hotel advertises its especially comfortable beds? 4. Which hotel advises advance reservations? 5. In which hotel does each room have a balcony facing the street? 6. Which hotel has long distance telephone service? 7. Which one features an especially good swimming pool? 8. Which one has a banquet hall? 9. Which one offers music during dinner and supper? 10. Where does the Rotary Club meet in one country?

1. VAMOS A PLATICAR

Choose two classmates to help you act out this situation. You are to be a florist and they will play the part of boys ordering corsages for their dates for a dance (**un baile**) or school banquet (**banquete**). You want to sell them orchids or gardenias, but the boys cannot pay so much, and your enthusiastic sales talk doesn't do any good. Finally you ask what kind of flowers their girls prefer, what color dresses they will wear, and make suggestions about corsages of mixed flowers.

Flower names you have had are *rosas, violetas, margaritas, claveles, gardenias,* and *orquídeas.*

Try to use these words: *perfumado, raro, hermosísimo, morado, barato, aficionado a, preferir, escoger, ramito, ramillete.*

2. VAMOS A ESCUCHAR

Listen to the statements your teacher will read to you and write **sí** or **no**, depending on whether they are true or false.

(*Material for this listening practice exercise is found in the teacher's manual.*)

3. VAMOS A ESCRIBIR

1. "The poor little thing has a cold," she said with tears in her eyes. 2. One very beautiful orchid which is brown is also perfumed. 3. Would you prefer to swim or to float upon the water? 4. Don't put on (*fam.*) your bathing suit, if you don't want to swim. 5. "Does he know how to take good photographs?" "And how!" 6. My guests will swim, surrounded by gardenias floating on the water. 7. The rich of Mexico do not carry things on their heads; on the contrary, they prefer not to carry anything. 8. Don't try (*fam.*) to cure a cold with a tea made of orchids. 9. The crosses beside the roads are surrounded by flowers which the travelers have brought. 10. A guest, when he comes to dine, brings a bouquet to the lady of the house. 11. Those who are fond of carnations and daisies buy them. 12. Who plays an important part on Christmas Eve? 13. Don't tell me (*fam.*) — I want to guess (*adivinar*)!

1. VAMOS A JUGAR CON PALABRAS

To enlarge your vocabulary on an important topic, here is a roundup of familiar words, along with a few others you should know. Study the word lists and then play the games to help yourself remember them.

La familia y los parientes[1]

PALABRAS CONOCIDAS

el bisabuelo	la hermana	la madre
el esposo	el hijo	el padre
la esposa	la hija	la tía
el hermano		

PALABRAS NUEVAS[2]

el abuelo	grandfather	los parientes	relatives
la abuela	grandmother	el primo	cousin
la bisabuela	great grandmother	la prima	cousin
hijo	Jr.	el sobrino	nephew
el nieto	grandson	la sobrina	niece
la nieta	granddaughter	el suegro	father-in-law
padre	Sr.	la suegra	mother-in-law
los padres	parents	el tío	uncle

JUEGO 1. See who can give the missing word first when your teacher reads these sentences about relatives. Then repeat the game, using all feminine forms instead of masculine and vice versa. (Don't memorize a list of answers, because your teacher will probably skip around!)

1. El padre de mi madre es mi _____. 2. El abuelo de mi padre es mi _____. 3. El hijo de mi tío es mi _____. 4. El sobrino de mi padre es mi _____. 5. Yo soy el nieto de mi _____. 6. Mi hermano es el sobrino de mi _____. 7. El esposo de mi madre es mi _____. 8. El suegro de mi padre es mi _____. 9. El primo de mi hermano es mi _____. 10. El hijo de mi abuelo es mi ____ o mi _____. 11. Si mi padre y yo nos llamamos Juan,

---

[1] *parientes,* relatives

[2] NOTE TO THE TEACHER: Since this is an optional exercise, these new words will be introduced again in chapter vocabularies if and when they are needed.

yo me llamo Juan ____ y él se llama Juan ____. 12. Mi padre y mi madre son mis ____. 13. Mis primos, mis tíos, mis sobrinos, y mis abuelos son mis ____. 14. El hijo de mi hermano es mi ____. 15. Mi hermano es el ____ de mi abuelo. 16. Mis hijos son los ____ de mis hermanos. 17. Mis hermanos son los hijos de mis ____. 18. El padre de su esposo es el ____ de mi madre.

JUEGO 2. Play *¿Quién soy yo?,* using all the combinations of relatives you can think of. Use the familiar forms of verbs and possessive adjectives, too, since among *parientes,* one does!

EL PRIMERO: Soy el padre de tu madre. ¿Quién soy yo?

EL SEGUNDO: Eres mi abuelo. (*Hablando al tercero.*) Soy el hermano de tu padre. ¿Quién soy yo?

EL TERCERO: Eres mi tío, etc.

2. VAMOS A ESCRIBIR

1. The government of Costa Rica wants someone to discover the treasure on Cocos Island. 2. According to a map made a century ago, there are emeralds hidden in a cave beneath a stone. 3. Anyhow, we are sure that many companies have looked for them from time to time. 4. They say that the treasure is worth more than sixty million dollars. 5. Sir Malcolm Campbell spent much time trying to discover that of the pirate Thompson. 6. They say that one of his employees went swimming (to swim) the last day and found a gold bar (*barra*) in a cave. 7. Everyone asks him to tell them where he found it, but he won't (doesn't want to) tell (it). 8. Anyhow, the poor fellow has not succeeded in finding the cave again (returning to find the cave). 9. It is sad, but (it is) true, that in order to get rich, one must stop looking for old emeralds.

3. VAMOS A DIVERTIRNOS

On page 452 is an advertisement from a Mexican newspaper indicating that our manufactured goods are sold in Mexico as well as here. *Read every word of it carefully, and then answer the questions to see if you understood it all.*

1. According to this advertisement, how can Mexicans invest their money and get rich? 2. You know *sala* and *bailar.* What is a *salón de baile?* 3. Where can this product be used to make money? 4. What are these machines commonly called in Mexico?[1] 5. How can you say it in Spanish without using the slang word?

[1] When they get out of order and do not operate or return the coin, people sometimes call them *robadieces,* from *robar, to steal!*

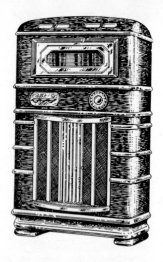
CAPÍTULO **11** *La leyenda de Xochiquetzal*

1. PANCHO Y SUS CUATES

La reunión del comité del buscatesoros

ANA MARÍA — La próxima reunión de los socios del Círculo Español será una fiesta en casa de Carmen.

JOSÉ — Pero yo creía que íbamos a tener un buscatesoros.

ANA MARÍA — Tiene usted razón, porque acabamos de leer un cuento acerca de tesoros de piratas. Pero después del buscatesoros, volveremos a casa de Carmen para tener los refrescos y para bailar.

PANCHO — ¿Qué refrescos serviremos?

ANA MARÍA — Podemos decidir eso más tarde.

PANCHO — ¿Qué será el tesoro escondido? Espero que sea algo que comer.

JOSÉ — ¡Ya sé! ¿Por qué no compramos una caja de esos dólares de chocolate cubiertos de papel de oro? Parecen piezas del dinero antiguo de los piratas.

ANA MARÍA — ¡Qué buena idea! Los meteremos en una caja que parezca un arcón de pirata, y llamaremos la fiesta «El buscatesoros de piratas.»

PANCHO — *Yo* tengo una buena idea también. José y yo haremos el papel de guardias del tesoro, y entretanto, los demás pueden buscarlo.

JOSÉ — ¡Eso es! ¡Huy, huy!

ANA MARÍA — ¡No me diga! ¡Ya sé qué pasará con los dólares de chocolate, si ustedes dos son guardias! *Yo* los esconderé, y ningún otro puede saber dónde están! ¡Seguridad ante todo!

PALABRAS NUEVAS

el arcón	chest	próximo	next
el buscatesoros	treasure hunt	la reunión	meeting
entretanto	meanwhile	los refrescos	refreshments
el guardia	guard	¡Seguridad ante todo!	Safety first!
parezca	looks like		

PARA PLATICAR

Have a committee meeting of two boys and two girls, who discuss the next Spanish Club party.

1. The boys want a treasure hunt, but they want to go in their jalopies instead of on foot, and want to hide the clues (*las señas*) all over town (*por todas partes del pueblo*).

2. The girls think the party should be at Carmen's with the clues and the treasure hidden inside the house.

3. They all agree that they should have the refreshments and dance at Carmen's.

How does the argument come out, and what do they decide to have for the treasure?

2. VAMOS A ESCRIBIR

These simple little everyday sentences are harder than they look because of — you guessed it! — the subjunctives lurking in most of them. After writing them correctly, practice saying them quickly in Spanish until they sound so familiar that you no longer have to think.

1. I'm sorry you're ill. (*Don't forget the "hitch"!*) 2. I'm glad you're here. 3. She says for me (tells me) to study. 4. I hope you can go. 5. Too bad he's not (doesn't arrive) on time! 6. I'm afraid there isn't time. 7. Ask him to go with (accompany) us. 8. I've told you not to do that! 9. Do you think (believe) she's pretty? 10. I'm not sure he has it. 11. She doesn't let me go to the movies on Mondays. 12. She makes me come (return) home early. 13. I don't want you to go without me. 14. They beg me to stay with them. 15. I advise you to be careful.

3. VAMOS A DIVERTIRNOS

Here is a little drill-game that will help you clinch the subjunctive, even if it does sound rude. Use the list of "Most Common Words Causing the Subjunctive" on page 532 (first three groups) so that you will be sure to practice them all.

EL PRIMERO: Quiero cantar y quiero que usted cante, también.

EL SEGUNDO: No quiero cantar.[1] Quiero tocar, y quiero que usted (Fulano) [2] toque, también.

EL TERCERO (*Fulano*): No quiero tocar. Quiero platicar, y espero (prefiero, temo, ruego, etc.) que Fulana platique, también.

LA CUARTA (*Fulana*): No quiero platicar,[3] etc.

CAPÍTULO 12 *Cuentos de Puerto Rico*

---

1. VAMOS A PLATICAR

Choose a partner, who will pretend to be the "lost soldier" from the "Bewitched Sentry Box" of San Juan, while you are a reporter of long ago who is interviewing him to get the story for the newspapers. Call him Don Fulano, since we do not know his name.

Una entrevista [4] con «el soldado perdido»

YOU	HE
1. You greet the old man politely and exclaim, "Fancy meeting you here!" (*¡Qué milagro!*), and tell him that you recognize him as the man who disappeared many years ago from the sentry box.	1. He replies that he is that man, at your service (*a sus órdenes*).

---

[1] *No quiero* is stronger than it sounds, for it means *I won't!*

[2] *Fulano, –a,* So-and-so.

[3] Some good action words are *bailar, nadar, jugar, correr, trabajar, comer, llorar, pasearse, flotar, sonreír, reír, perderse, estacionarse, gritar, portarse bien, lavarse, manejar,* etc. Add anything you can think of to make an interesting or personal sentence, as for example: *Prefiero que usted no maneje demasiado de prisa.*

[4] *entrevista, interview.*

2. You ask how he escaped without letting anyone see him.

3. You ask why he did such a dangerous (*peligroso*) thing without telling anyone.

4. You ask if he finally reached her town and married the girl.

5. You remark that if the devil (*el diablo*) did not carry him off, as the soldiers believed, then the sentry box really isn't bewitched.

2. He explains that he hung a rope (*cuerda*) over the cliff to help him climb down along the rocks to the water.

3. He explains that he had met a charming girl from Caguas at a fiesta and was in love with her. He wanted to go to see her but, being a soldier, could not get permission to leave the "Castle."

4. He says yes, and that he has lived on her farm near Caguas since then.

5. He exclaims, "How ridiculous!" and explains that it is not bewitched because it was *not* impossible for anyone to climb down the cliff and he ought to to know!

2. VAMOS A ESCUCHAR

Listen to the statements your teacher will read to you and write *sí* or *no*, depending on whether they are true or false.

(*Material for listening practice is given in the teacher's manual.*)

3. VAMOS A ESCRIBIR

1. Those who see the great painting called "View of Toledo" notice that it seems that it is going to rain. 2. The good priest (father) noticed that the water was all gone (*pret.*). 3. It is proper that we recognize a good painting when we see it. 4. The cistern did not contain water because (the) rain was lacking. 5. It was not important that he go the next day. 6. It is possible that the soldier may be all right. 7. John is to sing or to do something else if it suits him. 8. Don't you even thank your friends when they help you? 9. How ridiculous! Of course I thank them, and besides, I do something else for (*por*) them, too. 10. Meanwhile, it is possible that we have waited too long.

13 *Paz en la tierra*

1. VAMOS A PLATICAR

To learn how to use the phone in Spanish, read this telephone story, trying not to look up even strange words. If you cannot guess some of them, look at the list of telephone expressions in Exercise 1 for clues.

After you have read the story, test yourself with Exercise 3 to see if you remember the important expressions.

Una conferencia telefónica

Un señor descuelga el receptor.

LA OPERADORA — Diga.

EL SEÑOR — Señorita, favor de darme el número 26–47.

LA OPERADORA — La línea está ocupada.

EL SEÑOR — Entonces favor de comunicarme con el número 45–32.

LA OPERADORA — (*Después de un rato.*) No contestan.

EL SEÑOR — Otra llamada, por favor.

UNA VOZ — (*Después de un rato.*) ¡Bueno! [1]

EL SEÑOR — ¿Hablo con doña Fulana?

LA VOZ — No, señor. Le han dado el número equivocado. (*Cuelga el receptor.*)

EL SEÑOR — (A LA OPERADORA.) Oiga, señorita. Sírvase ponerme en comunicación con el número 45–32.

UNA VOZ — ¡Bueno!

EL SEÑOR — ¿Quién habla? [2]

LA VOZ — Cuarenta y cinco treinta y dos.

EL SEÑOR — ¿Está doña Fulana?

LA VOZ — Un momentito, por favor. (¡Señorita! ¡La llaman por teléfono!)

LA SEÑORITA — (*Después de un rato.*) Bueno.

EL SEÑOR — Preciosa, ¿quieres casarte conmigo?

LA SEÑORITA — Con todo gusto. ¿Quién habla?

---

[1] *¡Aló!* is heard in most countries south of Mexico; *¡Bueno!* is used in Mexico.

[2] This doesn't sound like good telephone manners to us, but it's acceptable in Spanish-speaking countries.

EJERCICIO 1. Find out how to say these telephone expressions by looking carefully through the story, since they are not in the dictionary. They are not all exact translations, so — *¡cuidado!*

1. The line's busy. 2. Please give me 29–51. (*Two ways*) 3. You have the wrong number. 4. You're wanted on the phone. 5. Who's speaking? 6. Hello! (*Two ways*) 7. Ring again, please. 8. They don't answer. 9. Number, please. 10. to take down the receiver 11. to hang up 12. Is this Fulana? 13. Is Fulana there?

EJERCICIO 2. Choose five people to take the parts and act out the scene as naturally as possible.

EJERCICIO 3. Choose a classmate to be the operator, and make a phone call that runs into all kinds of difficulties before you finally get the number, and then you find that your party is not at home.

Other expressions you may want to use:

> *Información, por favor.* *Information, please.*
> *Sonó el teléfono.* *The phone rang.*
> *La llamada es para usted.* *The call is for you.*
> *dejar un mensaje,* to leave a message
> *Señorita, usted me ha cortado.* *Operator, you have cut me off.*
> *Hay avería en esa línea.* *That line is out of order.*
> *una conferencia de larga distancia,* a long distance call

se equivocaron

equivocarse

2. VAMOS A ESCRIBIR

1. At Christmas we receive useful gifts from our relatives. 2. Many painted pigs, typical of Mexico, are often seen, especially at Christmas. 3. Children write notes to St. Nicholas (*San Nicolás*) in order that he may not make a mistake. 4. When does it suit you to go, — tonight, day after tomorrow, or the next day? 5. If you please, will you (*quiere usted*) sing a song at (*en*) the supper again? 6. If I am not mistaken, he was born at Christmas, according to his relatives. 7. When you fill the *piñata* with toys tonight, be very careful, if you please. 8. Even if it's all right to give useful things, (the) children prefer to receive toys from Santa Claus (*San Nicolás*). 9. If I were you, I would not sing that song tonight. 10. He stayed at home as if he were ill. 11. I won't (don't want to) fill the *piñata* unless you help me.

CAPÍTULO 14 *¿Cuánto sabe usted?*

1. VAMOS A PLATICAR

EJERCICIO 1.[1] Give a short talk before the class in Spanish on one of these topics:

1. Some places you might visit during a trip to Mexico and what you would see there. (*Chapter 8*)
2. Some of the curious customs concerning flowers that you find in Spanish-speaking countries. (*Chapter 9*)
3. Some of the famous hidden treasures of Spanish-speaking countries and what attempts have been made to find them. (*Chapter 10*)
4. The famous old story of Xochiquetzal and why she turned into water. Use simple sentences as if you were telling it to a child. (*Chapter 11*)
5. One of the famous legends of Puerto Rico. (*Chapter 12*)
6. Some Christmas customs of Spanish-speaking countries. (*Chapter 13*)

EJERCICIO 2.[2] Choose a partner and prepare to act out a conversation like this.

El policía y el estacionamientímetro[3]

YOU	HE
1. You return to your car and find a policeman there. You greet him and ask what's wrong (***pasar***).	1. He says you have parked your car overtime (too long) beside the parking meter (***estacionamientímetro***).
2. You tell him that you put a nickel (***un cinco***) in it only half an hour ago, at ten o'clock, and it is ten-thirty now. Show him your watch and say you are sure the meter must be (***estar, future of probability***) out of order (***descompuesto***).	2. He says it seems to him that your watch must be stopped (***estar parado***). He shows you his watch and says it is now eleven-fifteen.

---

[1] Ejercicios 1 and 2 review the basic part of Chapters 8–13. Ejercicio 3 is based upon material found in A ESCOGER.

[2] Many of these words are in Chapter 6.

[3] *estacionamientímetro, parking meter.*

3. You give an exclamation of dismay and say you are very sorry, because you would never dare to park too long.

3. He asks for your driver's license, looks at it, and then says he is not going to give you a ticket (*una citación*) this time, because you are a tourist.

4. You say you are glad, thank him gratefully and say good-by.

4. He wishes you a pleasant journey.

EJERCICIO 3. Choose two classmates to help you prepare a scene that takes place in a hotel.[1]

1. You are the room clerk and the others are Mr. and Mrs. Sábelotodo, who want a room, but can't agree on anything. For example, when Mr. Sábelotodo says he wants an inside (*interior*) room because there isn't so much noise and you say they may have No. 217, Mrs. Sábelotodo decides it should be an outside (*exterior*) room with plenty of air. When Mr. Sábelotodo says the room must have a telephone, Mrs. Sábelotodo says the phone doesn't matter, but it must have a bath — and so it goes.

2. Discuss the location (second floor, on a corner, near a stairway, etc.), and then have the Sábelotodos finally decide to take No. 468.

3. When Mr. Sábelotodo finally registers and you learn his name, you give him a telegram (*un telegrama*) which is waiting for him, and he reads it aloud. It says they are to return home at once!

2. VAMOS A ESCUCHAR

Listen to the questions your teacher will read to you, writing your answers briefly in Spanish. (Don't try to make sentences this time.)

(Questions for this listening test are found in the teacher's manual.)

3. VAMOS A ESCRIBIR

EJERCICIO 1. Write an original paragraph on one of the topics suggested in Ejercicio 1 of VAMOS A PLATICAR, page 458, using short, easy sentences in order to avoid errors.

EJERCICIO 2. Write these sentences in Spanish.

1. Has Joseph met your relatives, John and Paul? 2. I will introduce (*presentar*) them to him tonight. 3. "Of all these very beautiful paintings, I prefer this one." 4. "Let's buy a cheap one." "There aren't any." 5. "Don't spend (*fam.*) too much money." 6. "One could not avoid it if one should buy a painting here." 7. It is possible that a birthday card may be more useful. 8. I'm glad that you can dine in a typical restaurant (*restaurante, m.*). 9. Did you think (that) he acted the part well? 10. That is what I mean. 11. Wherever you go, I will follow, provided it isn't far! 12. You talk as if you were sure.

[1] You will find hotel words in Chapter 8, page 446.

4. VAMOS A DIVERTIRNOS

El quetzal

With the quetzal *such an important emblem in Guate-mala that it appears on the national coins and postage stamps as well as the flag, it's no wonder there are songs about it and that you see it pictured on every souvenir you buy.*

This patriotic song is taught in the elementary schools and appeared in La tierra del quetzal, *a fifth and sixth grade reader.*

LUCÍA M. S. DE TEJADA

ARRANGED BY BEVERLY RODERICK GAYLORD

Son sus a - las co - lor de es-me - ral - da y su pe - cho co-

lor de ru - bí. Tie-ne el ges - to de la ra - za bra - va

de Te - cún, el gran rey del Qui - ché. El quet - zal, que es nues-

tra a - ve sa - gra - da, nues-tro em-ble-ma de la li - ber - tad,

es u - na a - ve que mue-re en-jau - la - da pues las re - jas la

muer - te le dan. Por e - so es que la Pa - tria lo ex - hi - be

co-mo un sím - bo - lo en su pa - be - llón, por - que nun - ca los

bra-vos cha - pi - nes yu-go ex-tra-ño po - drán so - por - tar.

Son sus alas color de_esmeralda
y su pecho color de rubí.
Tiene_el gesto de la raza brava
de Tecún, el gran rey del Quiché.
El quetzal, que_es nuestra_ave sagrada,
nuestro_emblema de la libertad,
es una_ave que muere_enjaulada
pues las rejas la muerte le dan.
Por eso_es que la Patria lo_exhibe
como_un símbolo_en su pabellón,
porque nunca los bravos chapines
yugo_extraño podrán soportar.

Its wings are the color of emerald
And its breast the color of ruby.
It has the appearance of the fierce race
Of Tecún, the great king of the Quiché (Indians).
The quetzal, which is our sacred bird,
Our emblem of liberty,
Is a bird which dies caged
For the bars kill it.
That's why our country displays it
As a symbol on its banner,
Because the fierce Guatemalans will never
Be able to endure a foreign yoke.

15 *Sucesos del día*

---

1. PANCHO Y SUS CUATES

Cuando un fantasma encuentra a otro

ROBERTO — ¿Ha oído usted la noticia? ¡Qué chiste tan divertido![1]

FELIPE — No. ¿Algo divertido, dice usted? ¿Qué pasó?

ROBERTO — Sabe usted que anoche en el Círculo Español hicimos una fiesta para iniciar a los nuevos socios.

FELIPE — ¡Cómo no! Yo no asistí, pero sé que los socios nuevos tuvieron que ir de noche a esa antigua casa «encantada» en el campo y pasar un rato allí sin luz ni nada.

ROBERTO — Eso es. Pues, Alfredo decidió, sin decir nada a nadie, ir temprano a la casa y aprovechar la obscuridad para asustar a los demás cuando llegáramos.

FELIPE — ¡Qué barbaridad! ¿Lo hizo?

ROBERTO — Pues, oiga usted y sabrá. Parece que Alfredo entró en la casa abandonada, se cubrió con una sábana, y se escondió en el corredor obscuro para esperarnos.

FELIPE — ¡No me diga! ¿Y luego?

ROBERTO — Dentro de poco oyó un ruidito, y se dirigió hacia él con mucho cuidado para saber qué era. Al momento en que llegamos todos los demás, nos sorprendimos mucho de ver a Alfredo salir corriendo, con su sábana y todo, aterrado y gritando, — ¡Socorro! ¡Socorro! ¡Fantasmas!

FELIPE — ¡De veras! ¿Qué le había asustado?

ROBERTO — Va a ver. Lo extraño es que entretanto, Pancho había tenido la misma idea, y también había ido a la casa con sábana y todo, sin decir nada a nadie.

FELIPE — ¿No salió Pancho cuando Alfredo?

ROBERTO — No. Pancho se había asustado tanto al encontrar a Alfredo en la obscuridad que cuando nosotros entramos en la casa para buscar al «fantasma», ¡le hallamos desmayado en el corredor!

FELIPE — ¡Cada uno creía que el otro era un verdadero fantasma! ¡Ja, ja! ¡Qué divertido!

PALABRAS NUEVAS

desmayado	in a faint	**iniciar**	to initiate	**¡Socorro!**	Help!
encantado	haunted	**la sábana**	sheet		

[1] *¡Qué chiste tan divertido!* *What a funny joke!*

PARA PLATICAR

EJERCICIO 1.　　Tell some simple Halloween or ghost story in Spanish, using as many of the words in the PALABRAS PARA APRENDER, page 220, as possible.

EJERCICIO 2.　　Tell in short, easy sentences about the time you heard a noise on the stairway or in the hall (*el corredor*) at night and thought it was a burglar (*un ladrón*), and how you finally found out that it was the cat or one of the family coming in late, trying not to awaken anyone.

2. VAMOS A ESCRIBIR

1. I have a book that is old.　2. Do you want a book that is new? 3. Yes, but I don't want any that is too (very) big.　4. Do you see what *I* see, by chance?　5. I don't see anything that is funny.　6. He cashed a check that was worth a thousand dollars.　7. I have not even seen a check whose value was a thousand dollars.　8. Neither have I. What you say about checks is no joke.　9. He who can cash such checks on his account must have a signature that is worth a great deal (much). 10. I can't help wondering why (the) dry ice makes [it] (to) rain.　11. All (that) I know is that the clouds gather up moisture (*la humedad*) and drop it wherever they go — sometimes.　12. That depends on the valleys, seas, fields, and mountains.

3. VAMOS A DIVERTIRNOS

Play «*La Tortuga*» (*The Tortoise*) at the board.　Your teacher will dictate verb forms in English which you will write in Spanish or vice versa,[1] and for each verb you get right you may draw one part  of the tortoise.　Draw first the shell, then head, eye, four feet, tail, and four crisscross lines on the shell, for a total of twelve verbs.

If you wish, leave your completed tortoises on the board during the game, to see who has the most when you finish.　The first person to complete a tortoise calls out *¡Tortuga!* and the game begins again.

---

[1] Verb lists to use in this game can be found by looking in the Index under *Verb lists for games*.　Give only a translation, omitting the additional information requested in some of them.

16 *De peatón a pasajero*

1. VAMOS A PLATICAR

¿Qué tiempo hace?

EXPRESIONES CONOCIDAS

hace buen (mal) tiempo
hace calor
hace fresco
hace frío

hace (hay) sol
hace viento
llover; la lluvia

nevar
las nubes; la brisa
el hielo

EXPRESIONES NUEVAS

hay lodo, it is muddy [1]
hay luna, it is moonlight
hay neblina, it is foggy
hay polvo, it is dusty
está nublado (nube), it is cloudy

helar (hielo), to freeze
la nieve (nevar), snow
tronar, to thunder
relampaguear, to lighten

EJERCICIO 1. Take turns asking each other questions about the weather and answering them, trying to use as many of the above expressions as you can. (EXAMPLE: *¿Hace calor en las montañas en el invierno?* or *¿Hay polvo cuando llueve mucho?*) Be careful not to let someone trick you into saying the right kind of weather at the wrong time of year!

EJERCICIO 2. Choose a partner and talk about the weather as if you were new acquaintances trying to make polite conversation. When you have said all that you can about the weather where you live, discuss it as you have read about it recently in other parts of the country.

Be sure to use the old saying that "Everyone talks about the weather, but no one does anything about it." Then one of you should finish off the topic by remarking that the islands of the South Seas (Seas of the South) have the same temperature (*la temperatura*) during all the year, at which the other exclaims that that's too bad, because what do the inhabitants have to talk (chat) about if the weather never changes?

---

[1] Notice that *hace* is used for invisible weather conditions (*hace viento*), and *hay* for visible conditions associated with weather (*hay lodo*).

465

EL TIEMPO QUE HACE

Boletín del Servicio Meteorológico

correspondiente al día 3 de abril

San José: Parcialmente nublado en la mañana

Lluvia: Es probable que llueva en la tarde

Temperatura máxima: 25.5°

Temperatura mínima: 15.2°

Vientos: Variables pero suaves; del sur en la tarde

Salida del sol: A las 5 horas y 35 minutos

Se oculta a las 17 horas y 47 minutos

Salida de la luna: A las 4 horas y 9 minutos

Se oculta a las 16 horas y 51 minutos

2. VAMOS A ESCUCHAR

Your teacher will read some true-false statements to you. Listen carefully to each one and write *sí* if it is true, *no* if it is not.

(*Sentences for listening practice are given in the teacher's manual.*)

3. VAMOS A ESCRIBIR

1. There is room for a dozen passengers in six seats. 2. A couple of bumpers stop the blows from other cars. 3. The best oxcart ever built is [of] no use in (the) city transportation. 4. There is not room for streetcars, trucks, buses (*autobuses*), or private cars on the streets of many old cities. 5. The humble pedestrian would like to be a passenger if he had any means of transportation. 6. Some pairs of skates (*patines*) have little wheels, since they are not used (*se usan*) on (the) ice. 7. Perhaps the passengers don't say anything, but they prefer to rest instead of pushing. 8. The race which takes place at the beginning of the year astonishes everyone. 9. If a pedestrian should see a truck, he could not help recognizing the driver. 10. Horses of pure (*pura*) blood don't have to stop to rest. 11. He would like you to pull (that you pull) his car with yours, since he can't push it.

4. VAMOS A DIVERTIRNOS

A newspaper weather report from San José, Costa Rica, gives temperature in degrees centigrade instead of Fahrenheit. (To change centigrade readings to Fahrenheit, multiply by 1.8 and add 32°.) Read through the whole report on page 466 and then see how many of the questions about it you can answer before looking at the new words below.

1. What time of the year is it? 2. Will it be a very warm day? 3. When would it be better to go shopping, in the morning or in the afternoon? 4. Would you need a jacket if you went out in the evening? 5. What time will the sun set? 6. What time will the moon rise? 7. Will the wind blow hard today?

New words: *se oculta,* *"goes down"*; *nublado* (from *nube*), *cloudy*

CAPÍTULO **17** *El tiempo sigue su marcha*

---

1. PANCHO Y SUS CUATES

La chica nueva

PANCHO — ¡Oiga, Roberto! Por casualidad, ¿vió usted esa fotografía nueva en el escaparate del fotógrafo anteayer?

ROBERTO — No. ¿Había una nueva?

PANCHO — ¡Ya lo creo! Era de una chica lindísima. Una rubia, sabe usted. ¡Qué ojos tan hermosos!

ROBERTO — ¡No me diga! ¡Cuánto me gusta una rubia de buena presencia! ¿Quién será?

PANCHO — ¡Quién sabe! Quisiera conocerla. ¡Qué cara tan bonita! ¡Es preciosísima!

ROBERTO — ¡Imagínese! Pues, ¿quiere usted acompañarme a casa del fotógrafo ahora mismo? Me gustaría ver esa fotografía.

PANCHO — No tengo tiempo, pero ¿qué me importa eso? ¡Adelante!

Después de un rato.

EL FOTÓGRAFO — ¿En qué puedo servirles, jóvenes?

PANCHO — (*Poniéndose muy rojo.*) Estábamos mirando . . . estábamos extrañando . . . quisiéramos . . .

ROBERTO — (*Sonriendo.*) Quiere decir que le gustaría saber el nombre de esa chica cuya fotografía estaba en el escaparate anteayer.

EL FOTÓGRAFO — ¡Ah, sí! (*La saca de una caja.*) Es ésta, ¿verdad?

ROBERTO — (*Mirándola.*) ¡Por Dios, Pancho! ¡Qué barbaridad! ¡Es mi prima, Tinita! ¡Ja, ja!

PANCHO — Pero, pero . . . es muy bonita . . .

ROBERTO — Bonita, quizás. Pero, ¡ay, qué tonta! ¡Qué cabeza tan vacía! ¡Ja, ja, ja! ¡Tinita la tonta! ¡Ja, ja!

PALABRAS NUEVAS

el escaparate   show window   **el fotógrafo**   photographer

PARA PLATICAR

Choose two people to plan the conversation for this event with you.

1. You ask a friend to go with you to the photographer's to find out the name of the pretty girl (or handsome boy) whose picture was in the show window on Tuesday.

2. He (she) says he (she) will go if she's a blonde (if he's tall and handsome).

3. You explain to the photographer and he shows you a number of pictures. You discuss each one, but decide that none of them is the one you were looking for, and he doesn't remember which photograph he had in the window last Tuesday.

4. Finally you give up, thank him, and leave, remarking that the pretty girl (or handsome boy) was probably a dumbbell, anyhow.

2. VAMOS A ESCRIBIR

1. There are deep, wide rivers in the jungle. 2. Some planes land on them, others land on level airports. 3. In fact, the best means of crossing jungles and mountains is by plane. 4. Heavy machinery is carried (carries itself) to distant mines (*minas*). 5. Until a little while ago, only narrow paths through the mountains reached such places. 6. The Indians who saw a plane for the first time wanted it to lay an egg. 7. They intended to use it to carry a (the) war to their enemies. 8. At dawn they stopped jumping and shouting. 9. The heavy freight carried in the planes en route to the south consists of machinery. 10. Different things, like ready-made (*hechos*) dresses, are also carried en route to the south. 11. Live fish were delivered to (the) Lake (of) Titicaca in order to feed the inhabitants later.

¿NECESITA USTED

Alguna medicina urgente que no haya en esa población?

Flores, pasteles, dulces o cualquier otro regalo de buen gusto para obsequiar a sus amistades?

Un pastel de cumpleaños para festejar a su hija?

Refacciones para su auto o cualquier artículo de emergencia?

PÍDALO

Por nuestro servicio de

COMISIONES Y ENCARGOS

y se lo mandaremos convenientemente empacado. Nuestro representante en esa localidad tendrá mucho gusto en dar a usted la información que solicite.

COMPAÑÍA MEXICANA DE AVIACIÓN, S. A.

Oficina de Express Aéreo

Avenida Independencia 68, México, D.F.

3. VAMOS A DIVERTIRNOS

The Shopping Service handbill given above, distributed in small towns by a local airline, makes some useful suggestions. Read every word of it and then answer these questions to see if you understood everything.

HELPFUL HINTS: *amistades = amigos; festejar = dar fiesta a; obsequiar = regalar; población = pueblo; refacciones = reparaciones; solicite = pida; S.A. = Sociedad Anónima* (like our Inc.); *D.F. = Distrito Federal* (like our D.C.).

1. What might you need in case of emergency?
2. What can the Shopping Service get for you to give your friends?
3. What can you order for your daughter?
4. Will your order be sent properly packed?
5. Who can give you the information you may want?
6. Who offers this service?
7. Where is the main office located?

CAPÍTULO 18 *Una aventura en la buena vecindad*

1. VAMOS A JUGAR CON PALABRAS

When a brown-eyed waitress in a quaint Mexican Indian costume automatically brings you a small cup of black coffee as she sets a breakfast menu down in front of you, you know that you are in the famous **Casa de los Azulejos** (*House of Tiles*), or Sanborn's Restaurant, in Mexico City. The girl does not speak English, and it's up to you to guess as best you can in order to get your breakfast.

Choose a good, filling meal from the menu on page 471 and figure out how much it would cost you if a dollar were worth about 8.65 pesos.[1] (The prices are given in pesos.) And don't forget to leave at least ten per cent for a tip!

(A tip for you is that the following items are to be found somewhere on the menu: strawberries, scrambled eggs, bacon, puffed ("inflated") wheat, cinnamon toast, raisin bread, Spanish omelet, oatmeal, grapefruit, soft-boiled ("warm") or fried eggs, fresh pineapple, chocolate with whipped cream, French toast with syrup or honey, hot biscuits, and two kinds of fruit juice.

If you haven't the faintest idea what an item is, you will have to read Exercise 2 in order to find out, for the new words are not in the dictionary at the end of the book. This is a good time to use your imagination and guess!

EJERCICIO 1. With your best detective work, find the words for these expressions. Notice how Spanish always says "with" instead of "and" for food combinations.

1. hot biscuits	5. Cream of Wheat	9. bananas and cream
2. cinnamon toast	6. soft-boiled	10. a cup of coffee
3. whipped	7. poached eggs	11. Spanish omelet
4. French toast	8. orange juice	12. bacon and eggs

EJERCICIO 2. Estas frases describen algunos alimentos (*foods*) del menú. Si usted las entiende, le será fácil leerlo.

1. Las fresas son frutas rojas y pequeñas en forma de corazoncitos.
2. Los huevos tibios algunas veces se llaman «huevos pasados por agua».

(*Continued on page 472*)

[1] The rate of exchange varies from time to time, but these prices were in effect at 8.65.

Salón de Refrescos SANBORNS

Servicio: 7:30 a 21:30

FRUTAS

Fresas con crema........... $1.50	Jugo de naranja........... $ .80
Piña fresca............... .80	Jugo de jitomate........... .80
Plátano con crema......... 1.00	Toronja (½)............. .60

HUEVOS

Huevos fritos, tibios o revueltos, con jamón americano.......... 2.50
Huevos fritos, tibios o revueltos, con tocino americano.......... 2.00
Huevos poché en pan tostado...................... 1.50
Tortilla de huevos a la española...................... 3.00
Huevos rancheros...................... 2.00

CEREALES

Arroz inflado............. 1.00	Corn flakes............... 1.00
Trigo inflado............. 1.00	Avena................. 1.00
Crema de trigo........... 1.00	Grapenuts............... 1.00

CAFÉ, TÉ, etc.

Café con crema o leche caliente...................... .80
1 taza de café con azúcar y crema...................... .50
Café solo, chico...................... .40
Póstum con crema o leche caliente...................... .80
Té con crema, leche caliente o limón...................... .80
Chocolate con crema batida...................... 1.00
Leche, botella...................... .50

PAN

Pan blanco con mantequilla...................... .60
Pan negro con mantequilla...................... .60
Pan tostado...................... .60
Rollos de Viena...................... .60
Muffins de huevo...................... .60
Bizcochos calientes...................... .60
Pan de pasas...................... .80
Pan tostado de canela...................... 1.00
Tostado francés con jarabe o miel...................... 2.00
Hot cakes con jarabe o miel...................... 1.00
Waffles con jarabe o miel...................... 1.50

3. Para preparar los huevos revueltos, hay que batirlos. 4. Los jitomates de México se llaman tomates en la América del Sur. 5. Una toronja es como una naranja (*orange*), pero es más grande, menos dulce, y amarilla en vez de «color de naranja». 6. Los plátanos de México se llaman *bananas* en Centro América. 7. La piña es una fruta grande y dulce con hojas largas que crece en los países tropicales, sobre todo en las Islas Hawaii. 8. Los huevos rancheros son huevos fritos que se sirven con una salsa muy picante ("*hot*") que no les gusta a todos los norteamericanos. 9. El trigo sirve para hacer el pan. 10. Los chinos comen mucho arroz. 11. El jarabe y la miel son muy dulces. La miel es hecha por insectos pequeños que vuelan por el aire.

EJERCICIO 3. Conteste usted en español, mirando el menú si es necesario, porque las palabras nuevas no están en el vocabulario.

1. ¿Usa usted crema con la piña fresca o con las fresas? 2. ¿De qué color es el jugo de jitomate? 3. ¿De qué color son los plátanos? 4. ¿Cuál es más dulce, la toronja o la miel? 5. ¿Cuál le gusta a usted más, el jamón o el tocino? 6. ¿Usa usted azúcar y crema con el trigo inflado? 7. ¿Toma usted limón con una botella de leche? 8. ¿Con qué toma usted mantequilla? 9. ¿Es muy rico el chocolate con crema batida? 10. ¿Sabe usted por qué los mexicanos toman el café con leche caliente, mitad y mitad? (¡El café mexicano es muy fuerte!) 11. ¿Prefiere usted el pan blanco al pan negro? 12. ¿Cómo toma usted el té? 13. ¿En qué se sirve el café?

2. VAMOS A PLATICAR

EJERCICIO 1. Choose one person to be a waitress and two others to be Mr. and Mrs. Tourist having Sunday breakfast at Sanborn's. Using the menu from the VAMOS A JUGAR CON PALABRAS section on page 471, discuss what you will have and order a big breakfast.

Your waitress keeps suggesting extras she wants you to order and asking how you want your coffee, eggs, etc. Then when she brings your orders, she will have them hopelessly mixed up with someone else's, which will give you a chance to use more of your Spanish in correcting her and finally getting what you want!

EJERCICIO 2. Choose a partner and discuss what you will serve for breakfast (**desayuno**) when you have important visitors, such as your aunt and uncle whom you want to impress. Be sure to consider what they like or don't like, and what things you may or may not be able to get for the breakfast.

3. VAMOS A ESCUCHAR

Your teacher will read some true-false statements to you. Listen carefully to each one and write **sí** if it is true, **no** if it is not.

(*Sentences for listening practice are given in the teacher's manual.*)

4. VAMOS A ESCRIBIR

1. A gentleman is not anxious to lie if he can avoid it. 2. It is true that high-school students ought to respect the teachers who teach them. 3. If you ask questions in the course you can contribute much to the class. 4. In fact, if all do not agree, you (*pl.*) should discuss the matter (**cosa**). 5. That's [just] it! The fact is that this is the "American" way of life. 6. That's right. We respect the rights (**derechos**) and opinions (*Guess!*) of (the) others. 7. It seems strange to Spanish Americans that our girls can have dates when [they are] very young. 8. It also seems strange to them that the father helps the mother wipe (dry) the dishes. 9. Their fathers would never do that at (in the) home. 10. The only [thing] that bothers some boys is not to be able to do the least possible.

CAPÍTULO **19** *Conociendo al buen vecino*

---

1. VAMOS A JUGAR CON PALABRAS

On page 474 you have a dinner menu from which to choose a meal, and since your Mexican waitress does not speak English, you will have to guess, and if you make a mistake, eat what you get! The symbol c/ stands for **con,** and **a la carta** (*a la carte*) means that you order each item separately. Mexicans might order an egg course, also.

The following items are somewhere on the menu: orange juice, cottage cheese, lettuce salad, crackers, avocado salad, oysters, clam chowder, (green) peas, fruit ice, lemon pie (tart), strawberry sundae, creamed carrots, whipped cream. If you can't find some of them, read Ejercicio 1, which furnishes clues, for many of the words are not in the dictionary.

EJERCICIO 1. Estas frases describen algunos alimentos (*foods*) del menú. Si usted las entiende, le será fácil escoger su comida.

1. Los aperitivos sirven para ayudar el apetito al principio de una comida. 2. Los chícharos son pepitas (*seeds*) verdes. 3. Los ejotes son

SANBORNS
LA CASA DE LOS AZULEJOS

Avenida Madero 4, México, D. F.

MENÚ A LA CARTA

Desayunos entre semana de 7:30 a 11:00
Domingos de 8:00 a 11:00; Lunch Comercial, de 12:30 a 15:00;
Té, de 16:00 a 18:00; Comida, de 18:00 a 21:30

APERITIVOS
Coctel de fruta mixta....... $2.75   Coctel de ostiones.......... $4.00
Jugo fresco de naranja, piña, o jitomate....................... 1.35

SOPAS
Sopa de pollo.............. 4.50   Crema de jitomate.......... 4.00
Consommé c/huevo......... 1.80   Crema de espárragos........ 4.00
Servimos galletas con los pedidos de sopa

ENSALADAS
Plato de frutas con helado o queso de crema..................... 5.25
Ensalada de pollo, con galletas.................................. 4.50
Ensalada de lechuga, jitomate, aguacate, o papa.................. 2.50

PESCADOS
Langosta a la Newburg ...... 10.00   Puchero de almejas.......... 5.00
Sardinas en salsa de jitomate. 4.00   Ostiones (docena)........... 7.50
Pescado con pan tostado..... 4.50   Croquetas de pescado........ 4.00

VERDURAS
Espárragos c/mantequilla ... 2.00   Papas a la francesa......... 1.35
Papas Saratoga............. 1.35   Espinacas................... 1.35
Chícharos.................. 1.35   Zanahorias en crema......... 1.35
Ejotes.................... 1.35

CARNES
Rosbif con salsa dorada.. 12.00
Carnes frías con ensalada de papa.............................. 8.00
Filete tibon con papas a la francesa........................... 12.00
Hamburguesa con ensalada de papa............................... 7.50
Pollo frito con salsa de limón y espárragos.................... 12.00
Pollo con arroz y curry.. 7.50
Pollo acremado con pan tostado................................. 5.00
Frankfurters con choucrout..................................... 4.00
Corned beef hash con huevo..................................... 4.00
Jamón importado.. 7.50

PASTELES Y POSTRES
Pastel de chocolate.......... 1.45   Helado con fresas........... 2.50
Helado de chocolate o vainilla 1.45   Nieve de fruta.............. 1.00
Shortcake de fresa, c/crema batida............................. 3.75
Tartaleta de limón, perón o calabaza........................... 1.45

Lunches para viajes fuera de la Capital......................... 10.00
No nos hacemos responsables por objetos perdidos.

una clase de frijol verde. 4. Las zanahorias son raíces (*roots*) de color de naranja (*orange*). 5. Las naranjas crecen en árboles en la Florida y en California. 6. Sin las dos primeras letras y la última, la palabra «ensalada» es muy fácil de adivinar (*guess*). 7. Las galletas casi siempre se comen con la sopa. Son una clase de pan seco, en pedazos pequeños. 8. Una langosta vive en el océano, puede caminar, y tiene un color rojo después de cocinarse (*cook*). 9. El puchero de almejas es un plato popular, algo como una sopa, que se come mucho en los estados del nordeste (*northeast*) de nuestro país. Las almejas viven en el océano y tienen concha (*shell*). 10. Los ostiones, como las almejas, viven en el mar, pero no pueden nadar como los peces. 11. Los chinos comen mucho arroz. 12. Las fresas parecen corazoncitos rojos. 13. Una tartaleta es una clase de pastel lleno de fruta. 14. El perón también se llama manzana. 15. La tartaleta de calabaza se come mucho en nuestro Día de Acción de Gracias. 16. Los jitomates algunas veces se llaman tomates. 17. Un pedido es lo que se pide. 18. Las verduras son legumbres. 19. El queso es algo hecho de leche, pero no es mantequilla. 20. La piña es una fruta tropical que crece en las Islas Hawaii. 21. «Dorado» quiere decir de color de oro.

EJERCICIO 2. Choose a good dinner and find out how much it would cost you at about 8.65 pesos to the dollar.[1] The prices are given in Mexican pesos.

2. VAMOS A PLATICAR

EJERCICIO 1. Choose one person to be a waitress and two others to be Mr. and Mrs. Tourist having a deluxe dinner at Sanborn's, "The House of Tiles." Using the menu on page 474, Mr. and Mrs. Tourist discuss what they want, Mrs. Tourist with a cautious eye on the budget, Mr. Tourist thinking only of all the good things he wants to eat, encouraged by the waitress, who figures that the more they eat, the bigger her tip.

Whenever they find a word they haven't heard before, it's up to the waitress to explain it, in Spanish, of course, since only the head waitress speaks English.

With pesos at 8.65 to the dollar, what would the meal cost them, including a ten per cent tip? (It may help you to read Ejercicio 1 of the VAMOS A JUGAR CON PALABRAS section, page 473, to find out what some of the items on the menu are.) For the drink and bread, see the breakfast menu on page 471.

EJERCICIO 2. Choose a partner and discuss what you will prepare for a Spanish Club picnic lunch next Saturday and which thing you will assign each person to bring. Be sure to include everything on the menu (page 474) that is easy to carry.

[1] The rate of exchange varies from time to time, but these prices were in effect at 8.65.

3. VAMOS A ESCRIBIR

1. We are in the habit of hurrying, but it isn't our fault. 2. It is a sad thought that life is worth nothing without time to enjoy it. 3. Here we are different because we like (it pleases us) to worry. 4. It is not enough to be kind in our business (*pl.*). 5. He who is not in the way is helping. 6. A movie star would worry if the customers lit matches in a theater during her film. 7. Here the post office charges the same for a love letter in a pink envelope. 8. In spite of not being in a hurry, businessmen have to please their customers. 9. Nevertheless, the Spanish American believes that "Hurrah for poets (*los poetas*)!" is a thrilling thought. 10. The bandits (*los bandidos*) who had to steal the pocketbooks were accustomed to asking a thousand pardons (*perdones*).

4. VAMOS A DIVERTIRNOS

Spanish-speaking people make more everyday use of proverbs (*refranes*) than we do, yet many of the same sayings are found in both Spanish and English. See if you can match these proverbs, idea for idea, not word for word.

1. Los niños ven y callan.
2. No hay quince años feos.
3. La mejor manera de decir es hacer.
4. Cosas que se hacen de prisa, se sienten despacio.
5. Mientras hay alma (*soul*), hay esperanza (*from* *esperar*).
6. Nadie sabe lo que puede hasta que lo pruebe (*test, try*).
7. Peor es chile (*red pepper*) y el agua lejos.
8. Para aprender, lo principal es querer.
9. Más matan cenas que guerras.
10. Casa sin mujer, gente sin capitán.
11. De piedra no se saca jugo (*juice*).

a. What is home without a mother?
b. Where there's a will, there's a way.
c. Youth is beauty.
d. You can't get blood out of a turnip.
e. You never know what you can do till you **try.**
f. Children should be seen and not heard.
g. As long as there's life, there's hope.
h. You can dig your grave with your teeth.
i. Actions speak louder than words.
j. Marry in haste and repent at leisure.
k. There's nothing so bad but what it might be worse.
l. If at first you don't succeed, try, try again.

20 El álbum de recortes

1. PANCHO Y SUS CUATES

La reunión del comité del banquete

SUSITA — Tenemos que escoger el menú para nuestro banquete. ¿Qué les gustaría tener para comer?

ROBERTO — ¡Filete «tibon» con papas fritas a la francesa!

PANCHO — ¡Con pastel de chocolate y helado!

ELENA — ¡Huy! Es que no podremos cobrar tanto por la comida.

PANCHO — Pero éste es un banquete, ¿recuerdan? No queremos servir sólo un sandwich de lechuga, un vaso de agua de lluvia, y un palillo de dientes.

ROBERTO — ¡Claro que no!

SUSITA — Es cierto. Debemos tener algo bueno, por supuesto. ¿Es más barato el pollo frito que el filete «tibon»?

ELENA — Quizás. Pero, ¿por qué no tenemos una comida mexicana? Éste es el banquete del Círculo Español.

SUSITA — Estoy de acuerdo. Con tamales, frijoles, tortillas y, de postre, un helado de piña.

ROBERTO — Está bien. Café con leche, también, como lo toman los mexicanos.

PANCHO — ¡Huy! Todo esto me da ganas de comer. Hago una moción . . .

ROBERTO — (*Levantándose.*) ¡Hacia la cafetería!

SUSITA — Los que estén por la afirmativa . . .

TODOS — (*Saliendo corriendo por la puerta.*) ¡Sí!

PALABRAS NUEVAS

de postre	for dessert	**el palillo de dientes**	toothpick
la lechuga	lettuce	la piña	pineapple
los que estén por la afirmativa	those in favor	tibon	T-bone
me da ganas de	makes me feel like	el vaso	glass

PARA PLATICAR

Have four students act out a committee meeting of two boys and two girls to decide whether the Spanish Circle will have a picnic (*día de campo*) or a banquet (*un banquete*). The girls want a banquet in the cafeteria so they can wear their new dresses, and they suggest a formal menu. (See menus on pages 471 and 474.)

The boys want a picnic lunch at the beach so they can go swimming. *¿Quiénes ganan?*

2. VAMOS A ESCRIBIR

1. Upon completing (fulfilling) each year, we have a birthday party. 2. It is not simple to obtain a great happiness or a great friendship. 3. You'll be sorry if you burn (yourself) your (the) skin (*el cutis*) at the beach! 4. Put out that lamp! We can't light it here! 5. We always wash our faces with warm water and soap and clean our fingernails. 6. Beauty does not make happiness because beauty does not last. 7. We can all be kind and polite even if we were not born beautiful. 8. In their pockets boys can carry combs (*un peine, one apiece*) with which to comb their hair. 9. In their handbags girls can carry lipsticks, powder, rouge, combs (*un peine*), and goodness knows how many other things. 10. Don't bite (eat) your fingernails; use pink polish (*el esmalte*) to make them beautiful. 11. Put a good oil on your skin (*el cutis*) while you are at the beach so that you won't burn (yourself).

3. VAMOS A JUGAR CON PALABRAS

Dozens of new cognates were used in EL ÁLBUM DE RECORTES. Make a list of twenty-five of them in Spanish, write their English meanings on another piece of paper, clip both papers in the back of your book and forget about them. Next week take your English list and see if you can write all the words in Spanish, just guessing what they would naturally be. Then compare with your original Spanish list and see how good you were at "making up" Spanish words. This is a good exercise to try often, for any story has many guessable cognates.

CAPÍTULO 21 *¿Cuánto sabe usted?*

1. VAMOS A PLATICAR

EJERCICIO 1.[1] Choose a partner to take the part of one of the well-known *personages* described here, while you will be EL REPÓRTER of *El Tiempo* and will interview him for an article for your paper.

1. He is a rain maker, and you ask him how and when he operates and what results he usually gets. (*Chapter 15, first story*)

2. He is a world traveler who has just returned from Mexico, and you ask him about transportation there. This leads to his telling you about the amusing names seen on the bumpers of trucks and buses. (*Chapter 16*)

3. He is the president of a South American airline and is visiting your city. You ask him about the importance of airlines in his and other South American countries and what kinds of cargo they carry. (*Chapter 17*)

4. He (She) is one of the students visiting New York for the Student Forum, and expresses his (her) opinions about customs and ideas which are different in this country. (*Chapter 18*)

5. He is a young North American who has just returned from a year of travel in Spanish-speaking countries. You ask him what Spanish Americans are like, and which of their characteristics (***características***) are different from ours. (*Chapter 19*)

6. He is Jimmie, whose Spanish scrapbook was voted the best in the class, and you are a reporter for the school paper and want to write a feature article about it. Ask him what kind of articles (***artículos***) and pictures (***grabados***) he has in his scrapbook, where he got them, and which is his favorite clipping (***recorte***). (*Chapter 20*)

EJERCICIO 2. Poll the class in Spanish, asking which item of Jimmie's scrapbook interested each member most and why. Each person must defend his choice as vigorously as possible, trying to influence the rest to vote his way. (*Chapter 20*)

EJERCICIO 3. Choose a partner and discuss a trip you are going to make by plane. Mention the dinner that will be served aloft (it's a full course meal, even if you do eat it from a tray in your lap), and how long it will take you to get to your destination (at about 300 miles per hour). (*Chapter 17*)

---

[1] NOTE TO THE TEACHER: Ejercicios 1 and 2 review the basic part of Chapters 15 to 20. Ejercicio 3 is based upon material found in A ESCOGER.

2. VAMOS A ESCUCHAR

Listen to the true-false statements your teacher will read to you, and write *sí* or *no* for each one.

(Material for this test is found in the teacher's manual.)

3. VAMOS A ESCRIBIR

EJERCICIO 1. Write a short "article" of at least ten original sentences in Spanish about one of the topics suggested in Ejercicio 1 of VAMOS A PLATICAR on page 479. Keep your sentences simple so you won't make mistakes!

EJERCICIO 2. Write these sentences in Spanish.

1. I should like to ask a man who has one. 2. Pay me whatever you like. 3. There is no friendship that is bad. 4. If only I had a friend like Mrs. López! 5. Perhaps you may find one by next year. 6. Have you a ticket that is good (*válido*) for thirty days? 7. The purse was found when they looked for it along the road last week. 8. In order to make fires, matches are more useful than a couple of sticks (*palos*). 9. Can you teach Spanish better if you speak French? 10. I have been wearing my coat for a month on account of the cold weather. 11. She can swim very well, but she can't teach anyone because she doesn't know how to teach. 12. Tell me if I may visit him now. 13. Perhaps it may be better to come tomorrow. 14. Buy something from that poor little old man. 15. Ask her if we may take off (*quitarse*) our hats.

4. VAMOS A DIVERTIRNOS

Tenía chiquito el pie

Like all the women of Jalisco (Mexico), she was pretty and she had tiny feet. After all, then, she could be forgiven for standing him up!

Why does the singer have to use three subjunctives?

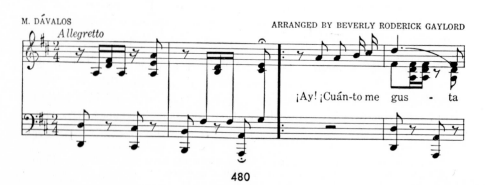

M. DÁVALOS

ARRANGED BY BEVERLY RODERICK GAYLORD

Allegretto

¡Ay! ¡Cuán-to me gus - ta

u - na mu-jer bo - ni - ta........ que sea del - ga - di - ta, y que

ten - ga chi-qui-to el pie! Co-mo u - na que en Ja - lis-co en-con - tré, . . . ¡ay!

É-sa sí que e-ra bo - ni - ta, y te - nía chi-qui-to el pie.

Yo la con - vi - dé . . . que se fue - ra a pa-se-ar con - mi - go. . . . . .

. . . Me di-jo que la es-pe-ra - ra en la es-qui-na de «La ro-ca,» y a - llí me de-

jó, a - brien - do ta - ma - ña bo - ca, ¡ay! ¡Pe-ro-al ca-bo e-ra bo-

ni - ta, y te - nía chi - qui - to el pie! . . . .

¡Ay! ¡Cuánto me gusta una mujer bonita
que sea delgadita, y que tenga chiquito_el pie!
Como_una que en Jalisco_encontré, ¡ay!
Ésa sí que_era bonita, y tenía [1] chiquito_el pie.

Yo la convidé que se fuera_a pasear conmigo.
Me dijo que la_esperara en la_esquina de «La roca»,
y_allí me dejó, abriendo tamaña boca, ¡ay!
¡Pero_al cabo_era bonita, y tenía chiquito_el pie!

Oh my! How (much) I like a pretty woman
Who is slender and who has a tiny foot,
Like one I met in Jalisco, oh my!
That one certainly was pretty, and she had a tiny foot.

I invited her to go for a walk [or ride] with me.
She told me to wait for her on the corner by La Roca,
And there she left me [waiting] with my mouth wide open, oh dear!
But anyway, she was pretty, and she had a tiny foot!

[1] Note that *tenía* has to be pronounced almost like *tenyá* to fit the rhythm of the music.

22 El manso caballo negro

1. PANCHO Y SUS CUATES

La adivina en la fiesta del Círculo Español

ROBERTO (*El presidente*) — ¡Damas y caballeros! Con mucho gusto presento esta noche a la famosa adivina de Hollywood, Madame Zaza, que puede contestar a cualquier pregunta.

PANCHO — ¡Apuesto a que es una de las muchachas, vestida de adivina!

SUSITA — ¡No diga eso, Pancho! ¡Es de Hollywood! Además, todas las muchachas están aquí, y la profesora, también.

> *Entra una señorita rubia con vestido largo y un velo que cubre toda la cara menos los ojos, y se sienta cerca de una mesita.*

PANCHO — (*Silbando.*) ¡Fuí-fuíu! ¡Qué linda!

ROBERTO — ¿Quién quiere hacer una pregunta a Madame Zaza?

TOMÁS — (*Levantando la mano.*) ¿Dónde perdí mi plumafuente?

MADAME ZAZA — Usted ha dejado su plumafuente en un lugar muy tonto, y la hallará si la busca allí.

TODOS — ¡Ja, ja!

ELENA — ¿Saldré bien en mi examen de inglés?

MADAME Z. — Ah, *mais oui*, mademoiselle, será muy fácil . . . con tal que sepa usted contestar a todas las preguntas.

TODOS — ¡Ja, ja!

MARILÚ — ¿Cuánto tiempo tendré que lavar los platos en casa?

MADAME Z. — Mademoiselle, usted tendrá que lavar los platos hasta que no le moleste más, y después de eso, le agradará lavarlos.

TODOS — ¡Ja, ja!

PANCHO — (*A Tomás.*) Me parece que la encantadora Madame Zaza es muy lista. ¡Ojalá me atreviera a preguntarle el número de su teléfono!

> MADAME ZAZA *sigue con las preguntas.*[1] *Después se levanta y dice,* — Bon soir, mesdemoiselles et messieurs, — *y sale del cuarto.*

ROBERTO — *Merci, Madame.*

---

[1] You may add as many foolish questions and clever answers as you wish if you produce this scene for a club program.

Todos aplauden. Luego vuelve MADAME ZAZA, *se quita el
velo y una peluca rubia, — ¡y se ve que es* ALFREDO!

TODOS — ¡Es Alfredo! ¡Ja, ja!

TOMÁS — ¡Qué adivina tan linda, Pancho! ¡Pregúntele el número de su
teléfono! ¡Ja, ja!

> PANCHO *se cubre la cabeza con los brazos
> mientras todos ríen y aplauden.*

PALABRAS NUEVAS   **PALABRAS FRANCESAS**

la adivina	fortune teller	**bon soir, mesdemoiselles et**	buenas noches,
apuesto a que	I'll bet that	**messieurs**	señoritas y señores
la peluca	wig	**merci**	gracias
silbar	to whistle	**mais oui, mademoiselle**	pero sí, señorita
el velo	veil		

PARA PLATICAR

Make a list of five foolish or serious questions which you wish someone
could answer. Exchange questions or draw them from a box and see how
well you can tell fortunes (***decir la buenaventura***) for each other in Spanish.

Or choose one of the class to be Madame Zaza (or Profesor Sábelotodo)
and have her (or him) try to answer a question about the present or future
for each of the others.

2. VAMOS A ESCRIBIR

1. The gentle black horse was magnificent. 2. Laurence could ride him
with only a rope. 3. The horse tried to free himself from the whip with
which he was beaten. 4. When the boy, his heart full of fear, cried out,
"Ouch! Let's go, Blackie!" the horse made a magnificent effort. 5. "Let
him alone!" shouted the farmer (***el estanciero***). "No one can ride that
horse!" 6. The horse struck the man's forehead with his feet, and then
turned around. 7. The farmer's cries had hardly ceased when the gentle
horse left for his home. 8. Come, now! Such a horse is not for sale!
9. Any boy who is too weak can't ride a horse that isn't gentle. 10. A
horse's feet are not the same as (*a*) our feet. 11. Should we stop (***dejar
de***) whispering while we have visitors?

3. VAMOS A JUGAR CON PALABRAS

Here are some colloquial or slang expressions that you will enjoy using
in talking to your friends. Some of them would be used in any Spanish-
speaking country, while others might be popular only in Mexico, since
Spanish slang varies with locality, as American slang differs from British.

Since expressions like these do not go out of style in Spanish as fast as they do in English, they won't "date" you a few years from now. Many colloquial Spanish expressions of twenty-five years ago are just as good as ever, although new ones do keep coming in.

Choose at least five and make it a point to use them before the next class time.

¡Le gané!	I beat you (won)!
¡Ya es hora!	It's about time!
¡No se vale!	It's no fair!
Estamos en paz.	We're even.
¡Yo te arreglaré!	I'll fix you!
¡Consentido!	(Teacher's) pet!
¿Y, pues?	So what?
¡No hay tal!	No such thing!
¡Que sí!	You did (are), too!
¡Que no!	I didn't (am not) either!
¡Ni con mucho!	Not by a long shot!
¡A mí qué!	What's it to me!
¡Así quién no!	Who wouldn't!
¡Como mil flores!	And how!
Me es igual.	It's all the same to me.
No le hace.	It doesn't matter.
Usted, ¿qué piensa?	What do *you* think?
¡Ahora es cuando!	Now's your chance!
¡Ojalá!	Here's hoping!
No tiene chiste.	Nothing to it. (It's a cinch.)
¡Ándale!	Make it snappy!
¡Dices tú!	Says you!
¡Córtelo!	Skip it! Cut it out! (**cortar**, *to cut*)
Estoy bruja. (*Invariable*)	I'm "broke." (*Mex.*)
estilo alemán (*or* americano)	Dutch treat
¡Chile verde!	Hot stuff!
Está curiosita.	She's cute.
Está corto.	He's bashful.
¡Ay, qué piocha! (*Stroke chin.*)	Super! (*Mex.*)
¡Qué milagro!	Fancy meeting you here!
Lo tengo (*or* estoy) hasta aquí. (*Point to neck.*)	I'm fed up.
¡Viva usted mil años!	Good for you!
Me hace pedazos.	It sends me.
Me tiene en el horno (*oven*).	I'm "in the doghouse."
Me toma el pelo (*hair*).	He's kidding me.
Pedro anda con María.	Peter is going steady with Mary.
Me dió calabazas.	He stood me up.
esa cara de limón	that sourpuss
Es cosa del otro mundo.	It's out of this world.
Salúdemela usted.	Tell her hello for me.

23 *La cadena de oro del Titicaca*

1. VAMOS A JUGAR CON PALABRAS

EJERCICIO 1. In a certain hotel in Mexico, you will find a laundry list like the one on page 487. At about eight pesos to the dollar, figure out how much it would cost you to have your week's supply of personal laundry done.

Since in Spanish-speaking countries you find many variations in words for clothing, this list is not exactly like one you would see in any other country. (Here are the new words used on the list, but guess all you can before you look!)

PALABRAS NUEVAS

el algodón	cotton	hacer lavar	to have washed
la bata	robe	la lana	wool
los calzones *or*	shorts	la lavandería (lavar)	laundry
calzoncillos		el lino	linen
la camiseta	undershirt	el pañuelo	handkerchief
el cuello	collar	planchar	to iron (press)
el chaleco	vest	el portabusto	brassiere
las enaguas	underskirts	responder por	to be responsible for
los encajes	laces	la seda	silk
encogerse	to shrink	sírvase	please
la franela	flannel	las tobilleras	bobby socks
la funda	slip	el traje sastre	suit (woman's)

EJERCICIO 2. If you answer these questions you will learn the new words easily.

1. ¿Cuesta más hacer lavar las camisas de seda que las de algodón? 2. ¿Cuál cuesta más: hacer lavar un vestido de señora o un traje de lino de señor? 3. ¿Cuesta más hacer lavar los calcetines o las medias? 4. ¿Lleva usted camisa o blusa? 5. ¿Usa usted pañuelos grandes de seda? 6. ¿Usa usted calcetines, medias, o tobilleras? 7. ¿Tiene cuello un chaleco? 8. ¿Hay encajes en las camisetas de señor? 9. ¿De qué pueden ser las camisas, las blusas, y las fundas? 10. ¿Cuándo se usa una bata? 11. ¿Quiénes llevan traje sastre con blusa? 12. ¿Es de franela una funda? 13. ¿Hace usted lavar o limpiar un traje sastre de franela?

HOTEL IMPERIAL · · · LAVANDERÍA

Cuarto No._____Cantidad $_____ No.____

México,_____ de 19____

Señor_____

No.

LISTA DE SEÑOR

Camisas algodón........	$1.50
Camisas seda o nilón.....	2.50
Camisas franela..........	2.50
Cuellos.................	.30
Camisetas algodón.......	.50
Camisetas lana o seda....	.80
Calzoncillos algodón......	.80
Calzoncillos seda........	1.50
Camisas dormir..........	1.75
Calcetines, par...........	.30
Calcetines seda.........	.60
Pañuelos................	.20
Pañuelos seda chicos.....	.30
Pañuelos seda grandes...	.50
Pijamas algodón.........	2.00
Pijamas lana o seda......	2.50
Corbatas algodón.........	.35
Batas..................	1.75
Chalecos...............	2.00
Traje lino..............	5.00
Planchar traje...........	5.00
Planchar pantalones......	2.00

No.

LISTA DE SEÑORA

Vestidos algodón........	$3.50
Blusas algodón..........	1.00
Blusas seda.............	2.00
Portabustos.............	.75
Camisas seda...........	1.75
Camisas dormir..........	1.75
Camisas dormir seda.....	3.50
Batas..................	3.00
Calzones................	.75
Calzones seda o nilón.....	2.00
Medias algodón..........	.50
Medias seda o nilón......	.75
Enaguas................	1.50
Fundas.................	2.00

LISTA DE NIÑOS

Vestidos...............	1.50
Camisas................	.75
Calzones...............	.50
Camisas dormir..........	.50
Medias o tobilleras.......	.35
Planchar vestido........	5.00
Planchar traje sastre.....	5.00

Sírvase hacer la lista de su ropa, de otra manera tiene usted que aceptar la que hagamos.

No garantizamos el lavado de los encajes y artículos de color.

No respondemos por artículos que se encojan.

Lavado ordinario de ropa se hace en tres o cuatro días.

Lavado especial de ropa se hace en 24 horas.

Toda reclamación deberá hacerse en el momento de recibir la ropa.

2. VAMOS A PLATICAR

Using the words for clothing you find in the laundry list on page 487, make up the following conversations.

EJERCICIO 1. Two students act the parts of a mother and daughter. Daughter (as usual) "hasn't a thing to wear" (*no tengo con que vestirme*), and complains that she absolutely *must* go shopping for a lot of new spring clothes, naming the articles she wants. Mother (as usual), thinking of expenses (*los gastos*), reminds Daughter of the dresses, etc., she now has that are still good, and asks what's the matter with this and that one. (Hint for Daughter: *Worn-out* is *roto; out-of-style* is *pasado de moda*.) The pay-off (as usual) is that Mary Jones, a neighbor, has just gotten all new clothes and of course one must have what the neighbors have!

EJERCICIO 2. Two students discuss Father's Day (*el Día del padre*) and what they plan to get for their Dads, the idea being that if it's something in the line of clothing, they can charge it (*cargar a la cuenta*) until next month at LA MODA ELEGANTE.[1] Therefore they discuss articles Dad has or needs, until they decide what would be best.

3. VAMOS A ESCUCHAR

Listen to the statements your teacher will read to you and write *sí* or *no* for each one.
(*Sentences for listening practice are given in the teacher's manual.*)

4. VAMOS A ESCRIBIR

1. The arrival of the Spaniards destroyed many sacred things of the Incas (*los incas*). 2. A golden chain had belonged to them, but the Spaniards were not satisfied when they could not find it. 3. It was made by the warriors to celebrate (*celebrar*) the birth of the Emperor's son. 4. (The) old Paucar lived on an estate and worked for the boss. 5. He was very fond of (had much affection for) (*a*) the boss's son. 6. His answers did not satisfy the boy, who asked in vain about the sacred things. 7. At last the young man remembered how Paucar used to chew coca (*coca*) and drink *chicha*. 8. He had borrowed a flute (*quena*) and had played it outside of the low room. 9. The warriors fought beside their Emperor, whom they loved. 10. Therefore they sacrificed themselves in the cold lake when they burned their *balsas*. 11. It had been a living chain, not a chain of purest gold. 12. So it is that all still search in vain for the sacred treasure.

---

[1] LA MODA ELEGANTE is really the name of a men's shop in Managua, Nicaragua!

24 *La camisa de Margarita*

1. PANCHO Y SUS CUATES

Así se paga la cuota

En el Círculo Español, antes de abrirse la sesión, la
tesorera, SUSITA, *trata de recoger la cuota de cada socio.*

SUSITA — (*Mirando su lista.*) Mire, Pancho. Todavía debe usted la cuota. ¿Puede usted pagarla ahora? Necesitamos dinero para la fiesta de fin de año.

PANCHO — ¡Huy! Estoy bruja, Susita. A ver si consigo pedirla prestada a alguien. Con permiso.

PANCHO *va a* ALFREDO

PANCHO — (*A* ALFREDO) Oiga, Alfredo. ¿Me hace el favor de prestarme un dólar?

ALFREDO — Hmmm . . . Espéreme. Voy a hablar con Roberto.

ALFREDO *va hacia* ROBERTO *y habla sin que* PANCHO *le oiga.*

ALFREDO — (*En voz baja al oído de* ROBERTO) Roberto, quisiera pedirle un consejo.

ROBERTO — Pues, pídamelo, con toda confianza.

ALFREDO — Es que Pancho quiere pedirme prestado un dólar, y no sé si debo prestárselo o no.

ROBERTO — Pues, présteselo sin la menor duda.

ALFREDO — Entonces, usted cree que Pancho lo devolverá pronto.

ROBERTO — Pues, no he dicho exactamente eso. Pero es que si usted no se lo presta, vendrá a pedírmelo a mí.

ALFREDO — Hmmm.

PANCHO *se les acerca, acompañado de* SUSITA.

PANCHO — ¿Consigo el dólar, Alfredo?

ALFREDO — Ah . . . es que . . . pues . . . siento decirle que tengo toda confianza en usted, pero lo que no tengo es el dólar. Si me hubiera pedido cincuenta centavos, por ejemplo . . .

SUSITA — Pues, Pancho, pídale los cincuenta centavos. Luego será Alfredo el que puede deberle *a usted* los otros cincuenta.

Todos los muchachos ríen, y SUSITA *no sabe por qué.*

PANCHO — ¡Bonita aritmética! ¡Susita es una verdadera amiga mía!

489

PALABRAS NUEVAS

antes de abrirse	before the meeting	estoy bruja *(invariable)*	I'm "broke"
la sesión	comes to order	prestar	to lend
la cuota	dues	la tesorera	treasurer

PARA PLATICAR

Choose a partner and try to borrow from him (or her) a dollar which you know he has, explaining why you need it, why you don't happen to have any money, and how and when you are going to get or earn the money to pay him back.

Your partner obviously doesn't want to lend his only dollar, and explains what he needs it for right now and how he won't be able to get another in time to take care of his obligations. Pretending you're really desperate, find answers for all his excuses and insist that you must have the dollar at once.

Who wins?

2. VAMOS A ESCRIBIR

1. One does not exaggerate when he says that diamonds are very expensive. 2. If we buy only on credit, we will need to inherit a fortune (*fortuna*) in order to pay at last. 3. Those who are sick may sometimes get better without a doctor or a drugstore. 4. Poverty does not make a man satisfied. 5. I swear that smiles are worth more than tears. 6. He wants the bride to have on an expensive dress. 7. Without having asked him, he threatened to borrow the one that belonged to the boss. 8. It's a matter (thing) of good taste not to exaggerate. 9. Why doesn't one wear his hat [on] before the Emperor? 10. No one would be satisfied with our bad taste if we kept (had) our hats on. 11. He swore that he would never consent to that.

3. VAMOS A DIVERTIRNOS

Spanish is full of compound words, often made up of a verb and a noun, like **el paragolpes** (*parar* + *golpes*), *bumper*. Although some of our words are just as amusing — "skyscraper," for instance — it's fun to see how old words have been combined to make new ones. Most Spanish compound words are masculine, regardless of the ending.

What is the meaning of each of these words? [1]

[1] If you just can't guess, the answers are given upside down at the bottom of the next page.

1. el robachicos [1]
2. el hazmerreír
3. los radioescuchas
4. los audiovidentes
   (*from* video)
5. el limpiatodo
6. el paraguas
7. el lavamanos

8. el casamóvil
9. el guardarropa
10. el matamoscas (*Re-member* mosquito?)
11. los anteojos
12. el descansabrazo
13. el parabrisa
14. el limpiaparabrisa

15. el salvavidas
16. el rompeolas
17. el pasatiempo
18. el tocadiscos
19. el cambiadiscos
20. el sobretiempo
21. el altavoz
22. el matagente

CAPÍTULO 25 *El abanico*

---

1. VAMOS A JUGAR CON PALABRAS

Here are some lists of things found in various rooms. Most of them are new words, but it's amazing how many you can guess by noticing familiar parts. For instance, knowing **azúcar,** can't you guess what **la azucarera** is in a list of dining room words? Using the lists as a guide, do the exercises following them.

En la sala

el juego [2] de sala
   el sofá
   los sillones
   la mesa de café
la alfombra [*para el suelo*]
el piano, vertical o de cola

el (aparato de) [3] radio, portátil o de consola
el (aparato de) televisión
las colgaduras [*para las ventanas*] (*from* colgar)
la lámpara con pantalla
las floreras
la pecera

---

[1] *Answers:*

1. kidnapper; 2. clown; 3. radio listeners; 4. televiewers; 5. scouring powder; 6. umbrella; 7. washbowl *or* lavatory; 8. house trailer; 9. locker; 10. fly swatter; 11. eyeglasses; 12. armrest; 13. windshield; 14. windshield wiper; 15. life saver; 16. breakwater; 17. pastime; 18. record player; 19. record changer; 20. overtime; 21. loud-speaker; 22. bus

[2] *El juego* here means *the set* (of dishes, furniture, etc.), and *hacer juego* is *to match* or *form a set.*

[3] *El aparato de,* always understood, explains why we say *el televisión,* which would otherwise be feminine.

En el comedor

el juego [1] de comedor
  la mesa con su mantel y servilletas
  las sillas
  el sillón [*para el padre*]
los cubiertos [*para comer*]
  el cuchillo [*para cortar* (cut)]
  el tenedor [*para comer*]
  la cucharita [*para líquidos*]
  la cuchara [*para servir legumbres, sopa, etc.*]

la vajilla [*para poner la mesa*]
  el plato (llano)
  la taza
  el plato de la taza
  el vaso [*para beber líquidos*]
  el plato postre [2]
  el plato hondo *or* la sopera
  la fuente [*para legumbres*]
  el plato mantequilla [2]
  la cafetera
  la tetera
  la azucarera
  la lechera
  el salero
  el pimentero

En la cocina [donde cocinamos]

el libro de cocina
la olla de presión (olla, *kettle*)
el tostador de maíz
la wafflera

el abrelatas (lata, *tin*)
el linóleo
la hielera [*para cubos de hielo*]
el secador [*de platos*]

la refrigeradora (*sometimes* el refrigerador) de ocho pies cúbicos
la tostadora eléctrica [*para hacer el pan tostado*]
«La máquina de lavar platos que lava, enjuaga (*rinses*) y seca automáticamente, todo en tres minutos» (*Advertisement*)
«La lavadora automática, tan útil y práctica que en poco tiempo se paga por sí (*itself*) sola» (*Advertisement*)

En la recámara

el juego [1] de recámara
  la cama
  la mesa de noche
  la ropa de cama
  el sobrecama (*or* cubrecama)
  el tocador [*donde una mujer se pone el maquillaje*]
  la cómoda [*con cajones* (drawers)]

las lamparitas
el espejo [*para verse*]
«La cosedora Singer, de pedal o con motor y lámpara eléctrica» (coser, *to sew*) (*Advertisement*)

---

[1] *el juego,* set
[2] Grammatically, one would say *plato para postre* or *para mantequilla,* but usage has shortened the forms, especially when they are used in advertisements or lists.

EJERCICIO 1. To prepare for playing some games later, run through the lists to see what the words mean, trying to remember all you can. The hardest ones to guess are: can opener, ice bucket, pressure cooker, tea kettle, fork, teaspoon, knife, set of dishes, popcorn popper, lamp and shade, dressing table, carpet, grand piano, sewing machine, and draperies. (Most of these are from Mexico.) Using the words in brackets as clues, can you decide which are which by eliminating the ones you do know?

EJERCICIO 2. As your teacher gives the English for the new words, skipping around in the lists, try to give the Spanish as fast as possible. You may use your books the first time, but it would be a good idea to practice again without them.

EJERCICIO 3. Use your books for this one at first — if you have time to look! Choose someone to be "It" for a game. He names a Spanish word for something found in a certain room, calls a person's name and starts counting to eight in Spanish. The person named must call out another article found in the same room. For example, if "It" says *la calentadera,* the other person must name a kitchen word because tea kettles are found in kitchens. If he succeeds before the count of eight, then "It" calls on someone else; if he doesn't, he is "It." Keep the game going as fast as you can.

EJERCICIO 4. Now try this variation without using your books. "It" names a room in Spanish, and the other person must name something found in that room. You can't repeat words that have been given once.

2. VAMOS A PLATICAR

EJERCICIO 1. Choose a partner and tell him (her) you are going to move (*mudarse de residencia*). He will want to hear about the new furnished (*amueblada*) house you are going to rent. Tell him which articles are now in each room and which ones you intend to take with you.

Your partner is much interested in colors and asks about various pieces of furniture, so you should plan a good color scheme.

If you do not mention certain pieces of furniture, your partner will inquire about them, and you can explain how you plan to get along without them or when you expect to buy them.

EJERCICIO 2. Choose a partner to play the part of a girl who has just been given a bridal shower (*fiestecita para hacer regalos de boda*). You want to hear what she received from each of her friends. It was a kitchen and dining room shower, so the gifts were dishes, utensils, and small appliances. Unfortunately, there were some duplicates. What were they, and what does she plan to do with the extras? (*To exchange* is *cambiar.*)

EJERCICIO 3. You are a clerk in a furniture store and your partner is a hard-to-please woman customer who is trying to furnish a small house. When she looks at a bedroom set (*juego de recámara*), for instance, she likes the bed but not the dressing table, or vice versa, and you have a terrible time trying to get her to make up her mind. When she criticizes colors, styles (*estilos*), sizes, prices, etc., you defend them.

How much can you get her to buy before you give up?

3. VAMOS A ESCUCHAR

Your teacher will read some true-false statements to you. Listen carefully to each one and write *sí* if it is true, *no* if it is not.

(*Sentences for listening practice are given in the teacher's manual.*)

4. VAMOS A ESCRIBIR

1. Come! No one can help colliding with (the) people in a huge ballroom. 2. Let us show our good judgment [by] repeating the old proverb about the button. 3. If you break your fan in pieces, gather them up and don't be embarrassed. 4. But try not to drop a tray loaded with cups. 5. If a car runs into us and we are hurt (wounded), a serious illness may follow. 6. That thought does not need to prevent us from driving and showing good judgment. 7. At (*En*) the performance at the embassy, the Countess had on a necklace of diamonds with her new dress and carried a feather fan. 8. We were delighted to (*de*) see the huge tray of ice cream(s). 9. The servant was much embarrassed when he collided with the fan which the Countess was displaying. 10. The serious illness of her maid had prevented her from attending a performance of *The Great Waltz* at the Royal Theater. 11. One would be ashamed to abandon a friend in order not to miss a waltz. 12. The huge royal carriage always carried the Emperor to the performances.

1. PANCHO Y SUS CUATES

Susita le enseña algo a Pancho

SUSITA *va caminando por la calle
cuando ve correr a* PANCHO *a lo lejos.*

SUSITA — ¡Allá va Pancho, corriendo, como siempre! No sabe caminar con dignidad, como un caballero. ¡Se apresura para todo!

*Le sigue a la botica de la esquina, donde le alcanza en el
momento de comprar un matafuego a un* DEPENDIENTE.

PANCHO — (*Al* DEPENDIENTE.) Bueno. Llevo este matafuego. (*Da dinero al* DEPENDIENTE.)

SUSITA — (*Llegando.*) ¡Un momentito, Pancho! ¡No se apresure tanto! Hay que hacer las cosas bien.

PANCHO — Pero es que . . .

SUSITA — ¡Oiga! No preguntó si hay otro mejor por unos pesos más.

PANCHO — Pero, Susita, es que . . .

SUSITA — ¡Basta de excusas y prisa!

EL DEPENDIENTE — (*Mostrándoles otro matafuego.*) Éste cuesta muy poco más y es muy superior, señorita.

SUSITA — Bien. Entonces llevamos éste.

EL DEPENDIENTE — ¿Me hace el favor de pagar en la caja?

PANCHO — No es preciso envolverlo . . .

SUSITA — (*A* PANCHO) Si tiene que llevarlas, ¡un caballero siempre lleva las cosas envueltas! ¿No puede esperar dos minutos?

EL DEPENDIENTE — (*Entregándoselo por fin a* PANCHO.) Ya está envuelto, y todo pronto.

SUSITA — (*Los dos caminan por la calle.*) ¡No se apresure tanto! Hay que saber portarse como una persona distinguida. (*Se fija en su casa, a la que se acercan.*) ¡Ay! ¡Esa columna de humo en mi casa!

PANCHO — Eso es lo que le deseaba decir, Susita. Cuando pasé por su casa ví que salía un poco de humo y por eso fuí corriendo a comprar el matafuego. ¡Ahora ya es tarde!

495

PALABRAS NUEVAS

alcanzar	to catch up with	el humo	smoke
en la caja	at the cashier's desk	el matafuego	fire extinguisher
envolver	to wrap		

PARA PLATICAR

Choose a partner to act out this conversation with you.

One of you will pretend to be Big Sister, a senior, and the other will be Brother, a freshman. Brother is going to have the car Saturday night to take his first date to a dance, and Sister decides he should have some coaching on matters of proper behavior.

Things they discuss are: (1) When he should go for his date; (2) if he should get a corsage and how he would know what kind she would like; (3) if she will expect something to eat after the dance; (4) at about what time he should take her home, etc.

Other things Sister may suggest are: (1) not to honk (*tocar la bocina*) outside for her, but to go to the door; (2) to open doors for her and let her go through (*pasar*) first; (3) to help her put on her coat, and (4) not to hurry, but to behave calmly like a gentleman.

Do you have any other helpful hints to add?

2. VAMOS A ESCRIBIR

1. It would not be safe to deal with thieves. 2. If someone is about to deceive you, he is not loyal. 3. Don't cross any bridges before you come to (arrive at) them. 4. Barbers don't talk to themselves, but to their customers. 5. Serious quarrels wound the soul, therefore we should be ashamed to quarrel (*reñir*). 6. If kettles always had double bottoms, we could break one and one would still remain. 7. Either make an effort to (*para*) speak carefully and courteously or keep quiet. 8. I will be delighted to (*de*) attend the performance if I can get my best suit cleaned in time. 9. He was embarrassed and got very red when he dropped the huge tray. 10. Neither sickness nor poverty can conquer a great love.

3. VAMOS A DIVERTIRNOS

Like English, many Spanish words have two completely different meanings, sometimes quite amusing in their origin. Here are some familiar words and a list of their new meanings. Using your imagination, can you guess how these came to be?

1. los perritos, *snapdragons*
2. la boquilla, *mouthpiece*
3. el matafuego, *fire extinguisher*
4. ¡Ojo! *Notice!*

5. las esposas, *handcuffs*
6. un siete, *a rip or tear*
7. los pajaritos, *flying fish*
8. el gallinero (*henhouse*), *ladies' sewing circle*
9. el *or* la sinvergüenza, *a parasitic plant*
10. la carpintería, *lumber yard*
11. la mordida (*bite*), *graft*

12. la caja, *safe*
13. el blanco, *target*
14. con tiempo artificial, *air-conditioned*
15. la bolsa negra, *black market*
16. un seguro, *safety pin* or *life insurance*
17. el tío vivo, *merry-go-round*
18. el espérate, *thorny bush*

CAPÍTULO 27 *Por una docena de huevos duros*

---

1. VAMOS A JUGAR CON PALABRAS

When you go to photogenic Mexico or Cuba or Puerto Rico, be sure to take along your camera to get some reminders of all the interesting places you see. Since you'll want to have your films developed and printed there rather than wait until you get home, you should learn the photographer's vocabulary so you can order what you want.

EJERCICIO 1. *Look over this list of easy words and expressions and decide what the new ones must mean. Then translate the photographers' advertisements given at the top of page 498.*

la casa del fotógrafo
la cámara de cajón
la cámara cándida
la cámara de cine
el rollo de películas de número 120
el rollo de veinte exposiciones
las películas de 35 milímetros
las películas a colores
las películas de cine
la copia (impresión) brillante
la copia (impresión) mate
el medidor de luz (*medir* = *to measure*)

la instantánea
el retrato (*from* retratar)
el negativo
la ampliación (así) [1]
sacar fotografías (a)
revelar (*Think of "reveal."*)
retratar
imprimir (*past participle* impreso)
ampliar (*Think of "amplify."*)
componer la cámara
salir bien (mal)

[1] *así, about this big.* Since you'll be thinking in inches and the clerk in centimeters, you'll never get together without a little gesticulating. Use your hands — they can say a lot!

1. «El revelado e impresión de los rollos que entrega usted ahora estarán listos a la hora y día arriba (*above*) indicados.» (*Mexico*)

2. «Revelamos en el día.» (*Cuba*)

3. «Pídanos prestada una cámara cándida, tan económica como fácil de manejar.» (*Cuba*)

4. «Su cámara dirá las bellezas de la tierra.» (*Mexico*)

EJERCICIO 2. *To check yourself on the word list and prepare for future conversations, try these expressions.*

1. Give me two rolls of 35 mm. film, please. 2. I want five prints each, dull finish. 3. Make enlargements from these two negatives, about this big. 4. May I borrow a box camera for today? 5. Do you have movie film in color? 6. Do you have 35 mm. film in color? 7. Have you rolls with (*de*) thirty-six exposures? 8. Develop these films but don't print any copies (*or* make any prints). 9. Can you fix my camera? 10. When will it be ready? 11. You take good snapshots. 12. I took your picture but it didn't turn out well.

2. VAMOS A PLATICAR

EJERCICIO 1. Choose a partner to be the clerk at the photographer's. You are a camera fan and have quite a complicated order to place for developing and printing, as well as enlarging certain other films already developed. You also want a lot more films for your camera, and you may be interested in buying a light meter if they aren't too expensive.

Or perhaps your camera is out of order (**descompuesto**) and you want the photographer to repair (**componer**) it as soon as he can. Perhaps he will suggest that you borrow one to use while he is fixing yours.

How do you get along with your arrangements, and when will you be able to go back for your order?

EJERCICIO 2. Or try this one. Two of you are candid camera fans and discuss what kind of cameras you have and would like to have later on, what kind of film (colored or black and white) you use, and whether you have your films developed and printed at the photographer's or do the work yourself. Do you make your own enlargements, and have you gotten any interesting candid snaps of the family lately?

3. VAMOS A ESCRIBIR

1. The poor man thought it was worth while to try his luck. 2. The grandmother was boiling some water, so she put in a few eggs to cook them. 3. The man was so grateful for the hard-boiled eggs that he stopped there about ten years later. 4. The grandmother was deaf and did not remem-

ber him, but she asked questions. 5. He offered to let her keep a few loads of silver. 6. She put the donkeys in the pen and locked the gate (door), but he didn't knock it down. 7. The lawyer had a (*la*) very red nose when he appeared before the judge for the first time. 8. He told the judge he had to cook some seeds before planting them. 9. Therefore the judge, who was in a bad humor, thought he was making fun of him. 10. "Tell that to your grandmother!" shouted the judge, and struck the table. 11. "Shame on you!" said the old woman. "The eggs were hard-boiled." 12. The lawyer earned a load of silver and went away very grateful.

4. VAMOS A DIVERTIRNOS

These words are Spanish-American adaptations of ours, showing the North American influence in other countries. Can you guess them all?

BASEBALL TERMS: un teic-yur-beis, el ompayer, un jonrón, llegar a jom, aut, estraic, tim, estraic-aut (*also called* pónchaut), un jit, llegar seif a primera, robar una base, un doble play, el pícher, el cácher, el escor, el jardinero (*in the "garden" or field*)

AUTOMOBILE: el espidómetro, el cloch, los breques, el carburador, una troca, un cupé, un club convertible, checar la batería

FOODS: el biftec (bife *in Argentina*), el mosh (*breakfast food*), el sanguich, los panqueques (*Chile*), el lonche, las donas

MISCELLANEOUS: Popeye el Marino, el mitín, el líder, flirtear, foxtrotear, el saisín (*trip for tourists*), los tiquetes, el eswich (*for electric lights*), el ménager de hotel, místeres (*Colombian name for North Americans*), aló (*telephone*), el tencen (*a store*), el bulevar, blofear (*when you don't know the answer!*)

CAPÍTULO **28** *¿Cuánto sabe usted?*

---

1. VAMOS A PLATICAR [1]

EJERCICIO 1. Choose a partner and one of the following situations and work out an entertaining dialogue to give before the class.

1. One of you is a reporter and interviews the other, who is a famous young cowboy (*vaquero*) movie star with a very intelligent horse. The re-

[1] Ejercicio 1 reviews the basic part of Chapters 22 to 27. Ejercicio 2 is based upon material presented in A ESCOGER.

porter wants to write an article about the horse, and asks the star where and when he got it, how he taught it (it all happened when both horse and owner were very young), and what clever things the horse has done recently. (*Chapter 22*)

2. One of the partners is a reporter interviewing a well-known treasure hunter who is preparing for an expedition (**expedición**) to look for the famous golden chain of the Incas. The treasure hunter tells about the legend and why he believes the chain is in a certain spot, what its value is, what it probably looks like, and how he expects to find it. (*Chapter 23*)

3. One of the partners is a polite gentleman who meets Sra. Dolores de Cabeza on the street and makes the mistake of asking her how she is. The lady promptly goes into an enthusiastic description of her latest pains (**dolores**) here and there, telling how sick the doctor says she is and how much medicine she is taking now — you know! The gentleman has a terrible time trying to get away from her; finally he looks at his watch, says he has an appointment (**cita**), and manages to escape. (*Chapter 24*)

4. One is a young lady who has just received a beautiful purse from her father for her birthday, and her girl friend is admiring it and asking questions about how she happened to get it. Perhaps it was a reward for practicing her music lessons well, or for getting good grades in school. Will her friend have nerve enough to ask to borrow it for a party? (*Chapter 25*)

5. You are an **olla** vendor of old Peru, walking down a street in a residential section of town with a crate of clay **ollas** on your back and crying your wares. A housewife comes out with a broken one she bought last week and wants to exchange it for a new one, and it's up to you to explain why that can't be done, without losing her future trade. Do you part friends, or does she get angry? (*Chapter 26*)

6. You are a miner of Chile returning home after making your fortune in a silver mine. You tell your wife — who of course asks questions — about an old man who gave you a dozen boiled eggs on the way to the mine, how you planned to reward him, and what happened then. Your wife expresses her opinion of the old man. (*Chapter 27*)

EJERCICIO 2. Choose a partner and plan one of the following situations to discuss before the class.

1. You are a fortune teller reading the palm of a customer who asks a lot of questions about his (her) past, present, and future. Some questions you can answer, others you cannot, so you dodge neatly to make the customer think he received an answer. (*Chapter 22*)

2. You and a friend are looking at a big mail-order catalog (**el catálogo**) and discussing what clothes you would like to order (**pedir por correo**) if you had a hundred dollars each and could spend it all on new clothes. Discuss

quite a few articles, — their styles, colors, and prices, until you have "spent" all your money. (*Chapter 23*)

3. Pretend you are treasurer of the *Círculo Español* and the teacher has given you five minutes of class time to collect as many club dues as possible from members in the room. Ask as many people as you can and see what kind of excuses each one can give you for not paying just now. (*Chapter 24*)

4. Your partner is little sister and you are explaining to her how to set the dinner table nicely: what to put at each place, on which side of the plate each piece of silver belongs, and so on. Little sister asks why the knives should be on the right, etc., and you must convince her that there is a reason for everything. (*Chapter 25*)

5. Two boys discuss their last dance or party dates: where they took the girls, how they went, where they went for a sandwich or a soft drink (**un refresco**) after the affair, whether they had to buy corsages, and whether they think the girls enjoyed the evening or not. (*Chapter 26*)

6. You are the president of *El Club Foto* of the school, and discuss club rules with a student who has asked how one gets to be a member. Among other things, you tell him that those in the club must use a certain type of camera and film, and can't have their work done at a photographer's, but must develop, print, and enlarge the pictures themselves. The prospective member asks if there are contests (**concursos**) for photos, and what the prizes are. (*Chapter 27*)

2. VAMOS A ESCUCHAR

Listen to the true-false statements your teacher will read to you, and write **sí** or **no** for each one.

(*Material for this test is found in the teacher's manual.*)

3. VAMOS A ESCRIBIR

EJERCICIO 1. Write a dialogue of ten or more sentences, based on one of the situations described in Exercise 1 of VAMOS A PLATICAR on pages 499-500. See if you can manage not to make any careless errors.

EJERCICIO 2.   Write these sentences in Spanish.

1. The servant didn't want to keep the kettle that was broken. 2. Have you seen them make clay kettles? 3. Those who exaggerate don't always satisfy us with their stories. 4. The battle was won by the Spaniards at last.   5. The famous sentence of San Martín was the thought of a loyal patriot. 6. I would like to have seen a fan like that one. 7. That big man is very kind to (**para con**) little animals. 8. Get lost, little boy! 9. When

you get to be a teacher, you will understand.   10. Get me a little gold chain when you get to the jewelry store (*la joyería*).   11. Frequently seeds are planted after a rain.   12. Don't take the cups out of the box unless you take care not to break them.   13. Take her with you, but tell her to take her medicine (*medicina*).

4. VAMOS A DIVERTIRNOS

Las alteñitas

The girls from Tepatitlán (Aztec for Place of the Night-shade), in the highlands of Jalisco, Mexico, are as pretty as a sunrise, or so the song says. "Tepa" is a little village east of Guadalajara where tourists don't stop as they pass through by bus or car — but maybe they're missing one of the sights!

J. J. ESPINOSA

Va - mos a Te - pa,   tie - rra so - ña - da,   don - de la vi - da es un pri - mor....... A - llá me es-pe-ra mi cha - pe - tea - da,   la ú - ni - ca due - ña de mi a-

mor. . . . . Es tan bo - ni -ta, mi cha-pa - rri-ta, que cuan-do

va al tem - plo a re - zar,. . . . . to-dos la lla - man . . . . . . la vir-gen-

Coro: gliss.

ci - ta . . . . . . de la bo-qui-ta de co - ral. ¡Qué

lin-das las ma - ña - nas cuan-do sa - le el sol! A-

gliss.

sí son las al - te - ñas de es-te al - re - de - dor. A-

gliss.

le-gres y bo - ni - tas ca - si siem-pre_es - tán, las

lin-das al - te - ñi - tas de Te - pa - ti - tlán. tlán.

Vamos a Tepa, tierra soñada,	Let's go to Tepa, dreamed-of land,
donde la vida_es un primor.	Where life is a joy.
Allá me_espera mi chapeteada,	There my rosy-cheeked one waits for me,
la_única dueña de mi_amor.	The only owner of my love.
Es tan bonita, mi chaparrita,	She is so pretty, my little short one,
que cuando va_al templo_a rezar,	That when she goes to church to pray,
todos la llaman la virgencita	Everyone calls her the little maid
de la boquita de coral.	With the little coral mouth.

Coro:

> ¡Qué lindas las mañanas cuando sale_el sol!
> Así son las alteñas de_este_alrededor.
> Alegres y bonitas casi siempre_están,
> las lindas alteñitas de Tepatitlán.

Chorus:

> How pretty are the mornings when the sun comes up!
> That's the way the highland girls are around here.
> Merry and pretty they almost always are,
> The pretty little highland girls of Tepatitlán.

Appendix

Verb Appendix

50. Regular Verbs

	FIRST CONJUGATION	SECOND CONJUGATION	THIRD CONJUGATION
INDICATIVE MOOD			
INFINITIVE	hablar *to speak*	aprender *to learn*	vivir *to live*
PRESENT PARTICIPLE	hablando *speaking*	aprendiendo *learning*	viviendo *living*
PAST PARTICIPLE	hablado *spoken*	aprendido *learned*	vivido *lived*
PRESENT INDICATIVE	*I speak, am speaking,* *do speak* hablo hablas habla hablamos habláis hablan	*I learn, am learning,* *do learn* aprendo aprendes aprende aprendemos aprendéis aprenden	*I live, am living,* *do live* vivo vives vive vivimos vivís viven
IMPERFECT INDICATIVE	*I was speaking, used* *to speak, spoke* hablaba hablabas hablaba hablábamos hablabais hablaban	*I was learning, used* *to learn, learned* aprendía aprendías aprendía aprendíamos aprendíais aprendían	*I was living, used* *to live, lived* vivía vivías vivía vivíamos vivíais vivían
PRETERITE INDICATIVE	*I spoke, did speak* hablé hablaste habló hablamos hablasteis hablaron	*I learned, did learn* aprendí aprendiste aprendió aprendimos aprendisteis aprendieron	*I lived, did live* viví viviste vivió vivimos vivisteis vivieron

	FIRST CONJUGATION	SECOND CONJUGATION	THIRD CONJUGATION
FUTURE INDICATIVE	*I shall speak, I will speak* hablaré hablarás hablará hablaremos hablaréis hablarán	*I shall learn, I will learn* aprenderé aprenderás aprenderá aprenderemos aprenderéis aprenderán	*I shall live, I will live* viviré vivirás vivirá viviremos viviréis vivirán
CONDITIONAL INDICATIVE	*I would speak, I should speak* hablaría hablarías hablaría hablaríamos hablaríais hablarían	*I would learn, I should learn* aprendería aprenderías aprendería aprenderíamos aprenderíais aprenderían	*I would live, I should live* viviría vivirías viviría viviríamos viviríais vivirían
PRESENT PERFECT INDICATIVE	*I have spoken* he hablado has hablado ha hablado hemos hablado habéis hablado han hablado	*I have learned* he aprendido has aprendido ha aprendido hemos aprendido habéis aprendido han aprendido	*I have lived* he vivido has vivido ha vivido hemos vivido habéis vivido han vivido
PAST PERFECT INDICATIVE	*I had spoken* había hablado habías hablado había hablado habíamos hablado habíais hablado habían hablado	*I had learned* había aprendido habías aprendido había aprendido habíamos aprendido habíais aprendido habían aprendido	*I had lived* había vivido habías vivido había vivido habíamos vivido habíais vivido habían vivido
FUTURE PERFECT INDICATIVE	*I shall have spoken* habré hablado habrás hablado habrá hablado habremos hablado habréis hablado habrán hablado	*I shall have learned* habré aprendido habrás aprendido habrá aprendido habremos aprendido habréis aprendido habrán aprendido	*I shall have lived* habré vivido habrás vivido habrá vivido habremos vivido habréis vivido habrán vivido
CONDITIONAL PERFECT INDICATIVE	*I would (should) have spoken* habría hablado habrías hablado habría hablado habríamos hablado habríais hablado habrían hablado	*I would (should) have learned* habría aprendido habrías aprendido habría aprendido habríamos aprendido habríais aprendido habrían aprendido	*I would (should) have lived* habría vivido habrías vivido habría vivido habríamos vivido habríais vivido habrían vivido

	FIRST CONJUGATION	SECOND CONJUGATION	THIRD CONJUGATION
IMPERATIVE MOOD (Commands)			
FAMILIAR COMMANDS, AFFIRMATIVE	*Speak!* habla tú hablad vosotros [1]	*Learn!* aprende tú aprended vosotros	*Live!* vive tú vivid vosotros
FAMILIAR COMMANDS, NEGATIVE	*Don't speak!* no hables no habléis	*Don't learn!* no aprendas no aprendáis	*Don't live!* no vivas no viváis
FORMAL COMMANDS	*Speak!* hable usted hablen ustedes	*Learn!* aprenda usted aprendan ustedes	*Live!* viva usted vivan ustedes
SUBJUNCTIVE MOOD			
PRESENT SUBJUNCTIVE	*(that) I (may) speak* (que) (yo) hable hables hable hablemos habléis hablen	*(that) I (may) learn* (que) (yo) aprenda aprendas aprenda aprendamos aprendáis aprendan	*(that) I (may) live* (que) (yo) viva vivas viva vivamos viváis vivan
PAST SUBJUNCTIVE (*–ra* form)	*(that) I (might) speak* (que) (yo) hablara hablaras hablara habláramos hablarais hablaran	*(that) I (might) learn* (que) (yo) aprendiera aprendieras aprendiera aprendiéramos aprendierais aprendieran	*(that) I (might) live* (que) (yo) viviera vivieras viviera viviéramos vivierais vivieran
PAST SUBJUNCTIVE (*–se* form) [2]	*(that) I (might) speak* (que) (yo) hablase hablases hablase hablásemos hablaseis hablasen	*(that) I (might) learn* (que) (yo) aprendiese aprendieses aprendiese aprendiésemos aprendieseis aprendiesen	*(that) I (might) live* (que) (yo) viviese vivieses viviese viviésemos vivieseis viviesen

[1] In Spanish America the plural formal command is commonly used instead of the plural familiar form.

[2] The future subjunctive (very rare) is like this form except that it substitutes *r* for *s* throughout: *hablare,* etc.   You will not need to use it in this book.

	FIRST CONJUGATION	SECOND CONJUGATION	THIRD CONJUGATION
PRESENT PERFECT SUBJUNCTIVE	*(that) I (may) have spoken* haya hablado hayas hablado haya hablado hayamos hablado hayáis hablado hayan hablado	*(that) I (may) have learned* haya aprendido hayas aprendido haya aprendido hayamos aprendido hayáis aprendido hayan aprendido	*(that) I (may) have lived* haya vivido hayas vivido haya vivido hayamos vivido hayáis vivido hayan vivido
PAST PERFECT SUBJUNCTIVE	*(that) I (might) have spoken* hubiera (–se) hablado hubieras hablado hubiera hablado hubiéramos hablado hubierais hablado hubieran hablado	*(that) I (might) have learned* hubiera (–se) aprendido hubieras aprendido hubiera aprendido hubiéramos aprendido hubierais aprendido hubieran aprendido	*(that) I (might) have lived* hubiera (–se) vivido hubieras vivido hubiera vivido hubiéramos vivido hubierais vivido hubieran vivido

Irregular Verbs

Note: Only the irregular tenses are given here; tenses not given are regular. The future subjunctive is not included, and only the –ra past subjunctive form is given. (Similar verbs used in this book are listed at the end of each section.)

51. andar to walk
PRETERITE: anduve, anduviste, anduvo; anduvimos, anduvisteis, anduvieron
PAST SUBJUNCTIVE: anduviera (–se), anduvieras, anduviera; anduviéramos, anduvierais, anduvieran

52. caber to be room for, to fit into
PRESENT: quepo, cabes, cabe; cabemos, cabéis, caben
PRETERITE: cupe, cupiste, cupo; cupimos, cupisteis, cupieron
FUTURE: cabré, cabrás, cabrá; cabremos, cabréis, cabrán
CONDITIONAL: cabría, cabrías, cabría; cabríamos, cabríais, cabrían
PRESENT SUBJUNCTIVE: quepa, quepas, quepa; quepamos, quepáis, quepan
PAST SUBJUNCTIVE: cupiera (–se), cupieras, cupiera; cupiéramos, cupierais, cupieran
FORMAL COMMANDS: quepa usted, quepan ustedes

53. caer to fall
PRESENT PARTICIPLE: cayendo
PAST PARTICIPLE: caído
PRESENT: caigo, caes, cae; caemos, caéis, caen
PRETERITE: caí, caíste, cayó; caímos, caísteis, cayeron
PRESENT SUBJUNCTIVE: caiga, caigas, caiga; caigamos, caigáis, caigan
PAST SUBJUNCTIVE: cayera (–se), cayeras, cayera; cayéramos, cayerais, cayeran
FORMAL COMMANDS: caiga usted, caigan ustedes

54. dar   to give

PRESENT: doy, das, da; damos, dais, dan
PRETERITE: dí, diste, dió; dimos, disteis, dieron
PRESENT SUBJUNCTIVE: dé, des, dé; demos, deis, den
PAST SUBJUNCTIVE: diera (–se), dieras, diera; diéramos, dierais, dieran
FORMAL COMMANDS: dé usted, den ustedes

55. decir   to tell, to say

PRESENT PARTICIPLE: diciendo
PAST PARTICIPLE: dicho
PRESENT: digo, dices, dice; decimos, decís, dicen
PRETERITE: dije, dijiste, dijo; dijimos, dijisteis, dijeron
FUTURE: diré, dirás, dirá; diremos, diréis, dirán
CONDITIONAL: diría, dirías, diría; diríamos, diríais, dirían
PRESENT SUBJUNCTIVE: diga, digas, diga; digamos, digáis, digan
PAST SUBJUNCTIVE: dijera (–se), dijeras, dijera; dijéramos, dijerais, dijeran
FAMILIAR SINGULAR COMMAND: di tú
FORMAL COMMANDS: diga usted, digan ustedes

56. estar   to be

PRESENT: estoy, estás, está; estamos, estáis, están
PRETERITE: estuve, estuviste, estuvo; estuvimos, estuvisteis, estuvieron
PRESENT SUBJUNCTIVE: esté, estés, esté; estemos, estéis, estén
PAST SUBJUNCTIVE: estuviera (–se), estuvieras, estuviera; estuviéramos, estu-
                  vierais, estuvieran
FORMAL COMMANDS: esté usted, estén ustedes

57. haber   to have   (*auxiliary verb*)

PRESENT: he, has, ha; hemos, habéis, han
PRETERITE: hube, hubiste, hubo; hubimos, hubisteis, hubieron
FUTURE: habré, habrás, habrá; habremos, habréis, habrán
CONDITIONAL: habría, habrías, habría; habríamos, habríais, habrían
PRESENT SUBJUNCTIVE: haya, hayas, haya; hayamos, hayáis, hayan
PAST SUBJUNCTIVE: hubiera (–se), hubieras, hubiera; hubiéramos, hubierais,
                  hubieran

58. hacer   to do, to make

PAST PARTICIPLE: hecho
PRESENT: hago, haces, hace; hacemos, hacéis, hacen
PRETERITE: hice, hiciste, hizo; hicimos, hicisteis, hicieron
FUTURE: haré, harás, hará; haremos, haréis, harán
CONDITIONAL: haría, harías, haría; haríamos, haríais, harían
PRESENT SUBJUNCTIVE: haga, hagas, haga; hagamos, hagáis, hagan
PAST SUBJUNCTIVE: hiciera (–se), hicieras, hiciera; hiciéramos, hicierais, hicieran
FAMILIAR SINGULAR COMMAND: haz tú
FORMAL COMMANDS: haga usted, hagan ustedes

59. ir   to go

PRESENT PARTICIPLE: yendo
PRESENT: voy, vas, va; vamos, vais, van
IMPERFECT: iba, ibas, iba; íbamos, ibais, iban
PRETERITE: fuí, fuiste, fué; fuimos, fuisteis, fueron
PRESENT SUBJUNCTIVE: vaya, vayas, vaya; vayamos, vayáis, vayan
PAST SUBJUNCTIVE: fuera (–se), fueras, fuera; fuéramos, fuerais, fueran
FAMILIAR SINGULAR COMMAND: ve tú
FORMAL COMMANDS: vaya usted, vayan ustedes

60. oír   to hear, to listen to

PRESENT PARTICIPLE: oyendo
PAST PARTICIPLE: oído
PRESENT: oigo, oyes, oye; oímos, oís, oyen
PRETERITE: oí, oíste, oyó; oímos, oísteis, oyeron
PRESENT SUBJUNCTIVE: oiga, oigas, oiga; oigamos, oigáis, oigan
PAST SUBJUNCTIVE: oyera (–se), oyeras, oyera; oyéramos, oyerais, oyeran
FORMAL COMMANDS: oiga usted, oigan ustedes

61. poder (ue, u)   to be able, can

PRESENT PARTICIPLE: pudiendo
PRESENT: puedo, puedes, puede; podemos, podéis, pueden
PRETERITE: pude, pudiste, pudo; pudimos, pudisteis, pudieron
FUTURE: podré, podrás, podrá; podremos, podréis, podrán
CONDITIONAL: podría, podrías, podría; podríamos, podríais, podrían
PRESENT SUBJUNCTIVE: pueda, puedas, pueda; podamos, podáis, puedan
PAST SUBJUNCTIVE: pudiera (–se), pudieras, pudiera; pudiéramos, pudierais,
            pudieran

62. poner   to put, to place

PAST PARTICIPLE: puesto
PRESENT: pongo, pones, pone; ponemos, ponéis, ponen
PRETERITE: puse, pusiste, puso; pusimos, pusisteis, pusieron
FUTURE: pondré, pondrás, pondrá; pondremos, pondréis, pondrán
CONDITIONAL: pondría, pondrías, pondría; pondríamos, pondríais, pondrían
PRESENT SUBJUNCTIVE: ponga, pongas, ponga; pongamos, pongáis, pongan
PAST SUBJUNCTIVE: pusiera (–se), pusieras, pusiera; pusiéramos, pusierais, pu-
            siera n
FAMILIAR SINGULAR COMMAND: pon tú
FORMAL COMMANDS: ponga usted, pongan ustedes
      Another verb conjugated like poner *is* proponer.

63. querer (ie)   to wish, to want; *(with a)* to love

PRESENT: quiero, quieres, quiere; queremos, queréis, quieren
PRETERITE: quise, quisiste, quiso; quisimos, quisisteis, quisieron
FUTURE: querré, querrás, querrá; querremos, querréis, querrán
CONDITIONAL: querría, querrías, querría; querríamos, querríais, querrían
PRESENT SUBJUNCTIVE: quiera, quieras, quiera; queramos, queráis, quieran
PAST SUBJUNCTIVE: quisiera (–se), quisieras, quisiera; quisiéramos, quisierais,
            quisieran
FORMAL COMMANDS: quiera usted, quieran ustedes

64. reír (i, i)   to laugh
PRESENT PARTICIPLE:·riendo
PAST PARTICIPLE: reído
PRESENT: río, ríes, ríe; reímos, reís, ríen
PRETERITE: reí, reíste, rió; reímos, reísteis, rieron
PRESENT SUBJUNCTIVE: ría, rías, ría; riamos, riáis, rían
PAST SUBJUNCTIVE: riera (–se), rieras, riera; riéramos, rierais, rieran
FORMAL COMMANDS: ría usted, rían ustedes
  Another verb conjugated like reír *is* sonreír.

65. saber   to know, to know how to
PRESENT: sé, sabes, sabe; sabemos, sabéis, saben
PRETERITE: supe, supiste, supo; supimos, supisteis, supieron
FUTURE: sabré, sabrás, sabrá; sabremos, sabréis, sabrán
CONDITIONAL: sabría, sabrías, sabría; sabríamos, sabríais, sabrían
PRESENT SUBJUNCTIVE: sepa, sepas, sepa; sepamos, sepáis, sepan
PAST SUBJUNCTIVE: supiera (–se), supieras, supiera; supiéramos, supierais, su-
               pieran
FORMAL COMMANDS: sepa usted, sepan ustedes

66. salir   to leave, to go out
PRESENT: salgo, sales, sale; salimos, salís, salen
FUTURE: saldré, saldrás, saldrá; saldremos, saldréis, saldrán
CONDITIONAL: saldría, saldrías, saldría; saldríamos, saldríais, saldrían
PRESENT SUBJUNCTIVE: salga, salgas, salga; salgamos, salgáis, salgan
FAMILIAR SINGULAR COMMAND: sal tú
FORMAL COMMANDS: salga usted, salgan ustedes

67. satisfacer   to satisfy
PAST PARTICIPLE: satisfecho
PRESENT: satisfago, satisfaces, satisface; satisfacemos, satisfacéis, satisfacen
PRETERITE: satisfice, satisficiste, satisfizo; satisficimos, satisficisteis, satisficieron
FUTURE: satisfaré, satisfarás, satisfará; satisfaremos, satisfaréis, satisfarán
CONDITIONAL: satisfaría, satisfarías, satisfaría; satisfaríamos, satisfaríais, satis-
               farían
PRESENT SUBJUNCTIVE: satisfaga, satisfagas, satisfaga; satisfagamos, satis-
               fagáis, satisfagan
PAST SUBJUNCTIVE: satisficiera (–se), satisficieras, satisficiera; satisficiéramos,
               satisficierais, satisficieran
FAMILIAR SINGULAR COMMAND: satisfaz (*or* satisface) tú
FORMAL COMMANDS: satisfaga usted, satisfagan ustedes

68. seguir (i, i)   to follow, to continue
PRESENT PARTICIPLE: siguiendo
PRESENT: sigo, sigues, sigue; seguimos, seguís, siguen
PRETERITE: seguí, seguiste, siguió; seguimos, seguisteis, siguieron
PRESENT SUBJUNCTIVE: siga, sigas, siga; sigamos, sigáis, sigan
PAST SUBJUNCTIVE: siguiera (–se), siguieras, siguiera; siguiéramos, siguierais,
               siguieran
FORMAL COMMANDS: siga usted, sigan ustedes
  Another verb conjugated like seguir *is* conseguir.

69. ser to be

PRESENT: soy, eres, es; somos, sois, son
IMPERFECT: era, eras, era; éramos, erais, eran
PRETERITE: fuí, fuiste, fué; fuimos, fuisteis, fueron
PRESENT SUBJUNCTIVE: sea, seas, sea; seamos, seáis, sean
PAST SUBJUNCTIVE: fuera (–se), fueras, fuera; fuéramos, fuerais, fueran
FAMILIAR SINGULAR COMMAND: sé tú
FORMAL COMMANDS: sea usted, sean ustedes

70. tener to have

PRESENT: tengo, tienes, tiene; tenemos, tenéis, tienen
PRETERITE: tuve, tuviste, tuvo; tuvimos, tuvisteis, tuvieron
FUTURE: tendré, tendrás, tendrá; tendremos, tendréis, tendrán
CONDITIONAL: tendría, tendrías, tendría; tendríamos, tendríais, tendrían
PRESENT SUBJUNCTIVE: tenga, tengas, tenga; tengamos, tengáis, tengan
PAST SUBJUNCTIVE: tuviera (–se), tuvieras, tuviera; tuviéramos, tuvierais, tu-
                  vieran
FAMILIAR SINGULAR COMMAND: ten tú
FORMAL COMMANDS: tenga usted, tengan ustedes
  Other verbs conjugated like tener *are* contener, detener *and* obtener.

71. traducir to translate

PRESENT: traduzco, traduces, traduce; traducimos, traducís, traducen
PRETERITE: traduje, tradujiste, tradujo; tradujimos, tradujisteis, tradujeron
PRESENT SUBJUNCTIVE: traduzca, traduzcas, traduzca; traduzcamos, traduzcáis,
                     traduzcan
PAST SUBJUNCTIVE: tradujera (–se), tradujeras, tradujera; tradujéramos, tradu-
                  jerais, tradujeran
FORMAL COMMANDS: traduzca usted, traduzcan ustedes

72. traer to bring

PRESENT PARTICIPLE: trayendo
PAST PARTICIPLE: traído
PRESENT: traigo, traes, trae; traemos, traéis, traen
PRETERITE: traje, trajiste, trajo; trajimos, trajisteis, trajeron
PRESENT SUBJUNCTIVE: traiga, traigas, traiga; traigamos, traigáis, traigan
PAST SUBJUNCTIVE: trajera (–se), trajeras, trajera; trajéramos, trajerais, tra-
                  jeran
FORMAL COMMANDS: traiga usted, traigan ustedes

73. valer to be worth

PRESENT: valgo, vales, vale; valemos, valéis, valen
FUTURE: valdré, valdrás, valdrá; valdremos, valdréis, valdrán
CONDITIONAL: valdría, valdrías, valdría; valdríamos, valdríais, valdrían
PRESENT SUBJUNCTIVE: valga, valgas, valga; valgamos, valgáis, valgan
FAMILIAR SINGULAR COMMAND: val tú
FORMAL COMMANDS: valga usted, valgan ustedes

74. venir   to come

PRESENT PARTICIPLE: viniendo

PRESENT: vengo, vienes, viene; venimos, venís, vienen

PRETERITE: vine, viniste, vino; vinimos, vinisteis, vinieron

FUTURE: vendré, vendrás, vendrá; vendremos, vendréis, vendrán

CONDITIONAL: vendría, vendrías, vendría; vendríamos, vendríais, vendrían

PRESENT SUBJUNCTIVE: venga, vengas, venga; vengamos, vengáis, vengan

PAST SUBJUNCTIVE: viniera (–se), vinieras, viniera; viniéramos, vinierais, vinieran

FAMILIAR SINGULAR COMMAND: ven tú

FORMAL COMMANDS: venga usted, vengan ustedes

    Another verb conjugated like venir *is* convenir.

75. ver   to see

PAST PARTICIPLE: visto

PRESENT: veo, ves, ve; vemos, veis, ven

IMPERFECT: veía, veías, veía; veíamos, veíais, veían

PRESENT SUBJUNCTIVE: vea, veas, vea; veamos, veáis, vean

FORMAL COMMANDS: vea usted, vean ustedes

Stem-Changing Verbs

Stem-changing verbs are often called radical-changing. Spanish-speaking children sometimes call them "shoe verbs," because if a line is drawn around the forms that change, a shoe outline is formed.

76. 1st or 2d Conjugation, o>ue [1]

contar (ue) to count

PRESENT: cuento, cuentas, cuenta; contamos, contáis, cuentan

PRESENT SUBJUNCTIVE: cuente, cuentes, cuente; contemos, contéis, cuenten

FORMAL COMMANDS: cuente usted, cuenten ustedes

77. 1st or 2d Conjugation, e>ie

perder (ie) to lose

PRESENT: pierdo, pierdes, pierde; perdemos, perdéis, pierden

PRESENT SUBJUNCTIVE: pierda, pierdas, pierda; perdamos, perdáis, pierdan

FORMAL COMMANDS: perda usted, pierdan ustedes

78. 3d Conjugation, e>i

pedir (i, i) [2] to ask for

PRESENT PARTICIPLE: pidiendo

PRESENT: pido, pides, pide; pedimos, pedís, piden

PRETERITE: pedí, pediste, pidió; pedimos, pedisteis, pidieron

PRESENT SUBJUNCTIVE: pida, pidas, pida; pidamos, pidáis, pidan

PAST SUBJUNCTIVE: pidiera (–se), pidieras, pidiera; pidiéramos, pidierais, pidieran

FORMAL COMMANDS: pida usted, pidan ustedes

[1] *Jugar (u>ue)* is the only verb of its kind in the language. The infinitive was once *jogar (ue)*. See §81 for *–gar* verbs.

[2] When two changes are indicated, the first is for the present tense, the second for the preterite and present participle.

79. 3d Conjugation, o>ue, o>u
dormir (ue, u) to sleep
PRESENT PARTICIPLE: durmiendo
PRESENT: duermo, duermes, duerme; dormimos, dormís, duermen
PRETERITE: dormí, dormiste, durmió; dormimos, dormisteis, durmieron
PRESENT SUBJUNCTIVE: duerma, duermas, duerma; durmamos, durmáis,
                             duerman
PAST SUBJUNCTIVE: durmiera (–se), durmieras, durmiera; durmiéramos, dur-
                       mierais, durmieran
FORMAL COMMANDS: duerma usted, duerman ustedes

80. 3d Conjugation, e>ie, e>i
sentir (ie, i) to feel sorry, to regret, to feel
PRESENT PARTICIPLE: sintiendo
PRESENT: siento, sientes, siente; sentimos, sentís, sienten
PRETERITE: sentí, sentiste, sintió; sentimos, sentisteis, sintieron
PRESENT SUBJUNCTIVE: sienta, sientas, sienta; sintamos, sintáis, sientan
PAST SUBJUNCTIVE: sintiera (–se), sintieras, sintiera; sintiéramos, sintierais,
                       sintieran
FORMAL COMMANDS: sienta usted, sientan ustedes

Spelling-Changing Verbs [1]

81. Verbs Ending in –gar
pagar to pay (for)
PRETERITE: pagué, pagaste, pagó; pagamos, pagasteis, pagaron
PRESENT SUBJUNCTIVE: pague, pagues, pague; paguemos, paguéis, paguen
FORMAL COMMANDS: pague usted, paguen ustedes
   Other verbs conjugated like pagar *are* apagar, cargar, castigar, colgar,
   entregar, jugar,[2] llegar, *and* rogar.

82. Verbs Ending in –car
tocar to play
PRETERITE: toqué, tocaste, tocó; tocamos, tocasteis, tocaron
PRESENT SUBJUNCTIVE: toque, toques, toque; toquemos, toquéis, toquen
FORMAL COMMANDS: toque usted, toquen ustedes
   Other verbs conjugated like tocar *are* acercarse, chocar, equivocarse, ex-
   plicar, indicar, mascar, platicar, publicar, sacar, sacrificar, *and* secar.

83. Verbs Ending in –ger or –gir
coger to take hold of (things)
PRESENT: cojo, coges, coge; cogemos, cogéis, cogen
PRESENT SUBJUNCTIVE: coja, cojas, coja; cojamos, cojáis, cojan
FORMAL COMMANDS: coja usted, cojan ustedes
   Other verbs conjugated like coger *are* dirigirse, escoger, fingir, proteger,
   and recoger.

[1] Spelling-changing verbs are sometimes called orthographical changing.
[2] See section 76.

84. Verbs Ending in –zar
cruzar to cross
PRETERITE: crucé, cruzaste, cruzó; cruzamos, cruzasteis, cruzaron
PRESENT SUBJUNCTIVE: cruce, cruces, cruce; crucemos, crucéis, crucen
FORMAL COMMANDS: cruce usted, crucen ustedes
> *Other verbs conjugated like* cruzar *are* amenazar, aterrizar, comenzar, empezar, gozar, *and* rezar.

85. 2d and 3d Conjugation Verbs with Stem Ending in a, e, o
leer to read
PRESENT PARTICIPLE: leyendo
PAST PARTICIPLE: leído
PRETERITE: leí, leíste, leyó; leímos, leísteis, leyeron
PAST SUBJUNCTIVE: leyera (–se), leyeras, leyera; leyéramos, leyerais, leyeran
> *Other verbs conjugated in part like* leer *are* caer, creer, oír,[1] *and* traer.[1]

86. Verbs Ending in –uir (except –guir [2] and –quir)
huir to flee
PRESENT PARTICIPLE: huyendo
PRESENT: huyo, huyes, huye; huimos, huis, huyen
PRETERITE: huí, huiste, huyó; huimos, huisteis, huyeron
PRESENT SUBJUNCTIVE: huya, huyas, huya; huyamos, huyáis, huyan
PAST SUBJUNCTIVE: huyera (–se), huyeras, huyera; huyéramos, huyerais, huyeran
FORMAL COMMANDS: huya usted, huyan ustedes
> *Other verbs conjugated like* huir *are* construir, contribuir, *and* destruir.

87. Verbs Ending in –cer or –cir preceded by a vowel (Inceptive) [3]
conocer to know
PRESENT: conozco, conoces, conoce; conocemos, conocéis, conocen
PRESENT SUBJUNCTIVE: conozca, conozcas, conozca; conozcamos, conozcáis, conozcan
FORMAL COMMANDS: conozca usted, conozcan ustedes
> *Other verbs conjugated like* conocer *are* aparecer, crecer, desaparecer, nacer, ofrecer, parecer, pertenecer, *and* reconocer.

88. Verbs Ending in –cer preceded by a consonant
vencer to conquer
PRESENT: venzo, vences, vence; vencemos, vencéis, vencen
PRESENT SUBJUNCTIVE: venza, venzas, venza; venzamos, venzáis, venzan
FORMAL COMMAND: venza usted, venzan ustedes

[1] For *oír*, see section 60; for *traer*, see section 72.
[2] For a *-guir* verb model, see *seguir*, section 68.
[3] Except *cocer*: PRESENT INDICATIVE: *cuezo, cueces, cuece; cocemos, cocéis, cuecen.*
PRESENT SUBJUNCTIVE: *cueza, cuezas,* etc.

89. Verbs with Irregular Past Participles [1]

abrir	abierto	morir	muerto
cubrir	cubierto	poner	puesto
decir	dicho	proponer [2]	propuesto
descubrir [2]	descubierto	resolver	resuelto
devolver [2]	devuelto	romper	roto
escribir	escrito	satisfacer	satisfecho
hacer	hecho	ver	visto
matar	matado (*animals*); muerto (*people*)	volver	vuelto

90. Verbs Used with Certain Prepositions

acabar de, to have just
acercarse a, to approach
acordarse de, to remember
alegrarse de, to be glad of
amenazar con, to threaten to
aprender a, to learn to
apresurarse a, to hurry to
asistir a, to attend
atreverse a, to dare to
ayudar a, to help to
bajar de, to get (climb) down from
burlarse de, to make fun of
cargar de, to load with
casarse con, to marry
cesar de, to stop
comenzar a, to commence to
comprar a, to buy from
consentir en, to consent to
consistir en, to consist of
contestar a, to answer
convertirse en, to change into
cubrir de, to cover with
dar a, to face
dejar de, to stop
depender de, to depend on
despedirse de, to say good-by to
dirigirse a, to go toward
empezar a, to begin to
enamorarse de, to fall in love with
enseñar a, to teach to
entrar en, to enter
estar para, to be about to
fijarse en, to pay attention to, to notice

gozar de, to enjoy
haber de, to be to
huir de, to flee from
insistir en, to insist on
invitar a, to invite to
ir a, to go to
jugar a, to play
librarse de, to free oneself from
llegar a, to reach
llegar a ser, to become
llenar de, to fill with
olvidarse de, to forget about (to)
pasar con, to happen to
pedir a, to ask someone for
pedir prestado a, to borrow from
pensar en, to think about
preocuparse por, to worry about
quejarse de, to complain about
querer a, to love
quitar a, to take away from (a person)
reírse de, to laugh at
robar a, to steal from
rodear de, to surround with
sacar de, to take out of
salir a, to go (come) out to
salir de, to come out of
ser de, to belong to
subir a, to climb (go) up to *or* on
tirar de, to pull
tratar de, to try to
venir a, to come to
volver a, to (do) again

---

[1] This list includes only the verbs with irregular past participles used in this book.

[2] As you see here, any compound verb has the same irregularities as the verb it is based on.

Grammar Appendix

This section, to which references are made throughout the book wherever helpful to the student, offers a resumé of the principal grammar points covered in the first year's study as well as all important new material presented in Book II. Included also are lists of numerals, pronouns, and adjectives, which have proved useful for review.

91. Numerals

1 uno (–a)	8 ocho	15 quince
2 dos	9 nueve	16 diez y seis
3 tres	10 diez	17 diez y siete
4 cuatro	11 once	18 diez y ocho
5 cinco	12 doce	19 diez y nueve
6 seis	13 trece	20 veinte
7 siete	14 catorce	21 veinte y uno (–a)

30 treinta	80 ochenta
40 cuarenta	90 noventa
50 cincuenta	100 ciento, cien
60 sesenta	101 ciento uno (–a)
70 setenta	120 ciento veinte

200 doscientos (–as)	800 ochocientos
300 trescientos	900 novecientos
400 cuatrocientos	1000 mil (miles de)
500 quinientos	1500 mil quinientos
600 seiscientos	2000 dos mil
700 setecientos	1.000.000 un millón (de)

1st primero	6th sexto
2d segundo	7th séptimo
3d tercero	8th octavo
4th cuarto	9th noveno
5th quinto	10th décimo

1. The numbers 2 to 100 do not agree with their nouns (except 21, 31, etc.). *Ciento* becomes *cien* before a noun or *mil:* cien caballos, cien mil personas.

2. The numbers 200–900 agree with their nouns.

3. *Mil* does not require the indefinite article, and does not change for gender: **mil personas,** *a thousand persons.* When plural, it requires *de* before the noun: **miles de personas,** *thousands of persons.*

4. *Un millón* always takes *de* before a noun: **un millón de personas.**

5. The decimal point (9.5) is often found as a comma in Spanish: 9,5; the comma (5,000) is often a period in Spanish: 5.000.

518

92. Days, Months, and Dates

Los días: *domingo, lunes, martes, miércoles, jueves, viernes, sábado.* All are masculine. *El* or *los* with a day of the week often means *on:* **el lunes,** *on Monday;* **los lunes,** *on Mondays.*

Los meses: *enero, febrero, marzo, abril, mayo, junio, julio, agosto, septiembre, octubre, noviembre, diciembre.*

1. In giving dates, the day must precede the month, and is usually used with the article except in letters or diaries: **el cuatro de julio,** *July fourth.*

2. The names of the days and months are sometimes capitalized in Spanish nowadays.

3. Cardinal numerals (two, three, four) are used except for *first,* when *primero* is used: **el primero (el dos) de enero,** *January first (second).*

93. Subject Pronouns

yo	I	nosotros (–as)	we
tú	thou	vosotros (–as)	you (*familiar*)
usted [1]	you (*formal*)	ustedes	you (*formal*)
él	he	ellos	they (*m.*)
ella	she	ellas	they (*f.*)

Subject pronouns, except **usted** and **ustedes,** which are used for politeness, are usually necessary only for clearness or emphasis, and are omitted whenever possible.

94. Reflexive Pronouns

me	myself	nos	ourselves
te	thyself	os	yourselves (*familiar*)
se	himself, herself, yourself (*formal*) itself	se	themselves, yourselves (*formal*)

1. Reflexive pronouns must be used with a verb when its infinitive ends in *–se:* **sentarse: me siento, te sientas,** etc.

2. Many verbs change in meaning when they are made reflexive (page 47): **ir,** *to go;* **irse,** *to go away.*

3. The plural of the reflexive pronouns often has a reciprocal meaning: **nos vemos,** *we see each other;* **ustedes se escriben,** *you write to each other;* **ellos se miran,** *they look at one another.*

95. Direct Object Pronouns

me	me	nos	us
te	thee	os	you (*familiar*)
le	him; you (*formal*)	los	them; you (*formal m.*)
lo	it (*m.*)	los	them
la	her *or* it (*f.*); you (*formal*)	las	them; you (*formal f.*)

[1] *Usted* and *ustedes* are sometimes abbreviated in writing: *Ud.* and *Uds.* or *Vd.* and *Vds.*

1. When *le, la, los* and *las* mean *you (formal)*, they are often explained by *a usted* or *a ustedes* for courtesy and clearness: le veo a usted, Juan.

2. *Lo* is sometimes used instead of *le* to mean *him,* although in this book *lo* means *it* and *le* means *him.*

96. Indirect Object Pronouns

me	to *or* for me	nos	to *or* for us
te	to *or* for thee	os	to *or* for you
le ... a usted	to *or* for you	les ... a ustedes	to *or* for you (*formal*)
le ... a él	to *or* for him	les ... a ellos	to *or* for them (*m.*)
le ... a ella	to *or* for her	les ... a ellas	to *or* for them (*f.*)

1. All indirect object pronouns mean *to* or *for* (*someone*). Since they do not change for gender, the explanations are often required for clearness. This double construction is used even when the indirect object is a noun: Le doy a Juan el libro.

2. The double construction is extended to the direct object only for emphasis or contrast: Yo te veo a ti y tú me ves a mí.

97. Position of Object Pronouns

1. All object pronouns — reflexive, direct, and indirect — precede a verb unless it is an infinitive, present participle, or affirmative command. Then they follow it and are attached to it:

Me da el libro; quiere darme el libro; está dándome el libro; déme usted el libro; no me dé usted el libro (*negative command*).

Or one may say that object pronouns precede a conjugated verb or a negative command, and follow and are attached to all other verb forms.

2. When one or two object pronouns are attached to an infinitive, present participle, or affirmative command, the stress remains where it was in the first place, which means writing an accent if otherwise the word would be mispronounced (§ 139): escribir: escribírmelo, escribiéndome, escríbame usted.

3. Notice that when a sentence contains both a conjugated verb and a following infinitive, you may either place an object pronoun before the conjugated verb or attach it to the infinitive: quiero verlo (*more common*), or lo quiero ver.

In progressive tenses, the object pronoun may precede the helping verb or be attached to the present participle: está mirándolo or lo está mirando (*more common*).

98. Two Object Pronouns

1. When two object pronouns are used with the same verb, the indirect always precedes the direct: démelo usted, *give it to me.*

2. When a reflexive verb has an object pronoun, the reflexive always comes first: lléveselo usted, *take it away.*

3. If both object pronouns begin with *l,* the first one (the indirect) always changes to *se:* déselo usted, *give it to him* (*them*).

$$de + le + lo = déselo; \; de + les + lo = déselo$$

Thus *se* as a substitute form has six possible meanings, or all the combined meanings of *le* and *les.*

99. Neuter Pronouns

1. A neuter pronoun always refers, not to a noun, but to a whole idea or an unidentified object: ¿Qué es esto? Eso no es importante.

2. Neuter pronouns are esto, eso, aquello, lo + adjective (lo mismo), and lo que, *what.*

100. Prepositional Pronouns

(*para*) mí	(*for*) me	(*para*) nosotros (–as)	(*for*) us
(*para*) ti	(*for*) thee	(*para*) vosotros (–as)	(*for*) you
(*para*) usted	(*for*) you (*formal*)	(*para*) ustedes	(*for*) you (*formal*)
(*para*) él	(*for*) him, it (*m.*)	(*para*) ellos	(*for*) them (*m.*)
(*para*) ella	(*for*) her, it (*f.*)	(*para*) ellas	(*for*) them (*f.*)

1. Note that in form these pronouns are identical with the subject pronoun list except for the first two: mí, ti.

2. Note also that these pronouns have the same meanings as the direct object list (§ 95), but that they must be used with prepositions instead of with verbs.

3. With the preposition *con,* the first and second person become *conmigo* and *contigo,* and the reflexive is *consigo, with oneself.*

101. Possessive Adjectives, Short Forms

mi	my	nuestro, –a	our
tu	thy	vuestro, –a	your (*familiar*)
el (su) . . . (de usted)	your	el (su) . . . (de ustedes)	your (*formal*)
el (su) . . . (de él)	his	el (su) . . . (de ellos)	their (*m.*)
el (su) . . . (de ella)	her	el (su) . . . (de ellas)	their (*f.*)

1. These possessive adjectives always precede their nouns: mi libro.

2. Since *su* has six possible meanings, it is sometimes explained: su (or el) libro de usted, *your book.*

Note that it is better to replace *su* with the article when there is an explanatory phrase, especially in the third person: el libro de él, *his book.*

3. Note that the definite article often replaces the possessive adjective when used with articles of clothing being worn and with parts of the body: me pongo el sombrero, *I put on my hat.* However, the possessive adjective may still be used when it is the first word of the sentence, for the article would not be clear: su sombrero (not el sombrero) es nuevo.

4. In this use, remember that the noun is singular when there is only one apiece: Nos ponemos el sombrero, *we put on our hats.*

102. Possessive Adjectives, Long Forms

mío		(of) mine (my)	nuestro (–a)		ours (our)
tuyo		thine (thy)	vuestro (–a)		yours (your)
	⎧ de usted	yours (your)		⎧ de ustedes	yours (your)
suyo *or* ⎨ de él	his	suyo *or* ⎨ de ellos	theirs (their)
	⎩ de ella	hers (her)		⎩ de ellas	theirs (their)

1. The long forms follow their nouns or some form of *ser:* hijo mío (used in speaking to him); el libro es mío.

2. Since *suyo* has six possible meanings, it is often replaced by *de usted, de él,* etc. Note that both *suyo* and its explanation cannot be used: el libro es suyo; el libro es de él.

103. Possessive Pronouns

1. The long forms of the possessive adjectives (§ 102), preceded by the definite article, become pronouns: el mío está en la mesa; tengo el mío.

2. Just remember that the article is always used with *mío,* etc., except when it follows its noun or *ser:* es mío; es un amigo mío.

3. *Los míos* commonly means *my folks.*

104. Demonstrative Adjectives

1. este (esta)	this (*which I have*)
2. ese (esa)	that (*which you have*)
3. aquel (aquella)	that (*which someone else has*)

1. estos (estas)	these (*which I have*)
2. esos (esas)	those (*which you have*)
3. aquellos (aquellas)	those (*which someone else has*)

1. *Ese* and *aquel* both mean *that,* but *ese* could be said to be a second person *that,* referring to that which *you* have: usted tiene ese libro; while *aquel* is a third person *that,* referring to that which *someone else* has: Juan tiene aquel libro.

2. *Aquel* also means *that distant* or *over there:* ¿Ve usted aquella casa?

105. Demonstrative Pronouns

1. Adding an accent to a demonstrative adjective (*éste, ése, aquél*) changes it to a pronoun which stands alone: tengo este libro; tengo éste. The meaning then is often *this one, that one* (singular only).

2. *Éste* often means *the latter; aquél, the former.*

3. The definite articles instead of the demonstrative pronouns are usually used when followed by *de* or *que:*

la de mi hermana, *that of my sister*
los que no ven, *those who do not see*
lo que (*neuter*) quiere es fácil, *that which (what) he wants is easy*

106. Shortened (apocopated) Adjectives

1. Seven common adjectives drop the final –o when they stand before a masculine singular noun: **uno, primero, tercero, bueno, malo, alguno, ninguno.** (*Alguno* and *ninguno* become *algún* and *ningún.*)

2. *Grande* becomes *gran* when it stands before any singular noun, and the meaning of *gran* then changes to *great:* **un hombre grande,** *a large man;* **un gran hombre,** *a great man.*

3. *Ciento* becomes *cien* before any noun or *mil* (§ 91).

4. *Santo* becomes *san* before any noun except those beginning with *To–* or *Do–:* **San Pablo, Santo Tomás.**

107. Double Negatives

1. When such negative words as *nada, a nadie, nunca, ninguno,* and *ni siquiera* follow the verb, *no* must precede it: **no tengo nada; no veo a nadie.**

2. When the negative words themselves precede the verb, they eliminate the *no:* **nunca va.**

3. These negative words are also used after *sin:* **sin nada,** *without anything.*

108. Telling Time

1. The verb *ser,* with *la* or *las* and a number, is used for telling time: **es la una; son las dos.**

2. Minutes up to 30 after the hour are expressed by *y:* **son las tres y veinte,** *it is 3:20.*

3. *Half-past* is *y media.*

4. Minutes before the next hour are expressed by the next hour and *menos:* **son las tres menos quince,** *it is 2:45 (three minus fifteen).*

5. A.M. and P.M. are expressed by *de la mañana, de la tarde (noche).*

6. In current usage you may hear *¿Qué horas son?*

109. Agreement of Adjectives

1. Adjectives must agree with their nouns (expressed or understood) in gender and number: **el libro rojo, la pluma negra.**

2. An adjective which modifies two masculine nouns (singular or plural) must be masculine plural: **el libro y el papel blancos.**

3. An adjective which modifies two feminine nouns must be feminine plural: **la pluma y la botella amarillas.**

4. An adjective which modifies several nouns must be masculine plural if any one of them is masculine: **el papel, la mesa, la pluma, y la botella blancos.**

5. An adjective may be used alone as a noun: **los ricos,** *the rich people;* **la roja,** *the red one (f.).*

6. A noun may be used as an adjective only by using *de:* **flores de papel,** *paper flowers.*

110. Position of Adjectives

1. Descriptive adjectives usually follow their nouns: **la casa grande.**

2. Numbers, limiting adjectives (*mucho, poco*), possessive and demonstrative adjectives, precede their nouns: **cuatro niños, mucho dinero, mi casa, este libro.**

3. Two adjectives often follow their noun and are connected with *y:* **el hombre rico y bueno,** *the good rich man.*

4. Some adjectives have different meanings according to their position: **el muchacho pobre,** *the poor (not rich) boy:* **el pobre muchacho,** *the poor (to be pitied) boy.*

5. Adjectives showing a characteristic may precede their nouns: **la blanca nieve,** *the white snow.*

111. Comparison of Adjectives

1. *Regular*

    (1) Regular adjectives are compared like the model:

POSITIVE	COMPARATIVE	SUPERLATIVE
nuevo	**más nuevo**	**el más nuevo**
new	*newer*	*newest*

    (2) The possessive adjective may take the place of the definite article in the superlative:

        mi libro más nuevo, *my newest book*

    (3) After a superlative (*richest*) use *de* instead of *en:*

        la niña más rica de la escuela, *the richest girl in school*

    (4) In comparison, *than* is usually expressed by *que:*

        Usted es más alto que yo, *you are taller than I.*

    (5) Before a number, *than* is expressed by *de:*

        Tiene más de diez, *he has more than ten.*

    (6) Comparison of equality is expressed by *tan . . .* (*adj.*) *como:*

        Usted es tan alto como yo, *you are as tall as I.*[1]

---

[1] In exclamations, *¡qué . . .!* means *what a . . .!:* **¡Qué caballo tan hermoso!** *What a beautiful horse!*

Sometimes *más* is also used in this way: **¡Qué caballo más hermoso!**

2. *Irregular*

(1) Two common adjectives are irregular:

bueno, good	**mejor,** better	**el mejor,** best
malo, bad	**peor,** worse	**el peor,** worst

(*Mejor* and *peor* often precede their nouns.)

(2) Two common adjectives, *grande* and *pequeño,* may be compared either regularly or irregularly, but with a difference in meaning:

REGULAR: **grande, más grande, el más grande** (size)
pequeño, más pequeño, el más pequeño (size)
IRREGULAR: **grande, mayor** (older), **el mayor** (oldest)
pequeño, menor (younger), **el menor** (youngest)

112. How to Say "Very" (Absolute Superlative)

When there is no actual comparison, the superlative idea is expressed by attaching *–ísimo* (*–a*) to the adjective or by using *muy* with the positive form of the adjective:

¡Ay, qué hermosísima! *Oh, how very beautiful!*
Es una mujer muy hermosa. *She is a very beautiful woman.*

113. How to Say "–ly" (Formation of Adverbs)

1. To form an adverb from an adjective (*rich, richly*), change the final *–o* to *–a* and add *–mente:* **rico, rica, ricamente.**

2. If the adjective does not end in *–o,* merely add *–mente:* **triste, tristemente.**

3. Another common way to form some adverbs is to use *con* with a noun: **con paciencia,** *patiently;* **con frecuencia,** *frequently.*

114. Comparison of Adverbs

Adverbs are compared like adjectives, except that the superlative is the same as the comparative:

pronto	**más pronto**	**más pronto**
soon	*sooner*	*soonest*

Four adverbs are compared irregularly:

mucho	**más**	**más**	**poco**	**menos**	**menos**
much	*more*	*most*	*little*	*less*	*least*
bien	**mejor**	**mejor**	**mal**	**peor**	**peor**
well	*better*	*best*	*badly*	*worse*	*worst*

115. Uses of the Definite Article

The definite article is used:

1. Instead of the possessive adjective with articles of clothing and parts of the body. (§ 101)

2. With expressions of time modified by *pasado,* etc.:

   la semana pasada, *last week*   **el año próximo,** *next year*

3. With nouns whose meaning signifies "in general":

   El dinero (*money in general*) **es el rey del mundo.**
   Los señores (*men in general*) **prefieren a las rubias** (*blondes in general*).

4. With a title, except when speaking to the person named:

   El señor Núñez no está. *Mr. Núñez isn't here.*
   Buenos días, Capitán García. *Good morning, Captain García.*

5. With the names of some countries:

   la Argentina, el Brasil, el Canadá, el Ecuador, los Estados Unidos, el Paraguay, el Perú, el Uruguay, El Salvador

6. With the name of a language, except after *hablar, de,* or *en:*

   El español es fácil.   Hablo español.   La clase de inglés es fácil. Escribe en francés.

7. *El* is used as a feminine article before feminine nouns beginning with stressed *a* or *ha* for the sake of the sound: **el agua,** *the water;* **el hacha,** *the axe.*

8. The definite article is usually used instead of the demonstrative pronoun *that* (*ése* or *aquél*) when followed by *de* or *que:* **los que no ven,** *those who do not see;* **el de mi hermano,** *that of my brother.*

116. Omission of the Indefinite Article

The indefinite article is usually omitted after a negative if the noun is not modified: **no tiene lápiz; sin pluma; no quiere caballo.** The English translation often includes the word "*any*": *he doesn't want any horse.*

117. The Personal *a*

1. When the direct object of any verb except *tener* is a definite person or a proper noun, Spanish adds an extra untranslatable *a:* **veo a Juan,** *I see John.*

2. This "personal *a*" is also frequently used with cities and countries (proper nouns), although this usage is becoming less common: **he visitado a Madrid.** It is not used with a geographical name which requires the definite article: **Visité el Perú.**

3. It is also used with the more intelligent animals and family pets: **llamé a mi buen caballo.**

4. It is also used before indefinite pronouns referring to persons when they are objects of a verb: **No he visto a nadie.** (This also applies to *a quien, a ninguno, a otro, a alguien,* etc.)

118. How to Use *Por* and *Para*

1. Use *por* when it means:

for a certain length of time	por tres años
in exchange for	Le doy éste por ése.
for the sake of	Lo hago por usted.
after	Voy por agua.
by	Voy por tren; fué vendido por Juan.
in *or* at	por la mañana, por la noche
through	por la puerta
times	tres por cuatro
per	un dólar por hora
on account of (because of)	por viajar solo
along	por la calle

2. Use *para* when it means:

in order to *or* to	para aprender
for (*destination*)	salgo para Nueva York
for (*destined for*)	las flores son para María
for (*purpose*)	una cesta para huevos
for (*a "date"*)	una cita para las tres
by (*with a time limit*)	¡Llegue usted para las dos!
till	diez para las nueve
about to (*with estar*)	Estoy para salir.

119. Formula for Making Formal Commands

1. Take the first person singular of the present tense if it ends in *–o,* remove the *o,* add the "opposite vowel" and *usted:* **comprar, compro, compre usted.** (The "opposite vowel" for *–ar* verbs is *–e:* for *–er* and *–ir* verbs, *–a.*)

2. If the first person singular present tense does not begin with *–o,* the formal command is irregular and must be learned: **ir: voy, vaya usted; dar: doy, dé usted.**

120. Formula for Making Familiar Commands

1. Affirmative Singular

Take the third person singular present tense of any regular verb or regular stem-changing verb and add *tú* (optional): da (tú), *give;* cierra (tú), *close.*

The eight common verbs with irregular familiar command forms are: decir (di), hacer (haz), ir (ve), poner (pon), salir (sal), ser (sé), tener (ten), and venir (ven).

2. Affirmative Plural

Take the whole infinitive of any verb in the language, remove the *-r* and add *d* and *vosotros* (optional): entrar, entrad (vosotros).

3. Negative, Singular and Plural ("Don't")

Use the second person singular or plural present subjunctive for any negative familiar command, since the affirmative command forms are never used in the negative:

> da tú, no des *(don't give)*; cierra tú, no cierres *(don't close)*
> dad vosotros, no deis; cerrad, no cerréis

The pronouns *tú* and *vosotros* are not generally used with negative command forms.

121. First Person Commands ("Let's")

To form a first person command *(let's)*, use the first person plural present subjunctive, or use *vamos a* + an infinitive:

cantemos *or* vamos a cantar, *let's sing*

122. Uses of *Estar*

1. To show location: ¿Dónde está usted?
2. With an adjective to express a temporary condition or change from the usual: Estoy ocupado; el agua está caliente.
3. To talk about health: ¿Cómo está usted?
4. With the present participle to form progressive tenses: Estamos estudiando. Estábamos estudiando.
5. With a past participle to describe a condition: La puerta está abierta.

123. Uses of *Ser*

1. To tell time: Es la una.
2. To mean or give the idea of equals: Dos y dos son cuatro: Juan es alumno.[1]
3. With an adjective to describe a present characteristic: Es joven.
4. For origin: Es de España.

[1] Note that the definite article may be omitted with an unmodified predicate noun.

5. For ownership: **Es de Juan.** (*Ser de* may mean *to belong to.*)

6. For material: **Es de papel.**

7. With a past participle to form the true passive, which expresses the idea of something acted upon by someone: **La puerta fué abierta por María.** The tense most often used for the passive is the preterite.

124. Uses of the Imperfect and Preterite [1]

1. The preterite is used:

   (1) For a single completed past action: **Cerró la puerta.**

  *(2) As the past tense after *nunca:* **Nunca le vió.**

  *(3) When the action of the verb or a condition is in any way limited by an expression of time: **Estuvo enfermo dos años.** This is sometimes called the "preterite of definite duration."

2. The imperfect is used:

   (1) For description ("stage setting") in the past (often "*was ——ing*"): **El sol brillaba,** *the sun was shining.*

   (2) For repeated or habitual past action (often "*used to*"): **Iba todos los días,** *he went every day.*

  *(3) Ordinarily with verbs such as *believing, knowing, thinking,* and *wishing,* which express a mental idea without definite duration (and also with *tener*): **Sabía la lección, pero no podía escribirla.** *He knew the lesson, but he could not write it.*

   (4) Telling time: **Eran las dos,** *it was two o'clock.*

125. How to Say "Probably"

1. The future and conditional tenses are often used to express present and past probability: **tendrá quince años,** *he is probably fifteen years old;* **tendría quince años,** *he was probably fifteen years old.*

2. To say *probably* in the future tense, you must use *probablemente:* **probablemente irá,** *he will probably go.*

126. True Passive

The true passive (*ser* with the past participle) is generally used for passive action when the subject is a person, or when the subject is not a person, if the agent is expressed:

El indio fué visto por el conquistador.
The Indian was seen by the conqueror.

La carta fué escrita por la niña.
The letter was written by the girl.

[1] New uses taught in Book II are starred.

127. Reflexive Substitute for Passive

1. Reflexive verb forms are often used in the third person to express a passive idea, especially when speaking of things: **Se usa el aeropuerto,** *the airport is used (uses itself).*

2. This reflexive substitute for the passive is preferred to the true passive, but is usually avoided when speaking of persons: **Fué invitado,** *he was invited.* **Se invitó** would mean *he invited himself.*

128. *Estar* with the Past Participle

Estar with a past participle describes a condition, not an action: **Miré por la puerta; la ventana estaba cerrada.** Compare with *la ventana fué cerrada por Juan.* (Think of the action of closing the window.)

129. Impersonal *uno* and *se*

1. *Uno* and *se* are used with third person verbs to mean *"they"* (in general) or *one:* **Se puede ir,** *one can go.*

2. *Uno* is used with reflexive verbs because another *se* is not possible: **Uno se levanta,** *one gets up.*

130. *Hace* with Expressions of Time

1. *Hace* can mean *ago* with an expression of time: **Hace un año,** *a year ago.*

2. *Hace* means *for* with an expression of time when an event has begun in the past and is still continuing, in which case the other verb of the Spanish sentence is in the present tense: **Hace un mes que trabajo,** *I have been working for a month.*

3. This construction may be used in the past tense, but is not often found: **Hacía un mes que trabajaba,** *I had been working for a month (at that time).*

131. Verbs of Separation

Any verb that contains the idea of separating something from a person requires *a* to mean *from:* **Le robó a Juan el reloj,** *he stole the watch from John.*

The common verbs of separation are *robar a, comprar a, pedir a, sacar a,* (a tooth, etc.), *quitar a,* and *pedir prestado a.*

132. Uses of the Subjunctive

The subjunctive is required in Spanish:

1. In commands:

All formal commands, first person plural commands, and familiar commands when negative:

hable usted, hablemos, no hables (tú), no habléis (vosotros)

2. In noun clauses:

  (1) After a verb of causing with a change of subject:

    Quiero que usted vaya, *I want you to go.*
    Exceptions: **dejar, hacer, permitir, mandar**

  (2) After expressions of emotion with a change of subject:

    Espero que tenga razón, *I hope he is right.*

  (3) After expressions of doubt with a change of subject:

    ¿Cree usted que haya tiempo? *Do you believe there is time?*

  (4) After impersonal expressions:

    Es preciso que vaya Juan, *it is necessary for John to go.*

3. In adverbial clauses:

  (1) After conjunctions expressing future time:

    hasta que se haya ido, *until he has gone*

  (2) After other conjunctions (***para que,*** etc.)
  (3) After other words (***como, (a)donde***), when the action in the future is indefinite
  (4) After ***si*** when contrary-to-fact (past subjunctive only)
  (5) After ***como si*** (past subjunctive only)

4. In adjective clauses:

  (1) After an indefinite antecedent:

    Quiero un libro que cueste menos. *I want a book that costs less.*

  (2) After a negative:

    No hay nadie que sepa, *there is no one who knows.*

  (3) After *whatever, however, whoever, etc.:*

    Por bueno que sea, no lo quiero. *However good it may be, I don't want it.*

5. Other subjunctive uses:

  (1) After *ojalá* (*que*):

    Ojalá pudiera ir, *if only he could go.*

  (2) In softened statements:

    Quisiéramos ir, *we should like to go.*

(3) After *perhaps* when future time is implied:

Quizás pueda aprender a nadar.

Perhaps he will (may) be able to learn to swim.

133. The Most Common Words Causing the Subjunctive [1]

1. In noun clauses:

(1) Verbs of causing:

Most common: querer, decir, pedir, desear
Less common: aconsejar, preferir, rogar, insistir en
Exceptions: dejar, hacer, permitir, mandar, *and sometimes*
aconsejar *and* invitar

(2) Expressions of emotion:

esperar, es lástima, qué lástima, temer, alegrarse de, sentir

(3) Expressions of doubt:

no creer, ¿creer?, no estar seguro de

(4) Impersonal expressions:

es posible, puede ser, es preciso, es mejor, es necesario,
es probable, es importante, importar, convenir

2. In adverbial clauses:

(1) Conjunctions expressing future time:

cuando, antes que, mientras (que), hasta que, (a que), en
cuanto, siempre que

(2) Other conjunctions:

para que, aunque, sin que, a fin de que, de manera que, con
tal (de) que

(3) Other words (when the action in the future is indefinite):
como, (a)donde, (a)dondequiera

(4) *Si* (past tense only)

(5) *Como si* (imaginative comparison) (past tense only)

3. In adjective clauses:

(1) After any indefinite antecedent
(2) After any negative: no, nada, nadie, ninguno, nunca
(3) After *lo que, por — que, quienquiera*

4. Other subjunctive uses:

(1) After *ojalá (que)*
(2) For softened or polite statements, as in **quisiera** and **debiera**
(3) After **quizás, acaso, tal vez**

[1] Given in the order of their frequency.

Building Verb Forms

A Handy Do-It-Yourself Kit

CHART 1: **CHOOSING THE TENSE AND VERB**

"Which tense do I use in Spanish?"

Your clue is often found in the English verb ending (-*ed*, -*ing*), or the English helping verb (*am, did, do,* etc.) in such forms as "I *am* closing"; "I *did* close"; "I *do* close," etc.

Look up your clue in the boldface list on the left, substituting your verb where necessary for the model verb "to close." In the right-hand column across from it you will find the proper tense.

If your clue is *was* or *were*, see Chart 2, for those two overworked verbs rate a chart all their own!

REMEMBER: These charts are *tools,* and even with a do-it-yourself kit no one ever learned to use a tool without study and practice.

ENGLISH CLUE	SPANISH TENSE AND VERB
I **am**	present of *ser* or *estar* (*pages 528–529*)
am closing	present or present progressive (*pages 45–46*)
are [*meaning* equals]	present of *ser*
there **are**	present: **hay**
they **are**	present of *ser* or *estar* (*pages 528–529*)
are closing	present or present progressive (*pages 45–46*)
did close	1. preterite [*for single completed action or after* nunca] 2. imperfect [*if action is repeated*] (*page 529*)
do close	present
does close	present
don't close	present
I **closed** [1]	1. preterite [*for single completed action or after* nunca] 2. imperfect [*if action is repeated*] 3. imperfect [*if verb expresses a state or condition rather than an action*] (*page 71*)
closed [2]	past participle [*if used alone as an adjective; must agree with its noun*]
had closed	past perfect [*imperfect of* haber *plus past participle, which does not agree with subject*]
there **has been**	present perfect of *haber:* **ha habido**
has been closed	1. true passive: [3] perfect of *ser* + past participle [*p.p. must agree with subject*] (*pages 318–319*) 2. reflexive substitute for passive: reflexive form of present perfect (*pages 258–260; 318–319*)

[1] Use this clue for English verbs that are irregular in the past tense: *sang, ran, took,* etc.

[2] Some English verbs have irregular past participles, such as *sung, run, taken,* etc.

[3] The reflexive substitute is used more often than the true passive to express the passive voice, except when the subject is a person or when the agent is expressed.

ENGLISH CLUE	SPANISH TENSE AND VERB
has closed	present perfect [*present of* haber *plus p.p., which does not agree*]
there have been	present perfect of *haber:* **ha habido** [*always singular*]
have closed	present perfect [*present of* haber *plus p.p., which does not agree*]
closing	present participle
is	present of *ser* or *estar* (*pages 528–529*)
is [*meaning* equals]	present of *ser*
is closing	present or present progressive (*pages 45–46*)
he is cold[1]	present of *tener:* **tiene frío**
he is —— years old	present of *tener:* **tiene** —— **años**
here is	present of *tener:* **aquí tiene usted**
it is	present of *ser* or *estar*
it is I	present of *ser:* **soy yo**
it is —— o'clock	present of *ser:* **es la una; son las dos,** *etc.*
it is cold (warm) [*weather*]	present of *hacer:* **hace frío (calor)**
it is muddy[2]	*hay* + noun: **hay lodo**
there is	present: **hay**
let us close	present subjunctive, first person plural [*or use* vamos a + *inf.*]
may close	present subjunctive
may have closed	present perfect subjunctive
might close	past subjunctive
might have closed	past perfect subjunctive
shall close	future
shall have closed	future perfect
should close	conditional
should have closed	conditional perfect
to close	infinitive
used to close	imperfect
there used to be	imperfect of *haber:* **había** [*always third person singular*]
WAS ⎱ WERE ⎰	SEE CHART 2 (page 535)
will close	future
there will be	future of *haber:* **habrá** [*always third person singular*]
will have closed	future perfect
would close	conditional
would have closed	conditional perfect

[1] Also use *tener* to say *is warm, careful, hungry, thirsty, accustomed to, afraid, in a hurry, right, wrong, ashamed.* See *tener* idioms in Spanish-English dictionary.

[2] Also use *hay* to say *it is dusty, foggy, sunny, moonlight.* See **hay** idioms in Spanish-English dictionary.

CHART 2: HOW TO SAY "WAS" AND "WERE"

How to say "was" and "were" is a real puzzle, since in Spanish you eventually learn more than 20 ways to think of "was" and almost as many ways to think of were!

To say "was," check your sentences by this do-it-yourself chart. To say "were," follow the models, making the verb forms plural unless you are told not to.

ENGLISH	SPANISH
was [*meaning* used to be]	imperfect of *ser* or *estar*: **era, estaba** (*see pp. 528–529*)
was [*describing a characteristic*]	imperfect of *ser*: **era grande**
was [*meaning* "equalled"]	imperfect of *ser*: **era**
was [*telling of health*]	imperfect of *estar*: **estaba enfermo, -a**
was [*telling location*]	imperfect [*usually*] of *estar*: **estaba aquí**
was [*describing a temporary condition*]	imperfect of *estar*: **estaba**
was [*after nunca*]	preterite of *ser* or *estar*: **fué, estuvo**
was [*before de*]	imperfect of *ser*: **era**
was [*limited by an expression of time*]	preterite of *estar*: **estuvo** (*page 71*)
was closed [*description*]	imperfect of *estar* + past participle [*p.p. must agree with subject*]: **estaba cerrado, -a**
was closed [*action*] [1]	reflexive form of imperfect or preterite: **se cerraba; se cerró** (*pages 258–260; 318–319*)
was closed by [*action in passive voice with agent expressed*]	preterite of *ser* + past participle [*p.p. must agree with subject*]: **fué cerrado, -a** (*pages 318–319*)
was closing	imperfect: **cerraba**
was closing [*progressive tense*]	imperfect of *estar* + present participle: **estaba cerrando**
was muddy [2]	imperfect of *haber*: **había lodo**
was —— years old	imperfect of *tener*: **tenía —— años**
was cold [*bodily conditions*] [3]	imperfect of *tener*: **tenía frío**
it was cold (warm) [*weather*]	imperfect of *hacer*: **hacía frío (calor)** [*never plural*]
it was I	preterite of *ser*: **fuí yo**
it was —— o'clock	imperfect of *ser*: **era la una; eran las dos,** *etc.*
there was [*description*]	imperfect of *haber*: **había** [*never plural*]
there was [*an action or event*]	preterite of *haber*: **hubo** [*never plural*]

[1] In general, use the reflexive substitute for the true passive except when the subject is a person or when the agent is expressed.

[2] Also use *haber* to say *it is dusty, foggy, sunny, moonlight.* See *hay* idioms in Spanish-English dictionary.

[3] Also use *tener* to say *is warm, careful, hungry, thirsty, accustomed to, afraid, in a hurry, right, wrong, ashamed.* See *tener* idioms in Spanish-English dictionary.

CHART 3: PATTERNS FOR FORMING TENSES

"How do I start this tense?" Most Spanish tenses are built upon stems or forms borrowed from other forms. If you know the six basic parts of a verb given in the chart below, you can assemble the various tenses easily. To form a specific tense of a verb, look for that tense in the boldface list in the second column. At the left you will find the basic part from which the tense is formed or to which it is related. At the right is a list of verbs that don't follow the pattern.

BASIC PARTS	TENSES	EXAMPLES	EXCEPTIONS
1. Whole Infinitive (*hablar, caer*)	1. (a) **Future** (b) **Conditional**	1. (a) hablar é caer é (b) hablar ía caer ía	1. *d* for *e* or *i*: **poner, salir, tener, valer, venir** drop **e**: **caber, haber, poder, querer, saber** drop **e** and **c**: **decir, hacer, satisfacer**
2. Infinitive Stem (*habl-, ca-*)	2. (a) **Imperfect** [*regular verbs only*] (b) **Present** [*reg. verbs only*] (c) **Preterite** [*reg. verbs only*] (d) **Pres. Participle** [*reg. verbs only*] (e) **Past Participle** [*reg. verbs only*]	2. (a) habl aba ca ía (b) habl o ———— (c) habl é ———— (d) habl ando ———— (e) habl ado ————	2. (a) **ir, ser, ver** (b), (c), (d), (e) Irregular verbs, stem-changing verbs and spelling-changing verbs do not follow the patterns for these forms. You must learn the irregularities. See pp. 509 ff.
3. Present Tense, 1st Person Singular minus -o (*habl-, caig-*)	3. (a) **Formal Commands** (b) **Present Subjunctive**	3. (a) habl e usted caig a usted (b) habl e caig a	3. **dar, estar, haber, ir, saber, ser**
4. Preterite Tense, 3rd Person Plural minus -ron (*habla-, caye-*)	4. **Past Subjunctive**	4. habla ra(-se) caye ra(-se)	4. No exceptions
5. Present Participle (*hablando, cayendo*)	5. **Progressive Tenses** [*Use proper form of* estar + *pres. part.*]	5. estoy hablando, estoy cayendo estaba hablando, estaba cayendo	5. No exceptions
6. Past Participle (*hablado, caído*)	6. **Perfect Tenses** [*Use proper form of* haber + *p.p.*]	6. he hablado, he caído había hablado, había caído	6. No exceptions

Pronunciation

134. Vowels

Spanish vowels are pronounced clearly and distinctly. They must not be prolonged as in English when we say *go-u* for *go* and *my-e* for *my*.

LETTER	NEAREST ENGLISH EQUIVALENT	SPANISH EXAMPLE	RULE
A	father, ah!	**casa**	Everywhere
E	1. let	**lección**	In closed syllables [1] unless closed by **m, n, s, x**
		tierra	Next to trilled **r**
		mejor	Before **j, ge, gi**
		rey	In diphthongs **ei, ey**
	2. a *in* lately	**de**	In open syllables [1]
		cesta	In syllables closed by **m, n, s, x**
I [2]	machine	**piso**	
O	1. tone	**todo**	In open syllables [1]
	2. or	**contar**	In closed syllables [1]
		rosa	Next to trilled **r**
		ojo	Before **j, ge, gi**
		hoy	In diphthongs **oi, oy**
U [2]	rule	**puro**	
Y [3]	boy	**doy**	Alone or final

[1] A closed syllable is one that ends in a consonant; an open syllable is one that ends in a vowel or diphthong.

[2] NOTE TO THE TEACHER: The distinction between the two sounds of this letter is slight and difficult for English-speaking pupils to master. It is suggested that only the closed sound be taught and imitation of the teacher be relied upon for the acquisition of the open sound.

[3] When *y* is not alone or final, it is a consonant.

135. Semi-Consonants

LETTER	NEAREST ENGLISH EQUIVALENT	SPANISH EXAMPLE	RULE
I	**you**	**bien**	Preceded by a consonant and followed by a vowel in the same syllable
U	**we**	**bueno** **hueso**	**u** or **hu** before a vowel in the same syllable

136. Diphthongs

I, y used as a vowel, and *u* are weak vowels; *a, e, o* are strong vowels. A diphthong is a combination of (1) a strong and a weak vowel or (2) two weak vowels. They form one syllable which is a combination of the individual sounds.

In a diphthong the strong vowel, regardless of position, or the second of two weak vowels gets the stress. A written accent breaks the diphthong.

Initial *i* and *u* in a diphthong are semi-consonants.

137. Consonants

LETTER	NEAREST ENGLISH EQUIVALENT	SPANISH EXAMPLE	RULE
B, V	1. *Weaker than in* boy	**¡basta!** **¡vamos!** **un hombre** **un vaso**	When initial or after **m** or **n** in a breath group [1]
	2. *None (lips not completely closed)*	**Cuba** **uva**	All other times
	3. *Silent*	**obscuro** **substituir**	In these and a very few other words
C, QU	cat	**cama** **quema**	Takes the place of English **k**. **u** is never pronounced after **q**

[1] See footnote on page 539.

LETTER	NEAREST ENGLISH EQUIVALENT	SPANISH EXAMPLE	RULE
C(E) C(I) Z	1. sin 2. thin	veces cinco vez	1. Spanish American (s) 2. Castilian (th)
CH	church	techo	Everywhere
D	1. din (*made against the teeth*)	dar	Initial in a breath group [1]
		el día mundo	After l or n within or between words
	2. *None.* d + th *made against the teeth. Somewhat like English* this	padre	All other times and especially between vowels
	3. *None*	estado usted	Weak when final or in endings –ado, –ido (Often omitted in careless speech)
F	fall	fama	Like English
G	1. go	gana grande	Usually
	2. *None*	agua hago	Between vowels is pronounced very weakly
G(E) G(I) J	Hey!	gente jarro	Like a strong English h (Similar to German ch)
H	*None*	hasta ahora	Always silent
L	let	la alto	Tip of tongue to upper gums. Avoid raising back of tongue
LL	1. you 2. William	silla	1. Spanish American (y) 2. Castilian (ly)

[1] We do not talk with single words, but with groups of words between slight pauses. For example, we do not say: The | cow | jumped | over | the | moon. We say: The-cow-jumped over the-moon. This grouping of words between slight pauses is called a breath group.

LETTER	NEAREST ENGLISH EQUIVALENT	SPANISH EXAMPLE	RULE
M	more	**más**	Like English
N	1. more	**invierno**	Before **p, b, v, m**
	2. no	**uno**	All other times like English
Ñ	canyon, onion	**señor**	Always
P	1. push	**palo**	Like English but without letting out as much air
	2. pneumonia	**séptimo septiembre**	Silent in a very few words
R	1. *None*	**rosa**	When initial, it is trilled like **rr** with a rapid vibration of tongue against gums
	2. *None*	**padre**	Other times it has a slight trill
RR	*None*	**perro**	Trilled (two to five vibrations)
S	1. rose	**mismo desde asno**	Before some consonants such as **m, n, d, g, b, v, l**
	2. sister	**sala, este**	All other times
T	*None*	**tinta patio**	Tongue against inside of upper front teeth
X	1. sir	**explicar**	Before a consonant, pronounced **s** or **ks**
	2. examine	**examen**	Before a vowel, pronounced like English **gs**
Y	you	**ayer**	As a consonant, i.e., not alone or final
K W	Do not appear in Spanish words. Pronounce them as they should be pronounced in the foreign language from which they have been borrowed. Examples: **Wáshington, Wágner, kilómetro.**		

138. Syllabication

The formal rules for syllabication do not always conform to the way
Spanish-speaking people actually divide words when speaking. The following are the rules for orthographic syllabication, that is, for the division
of words when writing.

1. There are as many syllables as there are vowels and diphthongs in a
word.

a ma ri llo	au tor	pa gas teis	ca ca o
1 2 3 4	1 2	1 2 3	1 2 3

2. A single consonant, *ch, ll,* or *rr* between two vowels begins a syllable.

pe-re-zo-so   co-me-dor   si-lla   pi-za-rra   mu-cha-cho

3. Two consonants are divided, one remaining and one going with the
following syllable.

en-ten-der

4. A consonant plus *l* or *r* is inseparable (except *rl, sl, tl, sr*).

de-trás   a-pli-ca-do   (at-le-ta)

5. When there are three or more consonants, only the last or an inseparable combination begins a syllable.

sem-brar

6. Prefixes are kept intact regardless of the usual rules.

des-a-pa-re-cer

7. A diphthong is broken by a written accent.

ca-í-do   re-ír

8. Weak vowels (*i, u*) followed by another vowel become semi-consonants and lose their syllabic value. To retain it they must have a written
accent.

siem-pre   en-tien-de   ha-cia   ha-cí-a

Phonetic syllabication: Within a breath group the final consonant of a
word goes with the initial vowel or diphthong of the following word and
forms a syllable with it. Prefixes are not kept intact.

de español	*des-pa-ñol*
con alegría	*co-na-le-grí-a*
en un año	*e-nu-na-ño*
mis amigos	*mi-sa-mi-gos*

139. Accentuation

1. Words that end in a vowel or *n* or *s* accent the next to the last syllable.

americ*a*no   extran*je*ro   *jo*ven   *co*sas

2. Words that end in a consonant except *n* or *s* accent the last syllable.

gener*al*   ver*dad*   enten*der*

3. All exceptions have a written accent (′).

*úl*timo   in*glés*   lec*ción*

4. The addition of a syllable sometimes causes the insertion or omission of a written accent to preserve the original stress.

lección, lecciones   joven, jóvenes   dando, dándolo

5. A written accent is used to distinguish words with different meanings but the same spelling.

el, él; si, sí; se, sé

140. The Alphabet (El alfabeto)

SYMBOL	NAME	SYMBOL	NAME
a	a	n	ene
b	be	ñ	eñe
c	ce	o	o
ch	che	p	pe
d	de	q	cu
e	e	r	ere
f	efe	rr	erre
g	ge	s	ese
h	hache	t	te
i	i	u	u
j	jota	v	ve
k[1]	ka	w[1]	ve doble, doble uve
l	ele	x	equis
ll	elle	y	i griega, ye
m	eme	z	zeta

[1] Appears in foreign words only.

Expressions of Courtesy

1. Greetings and Farewells[1]

FORMAL	INFORMAL
Buenos días.	¡Hola!
Buenas tardes.	¿Qué tal?
Buenas noches.	¿Cómo le va? (*How goes it?*)
¿Cómo está usted?	
Reply: Muy bien, gracias. **¿Y** usted?	

FORMAL	INFORMAL
Adiós.	Hasta luego.
	Hasta mañana.
	Hasta la vista.

OLD-FASHIONED FORMAL	MODERN FORMAL
Vaya usted con Dios. (*Good-by and God bless you.*)	Que usted lo pase bien. (*Good-by and good luck.*)
Reply: Gracias. Igualmente.	*Reply:* Gracias. Igualmente.

2. Welcomes and Thanks

TO A GUEST

Pase usted. Ésta es su casa. ⎫
Bienvenido a ésta su casa. ⎬ *Reply:* Gracias.

Muchas gracias. ⎫
Mil gracias. ⎬ *Replies:* De nada.
Muy agradecido. ⎭ No hay de que.

3. Permissions, Apologies, Requests, and Offers to Help

EXPRESSION	REPLY
Con permiso. (*When passing in front of a person.*)	Pase usted.
Con permiso. (*When leaving a person's presence.*)	Usted lo tiene.
Dispense usted. ⎫ Perdóneme usted. ⎬ Lo siento mucho. ⎭	No tenga cuidado.
Siento molestarle.	No es molestia. No tenga cuidado.

[1] When two or more expressions are given, any one of them may be used.

Haga usted el favor de ...
Favor de ...
..., si me hace el favor.
Tenga usted la bondad de ...
   (*Have the kindness to ...*)

Con todo gusto.
Con mucho gusto.

Aquí lo tiene usted. — Gracias.

¿Qué se le ofrece?
¿En qué puedo servirle?

Nada, gracias.

¿Quiere usted ayudarme?

Con todo gusto.
Con mucho gusto.

¿Me permite sentarme aquí? — Siéntese.

¿Se permite pasar por aquí? — Pase usted.

¿Gusta? (*Offer of food when eating — Gracias.[1] Buen provecho.
candy, etc., in public.*)

Buen provecho. (*When leaving the — Gracias. Igualmente.
table early.*)

4. Miscellaneous Useful Expressions

EXPRESSION	REPLY

¿Cómo se llama usted?

..., a sus órdenes.
..., para servir a usted.

¡Aaa-chú! (*A sneeze*) — Salud.

¡Qué bien habla usted español! — Favor que me hace. (*The reply to any
compliment*)

¡Susita!

¿Mande usted?[2]
Dígame.

¡Jua—ni—toooo! — ¡Allá voy, mamá!

¿Qué tiene usted? — Estoy enfermo (cansado, etc.).

5. Exclamations

¡Buena suerte!	Good luck!	¡Por supuesto!	Of course!
¡Claro!	Of course!	¡Pórtese bien!	Behave yourself!
¡Cuidado!	Look out!	¡Qué barbaridad!	How ridiculous!
¡Eso sí que es!	That's just it!	¡Qué hacer!	What shall I do?
¡Espero que sí!	I hope so!	¡Qué lástima!	Too bad!
¡Felicidades!	Congratulations!	¡Sinvergüenza!	Shame on you![3]
¡Feliz Navidad!	Merry Christmas!	¡Válgame Dios!	Heaven help me!
¡Feliz (buen) viaje!	Pleasant journey!	¡Vámonos!	Let's go!
¡Me alegro!	I'm glad!	¡Vamos!	Come, now!
¡No me diga!	You don't say!	¡Vaya usted!	Go on!
¡Ojalá!	Here's hoping!	¡Verdad!	Really! Is that so!
¡Poco a poco!	Take it easy!	¡Viva México!	Hurrah for Mexico!
¡Por Dios!	For goodness' sake!	¡Ya lo creo!	I should say so!

[1] *Gracias* alone in a case like this means "No, thanks." To accept, say *Por favor*.

[2] In Mexico this is used as a reply by nearly everyone when called, but in other countries is used only by servants or inferiors.

[3] Don't say this to anyone but good friends!

Writing Letters in Spanish

Letter-writing among Spanish-speaking people is considered a fine art rather than a mere necessity. Even an ordinary business letter is full of polite phrases that make our hasty "Dear Sir" and "Yours truly" sound almost rude. No Latin is ever too busy to use an elaborate and roundabout way of expressing a thought in order to make it more courteous, and when he writes personal letters he often puts in so many solicitous phrases that there is little room for news!

There are endless accepted ways to begin and end a business letter in Spanish, and although it is possible to translate our formal greeting and complimentary close exactly, we are considered a little curt if we do it. For example, "Dear Madam" can be *Muy señora mía,* but a business letter addressed to a lady is more likely to begin with something like *Estimada señora* or even *Señora de nuestro respeto.*

Instead of opening at once with a business matter, as ours do, Spanish letters acknowledge one received by calling it a "kind" (*atenta*) or "pleasing" (*grata*) or "esteemed" (*apreciable*) favor. And the complimentary close is always such a masterpiece of respect, friendship, and gratitude for favors received that it may be almost embarrassing to us matter-of-fact *norteamericanos.*

If you would like to study business letter-writing in Spanish, get a copy of Luria's *Correspondencia comercial al día* (Silver Burdett), which is as interesting as it is useful.

There is also the *Commercial Correspondence Dictionary* by Máximo L. Vásquez, published by the Latin American Institute Press, 2 West 45th Street, New York 36, New York.

If you would like a Spanish-speaking pen pal, write the International Students' Society, Hillsboro, Oregon, for information.

Or contact your local chapter of the Junior Red Cross or write the National Headquarters, 17th and D Streets, N.W., Washington 13, D.C., for information on "School Correspondence."

For the minimum essentials of your Spanish letter-writing, the following reference lists of useful phrases will give you a pretty good idea of polite letter form. The body of any letter, of course, may say whatever you please in the usual way.

Guess the new words that look like English.

545

1. Business Letters

GREETINGS

1. Muy señor mío (señora mía):　　*Dear Sir (Madam):*
2. Muy estimado señor y amigo:　　*Esteemed Friend:* (More friendly form)

3. Estimada señora Fulana:　　*Dear Mrs. So-and-So:*
4. Muy apreciable señora: ⎤
5. Distinguida señora:　　　 ⎬　*Dear Madam:*
6. Respetable señora:　　　 ⎦
7. Muy apreciable y fina señora:　　*Dear Madam:* (More courteous)
8. Muy señora nuestra y de todo　　*Dear Madam:* (Very elaborate form)
nuestro respeto:

COMPLIMENTARY CLOSES

1. Rogándole dispense la molestia y anticipándole las gracias, quedo de usted atto., afmo., y S.S., (*Mexico*)
2. Sin más por ahora y en espera de sus noticias, quedo como siempre su afmo. atto. y S.S., (*Mexico*)
3. De usted muy atentos y seguros servidores, (*Costa Rica*)
4. Sin otro particular de momento, me es grato (*pleasing*) repetirme como siempre de usted afmo. atto. y S.S., (*Guatemala*)
5. Sin más de momento y en espera de verle pronto por ésta su casa, quedo de usted su afmo. atto. amigo y S.S., (*Mexico*)
6. Aprovecho la ocasión para ponerme a su entera disposición y para suscribirme su muy atento y obsecuente (*obedient*) servidor, (*El Salvador*)
7. Esperando que éste le sea de la utilidad (*usefulness*) deseada, quedo de usted muy atentamente, (*Santo Domingo*)
8. Con un atento saludo, quedamos de usted sus seguros servidores, (*Costa Rica*)
9. Me es grato anticiparle a usted nuestro deseo de ofrecerle todas las atenciones que le sean preciso durante su visita en nuestro país. De usted atentamente, (*Venezuela*)
10. Muy agradecidos de antemano por su atención (*kindness*), nos repetimos de usted afmos. amigos y attos. S.S., (*California*)
11. Nos es grato ofrecernos a sus órdenes como sus afmos., attos. y respetuosos servidores, (*Mexico*)
12. Sin más me repito de usted su atta. y Sa. Sa. quien está a sus órdenes. De usted, (*California*)

USEFUL EXPRESSIONS

acusar recibo, *to acknowledge receipt*
afmo.: afectísimo, *most affectionate*
anticipar, *to assure in advance, anticipate*

anticipándoles las gracias por su atención, *thanking you in advance for your kindness*

atto.: atento, –a, *attentive; kind*

como sigue, *as follows*

de acuerdo con, *in accordance with*

de antemano, *beforehand*

de momento, *of importance*

grato, –a, *pleasing*

nos (me) es grato (suministrar), *we are (I am) pleased to (furnish)*

próximo pasado (ppdo.), *last month*

quedo de usted(es) su atto. afmo. y S.S. (atento, afectísimo y seguro servidor), *I remain, yours sincerely*

S.S.: seguro servidor, *devoted servant*

sin otro particular, *without anything further*

sirve la presente para, *the object of this letter is*

suscribirnos de usted, atentos y seguros servidores, *to remain yours sincerely (pl.)*

2. Personal Letters

GREETINGS

1. Muy amigo mío,	*My dear friend,*
2. Querido amigo,	*Dear friend,*
3. Querida María,	*Dear Mary,*
4. Inolvidable amiga,	*Unforgettable friend,*
5. Estimable e inolvidable amiga,	*Esteemed and unforgettable friend,*

COMPLIMENTARY CLOSES

1. Como siempre su más leal y mejor amigo,
2. Reciba como siempre el sincero afecto de su atto. y S.S.,
3. Le saluda con cariño su amigo,
4. Créame siempre su leal amigo,
5. Se despide tierna (*tenderly*) y cariñosamente quien espera su próxima contestación,
6. Se despide quien mucho la quiere y adora y desea verla,
7. Muy cariñosamente como siempre se despide su amigo que muchos deseos tiene de verla, quedando su más sincero y leal amigo,
8. Se despide quien te adora hasta el delirio (*delirium*),

Fun for Class and Club

1. EXPRESIONES PARLAMENTARIAS PARA EL CÍRCULO ESPAÑOL

If you conduct your Spanish Club in Spanish, as you are well able to do by now, you will want to learn these parliamentary expressions. Since so many are easy cognates, the hardest thing you have to remember is to use the subjunctive after some of them!

el (la) presidente (-a), president
el (la) vice-presidente (-a), vice-president
el (la) secretario (-a), secretary
el (la) tesorero (-a), treasurer
el (la) socio (-a), member
la comisión, el comité, committee
el (la) presidente (-a), (committee) chairman

los funcionarios, officers
la sesión, meeting
el quórum, quorum
la cuota, dues
los asuntos, business
la moción, motion
el acta, the minutes

pasar lista, to call the roll
votar, to vote
elegir, to elect
nombrar, to appoint

proponer, to move (+ *subjv.*)
secundar, apoyar, to second
retirar, to withdraw
aprobar, to carry (a motion), approve

Se abre la sesión. The meeting will come to order.
leer el acta de la sesión anterior, to read the minutes of the last meeting
¿Está a discusión el acta? Are the minutes approved?
El acta queda aprobada. The minutes are approved.
pedir la palabra, to ask for the floor
tener la palabra, to have the floor
Hago una moción para que . . . ⎫
Presento una moción para que . . . ⎬ I move that (+ *subjv.*)
Propongo que . . . ⎭
Apoyo (secundo) la moción. I second the motion.
poner la cuestión a votación, to put the question to a vote
Los que estén por la afirmativa digan sí (levanten la mano derecha). Those in favor say yes (raise the right hand).
Los que estén por la negativa digan no. Those opposed, no.
Se aprueba la moción. ⎫
Aprobada. ⎬ The motion is carried.
rechazada, not carried
El resultado de la elección ha sido. . . . The election returns have been . . .
Se levanta la sesión. ⎫
La sesión queda levantada. ⎬ The meeting is adjourned.

2. ¡TAMBIÉN PUEDEN HABLAR LAS MANOS!

From Mexico to Argentina, from Central America to Spain, you find your Spanish-speaking friends using their hands as they talk. Even when they're on the phone or carrying an umbrella in the rain, they keep the free hand always busy adding emphasis to what they say.

Once you have seen a couple of Spanish-speaking gentlemen engaged in a lively conversation, you will never forget how much they use their hands to illustrate and emphasize the ideas they are expressing. We *norteamericanos* usually talk without moving a finger, but Latins are so fond of gesticulation that they can even say a great deal when they want to without the use of words at all.

In all your Spanish conversations, keep in mind that you are not being realistic unless you use your hands wherever possible — and the more, the better.

For example, no one would ever say an emphatic "No" in Spanish without wagging a forefinger severely at his questioner.

— *¡No, y no, y NO!*

Neither could he speak of a "little bit" of anything or a short space of time without measuring it by holding up a thumb and finger seemingly set to pick up a small object.

— *¡Un poquitito!*

When a Spanish-speaking person is in doubt about anything or gives up worrying or wondering about it, he shrugs his shoulders expressively. When he hands something to another, he does it with a graceful flourish in which he turns his hand over palm side up as it presents the article. A Spanish mother corrects a child who carelessly tosses an object to another, for he must learn to present it graciously with the proper flourish.

The Spaniard claps his hands twice to signal a waiter or servant, or makes a downward sweep of the hand, palm out (somewhat as if swatting a fly), to call anyone to him. He jerks his head backward at a passing friend to ask, "How are you?", or waves a passing greeting with hand held up, palm out, and fingers wiggling. He rarely mentions eating without bunching the fingers of a hand and putting them to his mouth.

From far across a room he can tell you that you are wanted on the telephone by putting a fist to his mouth and making a circular motion around his ear with the other hand as if ringing an old-fashioned telephone.

— *¡Le hablan por teléfono!*

He greets good friends with an enthusiastic *abrazo* and shakes hands afterward, and he is likely to click his heels together and bow low over a lady's hand when he is presented.

There are many other common gestures that are used continuously, but these are the simplest ones for you to acquire, and will give your Spanish conversation much more charm than it could ever have without them.

3. REFRANES POPULARES

To quote a fitting proverb (refrán), *reasons the Spaniard, is to win an argument, and he never lacks for a saying to suit the occasion. To add more Spanish flavor to your conversation, see how many of these you can remember. They can also be used for roll call in class or club. Or, for a game, type them, cut the words apart, and put each dissected proverb in an envelope for a player to reassemble. There are more proverbs on page 476.*

Manaña será otro día.
Quien mal habla, mal quiere oír.
No hay enemigo chico.
Por la boca muere el pez.
El que rompe, paga.
Más vale algo que nada.
Bien empezado, casi acabado.
La hermosura poco dura.
Del viejo el consejo.
Quien sabe que no sabe, algo sabe.

Desea lo mejor, y espera lo peor.
Poco a poco se anda lejos.
El que da primero da dos veces.
El que tiene boca se equivoca.
Perder con gloria no es perder.
En la variedad está el gusto.
Río y camino, malos vecinos.
A buena hambre no hay pan duro.
Nunca llueve a gusto de todos.
Quien mucho duerme poco aprende.

Decir y hacer son dos cosas, y la segunda es la dificultosa.
Cuanto (*the more*) me apresuro, más me destruyo.
Oye mucho y habla poco, pues lo contrario hace el loco.
El que sabe dos lenguas vale lo que pesa (*he weighs*).
Cuida de los centavos, que los pesos se cuidarán solos.
Come poco y cena (*sup*) temprano si quieres llegar a anciano (*old*).
Gota (*drop*) a (*by*) gota llueve, y con eso los ríos crecen.
Como haces tu cama, así la encuentras.
Más vale ser el primero en una aldea que el segundo en Roma.
El afortunado en amores es el desafortunado en el juego.
No rebotes (*stir up*) el agua, que así te la has de (*are to*) tomar.
Poderoso (*powerful*) caballero es don Dinero.
El dinero es la llave a todas las puertas del mundo.
El corazón del codicioso (*greedy*) nunca tiene reposo.
El camino más seguro es el recién (*recently*) robado.
El buen juez por su casa debe empezar.
Dime con quien andas, y te diré quien eres.
En boca cerrada no entran moscas (*flies*).
Ojos que no ven, corazón que no llora.
De un grano de arena (*sand*) haces una montaña.
Haz el pozo (*well*) antes que tú estás muriendo de sed.
El que nace para maceta (*flowerpot*), del patio no pasa.
Más vale buena fama (*reputation*) que cama dorada (*golden*).
Si a tu amigo quieres probar, finge tener necesidad.
Fruta junto al camino, nunca llega a madurar (*get ripe*).

4. JURAMENTO A LA BANDERA

To conduct your class or club meeting in Spanish, you may want to learn how to give the Pledge of Allegiance in Spanish as your flag salute.

Prometo fidelidad a la bandera de los Estados Unidos de América, y a la república que representa, una sola nación bajo Dios, poderosa e indivisible, con libertad y justicia para todos.

5. AMÉRICA

Our country's favorite patriotic song was translated into Spanish by a Puerto Rican poet, Fernández Juncos, who was just as much an American as we are. You can see how impossible it is to transfer the words of a song directly from one language to another when you compare what he has said with the words you know. The idea is what counts, and he has said it very well in his own way.

¡Oh, patria mía!
Bendita tierra de libertad,
a ti dirijo todos los días
las armonías de mi cantar.

Amo tu nombre,
amo tus rocas, amo tu sol.
Y ante ti siempre, tierra gigante,
palpita amante mi corazón.

Dios adorado
de nuestros padres, oye mi voz.
Protege al pueblo que honró tu nombre,
dándole al hombre la redención.

6. SUGESTIONES PARA EL CÍRCULO ESPAÑOL

Curios and Post Cards

Banks Upshaw & Co., 707 Browder St., Dallas, Texas.
The Latin American Shop, Importers, 107 Camp Street, New Orleans, Louisiana.
La Fiesta, Fred Leighton's Indian Trading Post, 13 East 8th St., New York.
Dextre Shop, 1401 Mason St., San Francisco, California.

Newspapers and Magazines

Américas, Pan American Union, Washington 6, D.C.
Joshua Powers, Inc., 345 Madison Ave., New York.
La Prensa, 245 Canal St., New York, New York.

Recordings and Sheet Music (Ask for catalogs.)

Edward B. Marks Music Corp., RCA Bldg., Radio City, New York.

Castellanos-Molina Music Shops, 144 West 72d St., New York.

Trinidad Peláez, Repertorio de Música Mexicana, 408 North Main, Los Angeles 12, California.

Dances and Costumes

MEXICAN FOLK DANCE ALBUM (Imperial Records), with dance routines by Paul Erfer, approved by the California Folk Dance Federation.

JOHNSTON, EDITH: REGIONAL DANCES OF MEXICO, Banks Upshaw, Dallas, Texas. Indian dances and costumes.

JARRETT, EDITH MOORE: SAL Y SABOR DE MÉXICO, Houghton Mifflin. Includes fiesta costumes and *jarabe tapatío* directions.

SEDILLO, MELA: MEXICAN AND NEW MEXICAN FOLK DANCES, University of New Mexico Press, Albuquerque, New Mexico.

List of available publications on music, dances, recordings

Pan American Union, Publications Division, Washington, D.C.

Plays

JARRETT, EDITH MOORE: SAL Y SABOR DE MÉXICO, Houghton Mifflin.

GESSLER, ELIZABETH FILKINS: ESCENAS CORTAS, Gessler Publishing Co., Hastings on Hudson, New York.

Songs

¡CANTEMOS! Penny Press Series, Emerson Books, Inc., 251 West 19th St., New York 11.

Recipes

FERGUSSON, ERNA: MEXICAN COOKBOOK, University of New Mexico Press.

MEXICAN COOKERY FOR AMERICAN HOMES, Gebhardt's, San Antonio, Texas.

Movies

The teacher's manual which accompanies EL CAMINO REAL lists sources for obtaining movies, film strips, slides, etc. for use in class or club.

English-Spanish Dictionary

The English-Spanish Dictionary is unusually complete and thus provides more-than-ordinary help for conversation and free composition. Wherever possible, words have been listed under several entries to make it easier for the student to find what he is looking for.

The dictionary includes all of the English meanings given in the chapter vocabularies of Book II, and all of the words taught in Book I that are used again in Book II, with these exceptions:

(1) Plot words used in only one chapter (*la condesa, el centinela*).
(2) Cognates that are not required for English-to-Spanish translation.

In addition to the words given in the dictionary, the student is referred to the Index for lists of practical words and idioms on such topics as food, clothing, and furniture. Cardinal and ordinal numerals are given in section 91, page 518.

Numbers following verbs refer to sections in the Appendix where they, or similar verbs, may be found conjugated. Stem-changing verbs have their present, preterite, and present participle change indicated: *sentir (ie, i)*.

Abbreviations used in both English-Spanish and Spanish-English dictionaries:

abbr.	abbreviation	*no.*	number
adj.	adjective	*obj.*	object
adv.	adverb	*pers.*	person
com.	command	*pl.*	plural
cond.	conditional	*poss.*	possessive
dir.	direct	*p.p.*	past participle
excl.	exclamation	*prep.*	preposition
f.	feminine	*pres.*	present
fam.	familiar	*pres. part.*	present participle
fut.	future	*pret.*	preterite
impers.	impersonal	*pron.*	pronoun
imperf.	imperfect	*ref.*	referring to
indir.	indirect	*rel. pron.*	relative pronoun
inf.	infinitive	*sing.*	singular
lang.	language	*Sp. Amer.*	Spanish American
m.	masculine	*subj.*	subject
Mex.	Mexico, Mexican	*subjv.*	subjunctive
neg.	negative		

A

a un, una
abandon, to abandonar
able, to be poder (ue, u) *61*
  not to be able to help no poder menos de
about acerca de; (*with a number*) como
  to be about tratar de

to be about to estar para
above sobre
accompany, to acompañar
according to según
account la cuenta
  on account of por
accustomed (to), to be tener la costumbre (de); soler (ue)

ache   el dolor
   headache   el dolor de cabeza
address   la dirección
advantage: to take advantage of   aprovechar
adventure   la aventura
advertisement   el anuncio
advice   el consejo (*often pl.*)
advise, to   aconsejar
affair   la cosa
affection   el cariño
afraid: to be afraid (*mentally*) temer
   to be afraid of   tener miedo a
   to be afraid to   tener miedo de
after (*in time*) después de; (*in position*) tras; detrás de
   after all   al fin
afternoon   la tarde
   good afternoon   buenas tardes
   in the afternoon   (*with exact time*) de la tarde; (*in general*) por la tarde
   yesterday afternoon   ayer en la tarde
afterwards   después
again   otra vez
   to (eat) again   volver a (comer)
against   contra
age   la edad
ago   hace + *expression of time*
   a little while ago   hace poco
   a week (two weeks) ago   hace ocho (quince) días
   not long ago   hace poco
agree with, to   estar de acuerdo con
ahead   adelante
   to send on ahead   mandar adelante (a)
airplane   el avión
airport   el aeropuerto
Alfred   Alfredo
alike   iguales
   just alike   igualitos, –as
alive   vivo, –a
all   todo, –a
   all (day)   todo (el día)
   to be all gone   acabarse
   to be all right   estar bien
allow, to   dejar; permitir
almost   casi
alone   solo, –a

all alone   solito, –a
   to let alone   dejar
along   por
   to take along   llevarse
aloud   en voz alta
already   ya
also   también
although   aunque
always   siempre
A.M.   de la mañana
American   (*adj.*) americano, –a; (*person*) el americano, el norteamericano; (*slang*) el yanqui
   North American   norteamericano, –a
amiable   amable
among   entre
amuse, to   divertir (ie, i) (a)
amusing   divertido, –a (*takes* ser)
an   un, una
and   y; (*before words beginning with* i *or* hi) e
   and how!   ¡como mil flores!
angry   enfadado, –a
   to get angry   enfadarse
annoy, to   molestar
another   otro, –a
answer   la respuesta
answer, to   contestar a; responder
Anthony   Antonio
anxious: to be anxious to   tener ganas de
any   cualquier; ningún, ninguna; (*after neg.*) ninguno, –a (*often omitted after a neg.*)
   any more   más
   there isn't any   no hay
anyhow   de todos modos
anyone   alguien; (*after neg.*) (a) nadie
anything   algo; (*after neg.*) nada
   anything else   otra cosa
anyway   de todos modos
anywhere   en alguna parte
appear, to   aparecer (aparezco) *87*
apple   la manzana
appoint, to   nombrar
appointment   la cita
approach, to   acercarse a *82*
April   abril (*m.*)

are   son; están (*See page 528, § 122 and 123.*)

  there are   hay

arm   el brazo

army   el ejército

around   alrededor de

arrival   la llegada

arrive (at), to   llegar (a)   *81*

arrange, to   arreglar

article   el artículo

as   tan; como; según

  as far as   hasta

  as if   como si

  as much (money) as   tanto (dinero) como

  as (rich) as   tan (rico) como

  as soon as   en cuanto (*with subjv.*)

  as well as   así como

  such as   como

ashamed (to), to be   tener vergüenza (de)

ask, to   (*a question*) preguntar; (*beg*) rogar (ue)   *81*

  to ask for   pedir (i, i)

  to ask permission (to)   pedir permiso (para)

  to ask questions   hacer preguntas

astonish, to   asombrar

astonished   asombrado, –a

at   en; (*telling time or with* llegar) a

  at Christmas   en Navidad

  at home   en casa

  at (Mary's)   en casa de (María)

  at night   de noche

  at once   en seguida

attend, to   asistir a

August   agosto (*m.*)

aunt   la tía

automobile   el automóvil

  by automobile   en automóvil

  (*For service station words, see page 438.*)

avenue   la avenida

avoid, to   evitar

awaken, to   despertar(se) (ie)

away (from), to get   librarse (de); escaparse (de)

  to take away from   quitar a

Aztec   el *or* la azteca (*used as noun or adjective*)

B

back   la espalda

back(ward)   atrás

bad   mal(o), –a (*use* mal *before a m. sing. noun*)

  too bad!   ¡qué lástima!

  to be too bad   ser lástima

badly   mal

balcony   el balcón

ballroom   el salón de baile

bank   el banco

barber   el barbero

barge   la canoa (*at Xochimilco*)

basket   la cesta

bath   el baño

  bathroom   el baño

bathing suit   el traje de baño

battle   la batalla

be, to   ser *69;* estar *56;* (*For uses, see* § *122 and 123, page 528.*)

  to be able to   poder (ue)   *61*

  to be about to   estar para   *56*

  to be accustomed to   acostumbrarse; soler (ue)

  to be afraid   temer; tener miedo (a) (de)

  to be all right   estar bien

  to be born   nacer (nazco)   *87*

  to be glad   alegrarse (de)

  to be good for   servir (i, i) para

  to be in the way   estorbar

  to be mistaken   equivocarse   *82*

  to be room for   caber (quepo)   *52*

  to be surprised   sorprenderse

  to be to   haber de   *57*

  to be willing   querer (ie)   *63*

  to be worth while (to)   valer la pena de

beach   la playa

bean   el frijol

beat, to   golpear; (*win*) ganar

beautiful   hermoso, –a; bello, –a

beauty   la belleza

because   porque; por + *inf.*

  because of   a causa de; por + *inf.*

become, to   hacerse (me hago) *58;* ponerse (me pongo) *62;* llegar a ser (*See* get)

bed   la cama
bedroom   la recámara (*Mex.*); la alcoba
beefsteak   el filete (*Mex.*)
been   sido; estado
before   (*place*) delante de, ante; (*time*) antes de; antes (de) que (*with subjv.*)
   day before yesterday   anteayer
beg, to   rogar (ue) *81*
begin (to), to   empezar (ie) (a) *84*, comenzar (ie) (a) *84*
beginning: at the beginning   al principio
behave oneself, to   portarse
behind   detrás (de)
believe, to   creer *85*
bell (little *or* school)   la campanilla
   church bell   la campanita
bellboy   "el botones" (*Mex.*)
belong to, to   ser de (soy) *69;* pertenecer a (pertenezco) *87*
beloved   querido, –a
bench   el banco
beneath   bajo, debajo de
beside   al lado de
besides   además (de)
best   el (la) mejor
   the best thing   lo mejor
better   mejor
   so much the better   tanto mejor
   to get better   mejorar
between   entre
bicycle   la bicicleta
big   grande; (*before a sing. noun*) gran
bird   el pájaro
birth   el nacimiento
birthday   el cumpleaños
blame, to be to   tener la culpa
   I am not to blame   no tengo la culpa
blond   rubio, –a
blood   la sangre
blouse   la blusa
blow   el golpe
blue   azul
Bobby   Chefito
body   el cuerpo
   (*See page 436 for names of parts of the body.*)

boil, to   cocer (ue) (cuezo) *87:* hervir (ie, i)   (*See footnote 1, page 386.*)
boiled: hard-boiled eggs   huevos duros
book   el libro
   comic book   la historieta cómica
booth   el puesto
border   la frontera
   south of the border   al sur de la frontera
born, to be   nacer (nazco) *87*
borrow (from), to   pedir prestado (i, i) (a)
boss   el patrón
bother, to   molestar (*used like* gustar)
bottle   la botella
bottom   el fondo
bouquet   el ramito
box   la caja
boy   (*small*) el niño; (*in general*) el muchacho; (*teen-age*) el chico, el joven
   "boy friend"   el novio
   oh boy!   ¡huy!
brand-new   nuevecito, –a
brave   valiente
bread   el pan
break, to   romper *89;* hacer pedazos
breakfast   el desayuno
   (*See page 471 for breakfast words.*)
breeze   la brisa
bride   la novia
bridge   el puente
briefcase   la cartera
bring, to   traer (traigo) *72*
   to bring down   bajar
   to bring up   subir
"broke," to be   (*out of money*) estar bruja (*invariable*)
broken   roto, –a
brother   el hermano
   brother(s) and sister(s)   los hermanos
brown   moreno, –a
brunette   morena
build, to   construir (construyo) *86*
building   el edificio
bumper   el paragolpes
burn, to   quemar
bus   el camión (*Mex.*), el autobús
bush   el arbusto
business   los negocios

busy   ocupado, –a
but   pero; mas; (*after neg.*) sino
butter   la mantequilla
button   el botón
buy (from), to   comprar (a)
by   por; para; de (*See page 257, § 34.*)
   by day   de día
   by night   de noche

C

cake   el pastel
call, to   llamar
   to be called   llamarse
   to "call up"   llamar por teléfono
calmly, (very)   con (mucha) calma
camera   la cámara
   (*For photography words, see page 497.*)
camp (tourist)   el campo (para turistas)
can (*to be physically able*) poder (ue, u)
   61; (*to know how to*) saber (sé)   *65*
candle   la vela
candy   los dulces (*usually pl.*)
cannot   (*use no with* poder)
canoe   la canoa
can't   (*use no with* poder)
captain   el capitán
car   el carro; el coche (*Mex.*)
   old car   la cucaracha
   (*For service station words, see page 438.*)
card   la tarjeta
care   el cuidado
   (I) don't care   no (me) importa
   to take care of   cuidar (de) (a)
careful, to be   tener cuidado
   careful!   ¡cuidado!
carefully   con cuidado
carnation   el clavel
carriage   el coche
carry (away), to   llevar(se)
case   el caso
cash, to   hacer efectivo
castle   el castillo
cat   el gato
cave   la cueva
cease, to   cesar de
celebrate, to   celebrar
cent   el centavo
   per cent   por ciento

center   el centro
century   el siglo
certain, (a)   cierto, –a
certainly   sí (*for emphasis*)
chain   la cadena
chair   la silla
chance, by   por casualidad
change, to   cambiar
   to change (into)   convertirse (ie, i) (en)
chapel   la capilla
chapter   el capítulo
charge, to   cobrar
charmed   encantado, –a
charming   encantador, –a
chat, to   platicar   *82*
chauffeur   el chófer
cheap   barato, –a
check   el cheque
chew, to   mascar   *82*
chewing gum   el chicle
chick   el pollito
chicken   (*to eat*) el pollo
   chickens   (*in general*) las gallinas
chief   el jefe
child   el niño
   my child   hijo mío
   the Christ child   el Niño Jesús
children   (*small*) los niños; (*older*) los
      muchachos; (*sons and daughters*) los
      hijos
choose, to   escoger (escojo)   *83*
Christmas   la Navidad
   Christmas eve   la Nochebuena
   Christmas tree   el arbolito de Navidad
   at (for) Christmas   en Navidad
   Merry Christmas   Feliz Navidad
church   la iglesia
city   la ciudad
class   la clase
clay   el barro
clean   limpio, –a
clean, to   limpiar
clerk   el dependiente
clever   listo, –a
cliff   el risco
climate   el clima
climb, to   (*down*) bajarse de; (*up*) subir a
clipping   el recorte

clock   el reloj
  it is (nine) o'clock   son las (nueve)
close, to   cerrar (ie)
close, to come (get)   acercarse a   *82*
close to   junto a
clothes   la ropa
clothing   la ropa
  (*For clothing words, see laundry list,*
    page 487.)
cloud   la nube
club   (*organization*) el club
  Photography Club   El Club Foto
  Spanish Club   El Círculo Español
coat   (*suitcoat*) el saco
  overcoat   el abrigo
coax, to   rogar (ue)   *81*
cockroach   la cucaracha
coconut   el coco
coffee   el café
cold   el resfriado
cold   (*adj.*) frío, –a
  to be cold   (*persons*) tener frío
  to be cold   (*things*) ser *or* estar frío
  to be cold   (*weather*) hacer frío
collect, to   recoger (recojo)   *83*
collide (with), to   chocar (con)   *82*
collision   el choque
color   el color
comb (one's hair), to   peinar(se)
come, to   venir (vengo)   *74*
  come in   pase usted
  come, now! come, come!   ¡vaya!
  to come close to   acercarse a   *82*
  to come out   salir (de)
  to come to   (*a place*) llegar a   *81*
comfortable   cómodo, –a
"comics," comic books   las historietas
  cómicas
coming, I'm   allá voy
command, to   mandar
commence, to   comenzar (ie)   *84*, empezar (ie)   *84*
companion   el compañero
company   la compañía (*abbr.* Cía.)
"company"   (*visitors*) las visitas
complain (about), to   quejarse (de)
comply (with), to   cumplir (con)
concerning   acerca de

confidence   la confianza
congratulations   felicidades
conquer, to   vencer (venzo)   *88*
conqueror   el conquistador
consent (to), to   consentir (ie, i) (en)
consist (of), to   consistir (en)
contain, to   contener (contengo)   *70*
continue, to   seguir (i, i) (sigo)   *68*
contrary: on the contrary   al contrario
contribute, to   contribuir (contribuyo)   *86*
cook, to   cocer (cuezo)   *87*
cooked   cocido, –a
cool   fresco, –a
  to be cool   (*weather*) hacer fresco
corn   el maíz
corner (street)   la esquina
corral   el corral
corsage   el ramillete
cost, to   costar (ue)
count, to   contar (ue)
country   (*rural*) el campo; (*nation*) el
  país; (*native land*) la tierra
couple   el par (*things*)
course   la asignatura
course: of course (not)   claro (que no);
  por supuesto
courteous   cortés
courtesy   la cortesía
  (*For expressions of courtesy, see page 543.*)
courtyard   el patio
cousin   el primo, la prima
cover, to   cubrir   *89*
cover (with)   cubierto, –a (de)
cow   la vaca
crazy   loco, –a
cream   la crema
credit: on credit   al fiado
cross   la cruz
cross, to   cruzar   *84*
cry   el grito
cry, to   llorar; gritar
  to cry out   gritar
cup   la taza
cure, to   curar
curious   curioso, –a
current events   los sucesos del día
custom   la costumbre
customer   el cliente

D

daily diario, –a
  daily paper el diario
daisy la margarita
dance el baile
dance, to bailar
danger el peligro
dare (to), to atreverse (a)
dark obscuro, –a
darkness la obscuridad
darling precioso, –a; querido, –a; mi vida
date la fecha; (*social or appointment*) la cita
  what is the date? ¿cuál es la fecha?
daughter la hija
dawn: at dawn al amanecer
day el día
  all day todo el día
  by day de día
  day after tomorrow pasado mañana
  day before yesterday anteayer
  every day todos los días
  Saint's day el día del Santo
  the next day al día siguiente
dead muerto, –a
deaf sordo, –a
deal: a great deal mucho
deal with, to tratar con
dear: oh, dear! ¡ay!
dear (beloved) caro, –a; querido, –a
death la muerte
deceive, to engañar
December diciembre (*m.*)
decide, to decidir
deep hondo, –a
delighted encantado, –a
deliver, to entregar *81*
depend (on), to depender (de)
desert, to abandonar
desire, to desear
dessert el postre
destroy, to destruir *86*
devil el diablo
diamond el brillante
die, to morir (ue, u) *89*
died muerto, –a
different (from) distinto, –a (de)

difficult difícil
dine, to comer
dining room el comedor
dinner la comida
  (*See page 474 for dinner words.*)
disagreeable desagradable
disappear, to desaparecer (desaparezco) *87*
discover, to descubrir *89*
discuss, to discutir
dish el plato
  (*See page 492 for list of dishes.*)
display, to mostrar
distance: in the distance a lo lejos
distant lejano, –a
do, to (*often in the verb*) hacer (hago) *58*
  to do well in an examination salir bien en un examen
  what can I do for you? ¿en qué puedo servirle?
  what shall I (should he, *etc.*) do! ¡qué hacer!
doctor el médico
dog el perro
doll la muñeca
dollar (*U.S.*) el dólar; (*Sp. Amer.*) el peso
done: it can't be done no se puede
donkey el burro
don't *sign of neg. com.*
door la puerta
double doble
doubt la duda
  there is no doubt that no cabe duda de que
doubtless sin duda
down abajo
  to get down (go down) bajarse
downtown (en) el centro; al centro
dozen la docena (de)
dress el traje, el vestido
dress (in), to vestirse (i, i) (de)
dressed (in) vestido, –a (de)
  to get dressed vestirse (i, i)
drink, to beber; tomar
drink, soft el refresco
drive el paseo
drive, to manejar

driver   el (la) automovilista; el chófer
   driver's license   la licencia de manejar
drop, to   dejar caer
drugstore   la botica
dry   seco, –a
dry, to   secar   *82*
due to   debido a
"dumb"   tonto, –a
"dumbbell"   el tonto, la tonta
during   durante
dust   el polvo
dusty: it is dusty   hay polvo
dying, to be   morirse (ue, u)   *89*

E

each   cada (*invariable*)
   each other   se; nos
ear (*inner*)   el oído
early   temprano
earn, to   ganar
earth   la tierra
earthquake   el temblor
easy   fácil
   take it easy   poco a poco, suavecito
eat, to   comer
   to eat (all) up   comerse
effort   el esfuerzo
egg   el huevo
   to lay an egg   poner un huevo
either (*after neg.*)   tampoco
   either . . . or   o . . . o
   nor (I) either   ni (yo) tampoco
else: something (anything) else   otra cosa
embarrassed   desconcertado, –a
   to be embarrassed   tener vergüenza; estar desconcertado
embarrassment   la vergüenza
Embassy   la Embajada
emerald   la esmeralda
emperor   el emperador
employ, to   emplear
employee   el empleado
empty   vacío, –a
end   el fin
   at the end   al fin

enemy   el enemigo
England   Inglaterra
English   (*adj.*) inglés, inglesa; (*lang.*) el inglés
Englishman   el inglés
Englishwoman   la inglesa
enjoy, to   gozar (de)   *84*
enjoy oneself, to   divertirse (ie, i)
enormous   enorme
enough   bastante
   to be enough   bastar
enter, to   entrar (en)
entire   entero, –a
envelope   el sobre
equal(ly)   igual(mente)
–er (*comparative ending*)   más . . .
escape, to   escaparse
especially   sobre todo
–est (*superlative ending*)   el (la) más . . .
estate   la hacienda
eve: Christmas Eve   la Nochebuena
even   hasta
   not even   ni siquiera
evening   la noche
   good evening   buenas noches
event   el suceso
   current events   los sucesos del día
ever (*after neg.*)   nunca, jamás
every   cada; todo, –a
   every day   todos los días
everyone   todo el mundo, todos
everything   todo
   how's everything?   ¿qué tal?
everywhere   por todas partes
   from everywhere   de todas partes
exaggerate, to   exagerar
example: for example   por ejemplo
except   menos; sino
exchange, to   cambiar
   in exchange for   por
exclaim, to   exclamar
excuse, to   dispensar
   excuse me   dispense usted; (*asking permission*) con (su) permiso
expect, to   esperar
expensive   caro, –a
explain   explicar   *82*
eye   el ojo

F

face   la cara
face, to   (*buildings*)   dar a   *54*
fact   el caso
  as a matter of fact   en efecto
  in fact   en efecto
  the fact is that   es que
fail, to   faltar
fall (down), to   caer(se)   *53*
  to fall on one's knees   caer de rodillas
family   la familia
  (*For names of relatives, see page 450.*)
fan   el abanico
"fan"   (*sports*)   el aficionado
fancy: fancy meeting you here!   ¡qué
  milagro!
far away   lejos
far from   lejos de
  as far as   hasta
farm   la finca
fast   de prisa
fat   gordo, –a
father   el padre
  father-in-law   el suegro
fault: it isn't my fault (that)   no tengo la
  culpa (de que)
favor   el favor
fear   el miedo
fear, to   temer
feather   la pluma
February   febrero (*m.*)
feed, to   dar de comer (a)
feel, to   sentir (ie, i)
  to feel like   tener ganas de
  it makes me feel like   me da ganas de
  not to feel much like   tener pocas
  ganas de
  to feel (rich)   sentirse (rico)
fellow, young   (el) joven
festival   la fiesta
few   pocos, –as
  (a) few   unos (–as) cuantos (–as)
fiancé   el novio
fiancée   la novia
field   el campo
fifth   quinto, –a
fight, to   combatir
fig tree   la higuera
fill (with), to   llenar (de)

film   la película
finally   al fin
find, to   hallar; (*persons*) encontrar
  (ue) (a)
  to find oneself   encontrarse (ue)
  to find out   saber (*in pret. or inf.*)
finger   el dedo
fingernail   la uña
finish, to   acabar
  to be finished, "all gone"   acabarse
  to finish (up with)   terminar (con)
fire   el fuego
first   primer(o), –a
  at first   al principio
  first prize   el premio gordo
  for the first time   por primera vez
fish   (*living*) el pez; (*to eat*) el pescado
fish, to   pescar   *82*
fit (into), to   caber (quepo)   *52*
fitting, to be   convenir (convengo)   *74*
fixed   (*in position or price*)   fijo, –a
flag   la bandera
flat   llano, –a
flatter: you flatter me   favor que me hace
flee (from), to   huir (huyo) (de)   *86*
float, to   flotar
floor   (*of building*) el piso; (*of a room*) el
  suelo
flower   la flor
fly, to   volar
foggy: it is foggy   hay neblina
follow, to   seguir (i, i) (sigo)   *68*
following   siguiente
  on the following day   al día siguiente
fond of   aficionado (–a) a
food   la comida
  (*food words: breakfast, see page 471;
  dinner, see page 474*)
fool   el tonto
foolish   tonto, –a
foot   (*person's*) el pie; (*animal's*) la pata
  on foot   a pie
for   para; por (*See pages 256–257.*); pues
  for (two years)   hace (dos años) que
  for Christmas   en Navidad
forbidden: it is forbidden   se prohibe
forehead   la frente
foreign   extranjero, –a
foreigner   el extranjero

forest   el bosque
forget, to   olvidar
   to forget (about)   olvidarse (de)
former, the   aquél, aquélla
fountain   la fuente
   fountain pen   la plumafuente
fourth   cuarto, –a
Frank, Frankie   Pancho
free   gratis
free (oneself) (from)   librar(se) (de)
freeze, to   helar (ie)
freight   la carga
French (adj.)   francés, francesa; (lang.)
   el francés
   Frenchman   el francés
   French woman   la francesa
frequently   con frecuencia
fresh   fresco, –a
Friday, (on)   (el) viernes
fried   frito, –a
friend   el amigo; (pl.) las amistades
   "boy friend"   el novio
   "girl friend"   la novia
friendship   la amistad
frighten, to   asustar (a)
frightened   asustado, –a
from   de; desde; (with verb of separation)   a
   from . . . till   desde . . . hasta
   to steal from   robar a
   to take away from   quitar a
front: in front of   delante de
fulfill, to   cumplir (con)
full (of)   lleno, –a (de)
fun   la diversión
   to make fun of   burlarse de
"funnies"   las historietas cómicas
funny (strange)   curioso, –a; (amusing)
   (with ser)   divertido, –a
   funny story   el chiste
fur   la piel
furniture (in general)   los muebles; (one
   article)   el mueble
   (For words for furniture and furnish-
   ings, see page 491.)

G

gain, to   ganar
game   el partido; (in general)   el juego

garden   el jardín
gardener   el jardinero
gasoline   la gasolina
gather up, to   recoger (recojo)   83; reunir
gentle   manso, –a
gentleman   el señor; el caballero
George   Jorge
get, to   conseguir (i, i) (consigo)   68
   to get angry   enfadarse
   to get away (from)   librarse (de), escaparse (de)
   to get better   mejorar
   to get down (from)   bajarse (de)
   to get in, into (car, etc.)   subir a; entrar
   (en)
   to get in the way   estorbar
   to get (become) (red) (involuntary)
   ponerse (me pongo) (rojo)   62
   to get (become) (voluntary)   hacerse
   (me hago)   58
   to get lost   perderse (ie)
   to get married   casarse con
   to get off   bajar (de)
   to get out (car, etc.)   bajar de
   get out (of here)!   ¡váyase!, ¡vete!
   to get sick   ponerse enfermo, –a
   to get (something done)   hacer + inf.
   to get (something) out (of)   sacar (de)
   82
   to get to (a place)   llegar a   81
   to get to be   llegar a ser
   to get up   levantarse
ghost   el fantasma
gift   el regalo
girl   (small) la niña; (in general) la muchacha; (teen-age) la chica; (young lady)
   la señorita
   "girl friend"   la novia
give, to   dar   54; (as a gift)   regalar
   is (are) given   se da(n)
glad: so glad to know you   tanto gusto
glad (of), to be   alegrarse (de)
gladly   con mucho (todo) gusto
go, to (somewhere)   ir   59; (no destination)
   andar   51, caminar; pasar
   go (traffic)   siga
   go ahead   pase usted
   go on!   ¡vaya!
   let's go   vámonos

to go away   irse (me voy)   *59*
to go downtown   ir al centro
to go for a ride (**walk**)   pasearse
to go home   volver a casa (ue)
to go near   acercarse (a)   *82*
to go out   salir (salgo)   *66*
to go shopping   ir de compras
to go to sleep   dormirse (ue, u)
to go to *or* **toward**   dirigirse a (me dirijo)   *83*
God   Dios
gods   los dioses
gold   el oro
golden   de oro
gone: to be all gone   acabarse
good   bueno, –a
good day   buenos días
good evening   buenas noches
good gracious!   ¡caramba!
good morning   buenos días
good night   buenas noches
it's no good   no sirve
the good one   el bueno
to be good (*persons*)   portarse bien
to be good for   servir (i, i) para
good-by   adiós
to say good-by (**to**)   despedirse (i, i) (de)
good-looking   de buena presencia
goodness: for goodness' sake!   por Dios!
goodness knows   ¡quién sabe!
got   (*see* to get)
government   el gobierno
gracious: good gracious!   ¡caramba!
grade (*school*)   la nota
grand   gran (*before sing. noun*)
granddaughter   la nieta
grandfather   el abuelo
grandmother   la abuela
grandson   el nieto
grateful   agradecido, –a
great   gran(de)   (*used before a noun*)
greater   mayor
the greater part of   la mayor parte de
greatest   el mayor
green   verde
greet, to   saludar (a)
ground   el suelo
grow, to   crecer (crezco)   *87*
guess, to   adivinar

guest   el invitado
gum, chewing   el chicle
gun   la escopeta

H

habit: to be in the habit of   soler (ue)
had   *sign of imperf. tense of* tener *or* haber
ha, ha!   ¡ja, ja!
hair   el cabello, el pelo
to comb one's hair   peinarse
half (a)   (*adj.*) medio, –a; (*noun*) la mitad
half an hour   media hora
half past   y media
ham   el jamón
hamburger (**sandwich**)   la hamburguesa
hand   la mano
to hand over   entregar   *81*
to shake hands   dar la mano
handbag   la bolsa
handsome   guapo, –a
hang (**up**), to   colgar (ue)   *81*
hanging   colgado, –a
happen, to   suceder, pasar
to happen to   pasar con
happily   alegremente
happiness   la felicidad
happy (**to**)   contento, –a (de); feliz
hard   duro, –a
hard-boiled eggs   los huevos duros
to rain hard   llover mucho
hardly   apenas
haste   la prisa
hat   el sombrero
haunted   encantado, –a
have, to   tener (tengo)   *70;* haber (he)   *57*
to have a good time   divertirse (ie, i)
to have a party   hacer una fiesta
to have just   acabar de
to have made   mandar hacer
to have on   llevar puesto
to have (**something done**)   hacer + *inf.*
to have to   tener que
he   él (*usually omitted*)
he who   el que; quien
head   la cabeza
on his head   a la cabeza
to turn one's head   volver (ue) la cabeza
health   la salud
your health!   ¡salud!

hear, to oír (oigo) *60*
heart el corazón
heat el calor
Heaven help me! ¡válgame Dios!
Heavens! ¡por Dios!
heavy pesado, –a
Helen Elena
hello (*in passing*) adiós; (*greeting*) ¡hola!
help, to ayudar (a)
   Heaven help me! ¡válgame Dios!
   not to be able to help no poder menos de
hen la gallina
her la; (*after prep.*) ella; (*poss.*) su; (el)
   suyo
   to her le ... a ella
here aquí
   here is aquí tiene usted
   here's hoping! ¡ojalá!
   right here aquí mismo
hers (el) suyo; el (la) de ella
herself se; (ella) misma
hide, to esconder
high alto, –a
   high school el colegio
highway la carretera; el camino real
him le; (*after prep.*) él
   him who a quien
   to (from) him le
himself se; él mismo
   to himself para sí
   with him(self) consigo
his su; (el) suyo, el (la) de él
hold: to take hold of (*things*) coger
holy santo, –a
home el hogar
   at home en casa
   is (Paul) home? ¿está (Pablo)?
   make yourself at home ésta es su casa
   (to go) home (volver) a casa
   to reach home llegar a casa
hope, to esperar
   I hope so espero que sí; ojalá
   here's hoping! ¡ojalá!
horse el caballo
horseback, on a caballo
   to ride horseback montar a caballo
hot caliente
   to be hot (*persons*) tener calor;
   (*weather*) hacer calor

hotel el hotel
   (*For hotel words, see page 446.*)
hour la hora
   an (per) hour por hora
   (one dollar) an hour (un dólar) la hora
house la casa
   at (Mary's) house en casa de (María)
how (?) (¿) cómo (?)
   how are you? ¿cómo está usted?
   how do you do? buenos días
   how do you like ...? ¿qué tal le
   gusta ... ?
   how old are you? ¿cuántos años tiene
   usted?
   how many? ¿cuántos, –as?
   how much? ¿cuánto, –a?
   how nice! ¡qué bueno (bonito)!
   how ridiculous! ¡qué barbaridad!
   how's everything? ¿qué tal?
   to know how (to) saber (sé) *65*
however (large) (it may be) por (grande)
   que (sea)
huge enorme
humble humilde
humor: to be in a good (bad) humor
   estar de buen (mal) humor
hundred, one ciento; (*before noun or* mil)
   cien
hung colgado, –a
hunger el hambre (*f.*)
hungry, to be (very) tener (mucha)
   hambre
hurrah for ¡viva(n)!
hurry (to), to apresurarse (a)
   to be in a hurry tener prisa
husband el esposo, el marido
"hush" callarse

I

I yo (*usually omitted*)
   not I yo no
ice el hielo
   ice cream el helado
idea: the idea ¡qué cosa!
if si
   if only ojalá
ill enfermo, –a
illness la enfermedad
imagine, to imaginar(se)

immediately en seguida
immense inmenso, –a
important, to be importar (*used like* gustar)
improve, to mejorar
in en; por; (*after a superlative*) de
  in a short time dentro de poco
  in front of delante de
Indian indio, –a (*used as noun or adj.*)
indicate, to indicar *82*
inhabitant el habitante
inherit, to heredar
inside dentro de
insist, to insistir en
instantly al instante
instead of en vez de
intend (to), to pensar (ie)
interest el interés
interest, to interesar
interested: to be interested in interesarse
interesting interesante
interrupt, to interrumpir
introduced, to be (*to meet*) conocer (conozco) *87*
is es; está
  there is hay
island la isla
it (*as subj., in the verb*); (*as object*) lo, la; (*after prep.*) él, ella
  it is es; está
  it is (nine) o'clock son las (nueve)
  to it le
its su; (el) suyo
itself mismo –a
  to itself para sí

J

jail la cárcel
"jalopy" la cucaracha
January enero (*m.*)
jeep la cucaracha
jewel la joya
jewelry las joyas
job el trabajo
John Juan
joke (*practical*) la broma; (*funny story*) el chiste
Joseph José

journey el viaje
  pleasant journey feliz viaje
joy la alegría
judge el juez
judgment el juicio
"juke box" el tragadieces
July julio (*m.*)
jump, to saltar
June junio (*m.*)
jungle la selva
just: to have just acabar de (*used only in pres. and pret.*)
just alike igualitos, –a

K

keep, to guardar
  to keep (a promise) cumplir con (una promesa)
  to keep from impedir (i, i)
keep on, to seguir (i, i) (sigo) *68;* andar, ir + *pres. part. 59*
  to keep (one's hat) on llevar puesto (el sombrero)
kettle la olla
key la llave
kill, to matar
killed (*p.p. of* matar) muerto, –a
kilometer el kilómetro
kind la clase; (*adj.*) amable
  all kinds of toda clase de
king el rey
kiss, to besar
kitchen la cocina
knee la rodilla
  (to fall) (to be) on one's knees (caer) (estar) de rodillas
knock (at), to llamar (a)
  to knock down echar abajo
know, to (*facts*) saber (sé) *65;* (*people and places*) conocer (conozco) *87*
  to know how to saber *65*

L

lack la falta
lack, to faltar (*used like* gustar)
lad el chico; el joven
lady la señora; la dama
  young lady la señorita
lake el lago

lamp la lámpara

land la tierra

land, to aterrizar *84*

language la lengua

large grande

last (*of a series*) último, –a; (*just past*) pasado, –a

  at last al fin; por fin

  last night anoche

  last week la semana pasada

last (longer), to durar (más)

late tarde

  later más tarde

  see you later hasta luego

Latin American latinoamericano, –a (*noun or adj.*)

latter, the éste

laugh, to reír (i, i) (río) *64*

  to laugh at reírse de (me río de) *64*

laundry la ropa

  (*For a list of clothing, see page 486.*)

Laurence Lorenzo

law la ley

lawyer al abogado

lay an egg, to poner un huevo

lazy perezoso, –a

leaf la hoja

learn (to), to aprender (a)

least lo menos

  at least por lo menos

  the least possible lo menos posible

leave, to (*a place*) salir (de) *66;* (*as is*) dejar; (*go away*) irse *59*

left izquierdo, –a

  to the left a la izquierda

leg la pierna

legend la leyenda

lend, to prestar

less menos

  less than (*with a number*) menos de

lesson la lección

let, to dejar; permitir

  to let alone dejar

let's vamos a; *sign of first pers. com.*

  let's go! ¡vámonos!

  let's see a ver

letter (*to a person*) la carta; (*of alphabet*) la letra

level llano, –a; (*of the water*) el nivel

license, driver's la licencia de manejar

license plate la placa

lie, to mentir (ie, i)

life la vida

lift levantar

light la luz; (*fixture*) la lámpara

  light-colored rubio, –a

light, to encender (ie)

like como; igual a

  as you like como guste, como quiera

  how do you like . . . ? ¿qué tal le gusta(n) . . . ?

  I (you, he, she) would like to quisiera

  like that, like this así

  not to feel (much) like tener (pocas) ganas de

  would you like some? ¿gusta?

  to feel like tener ganas de

like, to (*to be pleasing to*) gustar, agradar

limit, speed la velocidad máxima

lip al labio

lipstick el lápiz de labios

listen (to), to escuchar; (*as a com.*) oír *60*

little pequeño, –a; chico, –a; (*in quantity*) poco, –a

  a little (milk) un poco de (leche)

  a little while ago hace poco

  little by little poco a poco

live, to vivir

living vivo, –a

load la carga

loaded (with) cargado, –a (de)

lock, to cerrar (ie) con llave

long largo, –a

  a long time mucho tiempo

  longer más tiempo; más largo

  no longer ya no

  not long ago hace poco

  too long (*time*) demasiado tiempo

look, to (*at*) mirar

  to look for buscar *82*

  to look like parecer (parezco) *87*

  to look out tener cuidado, ¡cuidado!

lose, to perder (ie)

lost, to get perderse (ie)

loud alto, –a

  in a loud voice en voz alta

Louis Luis

love   el amor
love, to   amar, querer a (ie)   *63*
   to be in love (with)   estar enamorado, –a (de)
   to make love to   hacer el amor a
lover   el enamorado
low   bajo, –a
lower, to   bajar
loyal   leal
luck   la suerte
lucky   afortunado, –a

M

machinery   la maquinaria
madam   señora
magazine   la revista
magnificent   magnífico, –a
maid   la criada
mail   el correo
   is there any mail?   ¿hay cartas?
   to mail   echar al correo
make, to   hacer (hago)   *58*
   to make a mistake   equivocarse   *82*
   to make for oneself   hacerse   *58*
   to make fun of   burlarse de
   to make love to   hacer el amor a
   to make one's way to   dirigirse a   *83*
   make yourself at home   ésta es su casa
man   el hombre
   little old man   el viejecito
manner   la manera
many   muchos, –as
   as many (as)   tantos, –as (como)
   how many?   ¿cuántos, –as?
   so many (as)   tantos, –as (como)
March   marzo (*m.*)
Margaret   Margarita
mark (*grade*)   la nota
market   el mercado
marry, to   casarse con
Mary   María
Mary Ann   Ana María
match   el fósforo
matter   la cosa; el particular
   what's the matter (with you)?   ¿qué tiene (usted)?, ¿qué pasa?
matter, to   importar
   as a matter of fact   en efecto
May   mayo (*m.*)

may   poder (ue); *often the sign of pres. subjv.*
   it may be (that)   puede ser (que)
   may I (go)?   ¿me permite (ir)?
   may it be good for you   buen provecho
   may one (enter)?   ¿se puede (pasar)?
maybe   quizás, tal vez
me   me; (*after prep.*) mí
   to me   me
   with me   conmigo
meal   la comida
mean, to   querer decir
means   el medio
   by means of   por medio de
meanwhile   entretanto
meat   la carne
meet, to   (*become acquainted with*) conocer (conozco)   *87;* encontrar (ue)
meeting   la reunión
member   el socio
menace, to   amenazar (con)   *84*
merrily   alegremente
merry   alegre
   Merry Christmas   feliz Navidad
Michael   Miguel
midnight, at   a medianoche
might   *often the sign of past subjv.*
mile   la milla
milk   la leche
million   el millón (de)
mind: never mind   no tenga cuidado
mine   (el) mío, (la) mía
   of mine   mío, –a
   one of mine   uno de los míos
miner   el minero
minus   menos
minute (*omitted in telling time*); **it is (five) minutes to (nine)**   son las (nueve) menos (cinco)
miracle   el milagro
Miss   señorita
miss, to   (*a train*) perder (ie)
mistake: to make a mistake   equivocarse   *82*
mistaken, to be   equivocarse   *82*
moment   el momento
   at the moment   al momento
   at this moment   en este momento
Monday, (on)   (el) lunes

money   el dinero
month   el mes
moon   la luna
moonlight: it is moonlight   hay luna
more   más
   any more   más
   more than   (*with a no.*) más de
   the more ... the more   cuanto más ...
      más
morning   la mañana
   good morning   buenos días
   in the morning   (*exact time*)   de la
      mañana; (*in general*) por la mañana
most   el más
   most (beautiful)   (hermos)ísimo, –a
   most of   la mayor parte de
motel   el campo para turistas
mother   la madre
mother-in-law   la suegra
motion picture   la película
motorist   el (la) automovilista
mount, to   montar
mountain   la montaña
mouth   la boca
move, to   mover(se) (ue); (*change resi-*
   dence) mudarse de residencia
   get a move on you!   ¡apresúrate!
movie(s)   el cine; (*picture*) la película
Mr.   señor
Mrs.   señora
much   mucho, –a
   as much (money) as   tanto (dinero)
      como
   how much?   ¿cuánto, –a?
   so much (the better)   tanto (mejor)
   thank you very much   muchas gracias
   too much   demasiado, –a
   very much   muchísimo, –a
muddy: it is muddy   hay lodo
murmur, to   murmurar
must, one   hay que; tener que
my   mi, mis; mío, –a
   oh, my!   ¡huy!
myself   me; (yo) mismo, –a

N

nail (finger *or* toe)   la uña
name   el nombre
   in the name of   de parte de

to be named   llamarse
to name   nombrar
what is your name?   ¿cómo se llama
   usted?
narrow   estrecho, –a
Nativity scene   el nacimiento
near   cerca de
necessary   necesario, –a: preciso
   it is necessary to   hay que
necessity   la necesidad
necklace   el collar
necktie   la corbata
need, to   faltar (*used like* gustar); necesitar
neighbor   el vecino
neighboring   vecino, –a
neither   ni; tampoco
   neither have (do) I   ni yo tampoco
   neither ... nor   ni ... ni
nephew   el sobrino
never   nunca; jamás
nevertheless   sin embargo
new   nuevo, –a
   "brand-new"   nuevecito, –a
news   la noticia (*often used in pl.*)
next   siguiente; próximo
   next (year)   el año que viene, el
      próximo año
   (on) the next day   al día siguiente
nice   simpático, –a; bonito, –a
   how nice!   ¡qué bueno!; ¡qué bonito!
nickel, a   un cinco
niece   la sobrina
night   la noche
   at night (*in general*)   por la noche; (*ex-*
     act time) de la noche; de noche
   by night   de noche
   good night   buenas noches
   last night   anoche
   tonight   esta noche
no   no; ningún, ninguno, –a
nobody   (a) nadie
no one   (a) nadie
noise   el ruido
nor   ni
nor (I) either   ni yo tampoco
north   (el) norte
North American   norteamericano, –a;
   "yanqui"

nose   la nariz
not   no; (after a neg.) ningún, ninguno, –a
   not even   ni; ni siquiera
note   la cartita
nothing   nada
   nothing to say   nada que decir
notice, to   fijarse (en)
November   noviembre (m.)
now   ahora; ya
   right now   ahora mismo
nowadays   actualmente, hoy día

O

obliged, much   muy agradecido, –a
obtain, to   conseguir (i, i) (consigo) 68;
   obtener (obtengo) 70
occupy, to   ocupar
o'clock: at (two) o'clock   a las (dos)
   it is (two) o'clock   son las (dos)
   it is one o'clock   es la una
October   octubre (m.)
of   de; of the (m.) del
   it's (ten) minutes of (three)   son las
   (tres) menos (diez)
offer, to   ofrecer (ofrezco) 87
often   muchas veces
oh dear! (oh my!)   ¡ay!
oh-oh!   ¡huy!
oh that   ojalá (que)
oil   el aceite
old   (person) viejo, –a; (thing) antiguo, –a
   or viejo, –a
   how old are you?   ¿cuántos años tiene
   usted?
   I am (fifteen) years old   tengo (quince)
   años
   little old man   el viejecito
   to be (fifteen) years old   tener (quince)
   años
older   mayor
oldest   el mayor
on   en; sobre; (with inf.) al; (with a day
   of the week) el; (clothing) puesto, –a
   on his (their) head(s)   a la cabeza
   on the contrary   al contrario
   on the way to   camino de
   on top of   encima de
   to have on   llevar puesto, –a

once   una vez
   at once   en seguida
one   un(o), –a; se
   it is one o'clock   es la una
   no one   (a) nadie
   one can('t) (cannot)   (no) se puede
   one must   hay que
   oneself   se
   the (old) one   el (viejo)
   (the) one who   el (la) que; quien
   the (rich) ones   los (ricos)
only   (adj.) único, –a; (adv.) sólo; no ...
   más que
   if only   ojalá
   the only thing   lo único
onward   adelante
open, to   abrir 89
open(ed)   abierto, –a
opposite, the   lo contrario
or   o; (before words beginning with o or
   ho)   u
orchestra   la orquesta
orchid   la orquídea
order, to   mandar; (food) pedir (i, i)
   in order that   para que + subjv.
   in order to   para
other   otro, –a
   each other   se; nos
   the others   los demás
otherwise   de otra manera
ouch!   ¡ay!
ought   deber
our   nuestro, –a
   (of) ours   (el) nuestro, (la) nuestra
ourselves   nos
out: to put out   apagar
outside   afuera; fuera de
oven   el horno
over   sobre
overcoat   el abrigo
owe, to   deber
owing to   debido (–a) a
own   propio, –a
owner   el dueño
oxcart   la carreta

P

package   el paquete
page   la página

pain   el dolor
paint (with), to   pintar (de)
painting   la pintura
pair   el par
pal   el cuate (*Mex.*)
paper   el papel
   daily paper   el diario
   newspaper   el periódico
pardon, to   perdonar
   pardon me   perdóneme usted
parents   los padres
park, to   estacionarse
part   la parte
   to play the part   hacer el papel
party   la fiesta
   to have a party   hacer una fiesta
pass, to   pasar
passenger   el pasajero
past   pasado, –a
   half past   y media
pastry   el pastel
path   la senda
Paul   Pablo
paw   la pata
pay (for), to   pagar   *81*
   to pay (one dollar) for   pagar (un dólar)
   por
peace   la paz
peanut   el cacahuate (*Mex.*)
pedestrian   el peatón
pen   la pluma; (*for livestock*)   el corral
   fountain pen   la plumafuente
pencil   el lápiz
people   la gente
per   por
performance   la función
perfumed (with)   perfumado, –a (de)
perhaps   quizás, tal vez
permission   el permiso
   to ask permission to   pedir permiso
   para
permit, to   permitir
person   la persona
Peter   Pedro
photograph   la fotografía
photograph, to   (*persons only*) retratar;
   sacar fotografías
phrase   la frase
pick up, to   recoger (recojo)   *83*

picture: to take a picture (of him) (of
   them)   sacar(le) (les) la fotografía
piece   el pedazo; la pieza
   a piece of advice   un consejo
   a piece of furniture   un mueble
   a piece of jewelry   una joya
   a piece of news   una noticia
   to break in pieces   hacer pedazos
pig   el cerdo
piggy   el cerdito
pineapple   la piña
pink   (de) color de rosa
pity: what a pity   ¡qué lástima!
   to be a pity   ser lástima
place   el lugar
   to take place   tener lugar
plane   el avión
plant, to   plantar
plate, license   la placa
play, to   (*game*) jugar (ue) (a)   *81;* (*instrument*) tocar   *82*
   to play the (a) part   hacer el (un) papel
pleasant   feliz
   pleasant journey   feliz viaje
please, to   agradar (*used like* gustar)
   if you please   si me hace el favor
   please   (hacer el) favor de + *inf.;*
   com. + por favor
   to be pleasing to   gustar
   will you please . . . ?   ¿me hace el favor
   de . . . ?
pleasure   el gusto
   with much pleasure   con todo (mucho)
   gusto
plenty (of)   bastante
P.M.   de la tarde (noche)
pocket   el bolsillo
pocketbook   la bolsa
policeman   el policía
poor   pobre
   (the) poor (little) thing (fellow)   pobrecito, –a
possible   posible
   it is possible   puede ser
   the least possible   lo menos posible
post office   el correo
pot   la olla
potato   la papa (*Mex.*)
poverty   la pobreza

powder los polvos
pray, to rezar *84*
precious precioso, –a
prefer, to preferir (ie, **i**)
present el regalo
  at present actualmente
present, to regalar
pretend, to fingir (finjo) *83*
pretty bonito, –a; lindo, –a
prevent (from), to impedir (i, i)
price el precio
priest el sacerdote
private particular
prize el premio
  first prize el premio gordo
probably (*See page 84,* § 7.)
prohibit, to prohibir
promise, to prometer
proper, to be convenir (convengo) *74*
propose, to proponer (propongo) *62*
protect, to proteger (protejo) *83*
proverb el refrán
provided that con tal (de) que; siempre
  que
publish, to publicar *82*
pull, to tirar de
pumpkin la calabaza
punish, to castigar *81*
pupil el alumno
purchase la compra
purchase, to comprar
pure puro, –a
purple morado, –a
purse la bolsa
push, to empujar
put, to poner (pongo) *62*
  to put in meter en
  to put on ponerse (me pongo) *62*
  to put out apagar *81*

Q

quantity la cantidad
quarrel la riña
question la pregunta
  to ask (a) question(s) hacer (una) pregunta(s)
quickly de prisa; pronto
quiet: to be (keep) quiet callarse
quite bastante

R

race la carrera
railroad el ferrocarril
rain la lluvia
rain, to llover (ue)
raise, to levantar
ranch (large) la hacienda
rare raro, –a
rate: at any rate de todos modos
Raymond Ramón
reach, to (*a place*) llegar a *81*
read, to leer *85*
reader el lector
ready listo, –a
real verdadero, –a
realize, to darse cuenta de
really de veras
reason la razón
recall, to recordar (ue)
receive, to recibir
recognize, to reconocer (reconozco) *87*
record (*phonograph*) el disco
red rojo, –a; colorado, –a
refreshments los refrescos
regret, to sentir (ie, i)
relate, to contar (ue)
relative el pariente
remain, to quedarse
remember, to recordar (ue)
remember (about), to acordarse (ue)
  (de)
repeat, to repetir (i, i)
reply la respuesta
reply, to responder, contestar (a)
respect el respeto
respect, to respetar
respected (by) respetado, –a (de)
rest, to descansar
  the rest los demás
restaurant el restaurante
restroom el cuarto de aseo
return, to volver (ue) *89*, regresar; (*an
  object*) devolver (ue) *89*
review el repaso
review, to repasar
rich rico, –a
riches la(s) riqueza(s)
ride, to montar
  to go for a ride (riding) pasearse

to ride horseback   montar a caballo
to take for a ride   llevar a pasear
ridiculous: how ridiculous!   ¡qué barbaridad!
right   (*direction*)   derecho, –a
  all right!   ¡bueno!
  to be all right   estar bien
  right here (there)   aquí (allí) mismo
  right now   ahora mismo
  that's right   es cierto
  to be right   tener razón
  to the right   a la derecha
  to turn to the right   tomar la derecha
ring, to   sonar (ue)
rise, to   subir; levantarse
river   el río
road   el camino
rob, to   robar
Robert   Roberto
rock   la roca; (*small*) la piedra
room   el cuarto; la habitación
  large room   el salón
  living room   la sala
  restroom   el cuarto de aseo
  to be room for   caber (quepo)   *52*
rouge   el colorete
roundup   el rodeo
route   la ruta
  en route to (the south)   rumbo al (sur)
royal   real
run, to   correr
  to run away   escaparse; huir (de)   *86*
  to run into   chocar con   *82*

S

sacred   sagrado, –a
sacrifice, to   sacrificar   *82*
sad   triste
safe   seguro, –a
saint   el santo
  Saint (Joseph)   San (José)
  Saint's day   el día del santo
saintly   santo, –a
sake: for goodness' sake!   ¡por Dios!
  for the sake of   por
sale: (is) (not) for sale   (no) se vende
same   mismo, –a
  the same as   igual a

the same thing   lo mismo
  the same to you   igualmente
satisfy, to   satisfacer (satisfago)   *67*
Saturday, (on)   (el) sábado
sauce   la salsa
  tomato sauce   la salsa de jitomate (*Mex.*)
save (oneself), to   salvar(se)
say, to   decir (digo)   *55*
  I should say so!   ¡ya lo creo!
  to say good-by (to)   despedirse (ie, i) (de)
  to say so (no, not)   decir que sí (no)
  they say   se dice
  you don't say!   ¡no me diga(s)!
scene   la escena
school   la escuela
  high school   el colegio
scrapbook   el álbum de recortes
scream   el grito
scream (with), to   gritar (de)
sea   el *or* la mar
seat   el asiento
seated   sentado, –a
second   segundo, –a
  second-hand   usado, –a
see, to   ver (veo)   *75*
  let's see   a ver
  "you see" (is seen, one sees)   se ve
seed   la semilla
seem, to   parecer (parezco)   *87*
  to seem strange to   extrañar
seize, to   (*things only*) coger (cojo)   *83*
sell, to   vender
send, to   enviar (envío) (*See page 12.*), mandar
  to send on ahead   mandar adelante
sentence   la frase
September   septiembre (*m.*)
serious   grave; serio, –a
servant   el criado
serve (as), to   servir (i, i) (de)
service: at your service   a sus órdenes
shade   la sombra
  in the shade   a la sombra
shadow   la sombra
shake hands, to   dar la mano
shame   la vergüenza
  shameless one   el (la) sinvergüenza
  shame on you!   ¡sinvergüenza!

she ella
  she who la que
sheet la sábana
shine, to brillar
shirt la camisa
shoe el zapato
shopping, to go ir de compras
shore la orilla
short: in a short time dentro de poco
  a short while un rato
should deber; *sign of cond. tense*
  I should say so! ¡ya lo creo!
shoulder la espalda
shout el grito
shout, to gritar
show, to mostrar (ue)
sick enfermo, –a
side el lado
  on (to) the other side al otro lado
sign la señal
sign, to firmar
signature la firma
silver la plata
simple sencillo, –a
since desde; puesto que; desde que
sing, to cantar
sir señor
sister la hermana
sit down, to sentarse (ie)
sitting down sentado, –a
sixth sexto, –a
sky el cielo
slacks los pantalones de deporte
sleep, to dormir (ue, u)
  to go to sleep dormirse (ue, u)
slowly despacio
small pequeño, –a; chico, –a
smart listo, –a
smile la sonrisa
smile, to sonreír (sonrío) *64*
smoke (*of a fire*) el humo
smooth suave
snow, to nevar (ie)
so así; lo; (*with adj. or adv.*) tan
  I hope so; ¡ojalá!; Espero que sí.
  I should say so! ¡ya lo creo!
  is that so? ¿verdad?
  So-and-so Fulano
  so much tanto, –a

  so much the better tanto mejor
  so that para que; a fin de que; de
    manera que
  that's (not) so (no) es cierto, (no) es
    verdad
  to say (hope, think) so decir (esperar,
    creer) que sí
soap el jabón
sock (*man's*) el calcetín; (*girl's*) la tobi-
  llera
soda el refresco
soft suave
  soft drink el refresco
soldier el soldado
solve, to resolver (ue) *89*
some alguno, –a, algún; unos, –as; un
  poco de; (*omitted when an indefinite
  quantity*)
someone alguien
something algo
  something else otra cosa
  something to (eat) algo que (comer)
sometimes algunas veces
somewhat algo
somewhere en alguna parte
son el hijo
song la canción
sorry, to be sentir (ie, i)
  I'm (very) sorry lo siento (mucho)
soul el alma (*f.*)
sound, to sonar (ue)
soup la sopa
south el sur
  South America la América del Sur
  south of the border al sur de la fron-
    tera
southbound rumbo al sur
souvenir el recuerdo
Spain España
Spaniard el español
Spanish (*adj.*) español, española; (*lang.*)
  el español
  Spanish-speaking de habla española
  Spanish American hispanoamericano,
    –a
speak, to hablar
  to speak to dirigirse a (dirijo) *83*
speaking: Spanish-speaking de habla
  española

speed la velocidad
  the speed limit la velocidad máxima
spend, to (*money*) gastar; (*time*) pasar
spite: in spite of a pesar de
sport el deporte
spring la primavera
squash la calabaza
stage (*theater*) la escena, el escenario
stairway la escalera
stand (*vendor's*) el puesto
star la estrella
start, to (*see* to begin)
state el estado
station la estación
stay, to quedarse
steak, T-bone el filete tibon
steal (from), to robar (a)
still aún; todavía
  to be (keep) still callarse
stocking la media
stone la piedra
stop (*traffic*) alto
stop, to detenerse (me detengo) *70*; pararse; (*doing something*) dejar de, cesar de
store la tienda
story el cuento; (*of a building*) el piso
strange raro, –a; extraño, –a; (*funny*) curioso, –a
  the strange thing lo extraño, lo curioso
  to seem strange to extrañar
street la calle
  street corner la esquina
streetcar el tranvía
strike, to dar un golpe a, golpear
  to strike (four) dar las (cuatro)
strong fuerte
student el estudiante
study, to estudiar
style el estilo; la moda
subject (*school*) la asignatura
succeed in (*doing something*), **to** conseguir (i, i) (consigo) *68; pret. of* poder (ue, u) *61*
such (a) tal
such as como
suddenly de pronto
suffer, to sufrir
sugar el azúcar

suggest, to proponer *62*
suit el traje, el vestido
  bathing suit el traje de baño
suitable, to be convenir (convengo) *74*
summer el verano
sun el sol
Sunday, (on) (el) domingo
  dressed in Sunday best vestido de domingo
sunny de sol
  it is sunny hay (hace) sol
sunshine: in the sunshine al sol
supper la cena
sure seguro, –a
surprise, to sorprender (*used like* gustar)
  to be surprised sorprenderse
  I am surprised that me sorprende que
surround (with *or* **by), to** rodear (de)
Susie Susita
swear, to jurar
sweater el suéter
sweet dulce
sweetheart el (la) novio (–a)
swim, to nadar

T

table la mesa
take, to (*See page 384*, § *4³.*) tomar; llevar
  to take advantage of aprovechar
  to take along llevarse
  to take a part hacer un papel
  to take a walk pasearse
  to take away llevarse
  to take away (from) quitar (a)
  to take care tener cuidado
  to take care of cuidar (de) (a)
  to take for a walk *or* **ride** llevar a pasear
  to take hold of (*things only*) coger (cojo) *83*
  to take leave of despedirse (i, i) de
  to take off (*someone else*) quitar a
  to take off (*of yourself*) quitarse
  to take out sacar *82*
  to take pictures sacar fotografías; (*of persons*) retratar
  to take place tener lugar
  take it easy poco a poco, suavecito

talk, to   hablar; (*chat*) platicar   *82*
tall   alto, –a
taste   el gusto
tea   el té
teach (to), to   enseñar (a)
tear   la lágrima
tear, to   romper   *89*
telephone   el teléfono
  (*For telephone expressions, see page 457.*)
tell, to   decir (i, i) (digo)   *55*
  to tell (*a story*)   contar (ue)
temple   el templo
terrified   aterrado, –a
test, to   probar
than   que; (*before a number*) de
  (larger) than   más (grande) que
thank, to   dar las gracias a
thank you (very much), thanks   (muchas) gracias
that   (*near you*) ese; (*over there*) aquel;
  (*ref. to idea*) eso; (*rel. pron.*) que
  oh that   ojalá
  so that   para que, a fin de que
  that of   el (la) de; lo de
  that one   ése; aquél
  that's it   eso es
  that which   el (la) que; lo que
the   el, la, los, las
theater   el teatro
thee, to thee, for thee   te
their   su; suyo; el (la) . . . de ellos
theirs, of theirs   (el) suyo; el (la) de ellos
them   (*dir. obj.*) los, las; (*after prep.*) ellos, ellas
  to (for) them   les
themselves   se
  to themselves   para sí
then   entonces, luego; pues
there   allí, allá
  there is *or* are   hay
  there isn't any   no hay
  there was *or* were   había
therefore   por lo tanto; por eso
these   (*adj.*) estos, –as; (*pron.*) éstos
they   ellos, ellas
  they say   se dice
  "they"   se, uno
thief   el ladrón
thing   la cosa

(the) poor little thing   pobrecito, –a
the same thing   lo mismo
the strange thing   lo curioso, lo extraño
think (about), to   pensar (ie) (en); (*believe*) creer   *85*
third   tercer(o), –a
thirst   la sed
thirsty, to be   tener sed
this   (*adj.*) este, –a; (*ref. to idea*) esto
  this one   éste, ésta
thirty   treinta
  (ten) thirty   las (diez) y media
Thomas   Tomás
those   (*near you*) esos, –as; (*over there*) aquellos, –as; (*pron.*) ésos, –as, aquéllos, –as
  those of   los (las) de
  those which, who   los (las) que
thou   tú
thought   el pensamiento
thousand, a (one)   mil
threaten (with), to   amenazar (con) *84*
thrilling   emocionante
through   por
throw, to   tirar, echar
  to throw into the air   tirar al aire
thus   así
Thursday, (on)   (el) jueves
thy   tu; tuyo, –a
thyself   te
ticket   (lottery) el billete (de lotería); (*travel or theater*) el boleto
till   hasta que
  five till nine   cinco para las nueve
time   el tiempo; (*of day*) la hora; (*in series*) la vez (*pl.* veces)
  a short time   un rato
  at the same time   a la vez
  at what time?   ¿a qué hora?
  for the first time   por primera vez
  from time to time   de vez en cuando
  in a short time   dentro de poco
  next time   la próxima vez
  on time   a tiempo
  to have a good time   divertirse (ie, i)
  what time is it?   ¿qué hora es?
times   (*math.*) por; (*in a series*) veces
tired   cansado, –a

to   a; (*in order to*) para; que; (*as far as*)
hasta
(five) minutes to (nine)   las (nueve)
menos (cinco)
from (nine) to (ten)   desde las (nueve)
hasta las (diez)
something to (do)   algo que (hacer)
to himself (herself, itself, themselves)
para sí
to the   al (*m.*)
today   hoy; (*nowadays*) hoy día
together   juntos, –as
tomato   el jitomate (*Mex.*), el tomate
tomorrow   mañana
day after tomorrow   pasado mañana
for tomorrow   para mañana
tonight   esta noche
too   (*also*) también
too bad!   ¡qué lástima!
to be too bad   ser lástima
too long   demasiado tiempo
too much   demasiado (*adj. or adv.*)
too many   demasiados, –as
tooth   el diente
toward   hacia
to go toward   dirigirse a *83*, acercarse a *82*
town   el pueblo
toy   el juguete
traffic   el tránsito
train   el tren
translate, to   traducir (traduzco)   *87*
transportation   el transporte
travel, to   caminar, viajar
traveler   el viajero
tray   la bandeja
treasure   el tesoro
tree   el árbol
Christmas tree   el arbolito de Navidad
tremble, to   temblar (ie)
trip   el viaje
trouble   la pena
to be worth the trouble to   valer la
pena de
trousseau   la ropa de novia
truck   el camión
true   verdadero, –a
it is (not) true   (no) es verdad, (no)
es cierto

truth   la verdad
try (to), to   tratar (de)
to try (out)   probar (ue)
Tuesday, (on)   (el) martes
turn: to turn around   volverse (ue) *89*
to turn   (*become*) ponerse (me pongo)
62
to turn one's head   volver (ue) la
cabeza
to turn to the right   tomar la derecha
turquoise   la turquesa
two   dos
you two   los dos
typical   típico, –a

U

ugly   feo, –a
uncle   el tío
under   bajo, debajo de
understand, to   entender (ie)
unhappy   infeliz
unite, to   unir(se)
united   unido, –a
United States   los Estados Unidos
unless   sin que
until   hasta (que)
up: to climb up   subir
to eat up   comerse
to go up to   acercarse a   *82*
to take up   subir
to wake up   despertarse (ie)
upon   sobre
upon . . . ing   al + *inf.*
us   nos; (*after prep.*) nosotros, –as
to (for) us   nos
use: it's no use   no sirve
use, to   usar
used to   *sign of imperf. tense*
to be used to   tener la costumbre de
useful   útil
utensil   el utensilio
(*For list of kitchen utensils, see page 492.*)

V

vain: in vain   en vano
valley   el valle
value   el valor
vegetable   la legumbre
vendor   el vendedor

very muy; mismo, –a
  very (**beautiful**) (hermos)ísimo, –a
view la vista
village la aldea
visit, to visitar
visitor la visita
voice la voz
vote, to votar

W

wait for, to esperar
waiter el mesero (*Mex.*)
wake, to despertar (ie) a
walk el paseo
walk, to andar *51;* caminar
  to take (go for) a walk pasearse
wall la pared
waltz el vals
want, to querer (ie) *63;* desear
war la guerra
warm caliente; (*lukewarm*) tibio, –a
  to be warm (*persons*) tener calor
  to be warm (*weather*) hacer calor
was era; estaba
  there was había
wash, to lavar(se) (*reflexive when used with parts of the body*)
watch el reloj
watch, to mirar (a)
water el agua (*f.*)
way (*road*) el camino; (*manner*) la manera
  in the same way de la misma manera
  on the way to camino de
  to be in the way estorbar
we nosotros (*usually omitted*)
weak débil
wealth la(s) riqueza(s)
wear, to llevar; llevar puesto; vestirse (i, i)
weather el tiempo (*see* hacer)
  (*For weather expressions, see page 465.*)
  to be good (bad) weather hacer buen (mal) tiempo
  to be hot (cold) (cool) weather hacer calor (frío) (fresco)
Wednesday, (on) (el) miércoles
week la semana; ocho días

a week ago hace ocho días
last week la semana pasada
two weeks ago hace quince días
weep, to llorar
welcome bienvenido, –a
  you're welcome de nada
well bien; pues
  as well as así como
were eran: estaban
  there were había
what que; (*that which*) lo que
what? ¿qué?
  what a (**funny joke**)! ¡qué (chiste) tan (divertido)!
  what is the date? ¿cuál es la fecha?
whatever lo que
wheel la rueda
when cuando; **when?** ¿cuándo?
whenever siempre que
where donde; **where?** ¿dónde?; ¿a dónde?
wherever adonde, (a)dondequiera
which que; el (la) cual, el (la) que
  that which el (la) que; lo que
which? ¿qué?
  which one? ¿cuál?
while mientras (que)
  a little while ago hace poco
  a short while un rato
  meanwhile entretanto
  to be worth while (to) valer la pena (de)
whip el látigo
whisper, to murmurar
white blanco, –a
who que, quien; el (la) cual
  he (she) who quien, el (la) que
  the one who el (la) que
who? ¿quién?
whoever el (la) que, quien
whole entero, –a; todo, –a
  the whole day todo el día
whom, (to) a quien; los (las) que
whom? ¿a quién?
whose cuyo, –a
  whose (is)? ¿de quién (es)?
why? ¿por qué?
  why not? ¿cómo no?
wide ancho, –a

widow la viuda
wife la esposa
will you (eat)? ¿quiere usted (comer)?
win, to ganar
wind el viento
window la ventana, el balcón
  car window la ventanilla
windy: to be windy hacer viento
wine el vino
winter el invierno
wish, to desear, querer (ie) *63*
  best wishes felicidades
  I wish (he would, *etc.*)! ¡ojalá!
with con
  with me conmigo
  with him(self) consigo
within dentro de
without sin; sin que
woman la mujer
wonder (at), to extrañar (*used like* gustar)
  no wonder (that) no hay que extrañar (que + *subjv.*)
won't, I no quiero
woods el bosque
word la palabra
work el trabajo
work, to trabajar
world el mundo
worry (about), to preocuparse (por)
  don't worry! ¡no tenga usted cuidado!
worse peor
worst el peor
worth, to be valer (valgo) *73*
  (not) to be worth while (to) (no) valer la pena (de)
would *sign of cond. tense*
  (I) would like to quisiera
  would that ojalá (que)

wound, to herir (ie, i)
wrap, to envolver (ue) *89*
write, to escribir *89*
wrong, to be no tener razón

Y

"Yankee" (*any North American*) el yanqui
year el año
  next year el año que viene, el próximo año
  to be (ten) years old tener (diez) años
yellow amarillo, –a
yes sí
yesterday ayer
  day before yesterday anteayer
yet todavía; aún
you (*formal, subj.*) usted, ustedes; (*dir. obj.*) le, los, la, las; (*after prep.*) usted, ustedes
  to you le (les) ... a usted (ustedes)
  "you" can't no se puede
you (*fam.*) tú, vosotros, –as; te, os; ti, vosotros, –as
young joven
  young fellow (el) joven
  young lady la señorita
  young people los jóvenes
younger menor
youngest el (la) menor
your (*formal*) su; suyo; el ... de usted (ustedes); (*fam.*) tu, vuestro, –a; tuyo, –a, vuestro, –a
yours (el) de usted, (el) suyo; (*fam.*) (el) tuyo, (el) vuestro
yourself (*formal*) se; (*fam.*) te
yourselves (*formal*) se; (*fam.*) os

Spanish-English Dictionary

Why waste time looking here for words which you could guess with very little effort?

To encourage you to *think* as you read the stories and therefore to make it easier for you in the long run, many cognates (words similar to English) used have intentionally been omitted from this dictionary. In the early chapters you are taught how to recognize the different types of cognates, and the kinds omitted are listed here as a reminder.

Remember, if you do not find a certain word in this dictionary, the chances are that you should never have looked for it, but should have guessed!

Cognates frequently omitted are those which:

1. Are identical with English: *federal, admirable, hotel.*
2. Are unmistakable (long enough to be easily guessed, no matter what variations they may have): *automóvil, aeroplano, cigarro, paciente.*
3. End in *–dad* instead of *–ty: electricidad, cordialidad, crueldad.*
4. End in *–ción* instead of *–tion: acción, institución, liberación.*
5. End in a different final letter from English or add *–a, –o,* or *–e* to the English: *argentino, cemento, contraste.*
6. Add verb endings to forms exactly or almost exactly like English: *alarmar, presentar, observar.*
7. End in *–cia, –cía,* or *–cio* instead of *–y* or *–ce: ceremonia, violencia.*
8. End in *–oso* instead of *–ous: glorioso, religioso.*
9. Are unmistakable cognates ending in *–mente* instead of *–ly: curiosamente.*
10. Are unmistakable cognates ending in *–ado* or *–ido* instead of *–ed: civilizado, manufacturado.*
11. Begin with *es–* instead of *s–: especial, espléndido.*
12. Begin with *in–* instead of *un–: inexplorado, innecesario.*
13. Are spelled with *t* instead of *th* (*autor*), *f* instead of *ph* (*foto*), *c* instead of *ch* (*cristiano*), *i* instead of *y* (*tipo*).
14. Are spelled with single consonants instead of double: *recomendar, colosal.*

Word markings:

Numbers preceding words refer to their frequency in Keniston's *A Standard List of Spanish Words and Idioms*, D. C. Heath and Company. Those marked **1** are in the first 500 (which Keniston defines as Fundamental and Structural Words); **2**, 501–1000 (defined as Essential Words); **3**, 1001–1500 (defined as Indispensable Words); **4**, Keniston's Useful Words.

Numbers following verbs refer to sections in the Appendix where they, or similar verbs, are conjugated. Stem-changing verbs have their present, preterite, and present participle change indicated: *preferir* (*ie, i*).

Omitted forms:

In general, words omitted from the Spanish-English dictionary are:

1. Regular present and past participles unless they have new meanings: *cuidado, be careful.*
2. Regular adverbs ending in *–mente* and formed from adjectives which are listed: *ricamente.*
3. Regular adjectives ending in *–ísimo* when the adjective is listed: *muchísimo.*
4. Feminine forms of masculine nouns (or masculine forms of feminine nouns) which are listed: *esposa, profesora.*
5. Words translated in parentheses in stories unless used subsequently.
6. Proper nouns similar to or identical with English or explained in the reading matter.
7. Unusual plot words given in chapter vocabularies but used only in that chapter: *aguinaldo, atascadero, garita.*

A

1   **a**   to; at
    a las (cinco)   at (five) o'clock
    a ver   let's see
2   **abajo**   down
    echar abajo   to knock down
2   **abandonar**   to desert, abandon
   el abanico   fan
1   **abierto, –a** (*p.p. of* **abrir**) opened;
    open
4   **el abogado**   lawyer
   el abrigo   (over)coat
1   **abril** (*m.*)   April
1   **abrir**   to open   89
2   **la abuela**   grandmother
1   **acabar**   to finish
1   **acabar de**   to have just
4   **acabarse**   to be finished, "all gone"
4   **el aceite**   oil
3   **acerca de**   about, concerning
1   **acercarse a**   to come close, go near,
    go up to   82
1   **acompañar**   to accompany
3   **aconsejar**   to advise
2   **acordarse (ue) (de)**   to remember
    (about)   76
3   **actualmente**   at present, nowadays
4   **el acuerdo: estar de acuerdo con**   to
    agree with
2   **adelante**   onward; ahead
    mandar adelante   to send on
    ahead
1   **además (de)**   besides
2   **adiós**   good-by; (*when used as pass-
    ing greeting*) hello
3   **adivinar**   to guess
3   **adonde**   wher(ever)
    (a)dondequiera   wherever
   el aeropuerto   airport
   aficionado, –a   fond of
   el aficionado   (sports) "fan"
   afortunado, –a   lucky
   afuera   outside
1   **agosto** (*m.*)   August
3   **agradar**   to please
   agradecido, –a   grateful
    muy agradecido, –a   much obliged
1   **el agua** (*f.*)   water
1   **ahora**   now

1   **al**   to the; (+ *inf.*) on, upon
4   **la aldea**   village
3   **alegrarse (de)**   to be glad (of) (to)
1   **alegre**   merry (*used with* **estar**)
2   **la alegría**   joy
   Alfredo   Alfred
1   **algo**   something; somewhat
    algo que (comer)   something to
    (eat)
2   **alguien**   someone
1   **alguno, –a (algún)**   some
    algunas veces   sometimes
1   **el alma** (*f.*)   soul
3   **alrededor de**   around
1   **alto, –a**   high; tall; loud; stop (*traffic*)
    en voz alta   aloud
4   **el alumno**   pupil
1   **allá**   there
    allá voy   I'm coming
1   **allí**   there
    allí mismo   right there
2   **amable**   kind, amiable
3   **el amanecer: al amanecer**   at dawn
1   **amar**   to love
3   **amarillo, –a**   yellow
3   **amenazar (con)**   to threaten (with)
    84
   la América del Sur   South America
1   **el amigo**   friend
2   **la amistad**   friendship; (*pl.*) friends
1   **el amor**   love
    hacer el amor a   to make love to
   Ana María   Mary Ann
2   **ancho, –a**   wide
1   **andar**   to go; walk; (*with pres. part.*)
    keep on —   51
3   **anoche**   last night
2   **ante**   before (*in position or order*)
   anteayer   day before yesterday
1   **antes (de)**   before
4   **antes (de) que**   before (+ *verb*)
1   **antiguo, –a**   old
   Antonio   Anthony
   el anuncio   advertisement
1   **el año**   year
3   **tener (diez) años**   to be (ten)
    years old
3   **apagar**   to put out (extinguish)   81
2   **aparecer**   to appear   87

1   **apenas**   hardly
2   **aprender (a)**   to learn (to)
3   **apresurarse (a)**   to hurry (to)
2   **aprovechar**   to take advantage of
1   **aquel, aquella**   that
1   **aquél, aquélla**   that one; the former
1   **aquí**   here
4   **aquí (lo) tiene usted**   here (it) is
      aquí mismo   right here
2   **el árbol**   tree
    el arbolito de Navidad   Christmas tree
    el arbusto   bush
2   **el artículo**   article
2   **arreglar**   to arrange
    el aseo: el cuarto de aseo   restroom
1   **así**   thus, so; like that
2   **así como**   as well as
2   **el asiento**   seat
2   **asistir (a)**   to attend
3   **asombrar**   to astonish
2   **asustar (a)**   to frighten
    aterrado, –a   terrified
    aterrizar   to land *84*
3   **atrás: hacia atrás**   back(ward)
1   **atreverse (a)**   to dare (to)
1   **aún**   yet, still
1   **aunque**   although, even if
    el (la) automovilista   motorist, driver
4   **la avenida**   avenue
4   **la aventura**   adventure
    el avión   airplane
2   **¡ay!**   oh dear! oh my!; ouch!
1   **ayer**   yesterday
2   **ayudar (a)**   to help
    el *or* la azteca   Aztec (*Indians who lived in Mexico when the Spaniards arrived*)
3   **el azúcar**   sugar
2   **azul**   blue

B

3   **bailar**   to dance
3   **el baile**   dance
1   **bajar**   to lower
1   **bajarse de**   to get (climb) down, go down, get out (*of a car*)
1   **bajo**   beneath, under; (*adj.*) low
3   **el balcón**   balcony; window

    la balsa   *reed boat of Lake Titicaca*
3   **el banco**   bank; bench
    la bandeja   tray
4   **la bandera**   flag
    el baño   bathroom; bath
      el traje de baño   bathing suit
3   **barato, –a**   cheap
    barbaridad: ¡qué barbaridad!   how ridiculous!
    el barbero   barber
    el barro   clay
1   **bastante** (*adv.*) quite; (*adj.*) plenty (of), enough
1   **bastar**   to be enough
3   **la batalla**   battle
2   **beber**   to drink
3   **la belleza**   beauty
2   **bello, –a**   beautiful
2   **besar**   to kiss
    la bicicleta   bicycle
1   **bien**   well
      estar bien   to be all right
    bienvenido, –a   welcome
    el biftec   beefsteak
3   **el billete (de lotería)**   (lottery) ticket
1   **blanco, –a**   white
    la blusa   blouse
1   **la boca**   mouth
    el boleto   ticket (*travel or theater*)
4   **la bolsa**   handbag, pocketbook
2   **el bolsillo**   pocket
1   **bonito, –a**   pretty; nice
3   **el bosque**   forest
4   **la botella**   bottle
    la botica   drugstore
4   **el botón**   button; bellboy
1   **el brazo**   arm
    el brillante   diamond
    brillar   to shine
    la brisa   breeze
3   **la broma**   joke (*practical*)
1   **bueno, –a**   good
      buenas noches   good evening; good night
      buenos días   good morning, good day
3   **burlarse de**   to make fun of
4   **el burro**   donkey
1   **buscar**   to look for *82*

C

1 el caballero gentleman
2 el caballo horse
3   a caballo on horseback
      montar a caballo to ride horse-
      back
3 el cabello (*head of*) hair
2 caber to be room for, fit into *52*
      no cabe duda de que there is no
      doubt that
1 la cabeza head
      a la cabeza on his (their) head(s)
      volver la cabeza to turn one's
      head
   el cacahuate peanut (*Mex.*)
1 cada (*invariable*) each, every
4 la cadena chain
1 caer(se) to fall (down) *53*
      caer de rodillas to fall on one's
      knees
4   dejar caer to drop
2 el café coffee
2 la caja box
   la calabaza pumpkin *or* squash
   el calcetín sock
3 caliente warm; hot
3 calma: con (mucha) calma (very)
      calmly
1 el calor heat
4   hacer calor to be hot (warm)
      (*weather*)
4   tener calor to be hot (warm)
      (*persons*)
3 callarse to be (keep) quiet, keep
      still (*not talk*)
1 la calle street
2 la cama bed
4 la cámara camera
1 cambiar to change; exchange
3 caminar to travel, go, walk
1 el camino road, way
      camino de on the way to
      el camino real highway ("royal
      road")
4 el camión bus (*Mex.*); truck
4 la camisa shirt; chemise
   la campanilla little bell; school bell
1 el campo field; camp; country
   la canción song

   la canoa canoe; barge
1 cansado, –a tired
1 cantar to sing
2 la cantidad quantity
3 el capitán captain
4 el capítulo chapter
1 la cara face
   ¡caramba! good gracious! (*any mild
      exclamation of disapproval or sur-
      prise*)
4 la cárcel jail
   la carga freight; load
2 cargado, –a (de) loaded (with)
2 el cariño affection
   Carmen *girl's name*
2 la carne meat
3 caro, –a expensive, dear
1 la carta letter
   la cartera briefcase
2 la carrera race
   la carreta oxcart
   la carretera highway
4 el carro car (automobile)
1 la casa house
3   en casa at home
4   en casa de (**María**) at (Mary's)
      ésta es su casa make yourself at
      home
3   (volver) a casa (to go) home
1 casarse (con) to marry (someone)
1 casi almost
1 el caso case, fact
3 castigar to punish *81*
4 el castillo castle
4 la casualidad: por casualidad by
      chance
1 catorce fourteen
3 la causa: a causa de because of
2 celebrar to celebrate
4 la cena supper
4 el centavo cent
2 el centro center; "downtown"
1 cerca de near
4 el cerdo pig
1 cerrar (ie) to close *77*
      cerrar con llave to lock
2 cesar (de) to cease
4 la cesta basket
1 el cielo sky

1   **ciento (cien)** (one) hundred
     por ciento per cent
1   **cierto, –a** (a) certain
3   **es cierto** that's right, so; it is true
1   **cinco** five
     un cinco a nickel
1   **cincuenta** fifty
4   el **cine** movie(s)
4   el **círculo (español)** (Spanish) Club
   la **cita** "date," appointment
2   la **ciudad** city
4   **claro (que + verb)** of course
     (+ verb)
     claro que no of course not
1   la **clase** class; kind
     toda clase de all kinds of
   el **clavel** carnation
   el **cliente** customer
4   el **clima** climate
2   **cobrar** to charge
   la **coca** *leaves of a plant from which cocaine is made, chewed by Indians of Peru and Bolivia*
3   **cocer (ue)** to cook; boil *87, footnote 2*
3   la **cocina** kitchen
   el **coco** coconut *or* coco palm
     la **Isla del Coco** Cocos Island *(Costa Rica)*
2   el **coche** car (auto); carriage
1   **coger** to take hold of, seize *(things only) 83*
4   el **colegio** high school
2   **colgar (ue)** to hang (up) *76, 81*
2   el **color** color
4   **(de) color de rosa** pink
     colorado, –a red
   el **colorete** rouge
   el **collar** necklace
4   **combatir** to fight
3   el **comedor** dining room
2   **comenzar (ie)** to commence *77, 84*
1   **comer** to eat; dine
     comerse to eat (all) up
2   la **comida** meal; dinner; food
   el **comité** committee
1   **como** like, (such) as; *(with a number)* about
2   **así como** as well as

     ¡como mil flores! and how! *(slang)*
1   **como si** as if *(with subjv.)*
1   **tan ... como** as ... as
1   **(¿)cómo(?)** how?
     ¿cómo está usted? how are you?
4   **¿cómo no?** why not?
4   **cómodo, –a** comfortable
2   el **compañero** companion
2   la **compañía** company
   la **compra** purchase
     (ir) de compras (to go) shopping
1   **comprar (a)** to buy (from)
1   **con** with
1   **con (frecuencia)** (frequent)ly
4   **con tal (de) que** provided that
2   la **confianza** confidence
1   **conmigo** with me *(invariable)*
1   **conocer** to know; *(pret.)* to meet, be introduced to *87*
   el **conquistador** conqueror
2   **conseguir (i, i)** to get, obtain; succeed in *(doing something) 68*
2   el **consejo** *(a piece of)* advice *(often used in pl.)*
2   **consentir (ie, i) (en)** to consent (to) *80*
2   **consigo** *first pers. sing. pres. of* conseguir
1   **consigo** *(pron.)* with him, her, you, himself, herself, yourself themselves, oneself
3   **consistir (en)** to consist (of)
3   **construir** to build *86*
1   **contar (ue)** to count; to tell, relate *76*
2   **contener** to contain *70*
2   **contento, –a (de)** happy (to) (with) *(used with* **estar***)*
1   **contestar (a)** to answer, reply
1   **contra** against
1   **contrario: lo contrario** the opposite
3   **al contrario** on the contrary
4   **contribuir** to contribute *86*
1   **convenir (a)** to be fitting, proper, suitable *74*
3   **convertir(se) (ie, i) (en)** to change (into) *80*
1   el **corazón** heart

4   la corbata   necktie
4   cortés   courteous
   la cortesía   courtesy
   el corral   corral, pen for livestock
3   el correo   post office; mail
    echar al correo   to mail
1   correr   to run; race
1   la cosa   thing; affair; matter
3   otra cosa   something (anything) else
    ¡qué cosa!   the idea!
4   coser   to sew
1   costar (ue)   to cost   76
2   la costumbre   custom
    tener la costumbre de   to be accustomed to
2   crecer   to grow   87
1   creer   to believe, think   85
2   creo que sí   I think so
3   ¡ya lo creo!   I should say so!
   la crema   cream
1   el criado   servant
3   la cruz   cross
2   cruzar   to cross   84
1   cual: el (la) cual   who, which
1   ¿cuál?   which, what?
1   cualquier   any
1   cuando   when
4   de vez en cuando   from time to time
1   ¿cuándo?   when?
1   cuanto, –a   how much; (pl.) how many
2   en cuanto   as soon as
3   unos (–as) cuantos (–as)   a few
1   ¿cuánto, –a?   how much? (pl.) how many?
3   ¿cuántos años tiene (usted)?   how old (is) (are you)?
1   el cuarto   room
    el cuarto de aseo   restroom
1   cuarto, –a   fourth
   el cuate   pal (Mex.)
1   cuatro   four
2   cubierto, –a (de)   (p.p. of cubrir) covered (with)
2   cubrir (de)   to cover (with)   89
   la cucaracha   cockroach; (slang) old car, "jalopy," jeep (Mex.)

1   la cuenta   account
3   darse cuenta de   to realize
3   el cuento   story
1   el cuidado   care
    con (mucho) cuidado   (very) carefully
    ¡cuidado!   be careful, look out
    no tener cuidado   not to worry, never mind
4   tener cuidado   to be careful
2   cuidar (de) (a)   to take care (of)
3   la culpa: tener la culpa, to be to blame
3   no tengo la culpa (de que)   it isn't my fault (that)
   el cumpleaños   birthday
2   cumplir (con)   to fulfill; comply with, keep (a promise)
3   curar   to cure
3   curioso, –a   curious, strange, "funny"
    lo curioso   the strange thing
1   cuyo, –a   whose

CH

   el charro   Mexican horseback rider or his costume
   Chefito   Bobby
   el cheque   check
   la chica   "girl" (teen-age)
   el chicle   chewing gum; sap of sapota tree, used to make chewing gum
2   chico, –a   little
   el chico   lad, boy (teen-age)
   el chiste   joke (funny story)
4   chocar (con)   to collide with, run into   82
   el chófer   driver, chauffeur
   el choque   collision

D

4   la dama   lady
1   dar   to give   54
3   dar a   to face (buildings)
4   dar de comer (a)   to feed
    dar la mano (a)   to shake hands (with)
    dar las (cuatro)   to strike (four)
    dar las gracias (a)   to thank
3   darse cuenta de   to realize

dar un golpe a to strike

1 de of; from; by

3 de noche by (at) night

4 de parte de in the name of

4 de prisa fast, quickly

de todas partes from everywhere

2 de todos modos anyhow, at any rate

2 de veras really

4 de vez en cuando from time to time

2 debajo de beneath, under

1 deber ought; must (*probability*); to owe

debido (–a) a due (owing) to

2 débil weak

2 decidir to decide

1 decir (i, i) to say, tell *55*

2 (decir) que sí (no) to (say) so (no, not)

2 el dedo finger; toe

1 dejar to let, allow; leave; let alone

4 dejar caer to drop

2 dejar de to stop (*doing something*)

1 del of the (*m.*)

1 delante (de) in front (of)

1 los demás the rest, others

1 demasiado (*adv.*) too; (*adj.*) too much, (*pl.*) too many

demasiado tiempo too long

1 dentro (de) within, inside

dentro de poco in a short time

4 depender (de) to depend (on)

el dependiente clerk

el deporte sport

los pantalones de deporte slacks

1 el derecho right

derecho, –a right

tomar la derecha to turn to the right

desagradable disagreeable

3 desaparecer to disappear *87*

2 descansar to rest

desconcertado, –a embarrassed

2 descubierto, –a *p.p. of* descubrir

2 descubrir to discover *89*

1 desde since; from

1 desde ... hasta from ... till

1 desde que since (*of time*)

1 desear to desire, wish

4 despacio slowly

2 despedirse (i, i) (de) to take leave (of), say good-by (to) *78*

1 despertar(se) (ie) to wake up, awaken *77*

1 después afterwards

1 después de after

3 destruir to destroy *86*

1 detener(se) to stop (oneself) *70*

1 detrás behind

1 detrás de behind; after

3 devolver (ue) to return (*an object*) *76, 89*

3 devuelto, –a *p.p. of* devolver

1 di *fam. com. of* decir

1 dí *pret. of* dar

1 el día day

3 al día siguiente (on) the next day

4 buenos días good morning; how do you do

de día by day

el día del santo Saint's day, birthday

hoy día nowadays

4 ocho días a week

4 quince días two weeks

1 todo el día all day

3 todos los días every day

2 diario, –a daily

2 el diario daily paper

1 dice (he) says

se dice they say

1 diciembre (*m.*) December

1 dicho, –a *p.p. of* decir

1 el diente teeth

1 diez ten

2 difícil difficult

diga: ¡no me diga(s)! you don't say!

1 digo *1st pers. pres. of* decir

1 dij– *pret. stem of* decir

1 el dinero money

1 Dios God; dioses gods; la diosa goddess

3 ¡por Dios! for goodness' sake!, Heavens!

1 dir– *fut. stem of* decir

2 la dirección address

2   dirigirse a   to go to, toward, make
       one's way to; to speak to   *83*
   el disco   record (*phonograph*)
4   discutir   to discuss
3   dispensar   to excuse
4   dispense usted   excuse me
3   distinto, –a (de)   different (from)
     divertido, –a   amusing, funny
2   divertir (ie, i) (a)   to amuse   *80*
3   divertirse (ie, i)   to have a good
       time, enjoy oneself   *80*
     doble   double
1   doce   twelve
3   la docena (de)   dozen
     el dólar   dollar (*U.S.*)
1   el dolor   pain, ache
       el dolor de cabeza   headache
     Dolores   *girl's name*
1   el domingo   (on) Sunday
1   don (*m.*)   *courteous title used with
       given names*
1   donde   where
       (a)dondequiera   wherever
1   ¿dónde?   where?
3   ¿a dónde?   where? (*with verb of
       motion*)
1   doña   *courteous title used with given
       names*
1   dormir (ue, u)   to sleep   *79*
4   dormirse (ue, u)   to go to sleep   *79*
1   dos   two
       los dos   you two
1   doscientos, –as   two hundred
1   doy   *1st pers. pres. of* dar
1   la duda   doubt
       no cabe duda de que   there is no
         doubt that
2   sin duda   doubtless
2   el dueño   owner
1   dulce   sweet
       los dulces   candy
1   durante   during
2   durar (más)   to last (longer)
1   duro, –a   hard
       huevos duros   hard-boiled eggs

E

1   e   and (*before* i *or* hi)
1   echar (a)   to throw (into)

     echar abajo   to knock down
     echar al correo   to mail
1 la edad   age
2 el edificio   building
     efectivo: hacer efectivo   to cash
2   efecto: en efecto   as a matter of
       fact, in fact
2   ¿eh?   shall I? isn't that so? won't
       you? aren't you?, etc.
2 el ejemplo: por ejemplo   for example
3 el ejército   army
     Elena   Helen
1   el   the (*m.*)
1   el (la) de   that of
1   el (la) que   he (she) who, the one
       who; which; whoever
1   él   he; him; it (*m.*)
1   ella   she; her; it (*f.*)
1   ellos, ellas   they; them
   la Embajada   Embassy
1   embargo: sin embargo   nevertheless
     emocionante   thrilling
4 el emperador   emperor
1   empezar (ie) (a)   to begin (to)   *77,84*
   el empleado   employee
2   emplear   to employ
4   empujar   to push
1   en   in, on
     enamorado, –a (de)   in love (with)
   el enamorado   lover
     encantado, –a   charmed, delighted
3   encantador, –a   charming
2   encender (ie)   to light   *77*
4   encima (de)   on top (of), above
1   encontrar(se) (ue)   to find (oneself);
       meet   *76*
2 el enemigo   enemy
1   enero (*m.*)   January
4   enfadado, –a   angry
4   enfadarse   to get angry
2 la enfermedad   illness
2   enfermo, –a   ill, sick
2   engañar   to deceive
3   enorme   enormous, huge
1   enseñar (a)   to teach (to)
1   entender (ie)   to understand   *77*
2   entero, –a   entire, whole
1   entonces   then
1   entrar (en)   to enter

1   **entre** between, among
1   **entregar** to deliver; hand over *81*
3   **entretanto** meanwhile
1   **enviar** to send (*See page 12.*)
3   **equivocarse** to be mistaken, make a mistake *82*
1   **era** *first pers. imperf. of* **ser**
1   **eres** *2nd pers. pres. of* **ser**
2   **es que** the fact is that
3   la **escalera** stairway
3   **escaparse** to escape, run away
2   la **escena** scene; stage
2   **escoger** to choose *83*
3   **esconder** to hide
     la **escopeta** gun
1   **escribir** to write *89*
1   **escrito, –a** *p.p. of* **escribir**
1   **escuchar** to listen (to)
3   la **escuela** school
1   **ese, –a** that
1   **ése, –a** that one
2   el **esfuerzo** effort
     la **esmeralda** emerald
1   **eso** that (*neuter*)
4   **eso es** that's it
1   **por eso** therefore
1   **esos, –as** those
2   la **espalda** shoulder, back
     España Spain
3   el **español** Spanish; Spaniard
1   **esperar** to wait (for); hope; expect
2   **espero que sí** I hope so
1   la **esposa** wife
1   el **esposo** husband
3   la **esquina** (*street*) corner
2   la **estación** station
         la **estación de servicio** service station
     estacionar(se) to park
1   el **estado** state
     los **Estados Unidos** (*abbr.* **E.U.A.** *or* **EE. UU.**) the United States
1   **estar** to be *56*
         estar bien to be all right
4   **estar de acuerdo con** to agree with
     estar de mal (buen) humor to be in a bad (good) humor
     estar para to be about to
1   **este, –a** this

1   **éste, –a** this one; the latter
3   el **estilo** style
1   **esto** this (*neuter*)
4   **estorbar** to be in the way
1   **éstos, –as** these (*pron.*)
1   **estoy** *1st pers. pres. of* **estar**
3   **estrecho, –a** narrow
3   la **estrella** star
     el **estudiante** student
2   **estudiar** to study
1   **estuv–** *pret. stem of* **estar**
2   **evitar** to avoid
'   **exagerar** to exaggerate
2   **exclamar** to exclaim
1   **explicar** to explain *82*
2   el **extranjero** foreigner; (*adj.*) foreign
3   **extrañar** to wonder (at), to seem strange to
         no hay que extrañar (que) no wonder (that)
2   **extraño, –a** strange
         lo extraño the strange thing

F

1   **fácil** easy
1   la **falta** lack
1   **faltar** to lack, need; fail
     el **fantasma** ghost
1   el **favor** favor
3   **favor de** + *inf.* please —
         favor que me hace you flatter me (*reply to a compliment*)
         por favor please
         si me hace el favor if you please
1   **febrero** (*m.*) February
3   la **fecha** date
         ¿cuál es la fecha? what is the date?
2   la **felicidad** happiness; (*pl.*) congratulations, best wishes
1   **feliz** happy (*used with* **ser**)
         feliz Navidad Merry Christmas
         feliz viaje pleasant journey
2   **feo, –a** ugly
3   el **ferrocarril** railroad
     fiado: al fiado on credit
2   la **fiesta** festival; party
         hacer una fiesta to have a party
2   **fijarse (en)** to notice
2   **fijo, –a** fixed

el filete (tibon)　(T-bone) steak

1　el fin　end

　a fin de que　so that

1　　al fin　finally, at last; after all; at the end

2　　por fin　at last

3　fingir　to pretend　*83*

la firma　signature

3　firmar　to sign

1　la flor　flower

4　flotar　to float

2　el fondo　bottom

el fósforo　match

4　el francés　Frenchman, French; (*f.*) francesa

2　la frase　sentence; phrase

frecuencia: con (frecuencia)　(frequent)ly

1　la frente　forehead

1　fresco, –a　cool; fresh

　hacer fresco　to be cool (*weather*)

el frijol　bean

1　frío, –a　cold

4　　hacer frío　to be cold (*weather*)

4　　tener frío　to be cold (*persons*)

frito, –a　fried (*p.p. of* freír)

la frontera　border

　al sur de la frontera　south of the border

1　fu–　*pret. stem of* ser *and* ir

2　el fuego　fire

2　la fuente　fountain

1　fuera de　outside

1　fuerte　strong

¡fuí, fuíu!　*whistling sound expressing admiration*

Fulano, –a　So-and-So

4　la función　performance

G

la gallina　hen

4　la gana: tener ganas de　to feel like, be anxious to

　tener pocas ganas de　not to feel much like

1　ganar　to gain; win; earn

la garita　sentry box

2　gastar　to spend

3　el gato　cat

1　la gente　people (*usually used in sing.*)

2　el gobierno　government

2　el golpe　blow

　dar un golpe a　to strike

golpear　to strike, beat

2　gordo, –a　fat; first (*prize*)

2　gozar (de)　to enjoy　*84*

1　gracias　thanks, thank you

　dar las gracias a　to thank

　muchas gracias　thank you very much

1　gran　great, grand

1　grande　large; great

gratis　free

2　grave　serious (ill)

2　gritar (de)　to shout, cry out, scream (with)

2　el grito　shout, cry, scream

3　guapo, –a　handsome

1　guardar　to keep

guatemalteco, –a　Guatemalan

1　la guerra　war

el guerrero　warrior

1　gustar　to be pleasing (to)

　¿gusta?　would you like some?

1　el gusto　pleasure; taste

　con mucho (todo) gusto　gladly

4　　tanto gusto　so glad to know you

H

1　ha, han　*3d pers. sing. and pl. pres. of* haber

1　haber　to have (*helping verb*)　*57*

1　haber de　to be to　*57*

habría　there was *or* were; (*with p.p.*) had

2　la habitación　room

3　el habitante　inhabitant

habla: de habla española　Spanish-speaking

1　hablar　to speak, talk

1　hacer　to make, do; (*with inf.*) to get something done; hacerse to make (for) oneself; become, "get"　*58*

　favor que me hace　you flatter me

hace　ago; for (*with expression of time*)

1　hace media hora　half an hour ago

1 hace ocho (quince) días   a week (two weeks) ago

hace poco   not long ago, a little while ago

hacer buen (mal) tiempo   to be good (bad) weather

4 hacer calor   to be hot (*weather*)

hacer efectivo   to cash

hacer el amor a   to make love to

hacer el favor de   (to) please

¿me hace el favor de ... ?   will you please ... ?

si me hace el favor   if you please

hacer el papel   to play the part

hacer fresco   to be cool (*weather*)

4 hacer frío   to be cold (*weather*)

hacer pedazos   to break in pieces

4 hacer preguntas   to ask questions

hacer una fiesta   to have a party

hacer viento   to be windy

¡qué hacer!   what shall (should) I (he, etc.) do!

1 hacia   toward

hacia atrás   backward

3 la hacienda   large ranch, estate

1 hallar   to find

2 el hambre (*f.*)   hunger

4 tener (mucha) hambre   to be (very) hungry

la hamburguesa   hamburger (*sandwich*)

1 har–   *fut. and cond. stem of* hacer

hasta   even; until; as far as

desde ... hasta   from ... to

1 hasta luego   see you later

1 hasta que   until (*followed by a conjugated verb*)

1 hay   there is, there are

hay lodo   it is muddy

hay luna   it is moonlight

hay neblina   it is foggy

hay polvo   it is dusty

1 hay que   it is necessary to, one must

hay (*or* hace) sol   it is sunny

1 no hay   there isn't any

1 no hay que extrañar (que)   no wonder (that)

1 haya   *pres. subj. of* haber

1 haz (tú)   *fam. sing. com. of* hacer

1 he   *1st pers. sing. pres. of* haber

1 hecho, –a   *p.p. of* hacer

el helado   ice cream

1 hemos   *1st pers. pl. pres. of* haber

4 heredar   to inherit

3 herir (ie, i)   to wound   80

1 la hermana   sister

1 el hermano   brother; (*pl.*) brothers and sisters

hermoso, –a   beautiful

hervir (ie, i)   to boil   80

1 hic–   *pret. stem of* hacer

el hielo   ice

la higuera   fig tree

1 el hijo   son

hispanoamericano, –a   Spanish American

las historietas cómicas   "comics," "funnies," comic books

1 hizo   *3d sing. pret. of* hacer

4 el hogar   home

2 la hoja   leaf

3 ¡hola!   hello!

1 el hombre   man

3 hondo, –a   deep

1 la hora   hour; time

¿a qué hora?   at what time

por hora   an hour

4 ¿qué hora es?   what time is it?

el horno   oven

1 hoy   today

hoy día   nowadays

3 el huevo   egg

poner un huevo   to lay an egg

2 huir (de)   to flee, run away (from)   86

3 humilde   humble

el humor: estar de buen (mal) humor   to be in a good (bad) humor

¡huy!   oh-oh! oh, boy! oh my! (*exclamation of surprise, dismay, or admiration*)

I

2 la iglesia   church

1 iguales (a)   alike, the same (as)

igualitos, –as   just alike

igualmente   equally; the same to you

2   **imaginar(se)**   to imagine
2   **impedir (i, i)** to prevent (from), keep from *78*
1   **importar**   to be important, to matter
    inca (*m. or f.*)   *ruler of the Incans of pre-conquest Peru; Incan Indian*
2   **indicar**   to indicate   *82*
    el indio   Indian (*also adj.*)
2   **infeliz**   unhappy
    Inglaterra   England
    el inglés   English, Englishman
2   **inmenso, –a**   immense
4   **insistir en**   to insist
1   **el instante: al instante**   instantly
2   **el interés**   interest
2   **interesar(se)**   to (be) interest(ed) (in)
3   **interrumpir**   to interrupt
1   **el invierno**   winter
    el invitado   guest
1   **ir**   to go (*to a destination*)   *59*
1   **irse**   to go away   *59*
    –ísimo, –a   *adj. ending meaning* very *or* most
3   **la isla**   island
    la Isla del Coco   Cocos Island (*Costa Rica*)
1   **izquierdo, –a**   left
3   **a la izquierda**   to the left

J

4   **¡ja, ja!**   ha, ha!
4   **el jabón**   soap
2   **jamás**   never, ever
    el jamón   ham
2   **el jardín**   garden
    el jardinero   gardener
3   **el jefe**   chief
    Jorge   George
    José   Joseph
1   **joven**   young
    el joven   young fellow, lad
    los jóvenes   young people
    la joya   jewel; piece of jewelry
    Juan   John
1   **el jueves**   (on) Thursday
3   **el juez**   judge

4   **jugar (ue) a**   to play   *76*
    el juguete   toy
2   **el juicio**   judgment
1   **julio** (*m.*)   July
1   **junio** (*m.*)   June
1   **junto, –a**   close to
1   **juntos, –as**   together
3   **jurar**   to swear

K

4   **el kilómetro**   kilometer (*about* ⅝ *mile*)
    km.   *abbr. of* **kilómetro**

L

1   **la**   the; her; it (*f.*); you (*f.*)
3   **es la una**   it is one o'clock
1   **la de**   that of
1   **la que**   she who, the one who, which
2   **el labio**   lip
    el lápiz de labios   lipstick
1   **el lado**   side
1   **al lado de**   beside
    al otro lado   on (to) the other side
4   **el ladrón**   thief
4   **el lago**   lake
2   **la lágrima**   tear
4   **la lámpara**   lamp, light
    el lapicero   (*mechanical*) pencil
4   **el lápiz**   pencil
    el lápiz de labios   lipstick
1   **largo, –a**   long
1   **las**   the; them; (*before* **de** *or* **que**) those; you (*f.*)
2   **a las (cinco)**   at (five) o'clock
3   **son las (cinco)**   it is (five) o'clock
    la lástima: ¡qué lástima!   too bad! what a pity!
4   **ser lástima**   to be too bad
    el látigo   whip
    latinoamericano, –a   Latin American
3   **lavar(se)**   to wash (*reflexive when used with parts of the body*)
1   **le**   him; to him; to her; to you; to it; you (*m.*)
4   **leal**   loyal
3   **la lección**   lesson

4 el lector   reader
3 la leche   milk
1   leer   to read   *85*
4 la legumbre   vegetable
3   lejano, –a   distant
1   lejos   far away
3   a lo lejos   in the distance
2   lejos de   far from
2 la lengua   language
2 la letra   letter of the alphabet; hand-
    writing; words of a song
1   levantar   to raise, lift
1   levantarse   to get up
2 la ley   law
  la leyenda   legend
2   librarse (de)   to free oneself (from),
    get away (from)
1 el libro   book
3   limpiar   to clean
2   limpio, –a   clean
2   lindo, –a   pretty
  listo, –a   (*with* estar) ready; (*with*
    ser)   clever, smart
1   lo   it; so
1   lo (extraño)   the (strange) (thing)
  lo mismo   the same thing
1   lo que   that which, what; whatever
2   loco, –a   crazy
  Lorenzo   Laurence
1   los   the; them
1   los (las) de   those of
1   los (las) que   those which, who
1   luego   then
4   hasta luego   see you later
1 el lugar   place
3   en lugar de   instead of
      tener lugar   to take place
    Luis   Louis
2 la luna   moon
      hay luna   it is moonlight
1 el lunes   (on) Monday
1 la luz   light (*pl.*) luces

LL

1   llamar   to call; knock
      ¿cómo se llama (usted)?   what is
        (your) (the) name (of)?
1   llamarse   to be called *or* named
4   llano, –a   flat, level

2 la llave   key
      cerrar con llave   to lock
3 la llegada   arrival
1   llegar   to arrive   *81*
1   llegar a   to reach (*a place*), come to
4   llegar a ser   to become, get to be
2   llenar (de)   to fill (with)
1   lleno, –a (de)   full (of)
1   llevar   to take, carry; wear
      llevar puesto   to have (keep) on,
        wear
2   llevarse   to take, carry away
1   llorar   to weep, cry
4   llover (ue)   to rain   *76*
  la lluvia   rain

M

1 la madre   mother
2   magnífico, –a   magnificent
4 el maíz   corn
1   mal   badly
1   mal(o), –a   bad
1   mandar   to command, order; send
      mandar adelante   to send on
        ahead
      mandar hacer   to have made
  manejar   to drive
      la licencia de manejar   driver's
        license
1 la manera   manner, way
      de la misma manera   in the same
        way
3   de manera que   so that
      de otra manera   otherwise
1 la mano   hand
      dar la mano   to shake hands
      manso, –a   gentle
  la mantequilla   butter
4 la manzana   apple
1   mañana (*adv.*)   tomorrow
      para mañana   for tomorrow
      pasado mañana   day after tomor-
        row
1 la mañana   morning
      de la mañana   A.M., in the
        morning
4   por la mañana   in the morning
        (*when exact time is not given*)
  la maquinaria   machinery

1 el *or* la mar   sea
Margarita   Margaret; Daisy
la margarita   daisy
María   Mary
1 el marido   husband
1 el martes   (on) Tuesday
1 marzo (*m.*)   March
2 mas   but
1 más   more; most; any more
cuanto más . . . más   the more . . .
   the more
más de   more than (*before a number*)
1 más (grande) que   (larg)er than
1 más tarde   later
1 no . . . más que   only
mascar   to chew   *82*
1 matar   to kill (*p.p.* muerto *when used
   with* haber *only*)
1 mayo (*m.*)   May
1 mayor   greater; greatest; older;
   oldest
4 la mayor parte de   most of (the
   greater part of)
la media   stocking
4 la medianoche: a medianoche   at midnight
2 el médico   doctor
1 medio, –a   half
4 y media   half past
1 el medio   means
3 por medio de   by means of
1 mejor   better; best
lo mejor   the best (thing)
mejorar   to get better; improve
1 menos   less, minus; except
las (nueve) menos (cinco)   (five)
   minutes to (nine)
lo menos posible   the least possible
menos de   less than (*before a number*)
4 no poder menos de   not to be able
   to help
2 por lo menos   at least
3 mentir (ie, i)   to lie   *80*
4 el mercado   market
1 el mes   month
1 la mesa   table
el mesero   waiter (*Mex.*)

el mestizo   *a person of mixed Indian
   and European blood*
1 meter (en)   to put (in)
1 mi, mis   my
1 mí   me
1 el miedo   fear
3 tener miedo (a) (de)   to be afraid
   (of) (to)
1 mientras (que)   while
1 el miércoles   (on) Wednesday
Miguel   Michael
1 mil   (one) thousand
3 el milagro   miracle
la milla   mile
1 el millón (de)   million
1 (el) mío, (la) mía   mine, of mine; my
1 mirar   to look (at); to watch
1 mismo, –a   same; very; myself, (him,
   her, it)self
3 ahora mismo   right now
aquí (allí) mismo   right here
   (there)
lo mismo   the same thing
2 la mitad   half
4 la moda   style
2 (el) modo: de todos modos   at any rate,
   anyhow
2 molestar   to annoy, bother
1 el momento   moment
al momento   at the moment
en este (ese) momento   at this
   (that) moment
3 la montaña   mountain
3 montar   to mount, ride
montar a caballo   to ride horseback
morado, –a   purple
4 moreno, –a   brown; brunette
1 morir (ue, u)   to die   *79, 89*
2 morirse (ue, u)   to be dying   *79, 89*
2 mostrar (ue)   to show, display   *76*
1 mover(se) (ue)   to move   *76*
1 el muchacho   boy; la muchacha   girl
1 mucho, –a   much, a great deal; muchos, –as   many
3 muchas veces   often
3 el mueble   (*piece of*) furniture (*usually pl.*)
1 la muerte   death

1 muerto, –a (*p.p. of* morir) died; (*adj.*) dead; (*p.p. of* matar) killed
1 la mujer woman
1 el mundo world
2 todo el mundo everyone
la muñeca doll
4 murmurar to whisper; murmur
1 muy very

N

1 nacer to be born 87
el nacimiento birth; Nativity scene
1 nada nothing; anything
de nada you're welcome
4 nadar to swim
1 nadie no one, anyone
3 la nariz nose
4 la Navidad Christmas
en Navidad at (for) Christmas
Feliz Navidad Merry Christmas
2 la necesidad necessity
1 necesitar to need
2 los negocios business (*usually pl.*)
nevar (ie) to snow 77
1 ni not; not even
2 ni ... ni neither ... nor
3 ni siquiera not even
ni yo tampoco neither have (do) I
4 el nieto grandson
1 ninguno, –a (ningún) none, any, no
1 el niño boy, child
el Niño Jesús Christ child
1 no no; not
1 la noche night; evening
buenas noches good evening; good night
3 de noche at (by) night
4 esta noche tonight
3 por la noche at night
la Nochebuena Christmas Eve
2 nombrar to appoint, name
1 el nombre name
1 el norte north
norteamericano, –a North American (*citizen of the U.S.*)
1 nos us; to us; ourselves
1 nosotros, –as we; us
3 la nota grade (*mark*)
1 la noticia (piece of) news
1 noviembre (*m.*) November

2 la novia fiancée; sweetheart, "girl friend"; bride
2 el novio fiancé; sweetheart, "boy friend"
2 la nube cloud
1 (el) nuestro, (la) nuestra our, (of) ours
1 nueve nine
1 nuevo, –a new
nuevecito, –a "brand new"
1 nunca never, ever

O

1 o or
o ... o either ... or
la obscuridad darkness
2 obscuro, –a dark
2 obtener to obtain 70
1 octubre (*m.*) October
ocupado, –a busy
1 ocupar to occupy
1 ocho eight
4 ocho días a week
1 ofrecer to offer 87
2 el oído ear (*inner*)
1 oír to hear; to listen (to) 60
ojalá (que) if only, oh that, would that; (*alone*) I hope so
1 el ojo eye; ¡ojo! notice!
4 la ola wave
1 olvidar to forget
2 olvidarse (de) to forget (about)
la olla kettle
1 once eleven
1 la orden (*pl.* órdenes): a sus órdenes at your service
3 la orilla shore
1 el oro gold
de oro golden
la orquesta orchestra
la orquídea orchid
1 otro, –a other, another
3 otra cosa something (anything) else
1 otra vez again

P

Pablo Paul
1 el padre father
los padres parents

1	**pagar** to pay (for) *81*
3	**la página** page
1	**el país** country (*nation*)
3	**el pájaro** bird
1	**la palabra** word
2	**el pan** bread
	Pancho Frank (*nickname for* **Francisco**)
	los pantalones de deporte "slacks"
	la papa potato
1	**el papel** paper
	hacer el (un) papel to play the (a) part
4	**el paquete** package
2	**el par** pair, couple (*of things*)
1	**para** for; in order to; to; till; by
	estar para to be about to
1	**para que** in order that, so that
	para sí to himself
	el paragolpes bumper
4	**el paraguas** umbrella
2	**parar** to stop
3	**pararse** to stop oneself
1	**parecer** to seem; look like *87*
2	**la pared** wall
3	**el pariente** relative
1	**la parte** part
4	**de parte de** in the name of
	de todas partes from everywhere
	en alguna parte anywhere, somewhere
4	**la mayor parte de** most of
3	**por todas partes** everywhere
2	**particular** private
	el particular matter
3	**el partido** game
2	**pasado, –a** last (*just past*)
	la (semana) pasada last (week)
	pasado mañana day after tomorrow
4	**el pasajero** passenger
1	**pasar** to go; pass; spend (*time*)
	pasar con to happen to
	pase usted come in; go ahead
2	**pasearse** to go for (take) a ride (walk)
	llevar a pasear to take for a ride
2	**el paseo** drive; walk

	el pastel pastry; cake
	la pata paw; foot (*animal's*)
3	**el patio** courtyard
	el patrón boss
2	**la paz** peace
	el peatón pedestrian
2	**el pedazo** piece
	hacer pedazos to break to pieces
1	**pedir (i, i)** to ask (for); order *78*
	pedir permiso para to ask permission to
	pedir prestado to borrow
	Pedro Peter
4	**peinarse** to comb (dress) one's hair
4	**la película** film; motion picture
2	**el peligro** danger
	la pena: no valer la pena (de) not to be worth while (to)
2	**el pensamiento** thought
1	**pensar (ie) (en)** to think (about); to intend to *77*
1	**peor** worse
1	**el peor** worst
1	**pequeño, –a** little, small
1	**perder (ie)** to lose; to miss *77*
3	**perderse (ie)** to get lost *77*
1	**perdonar** to pardon
	perdóneme (usted) pardon me
4	**perezoso, –a** lazy
2	**el periódico** newspaper
3	**el permiso (para)** permission (to)
	con (su) permiso excuse me (*said when leaving or passing in front of someone*)
1	**permitir** to permit
3	**¿me permite...?** may I...?
1	**pero** but
2	**pertenecer** to belong *87*
2	**el perro** dog
3	**pesado, –a** heavy (*used with* **estar**)
2	**pesar: a pesar de** in spite of
	el pescado fish (*as food*)
2	**el peso** dollar (*Spanish American unit of money*)
	el pez fish (*alive*)
1	**el pie** foot
4	**a pie** on foot
2	**la piedra** stone, rock
3	**la piel** fur

3 la **pierna**   leg

2 la **pieza**   piece

2 **pintar (de)**   to paint

la **pintura**   painting

la **piñata**   *paper decorated clay jug of candies or little gifts*

2 el **piso**   story, floor (*of building*); layer (*of cake*)

plantar   to plant

2 la **plata**   silver

platicar   to chat, talk   *82*

2 el **plato**   dish

4 la **playa**   beach

2 la **pluma**   pen; feather

la **plumafuente**   fountain pen

1 **pobre**   poor

la **pobreza**   poverty

pobrecito, –a   (the) poor (little) thing (fellow)

1 **poco, –a**   little (*in quantity*)

dentro de poco   in a short time

hace poco   a little while ago

2 **poco a poco (poquito)**   little by little; take it easy (*slang*)

3 **un poco de (leche)**   a little (milk)

1 **pocos, –as**   few

1 **poder (ue, u)**   to be able, can, may; (*pret.*) to succeed in   *61*

no poder menos de   not to be able to help

(no) se puede   "you" (one) can('t); it can't be done

puede ser   it is possible

4 el **policía**   policeman; (*f.*) police force

3 el **polvo**, dust; (*pl.*) powder

hay polvo   it is dusty

4 el **pollo**   chicken

el **pollito**   chick

1 **pon(te) (tú)**   *fam. com. of* **poner(se)**

1 **poner**   to put   *62*

poner un huevo   to lay an egg

4 **ponerse**   to put on; to get, become (*involuntary*)   *62*

1 **por**   for; by; through; along; in; times; on account of; in exchange for; per; for the sake of

1 **por eso**   therefore

2 **por fin**   at last

4 **por (grande) que (sea)**   however (large it may be)

por hora   an hour

4 **por la mañana**   in the morning

4 **por la tarde**   in the afternoon

2 **por lo menos**   at least

3 **por lo tanto**   therefore

3 **por supuesto**   of course

3 **por todas partes**   everywhere

1 **porque**   because

1 **¿por qué?**   why?

portarse   to behave (oneself)

4 el **postre**   dessert

2 el **precio**   price

3 **precioso, –a**   precious; "darling"

2 **preciso**   necessary

2 **preferir (ie, i)**   to prefer   *80*

2 la **pregunta**   question

4 **hacer (una) pregunta(s)**   to ask (a) question(s)

1 **preguntar**   to ask (*a question*)

4 el **premio**   prize

4 **preocuparse (por)**   to worry (about)

la **presencia: de buena presencia**   good-looking

2 **prestado: pedir prestado (a)**   to borrow (from)

prestar   to lend

1 la **primavera**   spring

1 **primero, –a**   first

2 el **primo**   cousin

3 el **principio: al principio**   at first, at the beginning

2 la **prisa**   haste

4 **de prisa**   fast, quickly

4 **tener prisa**   to be in a hurry

2 **probar (ue)**   to try (out), test   *76*

4 **prohibir**   to prohibit

se prohibe   it is forbidden

2 **prometer**   to promise

el **pronombre**   pronoun

1 **pronto**   soon, quickly

1 **de pronto**   suddenly

1 **propio, –a**   own

2 **proponer**   to propose   *62*

4 **proteger**   to protect   *83*

el **provecho: buen provecho**   may it be good for you (*said when someone is eating*)

2   próximo, –a   next
3   publicar   to publish   83
1   pud–   *pret. stem of* poder
    pude   I succeeded in
1   pudiendo   *pres. part. of* poder
1   el pueblo   town
4   el puente   bridge
1   la puerta   door
1   pues   well; then; for
1   puesto, –a   *p.p. of* poner
1   puesto, –a   (*adj.*)   "on"
    llevar puesto   to have (keep) on,
       wear
1   el puesto   stand *or* booth
    puesto que   since
4   la punta   point (*of land*)
1   el punto   point (*of a pen*)
2   puro, –a   pure
1   pus–   *pret. stem of* poner

Q

1   que   who, which, what, that; than
2   (espera) (dice) que sí   (he hopes)
       (says) so
2   es que   the fact is that
1   más (rico) que   (rich)er than
1   ¿qué?   what
    ¿qué hacer?   What shall (should)
       I (he, etc.) do?
4   ¿qué tal?   how's everything?
4   ¿qué tal le gusta(n) . . . ?   how do
       you like?
1   ¡qué . . . !   what a . . . !
1   quedarse   to stay, remain
2   quejarse (de)   to complain (about)
3   quemar   to burn
1   querer (ie)   to want; querer a   to
       love   63
    ¿quiere usted . . . ?   will you . . . ?
    no quiero   I won't
    querido, –a   dear, beloved
1   quien   who; he who, one who, who-
       ever
1   a quien   whom; him who, whoever
1   ¿quién?   who?
    ¿a quién?   whom?
    ¿de quién?   whose?
    ¡quién sabe!   goodness knows!
1   quince   fifteen

4   quince días   two weeks
1   quinientos, –as   five hundred
4   quinto, –a   fifth
    quisiera   (I) (he) would like (to)   63
1   quitar (a)   to take off *or* from (*some-
       one else*)
1   quitarse   to take off (*your own*)
2   quizás   perhaps, maybe

R

    el ramillete   corsage
    el ramito   bouquet
    Ramón   Raymond
1   raro, –a   rare; strange
1   el rato   short time, while
1   la razón   reason
2   tener razón   to be right
    no tener razón   to be wrong
2   real   royal
2   el real   *small coin of old Spain, of
       little value*
    el camino real   highway; "the
       King's highway" (*name given to
       main roads built in Spanish
       America during colonial times*)
    la recámara   bedroom (*Mex.*)
1   recibir   to receive
2   recoger   to gather up, collect; pick
       up   83
2   reconocer   to recognize   87
1   recordar (ue)   to remember; recall
       76
    el recorte   clipping
    el álbum de recortes   scrapbook
2   el recuerdo   souvenir; memory
    el refrán   proverb
    el refresco   soft drink, "soda," re-
       freshment
2   regalar   to present, give (*as a gift*)
3   el regalo   gift, present
3   regresar   to return
1   reír (i, i)   to laugh   64
2   reírse de   to laugh at   64
    la reja   *ornamental iron grill over win-
       dows*
2   el reloj   watch; clock
    repasar   to review
    el repaso   review
2   repetir (i, i)   to repeat   78

el **resfriado**   cold

2   **resolver (ue)**   to solve   *76, 89*

3   **respetar**   to respect

    respetado (–a) de   respected by

2   el **respeto**   respect

1   **responder**   to reply

3   la **respuesta**   answer, reply

2   **resuelto, –a**   *p.p. of* **resolver**

    retratar   to photograph (*a person*)

    la **reunión**   meeting

2   **reunir**   to gather (up)

4   la **revista**   magazine

2   el **rey**   king

    los **Reyes Magos**   Wise Men

3   **rezar**   to pray   *84*

1   **rico, –a**   rich

1   **riendo**   *pres. part. of* **reír**

    la **riña**   quarrel

1   **rió**   (*pret. of* **reír**)

2   el **río**   river

3   la **riqueza**   wealth, riches (*often pl.*)

    el **risco**   cliff

3   **robar**   to rob; steal

    Roberto   Robert

    la **roca**   rock

2   **rodear (de)**   to surround (with *or* by)

2   el **rodeo**   roundup

3   la **rodilla**   knee

4   **(caer) (estar) de rodillas**   (to fall) (to be) on one's knees

2   **rogar (ue)**   to ask, beg, coax   *76, 81*

2   **rojo, –a**   red

1   **romper**   to break, tear   *89*

2   la **ropa**   clothing, clothes

1   **roto, –a**   *p.p. of* **romper**

3   **rubio, –a**   blond; light-colored

4   la **rueda**   wheel

2   el **ruido**   noise

    **rumbo al (sur) en route to (the south), southbound

    la **ruta**   route

S

1   el **sábado**   (on) Saturday

1   **saber**   to know, know how to; **saber (de)**   to find out (about)   *65*

1   **sacar**   to take out   *82*

    sacar(le) (les) la fotografía   to take a picture (of him) (of them)

4   el **saco**   (suit) coat

    sacrificar   to sacrifice   *82*

4   **sagrado, –a**   sacred

1   **sal (tú)**   *fam. com. of* **salir**

2   la **sala**   living room

1   **salir (de)**   to leave, go out, come out *66*

    salir bien en un examen   to do well in an examination

    el **salón**   hall, large room

    la **salsa**   sauce; gravy

    la **salsa de jitomate** (*Mex.*)   tomato sauce

2   **saltar**   to jump

2   la **salud**   health; (*as exclamation*) your health!

2   **saludar**   to greet

2   **salvar(se)**   to save (oneself)

    San (José)   Saint (Joseph)

2   la **sangre**   blood

1   **santo, –a**   holy; saintly

    el **santo**   saint; saint's day

    el **sarape**   *hand-woven Mexican Indian blanket*

2   **satisfacer**   to satisfy   *67*

2   **satisfecho, –a**   *p.p of* **satisfacer**

1   **se**   himself, herself, yourself, oneself; themselves, yourselves; each other; (*impers.*) one, "you"

    se da(n)   is (are) given

    se dice   "they" say

    se hace   is made

    se prohibe   it is forbidden

    se puede   you (one) can; (*question*) may one?

    se usan   are used

    se ve(n)   you (one) see(s); is (are) seen

    (no) se vende   (not) for sale

1   **sé**   *1st pers. sing. pres. of* **saber**

1   **sé (tú)**   *fam. com. of* **ser**

1   **sea**   *pres. subjv. of* **ser**

    secar   to dry   *82*

2   **seco, –a**   dry

3   la **sed**   thirst

    tener sed   to be thirsty

1   **seguida: en seguida**   at once, immediately

1   **seguir (i, i)**   to follow; continue; keep on   *68*

1   **según**   according to, as

1   **segundo, –a**   second

1   **seguro, –a** (*with* **ser**)   safe

4   **seguro, –a** (*with* **estar**)   sure

1   **seis**   six

   la **selva**   jungle

2   la **semana**   week

   la **semana pasada**   last week

2   **sencillo, –a**   simple

4   la **senda**   path

1   **sentado, –a**   sitting down, seated

1   **sentarse (ie)**   to sit down   *77*

1   **sentir (ie, i)**   to feel; regret, be sorry *80*

   lo **siento**   I am sorry

2   **sentirse (ie, i)**   to feel (like)   *80*

4   la **señal**   sign; signal

1   **señor**   sir, Mr.; **el señor**   gentleman

1   **señora**   madam, Mrs.; **la señora** lady

   Señoría: Su Señoría   Your Honor

1   **señorita**   Miss; **la señorita**   young lady, girl

1   **sepa**   *pres. subj. of* **saber**

1   **septiembre** (*m.*)   September

1   **ser**   to be   *69*

2   **es que**   the fact is that

4   **llegar a ser**   to become

   puede ser   it is possible

   ser de   to belong to

4   **ser lástima**   to be too bad, a pity

1   **sería**   *cond. tense of* **ser**

2   **serio, –a**   serious

1   **servir (i, i)**   to serve   *78*

   ¿en qué puedo servirle?   what can I do for you?

3   **no sirve**   it's no use, no good

3   **servir para**   to be good for

1   **sesenta**   sixty

4   **sexto, –a**   sixth

1   **si**   if

1   **sí**   yes; certainly (*often used only for emphasis*); himself

2   **creo (digo, espero) que sí**   I think (say, hope) so

   para sí   to himself

1   **siempre**   always

4   **siempre que**   whenever; provided that

1   **siendo**   *pres. part. of* **ser**

1   **siete**   seven

1   **siga**   go (*traffic*)

1   **sigo**   *1st pers. pres. of* **seguir**

2   el **siglo**   century

1   **siguiente**   following

3   **al día siguiente**   (on) the next day

1   **siguieron**   *3rd pers. pl. pret. of* **seguir**

2   la **silla**   chair

   simpático, –a   "nice," congenial

1   **sin**   without

1   **sin que**   unless, without (*followed by a subjv.*)

1   **sino**   (*after a neg.*) but; except

   el *or* la **sinvergüenza**   shameless one; (*excl.*) shame on you!

3   **siquiera: ni siquiera**   not even

   sírvase   please (*formal*)

1   **sobre**   over; above; on; upon

1   **sobre todo**   especially

   el **sobre**   envelope

2   el **sobrino**   nephew (*f.,* niece)

   el **socio**   member (*of a club*)

1   el **sol**   sun

   al sol   in the sunshine

   de sol   sunny

   hay (hace) sol   it is sunny

3   el **soldado**   soldier

2   **soler (ue)**   to be accustomed to, in the habit of (*used only in pres. and imperf.*)   *76*

1   **solo, –a**   alone

   solito, –a   all alone

1   **sólo**   only

2   la **sombra**   shadow, shade

   a la sombra   in the shade

2   el **sombrero**   hat

1   **somos**   we are (**ser**)

1   **son**   they are (**ser**)

   son las (nueve)   it is (nine) o'clock

2   **sonar (ue)**   to ring (jingle); sound *76*

2   **sonreír (i, i)**   to smile   *64*

3   la **sonrisa**   smile

4   la **sopa**   soup

3   **sordo, –a**   deaf

2   **sorprender(se)**   to surprise (be surprised) (*often used like* **gustar**)

1	**soy** *1st pers. pres. of* **ser**
1	**su** his, her, your, its, their
2	**suave** soft; smooth
	¡**suavecito**! take it easy!
1	**subir (a)** to climb up; get into, on; rise; bring (put) up
1	**suceder** to happen
3	el **suceso** event
	los **sucesos del día** current events
1	**sudamericano, –a** South American (*noun or adj.*)
4	la **suegra** mother-in-law
4	el **suegro** father-in-law
1	el **suelo** floor; ground
1	la **suerte** luck
	el **suéter** sweater
1	**sufrir** to suffer
1	**sup–** *pret. stem of* **saber**
3	**supuesto: por supuesto** of course
1	el **sur** south
	al sur de la frontera south of the border
	la **América del Sur** South America
	rumbo al sur en route to the south, southbound
	Susita Susie
1	**suyo** (of) his, hers, its, theirs, yours

T

1	**tal** such (a)
4	**con tal (de) que** provided that
	¿**qué tal?** how's everything
4	¿**qué tal le gusta(n) . . . ?** how do you like . . . ?
1	**tal vez** perhaps
1	**también** also, too
1	**tampoco** either, neither
	ni yo tampoco neither do (have) I
1	**tan** as
4	¡**qué (chiste) tan (divertido)**! what a (funny joke)!
1	**tan . . . como** as . . . as
1	**tanto, –a** so much, as much; (*pl.*) so many
3	**por lo tanto** therefore
4	**tanto . . . como** as much . . . as; (*pl.*) as many . . . as
	¡**tanto mejor**! so much the better!

1	**tarde** late
	más tarde later
1	la **tarde** afternoon
	de la tarde P.M., in the afternoon
4	**por la tarde** in the afternoon
4	la **tarjeta** card
4	la **taza** cup
1	**te** thee, you, to thee, to you; yourself, thyself
	el **té** tea
2	el **teatro** theater
4	el **teléfono** telephone
2	**temblar (ie)** to tremble 77
	el **temblor** earthquake
1	**temer** to fear, be afraid (*mentally*)
4	el **templo** temple
2	**temprano** early
1	**ten (tú)** *fam. com. of* **tener**
1	**tener** to have 70
4	**aquí (lo) tiene usted** here (it) is
3	¿**qué tiene (usted)?** what's the matter with (you)?
3	**tener (cinco) años** to be (five) years old
4	**tener calor** to be warm (*persons*)
	tener cuidado to be careful, look out
	no tener cuidado not to worry
4	**tener frío** to be cold (*persons*)
4	**tener ganas de** to feel like, be anxious to
	tener (pocas) ganas de not to feel (much) like
4	**tener hambre** (*f.*) to be hungry
	tener la costumbre de to be accustomed to
3	**tener la culpa** to be to blame
	no tengo la culpa it isn't my fault
	tener lugar to take place
3	**tener miedo (a)** to be afraid (of)
3	**tener miedo (de)** to be afraid (to)
4	**tener prisa** to be in a hurry
1	**tener que** to have to
2	**tener razón** to be right
	no tener razón to be wrong
4	**tener sed** to be thirsty
	tener vergüenza (de) to be ashamed (to), embarrassed

3 tercer(o), –a   third
     la tercera parte   one third
2 terminar (con)   to finish (up with)
3 el tesoro   treasure
1 ti   thee, you (*fam.*)
     tibio, –a   (luke)warm
1 el tiempo   time; weather
4   a tiempo   on time
     demasiado tiempo   too long
     hacer buen (mal) tiempo   to be
       good (bad) weather
     más tiempo   longer
2 la tienda   store
1 la tierra   land, country; earth
1 el tío   uncle
     típico, –a   typical
1 tirar   to throw
     tirar al aire   to throw into the air
4   tirar de   to pull
1 tocar   to play (*musical instrument*)
     82
1 todavía   still, yet
1 todo, –a   all, every, everything
1   sobre todo   especially
1   todo el día   all (the whole) day
2   todo el mundo   everyone
1   todos   everyone
1   todos los días   every day
1 tomar   to take; drink
     tomar la derecha   to turn to the
       right
   Tomás   Thomas
2 tonto, –a   foolish; "dumb"
2 el tonto   "dumbbell"; fool
   la tortilla   *cornmeal pancake of Mayas
     and Aztecs, still popular in Mexico
     and Central America*
1 trabajar   to work
1 el trabajo   work; job
     el trabajo manual   manual train-
       ing, woodshop
4 traducir   to translate   *87*
1 traduj–   *pret. stem of* traducir
1 traer   to bring   *72*
   el tragadieces   "juke box," coin-oper-
     ated phonograph
1 traj–   *pret. stem of* traer
2 (el) traje   dress; suit; clothes
     el traje de baño   bathing suit

   el transporte   transportation
4 el tranvía   streetcar
2 tras   after
1 tratar con   to deal with
1 tratar de   to try to; to be about
1 trece   thirteen
1 treinta   thirty
3 el tren   train
1 tres   three
1 trescientos, –as   three hundred
1 triste   sad
1 tu   thy, your (*fam.*)
1 tú   thou, you (*fam.*)
1 tuyo, –a   thy; (of) thine

U

3 u   or (*used before words beginning
     with* o *or* ho)
1 último, –a   last
1 único, –a   only
   unido, –a   united
2 unir(se)   to unite
1 un(o), –a   one, a, an
1 unos, –as   some
3   unos (–as) cuantos (–as)   a few
4 la uña   (finger *or* toe) nail
2 usar   to use
     se usan   are used
     usado, –a   used, second-hand
1 usted, ustedes   you
     Ud.   *abbr. of* usted
3 útil   useful

V

1 va   *3d pers. sing. pres. of* ir
4 la vaca   cow
3 vacío, –a   empty
1 val   *fam. com. of* valer
1 valer   to be worth   *73*
     (no) valer la pena (de)   (not) to
       be worth while (to)
     ¡válgame Dios!   Heaven help me!
3 valiente   brave
2 el valor   value
   el vals   waltz
4 el valle   valley
2 ¡vámonos!   let's go!
2 ¡vamos!   come, come!; come, now!
4 vano: en vano   in vain

1   **varios, –as**   several (*used before noun*)
1   **vaya**   *pres. subjv. of* **ir**
2   **¡vaya!**   go on!, come, now!
1   **Vd.**   *abbr. of* **usted**
1   **ve(te) (tú)**   *fam. com. of* **ir(se)**
2   el **vecino**   neighbor; (*adj.*) neighboring
1   **veinte**   twenty
4   la **vela**   candle
    la **velocidad**   speed
1   **ven (tú)**   *fam. com. of* **venir**
2   **vencer (venzo)**   to conquer   *88*
    el **vendedor, la vendedora**   vendor
2   **vender**   to sell
    se **vende**   is sold; for sale
        no se **vende**   not for sale
1   **venir**   to come   *74*
    (el año) que **viene**   next (year)
1   la **ventana**   window
1   **ver**   to see   *75*
2   a **ver**   let's see
    se **ve**   is seen, "you see"
1   el **verano**   summer
2   **veras: de veras**   really
1   la **verdad**   truth
3   **¿verdad?**   is that so?, etc.
1   **verdadero, –a**   true, real
2   **verde**   green
3   la **vergüenza**   shame, embarrassment
    tener vergüenza (de)   to be ashamed (to), embarrassed
1   **vestido, –a (de) (domingo)**   dressed (in) (Sunday best)
2   el **vestido**   dress, suit
1   **vestir(se) (i, i) (de)**   to dress (in), wear   *78*
1   la **vez**   time
2   a la **vez**   at the same time
3   algunas **veces**   sometimes
4   de **vez** en cuando   from time to time
1   en **vez** de   instead of
3   muchas **veces**   often
1   otra **vez**   again
    por (primera) **vez**   for the (first) time

1   **tal vez**   perhaps, maybe
1   una **vez**   once
3   **viajar**   to travel
1   el **viaje**   trip, journey
    feliz **viaje**   pleasant journey
3   el **viajero**   traveler
1   la **vida**   life
    mi **vida**   darling
    el **viejecito**   little old man
1   **viejo, –a**   old
1   el **viernes**   (on) Friday
1   **vin–**   *pret. stem of* **venir**
2   el **vino**   wine
2   la **visita**   visitor (*m. or f.*)
2   **visitar**   to visit
1   la **vista**   view
1   **visto, –a**   *p.p. of* **ver**
3   la **viuda**   widow
    viva(n)   hurrah for
1   **vivir**   to live
2   **vivo, –a**   alive, living
3   **volar (ue)**   to fly   *76*
1   **volver (ue)**   to return   *76, 89*
1   **volver a**   to (do) again
    volver a casa   to go home
    volver la cabeza   to turn one's head
2   **volverse**   to turn around
1   **voy**   *1st pers. sing. pres. of* **ir**
1   la **voz**   voice
3   en **voz** alta   aloud
1   **vuelto, –a**   *p.p. of* **volver**

Y

1   **y**   and
1   **ya**   already, now
3   **¡ya lo creo!**   I should say so!
1   **ya no**   no longer
    el **yanqui**   "Yankee", any North American
1   **yendo**   *pres. part. of* **ir**
1   **yo**   I
    yo no   not I (I didn't)

Z

3   el **zapato**   shoe

The author acknowledges with thanks her indebtedness to the many high-school teachers who, on the basis of classroom experience with previous editions of *El camino real*, contributed helpful suggestions for the Third Edition.

She is indebted for story material in Book Two to the Lozano Publications of Los Angeles and San Antonio; the *New York Herald Tribune* and its Forum Director, Miss Helen Hiett; Pan American World Airways; Mr. Harlow Poe Merrick, Santa Barbara, California; Francisco García, Tepic, Nayarit, Mexico; Ezequiel Villaseñor Barba, Santa Barbara, California.

The author and the publisher wish particularly to express their appreciation to Dr. S. N. Treviño, Army Language School, Presidio of Monterey, California, and to Dr. Marjorie C. Johnston, U.S. Office of Education, for their constant and ever helpful advice throughout the preparation of the book. They also wish to acknowledge their appreciation to the following for their reading and constructive criticism of the manuscript or proof or for advice on special problems: Dr. Herb J. Burrows, Tucson Senior High School, Tucson, Arizona; Brother Emil, C.F.X., Our Lady of Perpetual Help High School, Roxbury, Massachusetts; Dr. Laura B. Johnson, Wisconsin High School, University of Wisconsin; Carlos J. Montalbán, writer and director of radio, movie, and television programs in Spanish; Dr. George A. C. Scherer, University of Colorado; Dr. and Mrs. Milton L. Shane, George Peabody College for Teachers, Nashville, Tennessee; and Dr. Sarah Soto de Zajicek, Austin, Texas. Special thanks are also due Miss Delia Goetz, U.S. Office of Education, for the planning and writing of the four background essays in English, and Mrs. Beverly Roderick Gaylord and Mrs. Alice Moore Milton for the arrangement of songs.

To Shum, Ursula Koering, Gustave Nils Roubound, Thomas L. Jones, Charles Wilton, Andrew G. Hagstrom, and Aldren Watson, the artists who prepared the drawings and maps, the publisher and author express their sincere thanks.

Acknowledgment, not otherwise given, is made to the following for permission to reproduce pictures on the pages indicated: Rapho-Guillumette: 49, 51, 235; Shostal: half-title, copyright, 50; Charles Phelps Cushing: title, 348; Scott Seegers: 236; Silberstein: 237; Prado Museum, Madrid: 347; Liceo Experimental "Manuel de Salas," Santiago de Chile: 28, 33; Escuela Secundaria No. 18, Mexico: 36; H. Armstrong Roberts: 129; Estampa, España: 233 (permission to adapt); Black Star: 285 (top); Carlos Denegri: 285 (bottom); Foto-Semo, Mexico: 286; *Life* photographer George Skadding, © *Time, Inc.*, 288; *Hoy* magazine: 291; Earl Leaf-Kellick: 1, 343; Hispanic Society of America, New York: 346. Kodachrome for the cover is from Rapho-Guillumette.

Index